LE DICTIONNAIRE DU LANGAGE DE VOS DENTS

SIGNIFICATION PRÉCISE DES MAUX DE LA BOUCHE ET DES DENTS

ESTELLE VEREECK
Lauréate de la faculté de médecine de Nancy
Docteur en chirurgie dentaire

Éditions Luigi Castelli
Collection *Autonomie* **Santé**

Les termes « diagnostic psychodentaire® » et « décodage dentaire® » sont la propriété d'Estelle Vereeck.
Mail d'Estelle Vereeck : ev36@wanadoo.fr

2e tirage

ISSN 1768-1685
ISBN : 2-9521589-0-8

BP 504 - 13091 Aix en Provence Cedex 2
Tél (+33) 04 42 20 08 48
Fax (+33) 04 42 20 50 69
Mail : dv9@wanadoo.fr

AVERTISSEMENT

Le livre ne se substitue pas à un acte médical. Un diagnostic par un professionnel est essentiel. La prise de conscience des facteurs psychiques d'un problème ne remplace pas un soin. Hormis de rares lésions, les atteintes dentaires sont irréversibles.

La démarche proposée est d'aller chez le dentiste dans un esprit de réconciliation avec soi-même (sans lui demander d'aide psychologique, ce n'est pas son métier). Allier soin et prise de conscience donne à l'acte dentaire une autre dimension. Le soin est facilité, les récidives réduites ou éliminées. Si l'acte de soigner le physique est insuffisant, à l'inverse prétendre guérir par la seule prise de conscience est une erreur dont les conséquences sur les dents peuvent être graves.

Son incapacité à se régénérer seule fait de la dent un organe fragile, en dépit de sa dureté. En prendre soin demande une vision globale. Puisse le lecteur s'en convaincre et faire sien le dicton :

« il faut estimer une dent
mille fois plus qu'un diamant ».

ÉLÉMENTS POUR S'ORIENTER

Sa lecture, essentielle, révèle l'état d'esprit du dictionnaire et en apprend beaucoup sur les processus en jeu.

Informe sur les codes utilisés, les choix, les numéros des dents.

Permettent un accès rapide aux principales rubriques. Il est conseillé de photocopier le tableau page 13 et de s'en servir comme marque-pages (un marque-pages spécialement conçu est disponible gratuitement et sur simple demande à l'éditeur).

À consulter comme n'importe quel dictionnaire. Si vous n'avez pas le mot adéquat, les renvois vous permettront de le trouver.
La personne qui souhaite se faire une idée générale pourra se contenter dans un premier temps de lire les introductions des grands problèmes : abcès, carie, couronne, déchaussement, fracture, mâchoire, obturation (« plombage »), occlusion, orthodontie, grincer des dents, usure, etc. On peut également se servir des entrées rassemblées page 15.

Permet de trouver les rubriques à partir du langage courant, comme « dent qui fait mal », « dent qui bouge », etc.

Accéder à cette partie suppose d'avoir lu une rubrique qui y renvoie.

Sa consultation permet de se faire une idée du contenu et de découvrir des rubriques auxquelles on n'aurait peut-être pas pensé.

INTRODUCTION

Dans ce dictionnaire, vous allez découvrir comment les dents expriment nos manques ou nos difficultés dans un domaine particulier. De la banale carie à la spectaculaire « chique » qui déforme la joue, chaque atteinte témoigne avec précision de l'émotion qui nous habite, du conflit non résolu qui nous ronge ou du vécu qui demande à être exprimé.

Les dents sont les trente-deux lettres de l'alphabet personnel que l'inconscient utilise pour transmettre ses messages. Six de plus que notre véritable alphabet ! La variété des atteintes (fracture, usure, dent dévitalisée, etc.) est un langage d'une richesse dont la précision vous étonnera. Chaque dent est une facette de la personnalité, représente un domaine particulier de notre vie (affective, sociale, familiale, etc.). La dent touchée est une partie que nous refusons d'habiter. Pourquoi un tel rejet ?

La finalité d'une maladie est de soulager une souffrance psychique. Qu'il touche la dent, l'os qui la soutient ou la chair qui l'entoure, le mal tente à sa façon de vous aider. Confronté à la souffrance, le corps propose sa solution : détruire la dent afin d'éliminer la mémoire qu'elle porte. Au regard de l'inconscient, l'important est d'évacuer la charge psychique pour soulager la personne, quitte à générer une douleur physique. L'inconscient ne résout rien. Il sacrifie la dent pour préserver l'individu. Les caries, maladies parodontales et autres atteintes obéissent à cette logique. Une logique qu'il vaut mieux ne pas ignorer.

La dent, structure minéralisée, est constituée de cristaux. Le cristal fixe le vécu, le « cristallise ». Mémoriser est une propriété commune au système nerveux ct à l'organe dentaire. Rien d'étonnant, puisque dent et cerveau ont la même origine embryologique. Durant la période de formation de la dent, le germe dentaire enfoui dans l'os se comporte comme une cire vierge où s'imprime l'intériorité (ou vécu réel) de l'enfant. La période qui entoure la phase d'éruption de la dent est également propice à l'inscription de vécus négatifs. Tout au long de la vie, les cristaux dentaires continuent d'enregistrer les perturbations psychiques qu'ils reçoivent.

Les acides produits par les bactéries à partir des sucres de l'alimentation dissolvent le cristal dentaire. En libérant les souffrances figées dans la dent, ils délivrent l'individu d'un poison psychique. La carie est le court-circuit spontané qui détruit les cristaux porteurs de souffrance.

Contrairement aux idées reçues, la dissolution de la dent au contact des acides issus des sucres n'est pas automatique. Manger sucré ne génère pas nécessairement des caries. La dent est un organe qui vit et respire à sa manière ; à l'état physiologique (dent saine), elle est parcourue par un flux qui va du centre (ou nerf) vers la périphérie. Ce *flux dentinaire* la reminéralise et la protège en permanence. Une dent saine est imperméable aux acides. L'immunité contre les caries est naturelle. Des expériences scientifiques ont démontré qu'un stress prolongé annule et même inverse le flux. La dent devient alors perméable aux acides, une carie se forme. L'élément déterminant dans la genèse d'une lésion dentaire n'est pas l'alimentation mais le niveau de stress ou de souffrance psychique de la personne.

Ce n'est pas la carie qui choisit la dent mais la dent qui choisit la carie. Les bactéries sont des agents nettoyeurs au service de l'inconscient. Simples exécutantes et non causes de la carie, elles soulagent un système qui n'en peut plus de souffrances accumulées. Par leurs acides, les bactéries opèrent à leur façon la transformation ou digestion d'un vécu douloureux que la personne n'a pas faite et libèrent le corps d'une charge intolérable. Les bactéries nettoyeuses ont pour finalité de soulager la personne, même si le prix à payer est une rage de dent, par exemple. Dans le cas de l'abcès, le processus est analogue. La surinfection bactérienne permet d'évacuer le trop-plein enkysté. De même, la modification de la flore bactérienne au niveau de l'os et de la gencive conduit à l'élimination de la dent par le déchaussement. Carie, abcès ou autre, toute lésion présente deux phases. Dans la phase d'accumulation, la dent semble saine mais la charge négative augmente peu à peu. Le seuil de saturation atteint, la mémoire de l'ordinateur dentaire explose, vient alors la phase de libération. La carie apparaît, l'abcès jusque-là silencieux se réveille, etc.

La phase d'accumulation peut durer des années ou une vie entière. Quant à la phase de libération, elle survient parfois au moment où la personne pensait avoir résolu le problème, après un travail sur soi par exemple. La dent montre la résistance profonde de la personne qui s'est approchée d'une souffrance sans pouvoir la reconnaître. Le fait est là : une partie d'elle-même refuse de creuser plus loin. La carie le fait à sa place et achève le travail de libération.

Le processus de guérison ne peut se limiter à l'indispensable élimination des bactéries (antibiotiques, nettoyage de l'infection). Le travail de fond qui devrait accompagner tout soin dentaire est la transformation et la libération du vécu négatif accumulé dans la dent. Si la guérison profonde n'est pas faite, le processus carieux ou infectieux reprend. C'est la traditionnelle récidive de carie, souvent imputée au travail incomplet du praticien qui n'a pas tout nettoyé. Mais la cause première est un travail de nettoyage intérieur non accompli par le patient lui-même.

L'acide produit par les bactéries joue le rôle d'un révélateur photographique. Par réaction chimique, il fait apparaître la cartographie de l'inconscient. Il dessine la réalité de notre paysage dentaire avec ses zones résistantes et ses zones fragiles. Outre révéler les failles et les manques, le langage des atteintes des dents et de la bouche oriente vers la guérison. La lésion indique avec précision le type de travail à accomplir, dans quel domaine et par rapport à qui. Par exemple, un abcès sur l'incisive latérale supérieure gauche indique une colère ancienne liée à l'impossibilité de communiquer avec le père. Le travail consiste à vider son sac en exprimant ce qu'on n'avait jamais osé dire, puis à pardonner. Le déchaussement traduit une capitulation, l'aphte une ulcération, une fracture exprime le sentiment d'être brisé, etc.

Le dictionnaire est un outil de lecture fiable et précis de la signification des maux de la bouche et des dents : il est une pierre fondatrice dans un domaine jusqu'à présent quasi désert. Il propose des clés, point de départ du chemin personnel. Sa consultation aide à découvrir le vécu associé au problème et à le verbaliser. L'ouvrage invite chacun à se dire sa vérité profonde afin de se soigner en pleine conscience, base de toute guérison.

Note : émanations directes de l'inconscient, les dents expriment la vérité du corps, qui peut différer de celle qu'on imagine. Avant de conclure, il est bon de laisser le temps à l'information de suivre son chemin. Une vérité difficile à entendre semble parfois une évidence quelques jours plus tard. L'un de vos amis ne s'est-il jamais « braqué » lors d'une attaque de front avant de tomber d'accord avec vous par la suite ?

PRÉSENTATION DU DICTIONNAIRE

PUBLIC CONCERNÉ

L'ouvrage est conçu pour que chacun trouve une réponse à ses questions. Il s'adresse au public le plus large comme au professionnel de santé le plus spécialisé.

LANGAGE USUEL, LANGAGE TECHNIQUE

Les mots techniques sont remplacés par un terme simple pour les problèmes courants mais conservés pour les lésions que seul le professionnel peut diagnostiquer. Par exemple, « déchaussement » remplace « poche parodontale », « grincer des dents » remplace « bruxisme », mais « carie du cingulum » est conservé. Chaque fois que possible, les termes « bas » et « haut » remplacent « inférieur » et « supérieur », « avant » et « arrière » remplacent « antérieur » et « postérieur ».

ALPHABET, RENVOIS ET SECTIONS

La multiplication des entrées permet de trouver rapidement une atteinte. Par exemple, l'extraction d'une dent de sagesse, traitée à la rubrique Sagesse – extraction, est référencée également à Extraction. Chaque rubrique propose des renvois :

« → ***lire*** » invite à consulter sans tarder le renvoi,

« → ***voir*** » ne comporte pas de caractère prioritaire,

« → ***lire*** *selon le cas* » invite à lire le cas qui vous concerne,

« *autres détails* » permet d'approfondir un sujet.

« ➤ **Dent qui vous concerne page…** *Numéro de la dent et rôle parental page 13* » renvoie à la partie « Dent par dent » du dictionnaire, en fin d'ouvrage (à partir de la page 257). Consulter cette partie suppose de connaître le numéro de la dent ou de l'avoir relevé dans le tableau de référence page 13.

LES NUMÉROS DES DENTS

Les dentistes utilisent une numérotation officielle et internationale. À l'usage, elle s'avère pratique au non-professionnel. En cas de lésions multiples, il est plus simple de retenir « problème à la [35] » plutôt qu'à la seconde prémolaire inférieure gauche. Le tableau page 13 donne la correspondance noms-numéros. Pour trouver vous-même le numéro d'une dent, placez votre ongle entre les deux incisives centrales du haut (ou du bas). Comptez vers l'arrière, y compris les dents manquantes, jusqu'à la dent qui pose problème. Faites précéder le chiffre obtenu (1 à 8) du numéro du cadran (ou hémimâchoire) où se trouve la dent (1 à 4). Cadran 1 : haut, à votre droite. 2 : haut, à votre gauche. 3 : bas, à votre gauche. 4 : bas, à votre droite. Par exemple, la cinquième dent à partir du point central, située en bas à droite, est la [45].

COMMENT MÉMORISER LES NUMÉROS DES CADRANS

Avec un peu de pratique, vous trouverez facilement le numéro de n'importe quelle dent en mémorisant l'ordre des cadrans. Pour vous en souvenir, utilisez un procédé d'apprentissage qui a fait ses preuves. Fermez les yeux puis regardez intérieurement dans la partie supérieure droite de votre bouche et répétez « un » plusieurs fois. Faites un effort de visualisation pour associer le chiffre 1 avec cette région de votre bouche. Ensuite, déplacez-vous mentalement dans la partie supérieure gauche et associez-y le chiffre 2. Procédez de même avec 3 et 4. Prenez cinq minutes : vous connaissez définitivement les numéros des cadrans !

LE NOM SYMBOLIQUE DES DENTS

À l'image de la tradition pour les dents de sagesse, l'auteur attribue à chaque dent un nom symbolique : dent du rayonnement, de papa/maman, etc. On le notera avec profit car il caractérise le problème : une lésion à l'incisive latérale supérieure (dent de la communication) traduit un problème lié à la communication ; une lésion à la [44] ou dent de la métamorphose, des difficultés liées aux transformations du corps, etc. Lorsqu'une dent pose problème en raison d'atteintes multiples ou sérieuses, il est intéressant de se souvenir de son nom symbolique.

TABLEAU DE RÉFÉRENCE

*Informations sur noms symboliques et numéros → **lire** présentation de l'ouvrage ■ numéros des dents : le premier chiffre correspond au numéro du cadran (voir tableau en bas de page), le deuxième numéro indique la place de la dent sur l'arcade : 1 = dent de devant, 8 = dernière dent au fond de la bouche.*

NOM USUEL			D G	NOM SYMBOLIQUE
INCISIVE	CENTRALE	**SUPÉRIEURE**	[11 - 21]	dent du RAYONNEMENT
	LATÉRALE		[12 - 22]	dent de la COMMUNICATION
CANINE			[13 - 23]	dent de la VOLONTÉ
PRÉMOLAIRE	PREMIÈRE		[14 - 24]	dent de l'AUDACE
	SECONDE		[15 - 25]	dent du DISCERNEMENT
MOLAIRE	PREMIÈRE		[16 - 26]	dent de PÈRE/MÈRE
	SECONDE		[17 - 27]	dent de LA TRANSGRESSION
SAGESSE			[18 - 28]	dent de SAGESSE
INCISIVE	CENTRALE	**INFÉRIEURE**	[41 - 31]	dent du COMMENCEMENT
	LATÉRALE		[42 - 32]	dent de la RELATION
CANINE			[43 - 33]	dent des ORIGINES
PRÉMOLAIRE	PREMIÈRE		[44 - 34]	dent de la MÉTAMORPHOSE
	SECONDE		[45 - 35]	dent de L'AFFIRMATION
MOLAIRE	PREMIÈRE		[46 - 36]	dent de PAPA/MAMAN
	SECONDE		[47 - 37]	dent de L'UNION
SAGESSE			[48 - 38]	dent de SAGESSE

CADRAN ou côté de la mâchoire (1, 2, 3 ou 4)

HAUT	DROIT	cadran 1	MÈRE ÉDUCATRICE
	GAUCHE	cadran 2	PÈRE ÉDUCATEUR
BAS	GAUCHE	cadran 3	MAMAN NOURRICIÈRE
	DROIT	cadran 4	PAPA NOURRICIER

RÔLES PARENTAUX

Le côté de la mâchoire où se trouve la dent touchée indique par rapport à quel rôle parental le problème est vécu. Le rôle de parent nourricier, papa ou maman, est différent et complémentaire du rôle de parent éducateur, père ou mère. L'homme est à la fois papa consolateur et père guide. La femme est à la fois maman consolatrice et mère guide. Le problème peut être lié au parent lui-même ou à une personne qui le rappelle : un homme, papa ou père ; une femme, maman ou mère.

*Détails sur cadran, parent nourricier ou éducateur → **lire** Cadran page 49.*

SCHÉMA D'UNE DENT ET RENVOIS

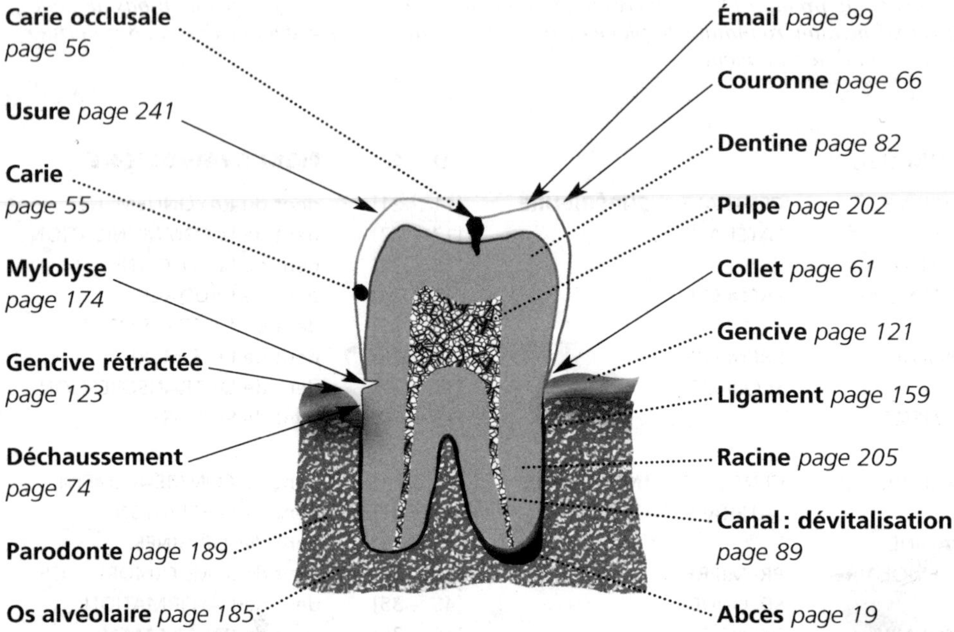

Quelques rubriques utiles...

SCHÉMA DE RÉFÉRENCE DES ARCADES

Schéma des dentures adulte et de lait vues comme si la bouche était grande ouverte, avec correspondance entre le numéro de la dent adulte et le nom symbolique. Les numéros des dents de lait (arcades à l'intérieur) ne sont pas ceux de la sécurité sociale, peu utilisés, mais de simples renvois de 1 à 5.

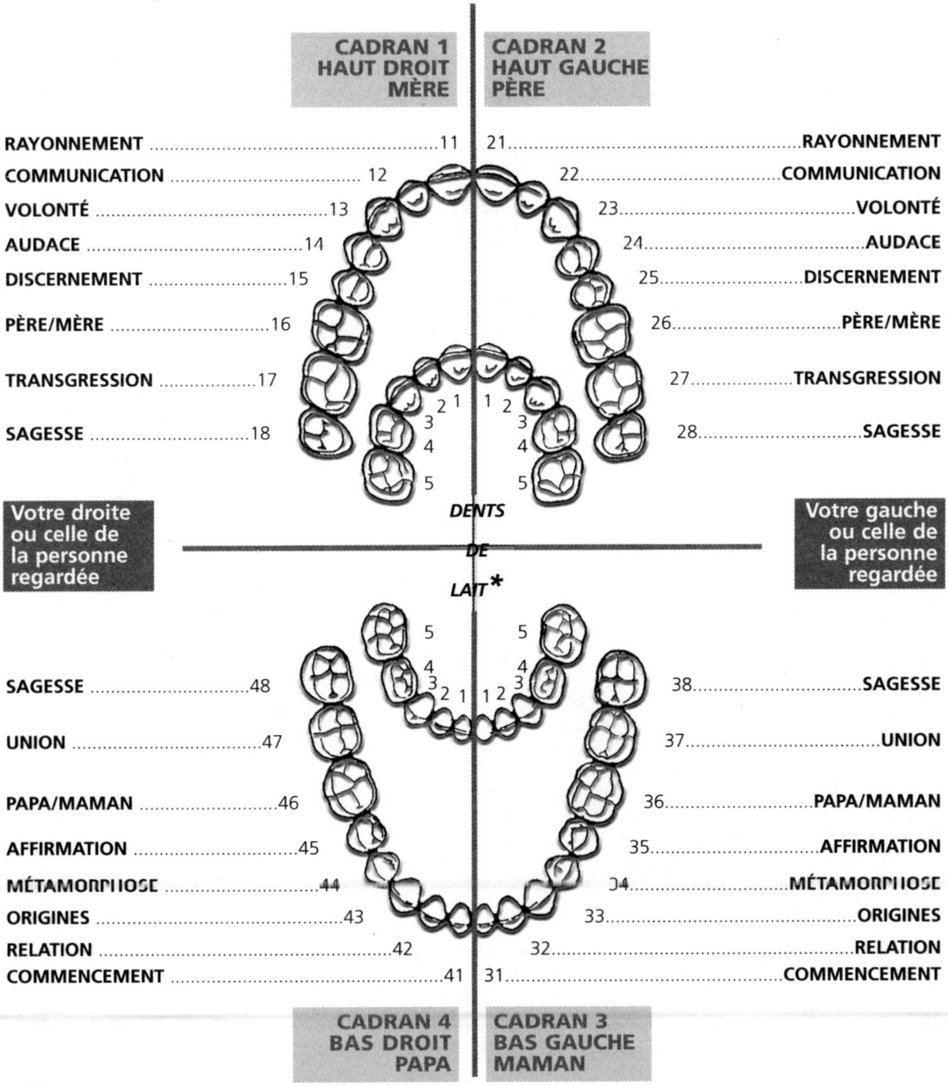

***DENTS DE LAIT (au centre)**

1. Incisive centrale 2. Incisive latérale 3. Canine 4. Première molaire 5. Seconde molaire
Note : les informations données dans le dictionnaire à propos des dents adultes ne sont en général pas valables pour les dents de lait. Pour toute information sur les dents de lait, consulter en priorité les sections Lait – dents page 147 et Lait – problèmes page 149.

ABCÈS...

*Dent de lait → **lire** Lait – abcès ■ parodontal → **lire** Gencive – abcès parodontal ■ péricoronaire → **lire** Accident d'éruption de la dent de sagesse ■ sur dent incluse → **lire** Kyste folliculaire.*

ABCÈS DE LA RACINE

[dent de lait : lire Lait – abcès]

ou ABCÈS APICAL

***Méd.** L'abcès, selon le cas granulome ou kyste, se développe à l'extrémité d'une racine : la lésion est dite apicale. Elle peut se former sur une dent nécrosée ou sur une dent dévitalisée par le dentiste. L'abcès évolue en deux phases : phase de sommeil, phase de réveil.*

L'abcès témoigne d'un problème ancien et profond, totalement inconscient. La personne refoule ses émotions pour ne pas les voir, ravale depuis longtemps sa colère, son chagrin, son ressentiment sans parvenir à l'exprimer ou s'en donner le droit. Elle a une dent contre quelqu'un. Elle garde en elle le souvenir d'un événement ou d'une personne dont elle ne peut faire le deuil parce qu'il est trop douloureux. Les racines de l'être sont touchées, en rapport avec le passé ou l'enfance. La colère et le ressentiment qui ne peuvent s'exprimer sont refoulés et stockés. Dent du bas : la personne réprime ses pulsions ou ses émotions ; dent du haut : elle remâche ses sentiments, ressasse ses pensées négatives

*Le corps est précis à tel point que dans le cas de dents pluriradiculées, une seule racine est touchée. Faire préciser laquelle au dentiste → **lire** selon le cas Kyste ■ abcès causé par manque ou excès de pâte d'obturation → **lire** Pâte d'obturation.*

■ PHASE DE SOMMEIL

***Méd.** Phase d'accumulation : la lésion (granulome, puis kyste) se forme sur plusieurs années, sans symptôme. Elle passe inaperçue à moins qu'une radiographie ne la révèle.*

La personne refuse de voir le problème. Elle met de côté ses émotions négatives. L'abcès joue le rôle de soupape de sécurité. Le trop-plein émotionnel s'accumule dans l'inconscient. Au fil du temps (plusieurs années), la masse émotionnelle pèse de plus en plus lourd, la lésion grossit. À ce stade, l'abcès ne peut être détecté que « par hasard » à la suite d'une radio. La personne est alors mise face à elle-même. Elle a l'opportunité de régler le problème par la prise de conscience, avant que le réveil de l'abcès ne la mette au pied du mur.

➤ **Dent qui vous concerne page 260.** *Numéro de la dent et rôle parental page 13.*

■ **PHASE DE RÉVEIL**

Méd. *L'abcès se surinfecte. Le réveil inflammatoire de la lésion cause des douleurs, avec souvent gonflement de la joue ou de la lèvre (chique), voire fistule (voie de drainage du pus).*

Le point de rupture est atteint. Le corps ne peut plus contenir ni toxines physiques ni poison psychique. La personne ne parvient plus à ravaler ses émotions, colère, chagrin, etc. Le corps tente d'éliminer les émotions négatives qui l'accablent. La personne ne peut plus différer davantage le travail de nettoyage émotionnel qui s'impose. Il est temps de « crever l'abcès » par la prise de conscience et d'exprimer le trop-plein qui stagne dans l'inconscient.

➤ **Dent qui vous concerne page 260.** *Numéro de la dent et rôle parental page 13.*

■ **RÉSECTION APICALE ou EXTRACTION**

Méd. *Intervention chirurgicale : extraction de la dent ou encore résection apicale.*

L'intervention ne règle pas le problème. L'os conserve la mémoire de la charge émotionnelle refoulée. Se contenter d'extraire sans comprendre c'est enterrer le problème plus profondément et courir le risque d'un déplacement de symptômes. De plus, sans prise de conscience, une tentative de restauration prothétique, bridge ou implant, se solde par un échec à plus ou moins long terme. En parallèle avec le traitement dentaire, la guérison passe par un travail de libération des émotions négatives enfouies.

→ ***lire*** *selon les cas et les complications éventuelles Dévitalisation, Extraction, Joue enflée, Ostéite, Pâte d'obturation, Racine coudée, Trismus.*

ABLATION DE LA PULPE

Pulpectomie → ***lire*** *Dévitalisation* ■ *pulpotomie* → ***lire*** *Lait – dévitalisation.*

ABRASIF, ABRASION

Abrasion → ***lire*** *Usure* ■ *dentifrice abrasif* → ***lire*** *Brossage.*

ABSENCE D'UNE DENT, de TOUTES ou de PLUSIEURS

Absence congénitale d'une dent → ***lire*** *Agénésie* ■ *absence suite à extraction ou perte* → ***lire*** *Manquante – dent* ■ *absence congénitale de plusieurs dents* → ***lire*** *Anodontie* ■ *absence suite à extraction ou perte* → ***lire*** *Édentation.*

ACIDITÉ DE LA SALIVE

→ ***lire*** *Électricité, Muguet, Salive.*

ACCIDENT ou CHOC

→ ***lire*** *Fracture, Luxation, Dilacération corono-radiculaire, Ingression ou intrusion due à un choc.*

ACCIDENT D'ÉRUPTION D'UNE DENT DE LAIT

→ ***lire** Poussée dentaire difficile.*

ACCIDENT D'ÉRUPTION DE LA DENT DE SAGESSE

ABCÈS PÉRICORONAIRE ou GRANULOME MARGINAL POSTÉRIEUR

***Méd.** Infection de l'os en arrière de la couronne de la dent de sagesse. L'éruption s'accompagne d'inflammation de la gencive, parfois d'œdème (gonflement de la joue) et de limitation de l'ouverture de la bouche (trismus).*

La personne éprouve de la colère face à son incapacité à prendre son autonomie. Elle résiste à l'impulsion qui la pousse à quitter ses parents ou à se séparer d'un partenaire ou d'un système dont elle dépend pour ne compter que sur elle-même. Elle tente inconsciemment de se libérer. En rage, elle se débat, impuissante à s'extraire du cocon.

→ ***lire** Syndrome Tanguy* ■ → ***lire** selon le cas Joue enflée, Trismus* ■ *si la dent doit être extraite* → ***lire** Sagesse – extraction* ■ → ***voir** aussi Dents de sagesse.*

■ MÂCHOIRE DU BAS

Attachement au parent nourricier ou à une personne qui le rappelle inconsciemment. La personne est bloquée entre deux mondes. Elle ne parvient pas à se dégager d'une situation qui l'aliène et l'étouffe (dépendance parentale ou conjugale) mais représente une alternative rassurante à sa peur de la solitude. Elle ne peut accoucher d'elle-même, elle ne se décide pas à prendre sa liberté. Sa dimension d'adulte autonome reste étouffée. Elle ne parvient pas à quitter concrètement ses parents (syndrome Tanguy), à couper un lien affectif. Difficulté d'éruption à droite : attachement au papa ; à gauche : à la maman.

■ MÂCHOIRE DU HAUT

La personne n'a pas assez confiance en elle pour manifester ses valeurs, ne se référer qu'à elle-même, exprimer son originalité. Elle peine à se dégager de l'influence du ou des parents, à être autonome en pensée. Difficulté d'éruption à droite : problèmes pour se dégager de l'influence de la mère ; à gauche : du père.

ACIDE

■ ACIDITÉ

Goût acide dans la bouche → ***lire** Bouche – Goût désagréable* ■ *hypersensibilité à l'acide* → ***lire** Hypersensibilité non due à carie* ■ *salive acide* → ***lire** Salive acide* ■ *effet des aliments acides, des reflux gastriques ou des vomissements répétés*→ ***lire** Érosion* ■ *acidité produite par les bactéries* → ***lire** Carie* ■ *tendance à l'acidité* → ***lire** Salive acide.*

■ ATTIRANCE POUR LE GOÛT ACIDE

Besoin inconscient de combler un manque d'action, de compenser une inactivité forcée, voire choisie. La personne brûle de se dépenser sans compter, avide d'aventure et de sensations extrêmes.

→ ***lire** Bouche – goût désagréable.*

ACIER *COURONNE*

→ ***lire** Prothèse.*

ACROMÉGALIE

Méd. L'acromégalie dans son sens général dépasse le cadre de l'ouvrage. Les indications sont données par rapport à la mâchoire inférieure que touche la maladie.

La personne a besoin de mettre ses instincts en avant. Elle vit un stress ou une attaque morale qui l'incite à mobiliser ses forces physiques pour faire face et combattre l'adversaire ou l'adversité.

→ ***lire*** *Mâchoire du bas.*

AFFAISSEMENT DES MÂCHOIRES

Méd. Perte de la dimension verticale d'occlusion suite à : perte des dents extraites et non remplacées, usure d'une prothèse ou des dents, déchaussement.

La personne a perdu sa dignité. Elle fléchit sous le poids de l'existence, s'écrase devant autrui ou s'incline devant l'adversité. Usée, vieillie, elle porte le poids des ans, des regrets ou des épreuves sur ses épaules. Elle renonce à être maître de sa vie.

■ DÉCHAUSSEMENT
La personne a baissé peu à peu les bras jusqu'à la capitulation.

■ DENTS QUI AVANCENT
La personne se prête à des compromis, s'abaisse pour plaire à autrui.

■ DENTS QUI RENTRENT
La personne se replie sur elle-même, s'effondre moralement.

■ ÉDENTATION
La personne perd tous ses appuis, elle se sent vide et vidée de sa substance, dépourvue de ressources.

■ USURE
La personne s'est battue contre elle-même jusqu'à se détruire complètement.

→ ***lire*** *selon le cas Déchaussement, Édentation, Extraction, Usure.*

AFFIRMATION – DENT DE

→ ***lire*** *Seconde prémolaire inférieure.*

AGÉNÉSIE

Méd. Dent qui n'existe pas. Le germe ne s'est pas formé au stade embryonnaire. La dent ne poussera jamais.

■ DENT DE LAIT UNIQUEMENT
L'enfant reflète une problématique du parent : croyance de manquer d'une qualité, de ne pas avoir le droit d'exprimer une partie de soi. L'anomalie ne concerne pas l'enfant. Il l'évacue au moment de la perte des dents de lait. Agénésie en haut : problématique du père ; en bas : de la mère.

■ DENT PERMANENTE

Méd. L'agénésie fait suite ou non à celle de la dent de lait.

L'anomalie reflète des croyances profondes voire ancestrales. La facette de la personnalité correspondant à la dent n'est pas matérialisée. L'individu ne sait pas manifester spontanément la qualité ou capacité correspondante. Dans son vécu prénatal, l'enfant a enregistré, ou reçu du ou des parents, la croyance qu'il est interdit d'exprimer une facette de soi. Renoncer à manifester une capacité est le sacrifice à faire pour rester en vie. Attachement viscéral à la mère, nostalgie pour la vie prénatale, la personne a laissé une partie d'elle-même sur d'autres plans, en fusion avec la mère. Une fois effectuée la prise de conscience, le manque offre l'opportunité de construire par soi-même la qualité que représente la dent, libre de toute influence ou conditionnement parental, à l'aide d'une psychothérapie ou d'un travail personnel, ou bien d'utiliser la qualité à un niveau plus subtil ou intuitif.

➤ **Dent qui vous concerne page 265.** *Numéro de la dent et rôle parental page 13.*

• ***agénésie de dent de sagesse*** → ***lire*** *Sagesse – agénésie*

• ***avec dent de lait normalement formée:*** la croyance ne concerne que la personnalité adulte. L'individu croit qu'il doit renoncer à exprimer une qualité seulement quand il grandit.

• ***côté de la mâchoire:*** le côté où se trouve la dent manquante, de lait ou adulte, indique de quel parent vient la croyance. Quant aux absences symétriques à droite et à gauche, elles révèlent une croyance plus profondément ancrée ; agénésie bilatérale à la mâchoire du haut : croyance héritée du père ; à la mâchoire du bas : croyance héritée de la mère.

→ ***lire*** *Cadran ou page 13.*

■ **DEVENIR DE L'ESPACE LAISSÉ PAR L'ABSENCE DE DENT**

Méd. *L'espace laissé vide par la dent inexistante est occupé par la dent située juste en arrière sur l'arcade ou reste partiellement libre.*

• ***espace comblé:*** la personne remplace la qualité qui lui manque par une autre, elle compense en quelque sorte son handicap.

→ ***lire*** *Déplacement de compensation.*

• ***espace vide:*** l'individu ne sait pas comment se comporter dans un domaine donné. Il est influençable et hésitant, il n'a pas de références dans le domaine qui correspond à la dent absente. Il est porteur d'un vide que rien ni personne ne peut combler, si ce n'est lui-même par l'intuition.

ALIMENT COINCÉ ENTRE LES DENTS

→ ***lire*** *Bourrage alimentaire.*

ALLERGIE

■ **À L'ANESTHÉSIE**

Peur de mourir, de s'abandonner, de perdre le contrôle.

■ **À LA RÉSINE** → ***lire*** *Dentier.*

■ **AU MÉTAL**

Confrontée à une séparation trop brutale avec la maman, la personne ne supporte pas la dureté et la froideur du monde. L'idée de trancher un lien affectif lui est intolérable. Elle rejette avec violence toute perspective de coupure ou de séparation. La solitude lui est insupportable.

■ **AUX SOINS (allergie aux)**

→ ***lire*** *Dentiste – phobie.*

ALVÉOLECTOMIE

→ ***lire*** *Extraction difficile.*

ALVÉOLITE SÈCHE

Méd. *Inflammation de l'alvéole osseuse suite à l'extraction d'une dent. Le caillot sanguin ne se forme pas. La gencive se referme lentement, la cicatrisation est douloureuse et difficile.*

La blessure intérieure, liée à la perte de la facette de soi que représente la dent, ne se referme pas. La personne garde enfouie sa colère et coupe court à toute émotion. Elle ne s'autorise pas à exprimer la souffrance liée à une perte radicale ou à une transformation irrémédiable : deuil d'une personne, d'une situation ou d'une partie d'elle-même. Elle a besoin de pleurer afin de « faire son deuil ».

→ ***lire*** *Extraction, Extraction difficile et dent concernée : Canine, Incisive, etc.* ■ → ***lire*** *selon le cas Joue enflée, Ostéite, Trismus.*

ALVÉOLITE SUPPURÉE

Méd. *Suppuration de l'alvéole osseuse suite à l'extraction d'une dent. La gencive se referme lentement, la cicatrisation est douloureuse et difficile.*

Une accumulation d'émotions négatives empêche la plaie intérieure de se refermer. Colère, non-dits, rancœur ressassés que la personne n'exprime pas rendent impossible le deuil de la facette de soi que la dent représente. La personne croupit dans ses sentiments négatifs, sans pouvoir en sortir ni tourner la page. Elle s'empoisonne la vie avec des remords ou des regrets stériles, elle se torture inutilement par de vains reproches.

→ ***lire*** *Extraction, Extraction difficile et la dent concernée : Canine, Incisive, etc.* ■ → ***lire*** *selon le cas Joue enflée, Ostéite, Trismus.*

ALVÉOLYSE

→ ***lire*** *Déchaussement.*

AMALGAME DENTAIRE

→ ***voir*** *Électricité, Plombage, Prothèse.*

AMÉLOGENÈSE IMPARFAITE

Méd. *Atteinte congénitale de la formation de l'émail probablement héréditaire qui affecte dents de lait et/ou dents permanentes. L'émail, d'épaisseur normale mais mou, se sépare spontanément de la dentine qui apparaît sous forme de plaques brunâtres. Une variante de l'anomalie est un émail mince et rugueux, présentant des plissures, dépressions et autres altérations d'aspect.*

Il est donné à la personne de prendre conscience de croyances profondes voire ancestrales qui touchent au refus de grandir et de briller. La personne croit devoir se faire petite pour qu'on ne la voie pas. « Je dois rester dans l'ombre, il n'y a pas de place pour moi en ce monde » est le message inconscient. Elle refuse d'être en vue et d'occuper pleinement sa place à cause d'une profonde autodévalorisation : « je suis laide, impure, je n'ai aucune qualité, etc. ». Convaincue de son imperfection, la personne se limite dans tous les domaines de sa vie : « je ne suis pas assez douée, intelligente, belle, etc. ». Elle se replie sur elle-même. Elle n'a pas confiance dans sa puissance intérieure pour se protéger. D'une sensibilité exacerbée, elle se laisse facilement atteindre (susceptibilité). Désarmée, elle manque de protection face aux attaques ou aux critiques. L'affection traduit un problème grave avec la mère durant la gestation, voire au moment de la conception. La personne a fait sienne la croyance que sa mère ne voulait pas d'elle, qu'elle n'avait pas le droit de se développer et de prendre sa place dans le ventre maternel. Elle est convaincue d'être indigne d'intérêt, de devoir prendre le moins de place possible pour survivre.

ANACHORÈSE

Méd. *Surinfection d'une dent après un soin, causée par la présence de bactéries dans le sang provenant d'un autre organe infecté du corps.*

La personne s'auto-empoisonne. Elle se retient d'exprimer sa colère ou des sentiments négatifs. Elle dénie ou refoule sa souffrance. Elle ne s'autorise à la montrer que si d'autres en endossent la responsabilité. La dent joue le rôle de soupape d'évacuation pour une charge négative logée ailleurs dans le corps. Enfouie dans un organe, elle exprime un problème plus général à interpréter en fonction de l'organe atteint (foie, rein, etc.). Toutefois la dent infectée donne des précisions utiles. Elle montre à quelle facette ou domaine de la personnalité le problème est lié. Le cadran où elle est placée indique contre quel parent la colère est dirigée.

→ ***Aperçu*** *du domaine représenté par la dent : nom symbolique page 13* ■ → ***lire*** *Abcès – phase de réveil.*

ANESTHÉSIE

Méd. *Qu'elle soit effectuée à l'hôpital ou dans le cadre banalisé d'un cabinet dentaire, l'anesthésie reste un acte loin d'être anodin.*

■ ALLERGIE

La personne a peur de mourir, de s'abandonner, de perdre le contrôle.

■ GÉNÉRALE

Recourir à l'anesthésie générale paraît disproportionné pour un problème dentaire, extractions multiples, de dents de sagesse ou soins. Un tel recours, qu'il soit le fait de personnes phobiques de la roulette et du dentiste ou de personnes qui veulent traiter l'affaire une fois pour toutes revient au même : se faire endormir complètement est un moyen de se débarrasser du problème. Il est dommage de banaliser l'anesthésie générale, qui devrait être réservée aux opérations délicates, et passer ainsi à côté de l'acte important que représente l'extraction des dents. Se faire anesthésier entièrement pour ne rien sentir ni voir est une manière d'anesthésier également sa conscience, de fermer les yeux sur le problème en laissant à d'autres, l'équipe chirurgicale, le soin de s'en charger. Toutefois, si une anesthésie doit être pratiquée, l'envisager comme un passage, une mort suivie d'une renaissance, donne à l'acte sa pleine dimension symbolique.

→ ***voir*** *Chirurgie.*

Dents de sagesse: recourir à l'anesthésie générale pour l'extraction des dents de sagesse afin de « tout faire enlever en une fois » est une manière expéditive de régler la question, ou de croire le faire. Les suites opératoires importantes, œdèmes, douleurs, trismus et impossibilité de s'alimenter pendant plusieurs jours révèlent la violence que la personne s'est infligée.

*→ **lire** Sagesse – extraction.*

■ LOCALE

*Anesthésie difficile ou impossible → **lire** Anesthésie – résistance à (ci-dessous) ■ hypersensibilité aux soins → **lire** selon le cas Dévitalisation qui ne prend pas ■ anesthésie locale qui entraîne une nécrose osseuse → **lire** Nécrose osseuse suite à anesthésie.*

■ LOCO-RÉGIONALE

__Méd.__ L'anesthésie dite tronculaire est employée pour les interventions sur les molaires (extraction de dents de sagesse en particulier). Anesthésie puissante qui coupe toute sensibilité au niveau de la mâchoire du bas, c'est un peu la péridurale de la bouche. Elle permet d'intervenir sur les dents de sagesse tout en laissant la personne consciente.

Avant d'accepter une telle anesthésie, on se posera la question de son utilité. Cherche-t-on à éviter une anesthésie générale, désir louable, ou souhaite-t-on renforcer l'anesthésie locale par peur ou par désir d'enterrer la souffrance comme la conscience de l'acte ?

*→ **voir** Hypersensibilité aux soins ■ → **lire** selon le cas Dévitalisation qui ne prend pas.*

■ PERMANENTE

*→ **lire** Sagesse – extraction (suites ou complications sévères).*

■ RÉSISTANCE À

__Méd.__ L'anesthésie de certaines personnes nécessite des doses d'anesthésique élevées, certaines « résistent » même à l'anesthésie.

Une charge émotionnelle forte fait barrage. La personne refuse inconsciemment le soin, refuse qu'on mette le doigt sur une souffrance qu'elle n'est prête ni à voir ni à traiter. Si c'est possible, il est conseillé de différer le soin pour se laisser le temps d'apprivoiser le problème. Si un côté de la mâchoire ne peut être anesthésié, le problème est lié à un parent ; haut droit (cadran 1) : mère éducatrice ; haut gauche (cadran 2) : père éducateur ; bas gauche (cadran 3) : maman nourricière ; bas droit (cadran 4) : papa nourricier. Si une dent en particulier ne peut être anesthésiée, la souffrance psychique dans le domaine que représente la dent est à vif.

*Pour se préparer → **lire** la rubrique consacrée à la dent sensible : Canine, Incisive, etc. et celle consacrée au problème : Abcès, Carie, Dévitalisation, Extraction, Fracture ■ autres détails → **lire** Dentiste ■ → **lire** selon le cas Dévitalisation qui ne prend pas.*

ANKYLOSE DE L'ATM *ou ANKYLOSE DE LA MÂCHOIRE*

__Méd.__ Maladie évolutive qui se traduit par la paralysie de l'articulation temporo-mandibulaire ou ATM.

La personne se ferme à la vie, s'enferme en elle-même. La vie extérieure lui est inaccessible. ATM droite : la personne ne veut ni agir ni se manifester ; ATM gauche : elle ne veut pas ressentir le monde qui l'entoure.

*→ **lire** ATM.*

■ ADOLESCENT

L'adolescent est bloqué dans son expression personnelle. Contraint au silence, il doit ravaler ses propos. Il peut aussi se replier sur lui-même pour ne plus sentir ni entendre ce qui se passe autour de lui, par exemple la mésentente familiale.

■ ADULTE

La personne renonce à se battre. Elle laisse s'éteindre ses pulsions et sa vitalité physique. Elle vit une sclérose progressive où la vie intellectuelle remplace peu à peu celle du corps.

■ ENFANT

***Méd.** Entraîne une hypoplasie de la mandibule ou micrognathie : « profil d'oiseau ».*

L'enfant croit qu'il n'est qu'une tête, un intellect, une raison, etc. Les instincts et le corps sont bridés. Ils restent atrophiés. Pulsions, émotions n'ont pas leur place dans la personnalité. Toute possibilité de se manifester concrètement est entravée.

■ NOURRISSON

L'enfant refuse la vie. « Le monde est trop dur, trop pourri, je refuse de m'y manifester ». Il se replie sur lui-même en réaction à un environnement affectif ou matériel qui ne lui convient pas : parents qui ne s'entendent pas, conditions difficiles.

ANKYLOSE DE RACINE SUR DENT ADULTE

[dent de lait : lire page suivante Ankylose de racine sur dent de lait]

***Méd.** Le ligament, élément qui fait le lien entre la racine et l'os et assure à la dent sa micromobilité dans l'alvéole, disparaît. Soudée à l'os, la racine s'élargit (hypercémentose) et prend une forme en bâton de cloche.*

La personne se fige dans une attitude sclérosée. Elle perd toute souplesse dans le domaine représenté par la dent. Rigide, elle refuse de s'adapter à son environnement, avec lequel elle est en conflit. Elle campe sur ses positions et refuse de plier : « j'ai raison, les autres ont tort ». Elle se raidit intérieurement pour ne pas sentir la souffrance que génère la lutte. Elle s'accroche maladivement à quelqu'un ou à quelque chose par peur de la perte ou du manque.

→ ***lire** Canine, Incisive, etc. selon la dent ankylosée ■ autres détails → **lire** Racine.*

■ GÉNÉRALISÉE À TOUTES LES DENTS

Rigidité de la pensée et du corps. Problème grave susceptible de se traduire par d'autres signes corporels en rapport avec la perte du mouvement.

■ MÂCHOIRE DU BAS

La personne refuse de s'adapter aux proches et à la famille. Elle s'enfonce peu à peu dans une sclérose émotionnelle qui risque d'entraîner une immobilité physique.

- ***bas droit :*** conflit par rapport au papa nourricier.
- ***bas gauche :*** conflit par rapport à la maman nourricière.
- ***toutes les dents en bas :*** la personne est dans un état de dépendance viscérale et en même temps rejette la dimension maternelle ou nourricière.

→ ***lire** Mâchoire du bas.*

■ MÂCHOIRE DU HAUT

La personne refuse de s'adapter à l'environnement social et aux lois. Sclérose mentale, rébellion cristallisée : forte colère contre l'autorité.

- ***haut droit:*** la personne se raidit contre l'autorité de la mère.
- ***haut gauche:*** la personne se raidit contre l'autorité du père.
- ***toutes les dents en haut:*** dépendance viscérale et en même temps rejet de la dimension paternelle.

→ ***lire*** *Mâchoire du haut.*

ANKYLOSE DE RACINE SUR DENT DE LAIT

Méd. *Absence de rhizalyse de la dent de lait. La dent permanente ne peut pas sortir.*

L'enfant s'accroche à son statut de « petit ». Il bloque son évolution, veut figer le cours du temps dans le domaine qui correspond à la dent. Il ne veut pas lâcher l'enfance et ses avantages : se faire dorloter, se faire prendre en charge, etc. Ou bien l'enfant est étouffé par l'un des deux parents qui refuse de le voir grandir.

Côté de la mâchoire et rôle parental correspondant → ***lire*** *Cadran ou page 13* ■ *autres détails* → ***lire*** *Poussée dentaire difficile – dents permanentes.*

ANODONTIE

Méd. *Absence de formation des dents ou d'une majorité de dents.*

Il est donné à la personne de prendre conscience de croyances profondes voire ancestrales, d'un problème majeur avec le fait d'exister. Elle porte inscrit en elle le refus de la vie suite à un événement traumatique de la vie prénatale. Elle croit que vivre n'est possible qu'à condition de rester dans la dépendance et sous la protection des autres, d'une maman en particulier. Elle croit que s'exprimer, se défendre ou parler peut mettre sa vie en danger si elle se risque à le faire. Les croyances étant profondément ancrées dans l'inconscient, une aide par psychothérapie est conseillée.

■ DENTS DE LAIT UNIQUEMENT

Méd. *Absence des dents de lait mais présence des dents permanentes.*

L'enfant croit qu'il ne peut commencer à exister et à se séparer de la maman que tardivement. Il se vit comme un nouveau-né dépendant, qui ne doit sa survie qu'à la protection du sein maternel. Il passe sans transition du stade de bébé au stade de grand. La personne ne peut être que bébé ou adulte, il n'y a pas de place en elle pour un état intermédiaire : enfance ou adolescence.

■ DENTS PERMANENTES UNIQUEMENT

Méd. *Présence des dents de lait mais absence des dents permanentes.*

La personne croit qu'elle doit rester enfant toute sa vie. Grandir, évoluer, mûrir n'est pour elle ni concevable ni souhaitable. Sa personnalité reste celle d'un enfant de moins de six ans. Son évolution s'arrête à ce moment.

ANOMALIE CONGÉNITALE DE LA DENTINE ou de l'ÉMAIL

De la dentine → ***lire*** *Dentinogenèse imparfaite* ■ *de l'émail* → ***lire*** *Amélogenése imparfaite.*

ANOREXIE *EFFET SUR LES DENTS*

→ ***lire*** *Érosion dentaire due à des vomissements.*

ANTIBIOTIQUES – COLORATIONS DUES AUX

→ ***lire*** *Colorations dues aux antibiotiques.*

APEX RÉSIDUEL

→ ***lire*** *Extraction difficile.*

APHTE

Méd. *Ulcération superficielle de la muqueuse buccale. Une vésicule apparaît. Une petite érosion douloureuse, en forme de cratère, lui succède.*

La personne est ulcérée. La douleur est due à une blessure superficielle mais vive. Piquée au vif, la personne souffre d'avoir subi une attaque, de s'être laissée entamer par une critique ou une vexation sans pouvoir se défendre ou prendre du recul. Elle n'exprime pas son agressivité, se retient de réagir.

Autres détails → ***lire*** *Bouche, Salive acide.*

■ SUR LA GENCIVE

• ***côté joue ou lèvre:*** la personne est déstabilisée. L'attaque ou la critique qu'elle subit ouvre une brèche dans ses certitudes. La peur se mêle à la colère. La localisation par rapport à une dent indique le domaine de la personnalité atteint. Par exemple, un aphte en regard de l'incisive centrale supérieure ou dent du rayonnement correspond à une blessure d'amour-propre qui remet en question l'image de soi. Le côté droit ou gauche indique de quel parent ou type de personne vient l'attaque.

Informations sur le côté de la mâchoire → ***lire*** *Cadran* ■ ***aperçu*** *du domaine représenté par la dent: nom symbolique page 13* ■ ***analyse*** *plus fouillée →* ***lire*** *la rubrique consacrée à la dent concernée (Canine, Incisive, etc.)* ■ *autres détails →* ***lire*** *Gencive.*

• ***côté langue:*** comme ci-dessus mais la blessure est plus intime et plus profonde.

• ***côté palais*** → ***lire*** *Aphte sur le palais, ci-après.*

■ SUR LA JOUE

La personne se sent bafouée. Elle a pris une gifle morale. Ou bien elle a été contrainte à un contact dont elle ne voulait pas. Dans tous les cas, elle ne se sent pas respectée. Haut de la joue: contact social; bas de la joue: contact intime.

■ SUR LA LÈVRE

• ***inférieure:*** la personne est blessée dans la relation intime. Ses avances ou tentatives de rapprochement physique, affectif ou sexuel sont repoussées. Gauche: la blessure vient d'une femme ou de quelqu'un qui rappelle inconsciemment la maman nourricière; droite: d'un homme ou de quelqu'un qui rappelle inconsciemment le papa nourricier.

• ***supérieure:*** la personne subit une vexation dans ses relations sociales. Ses tentatives de plaire, de séduire ou d'émouvoir échouent. Droite: la blessure vient d'une femme ou de quelqu'un qui rappelle inconsciemment la mère éducatrice; gauche: d'un homme ou de quelqu'un qui rappelle inconsciemment le père éducateur.

■ **SUR LA LANGUE**

La personne est irritée contre elle-même de n'avoir rien pu ou su répliquer pour se défendre ou de n'avoir pas prononcé les bonnes paroles au bon moment.

*Autres détails → **lire** Langue.*

• ***bord:*** contrariété de ne pas avoir prononcé des paroles plus tranchantes.

• ***dessous:*** impuissance à s'exprimer dans l'intimité; l'irritation est liée à un proche qui rappelle inconsciemment le papa (côté droit), la maman (côté gauche), ou au parent nourricier lui-même.

• ***dessus:*** impuissance à s'exprimer en société; l'irritation est liée à une personne qui rappelle inconsciemment le père (côté gauche), la mère (côté droit), ou au parent éducateur lui-même.

• ***pointe:*** impuissance à attaquer verbalement, à prononcer des paroles piquantes.

■ **SUR LE PALAIS**

• ***palais dur*** *(voûte):* la personne est blessée parce qu'elle se sent traitée de manière injuste. Elle subit un abus d'autorité de la part de quelqu'un qui lui renvoie inconsciemment l'image du parent éducateur, père (côté gauche), mère (côté droit). L'emplacement précis par rapport à une dent indique dans quel domaine la personne est blessée. Par exemple, l'aphte au-dessus de la seconde molaire traduit un sentiment de révolte et d'injustice dans le domaine du travail.

*Aperçu du domaine représenté par la dent: nom symbolique page 13 ■ **analyse** plus fouillée → **lire** la rubrique consacrée à la dent concernée (Canine, Incisive, etc.) ■ autres détails → **lire** Gencive, Palais.*

• ***voile du palais:*** la personne se sent mise à nu, dévoilée malgré elle, alors qu'elle n'est pas prête à se voir ou à montrer qui elle est au plus profond.

*→ **lire** selon le cas Palais – luette.*

■ **SUR LE PLANCHER DE LA BOUCHE**

La personne est atteinte dans son intimité, sa pudeur, sa délicatesse. Elle se sent blessée dans sa tendresse ou ses sentiments. La blessure vient d'un proche, partenaire ou ami, qui lui rappelle inconsciemment le parent nourricier, papa (côté droit), maman (côté gauche). Touchée au cœur, elle s'en veut d'avoir été vulnérable.

APICALE – INFECTION ou LÉSION

*→ **lire** Abcès.*

APPAREIL DENTAIRE

*→ **lire** Dentier.*

APPAREILLAGE

*→ **lire** Orthodontie.*

ARCADES *ou ALIGNEMENT DES DENTS EN DEMI-CERCLE*

Méd. *Chacune des arcades (haut, bas) compte seize dents (schéma page 15).*

La forme des arcades révèle la structure psychique d'une personne, sa nature fondamentale.

Autres détails → ***lire*** *Implantation ■ →* ***lire*** *selon le cas Mâchoire trop petite.*

■ APLATIES

Méd. *Absence de courbure avant. Incisives et canines sont alignées comme un mur.*

Nature prudente, voire méfiante. La personne place instinctivement un écran protecteur entre elle et le monde. Elle peut sembler indifférente, lointaine ou d'un abord difficile. Elle réfléchit longuement avant de se mettre en mouvement.

■ EFFILÉES

Méd. *Arcades en pointe vers l'avant, en forme de « V » comme l'étrave d'un bateau.*

Nature combative centrée sur le mouvement. La personne a besoin d'être sans cesse en action. Elle fonce d'abord et réfléchit ensuite. Aller de l'avant est une ressource et un moyen d'exister.

■ ÉTROITES ou PALAIS CREUX

Méd. *Arcades allongées dans le sens avant-arrière, voûte palatine en arc gothique.*

Nature de type mental. La vie est centrée sur la pensée, la réflexion, l'imaginaire. L'intelligence est spéculative. La personne existe à travers une activité incessante car elle manque d'espace pour s'épanouir. Elle est toujours débordée. Elle ne parvient pas à exploiter tous ses dons. Fuite en avant.

→ ***lire*** *Taille d'une dent, Mâchoire trop petite.*

■ LARGES ou PALAIS PLAT

Méd. *Voûte palatine aplatie en arc roman.*

Nature de type physique. La vie est centrée sur la matérialité, le corps. L'intelligence est pratique. La personne existe à travers le concret. Elle a besoin de s'approprier l'espace, la matière, de posséder.

ARRACHER UNE DENT

→ ***lire*** *Extraction.*

ARRÊTÉE : CARIE SÈCHE *ou CARIE ARRÊTÉE*

Méd. *Lésion superficielle de l'émail dont la progression s'est arrêtée et qui s'est reminéralisée spontanément grâce aux minéraux de la salive. La carie sèche laisse sur l'émail une tache brunâtre à surface dure, à ne pas confondre avec des colorations dues à d'autres causes (voir Colorations).*

La personne a vécu une dévalorisation superficielle dans le domaine que représente la dent mais l'a guérie. Elle a pu le faire à son insu, ou un concours de circonstances l'y a aidée (changement fortuit ou involontaire de travail, de partenaire, de lieu de résidence, des conditions de vie). Elle cesse momentanément ou définitivement d'être affectée par la souffrance liée à la dent. Par exemple, une jeune femme, complexée et dévalorisée par son père durant l'enfance, présente une fragilité potentielle sur l'incisive centrale supérieure gauche (dent du rayonnement) qui correspond à la facette masculine, construite à travers le regard du père. Elle développe une carie sur cette dent à la suite d'une déception sentimentale qui réactive son sentiment d'être rejetée et dévalorisée par l'homme. Elle rencontre peu de temps après un nouvel amoureux. Sa blessure narcissique se guérit. La dévalorisation cesse, le processus carieux s'interrompt. Si cette jeune femme ne vit plus de rejet ou si elle consolide entre-temps son image d'elle-même, la guérison de cette dent restera acquise. Dans le cas contraire, la carie pourra récidiver, même beaucoup plus tard.

➤ **Dent qui vous concerne page 275.** *Numéro de la dent et rôle parental page 13.*

→ ***lire** Carie ■ selon la dent atteinte →* ***lire** Canine, Incisive, etc.*

ARSÉNIEUX

→ ***lire** selon le cas Dévitalisation par produit nécrosant, Fusée arsenicale.*

ARTHRITE DENTAIRE

Terme générique des maladies du parodonte et du ligament → ***voir** Gencive – abcès, Déchaussement, Ligament, Parodonte.*

ARTICULATION DE LA MÂCHOIRE *ou TEMPORO-MANDIBULAIRE*

→ ***lire** ATM.*

ARTICULÉ DENTAIRE *ou ARTICULATION DENTO-DENTAIRE*

→ ***lire** Occlusion.*

ARTICULÉ INVERSÉ

***Méd.** Décalage vers l'avant de la mâchoire du bas, qui concerne un secteur ou l'ensemble de la bouche, jusqu'à la prognathie (menton en avant).*

La part instinctive en soi échappe en totalité ou en partie au contrôle de la raison, insuffisamment présente. Il s'agit de redonner à la dimension de l'adulte en soi la place de guide qui lui revient. Chez un enfant, on stimulera les qualités de réflexion, de prise de responsabilité. On le traitera en adulte en évitant de le surprotéger.

■ ANTÉRIEUR

***Méd.** Secteur des incisives et canines.*

La personne ne se contrôle pas dans ses échanges avec autrui. Elle donne d'elle une image très spontanée, « nature », voire infantile ou capricieuse. La colère monte vite quand il s'agit de défendre son territoire. La personne fonce tête baissée dans une seule direction. Elle a tendance à agir de manière impulsive et désordonnée.

■ GLOBAL

***Méd.** Type prognathe.*

La nature instinctive et pulsionnelle (l'enfant en soi) domine la personnalité. L'individu accorde une grande importance au concret, au corps, au présent. Il éprouve le besoin de toucher les autres, les matières, les objets. Il agit avant de penser. Chez un enfant, la présence du père n'est pas assez forte. Retrouver un modèle paternel est primordial pour rétablir l'équilibre.

■ **SUR UNE DENT**

Dans le domaine représenté par la dent, l'instinct domine. La personne ne se contrôle pas. Par exemple, l'articulé inversé de l'incisive latérale montre que la personne communique d'une manière instinctive ou infantile.

■ **TRANSVERSAL**

Méd. Secteur des prémolaires et des molaires.

Déséquilibre entre affection et autorité. La personne a intégré les rôles parentaux de manière déséquilibrée. Elle est bloquée dans ses choix et ses possibilités d'évolution par son attachement excessif au parent nourricier. Ses décisions sont guidées non par la raison mais par le besoin de se faire aimer ou apprécier du parent. Se dégager du lien affectif pour se positionner en adulte face au parent est difficile voire impossible sans aide extérieure. **À droite:** l'attachement pour le papa limite la personne (plus problématique chez une femme). **À gauche:** l'attachement pour la maman limite la personne (plus problématique chez un homme).

ARTICULÉ TRANSVERSAL EXAGÉRÉ

Méd. Décalage transversal des molaires et des prémolaires. D'un côté de la mâchoire, les molaires du bas trop en dedans ne prennent pas appui sur les molaires du haut, trop en dehors.

La structure de la personne est déséquilibrée. Il lui manque d'un côté l'appui de ses parents. Elle n'a accès qu'à la moitié de son potentiel, confinée à une perception réductrice des rôles entre homme et femme. Anomalie à droite : la personne ne peut compter ni sur le soutien du papa nourricier ni sur les conseils de la mère éducatrice ; anomalie à gauche : le soutien de la maman nourricière et les conseils du père éducateur lui font défaut.

→ ***lire** Mastication unilatérale.*

ASPERGILLOSE

Méd. Infection du sinus maxillaire due à un champignon, causée par un débordement de pâte d'obturation (racines de prémolaire ou molaire supérieures).

La personne est parasitée par une figure d'autorité qui lui rappelle inconsciemment le parent éducateur. Son emprise excessive, ou celle du mentor, du supérieur hiérarchique, etc., l'étouffe et l'empêche de se comporter en adulte. L'admiration sans bornes ou le respect disproportionné représentent des formes de mainmise pernicieuses. L'individu subit un envahissement insidieux qui empêche sa personnalité véritable d'émerger. Côté gauche : emprise du père ; côté droit : emprise de la mère.

→ ***lire** Pâte d'obturation qui déborde.*

ATM *ou ARTICULATION TEMPORO-MANDIBULAIRE*

Méd. Il y a deux articulations temporo-mandibulaires ou ATM, une droite et une gauche, qui travaillent en synergie. Chacune relie la mâchoire inférieure au crâne. Tout déséquilibre d'un côté se répercute de l'autre.

Zone où la pensée devient mouvement pour produire l'action. L'ATM traduit la synergie de la matière et de l'esprit qui, selon le cas, se complètent ou bien s'ignorent, voire s'opposent ou s'affrontent. En cas de lésion, joie, spontanéité, mouvement sont paralysés. La transmission est grippée entre l'intellect et le corps. Les échanges ne sont pas fluides entre la raison et les émotions. Non-communication entre l'adulte et l'enfant en soi. La personne est tiraillée entre l'envie et le devoir. Son action et sa combativité sont entravées. Il existe une disharmonie profonde entre ses idéaux et sa vie au quotidien.

→ ***lire** Mâchoire du bas, Mâchoire du haut* ■ → ***lire** Occlusion* ■ → ***lire** selon le cas Grincer des dents, Luxation, Serrer les dents.*

■ ANKYLOSE DE LA MÂCHOIRE

→ ***lire** Ankylose de l'ATM.*

■ DOULEURS

La personne se force à agir ou au contraire s'en empêche. Elle stresse à cause du sentiment d'être dans une impasse, de ne pouvoir aller de l'avant ni reculer.

■ LUXATION

***Méd.** Déboîtement de l'ATM suite à choc ou ouverture forcée de la bouche (bâillement, intervention). La personne est immobilisée bouche ouverte ou partiellement ouverte.*

La personne se vit comme une victime, dépendante d'autrui. Elle ne sait pas se protéger, subit l'envahissement des autres qui lui dictent leur loi sans qu'elle ose protester. Inerte, elle s'est laissée déposséder de sa capacité d'agir. Un choc psychique, survenu peu avant, l'a laissée figée de stupeur ou de terreur. Il se peut aussi qu'une colère violente et non exprimée l'ait fait sortir de ses gonds. Bloquée dans une situation où elle ne peut ni faire marche arrière ni avancer, elle hésite entre hurler et se taire, ne sachant si elle doit l'ouvrir ou la fermer. La disharmonie entre les dimensions de l'adulte et de l'enfant en soi est profonde. La passion attire d'un côté et la raison de l'autre. La rupture du lien entre le mental et le corps paralyse la personne dans tous les domaines de sa vie. L'invitation à réagir et à reprendre le contrôle de sa vie est plus que pressante sous peine de finir mort vivant.

→ ***voir** Grincer des dents, Mâchoire du bas, Mâchoire du haut.*

• ***suite à extraction de dent de sagesse :*** la personne se sent extrêmement dépendante des parents, chargés de la nourrir (lui donner la becquée) et de subvenir à tous ses besoins.

→ ***lire** Sagesse – extraction.*

• ***suite à soin*** *(**Méd.** luxation pendant ou après un acte dentaire prolongé) :* la personne se sent violentée. Elle est en colère à la fois contre elle-même et contre le praticien qui rappelle une figure d'autorité (père, mère, professeur) dont la personne a pâti dans son enfance. Bien sûr, le dentiste lui-même n'y est pour rien.

→ ***lire** Dentiste.*

■ PROBLÈMES À L'OUVERTURE

***Méd.** Douleurs, craquements, ou décrochements à l'ouverture de la bouche.*

La personne ne parvient pas à exprimer ses idées ou à les mettre en pratique. Elle est bloquée dans la réalisation concrète, elle éprouve des difficultés à s'extérioriser. L'expression de soi est entravée. La personne répugne à s'engager, se donner, dire un oui franc à l'autre, s'ouvrir aux expériences que lui propose la vie. Droite : la personne bloque toute forme d'action concrète ; gauche : la manifestation de la créativité est bloquée.

■ **PROBLÈMES À LA FERMETURE**

Méd. *Douleurs, craquements, ou décrochements à la fermeture de la bouche.*

La personne ne ressent pas les émotions ou les informations qui émanent de son corps. Coupée de la réalité, elle n'intègre pas les enseignements des expériences concrètes, elle éprouve des difficultés à revenir à elle, se recentrer. Elle n'arrive pas à retenir, à garder des choses ou du temps pour elle. Si elle le fait, elle se sent coupable d'égoïsme. Elle n'ose pas dire non, se protéger ou faire marche arrière. Elle éprouve des remords d'avoir agi. Droite : la personne s'empêche de recueillir les fruits de son action ; gauche : elle néglige les moyens mis à sa disposition pour créer.

■ **PROBLÈMES AGGRAVÉS PAR LA MASTICATION**

• ***mastication à droite :*** la personne attend de la réalité extérieure et du quotidien qu'ils la comblent. Elle vit dans la recherche de performances ou de résultats. Elle néglige le rêve et l'imaginaire.

→ ***lire*** *Mastication unilatérale.*

• ***mastication à gauche :*** la personne vit trop dans ses rêves et son monde intérieur. Elle refuse la réalité et ses limites.

→ ***lire*** *Mastication unilatérale.*

■ **PROBLÈMES LORS DE CERTAINS MOUVEMENTS**

Lors de l'avancée de la mandibule → ***lire*** *Propulsion* ■ *lors des mouvements latéraux droite gauche* → ***lire*** *Latéralité.*

ATTEINTE DE LA FURCATION

→ ***lire*** *Déchaussement entre les racines d'une dent.*

ATTIRANCE POUR UN GOÛT ou un ALIMENT

Attirance pour l'acide → ***lire*** *Acide – attirance* ■ *pour le sucre* → ***lire*** *Sucre – attirance* ■ *pour un goût* → ***lire*** *Bouche – goût désagréable (l'interprétation est la même qu'il s'agisse d'attirance pour un goût ou de la présence de ce goût dans la bouche).*

AUDACE – DENT DE

→ ***lire*** *Première prémolaire supérieure.*

AUTO-TRANSPLANTATION D'UNE DENT

Méd. *Remplacement d'une dent condamnée ou manquante par une autre moins indispensable, dent de sagesse par exemple.*

Une facette de la personnalité (la dent transplantée) s'exprime à la place d'une autre (la dent manquante). Par exemple, la transplantation d'une dent de sagesse à la place d'une première molaire permet de remplacer l'appui parental (la première molaire) par un appui personnel (la dent de sagesse). Si elle intègre ce changement d'appui par la prise de conscience, la personne a l'opportunité de devenir plus autonome.

→ ***lire*** *la rubrique consacrée à la dent transplantée et celle consacrée à la dent remplacée.*

AVALER COMME UN ENFANT

→ ***lire** Déglutition atypique.*

AVALER TOUT ROND

La personne manque de recul par rapport aux choses et aux gens. Elle ne filtre rien, prend tout pour vrai et bon. Passive, elle ne croit pas possible de transformer sa vie : « les choses sont ainsi, un point c'est tout ». Elle attend que les autres lui mâchent le travail, sa maman en particulier. Elle n'emploie pas ses dons et méconnaît ses capacités.

BACTÉRIES – RÔLE

→ ***lire*** *l'introduction.*

BAGUES *CARIES SOUS BAGUES*

Bagues → ***lire*** *Orthodontie* ■ *caries sous bagues* → ***lire*** *Caries spécifiques – traitements d'orthodontie.*

BAIN DE BOUCHE

En cas de coloration due à un bain de bouche → ***lire*** *Coloration due à café, thé, etc.* ■ *en cas de nécessité de bain de bouche à cause d'une irritation* → ***lire*** *Gencive irritée.*

BASE DE LA DENT

Jonction entre couronne et gencive → ***lire*** *Collet* ■ *atteinte en coup de scie* → ***lire*** *Mylolyse.*

BÂTON DE CLOCHE – RACINE EN FORME DE

→ ***lire*** *Ankylose de la racine.*

BAVER

■ APRÈS ANESTHÉSIE

→ ***lire*** *Sagesse – extraction (suites ou complications sévères).*

■ ENFANT QUI BAVE

L'enfant est sous la coupe d'une mère qui l'annexe et ne répond pas à ses besoins, c'est un affamé affectif. **Lors de la percée des dents:** l'enfant sort difficilement de la fusion. Il se débat entre sa difficulté à exister séparément de la maman et son besoin de s'éloigner d'elle.

Baver peut être l'indice d'une respiration buccale → ***lire*** *Respiration buccale.*

■ INCONTINENCE SALIVAIRE

La personne manque de retenue et de pudeur au plan affectif. Elle se laisse aller, exhibe ses émotions de manière théâtrale, se répand (larmes, colère, agressivité, jalousie, etc.), ne sait pas se contenir devant autrui. Elle écume de rage ou encore répand son bavardage et sa médisance. Ses affects débordent le cadre d'une expression normale. Plus qu'envahissante, c'est une personne « polluante » qui ne sait pas rester à sa place. Elle a un problème de limites, perméable à l'excès dans un sens comme dans l'autre. Elle se laisse aller autant qu'elle se laisse envahir ou influencer.

→ ***voir** Lèvre – tonicité (atone), Salivation excessive.*

■ PERSONNE ÂGÉE QUI BAVE

La personne souhaite inconsciemment retrouver l'état de dépendance et de fusion du tout-petit.

BÉANCE

> ***Méd.** Absence de contacts entre dents du haut et dents du bas provoquée par l'interposition de la langue à la déglutition (déglutition atypique), le débordement de la langue entre les arcades (langue atone) ou la succion du pouce (ou d'un objet).*

La personnalité de l'enfant se construit sur un vide affectif et une recherche compulsive et inassouvie de la maman. **Béance antérieure** *(absence de contacts incisifs):* le cordon avec la maman n'est pas coupé, la personnalité adulte ne peut s'exprimer. **Béance latérale** *(absence de contacts au niveau prémolaires molaires):* la personne n'a ni appuis ni repères. Son instabilité et son insécurité la rendent à son insu dépendante de la maman. L'énergie du désir est investie dans la recherche de fusion avec la figure maternelle, l'expression d'une sexualité adulte est impossible.

→ ***lire** selon le cas Déglutition atypique, Langue atone, Langue basse, Mastication unilatérale, Succion.*

BÉBÉ QUI NAÎT AVEC UNE DENT

→ ***lire** Enfant qui naît avec une dent.*

BEC-DE-LIÈVRE *ET FENTE PALATINE*

> ***Méd.** Malformation congénitale caractérisée par une fissure de la lèvre supérieure, accompagnée ou non d'une fente palatine, associée à des désordres dentaires. Le germe de l'incisive latérale supérieure manque, et souvent celui de la canine supérieure.*

Il est donné à la personne de prendre conscience de croyances profondes voire ancestrales. Elle croit que pour survivre elle doit renoncer à parler et à manifester toute volonté personnelle face au parent éducateur. Elle croit qu'elle doit se soumettre à l'autorité du parent et de toute personne qui le lui rappelle inconsciemment. Elle souffre d'une profonde dévalorisation: « je suis juste bonne à me taire et à obéir » et de l'impossibilité de dire non ou d'opposer une résistance au(x) parent(s). Elle croit qu'elle doit se laisser écraser, envahir ou humilier par autrui.

■ À GAUCHE

Soumission à l'autorité du père et de toute personne qui rappelle inconsciemment le parent éducateur.

■ À DROITE

Soumission à l'autorité de la mère et de toute personne qui rappelle inconsciemment le parent éducateur.

■ BILATÉRAL

Soumission à l'autorité en général et à toute personne qui la détient.

■ AVEC FENTE OU DIVISION PALATINE

Le père, absent ou inaccessible, fait cruellement défaut. La personne ne croit ni en dieu, ni en la chance, ni en la providence. Elle se croit soumise à l'arbitraire du sort qui s'abat sur elle tel un couperet.

*→ **lire** Agénésie de dent permanente (au sujet des dents absentes) ■ → **lire** selon le cas Incluse – dent ■ autres détails → **lire** Palais.*

BIBERON – CARIES DU

*→ **lire** Lait – caries.*

BIJOU DENTAIRE

***Méd.** Ornement en or, ou strass collé sur la face visible d'une dent de devant.*

La personne cherche à attirer l'attention sur une part d'elle-même ou à la valoriser.

*Incrustation de pierre → **lire** Dentisme.*

■ CHOIX DE LA DENT

La personne a besoin de renforcer l'éclat de la facette d'elle-même représentée par la dent où est placé le bijou. **Incisive latérale:** besoin inconscient d'accroître sa capacité à communiquer, d'impressionner son interlocuteur par sa verve et sa vivacité d'esprit. Désir d'accroître le rayonnement de la parole tout en se montrant peu réceptif à l'autre. **Incisive centrale:** désir d'accroître son rayonnement (en terme d'image). **Canine:** désir d'accroître son impact, pouvoir ou magnétisme personnel.

■ CHOIX DU CÔTÉ DE LA MÂCHOIRE

Il indique le côté, masculin ou féminin, que l'on souhaite renforcer inconsciemment, et le type de personnes que l'on souhaite impressionner ou marquer par ses paroles. **Dent à gauche** (mâchoire du haut) : désir de briller au regard du père ou de l'homme. **Dent à droite** (mâchoire du haut) : désir de briller au regard de la mère ou de la femme.

*Pour des informations sur la droite et la gauche → **lire** Cadran ou page 13.*

BLANCHES – DENTS

*→ **lire** Teinte.*

BLANCHEUR

Aujourd'hui, chacun voudrait un sourire d'un blanc éclatant. L'obsession de certaines personnes pour la blancheur cache une recherche de perfection. La minuscule tache qu'elles traquent avec entêtement sur leurs dents reflète le défaut qu'elles voudraient éradiquer de leur personnalité. La quête de la blancheur est également en rapport avec un désir d'innocence, de pureté. Les dents de lait des enfants, réputées très blanches, évoquent par leur nom même la pureté associée à cet âge. Poussée à l'extrême, la blancheur du sourire revêt un caractère artificiel. Nous sommes humains, nos petits travers contribuent à notre charme. Les imperfections donnent vie et naturel à un sourire.

→ ***voir*** *Blanchiment, Coloration(s), Sourire parfait, Tartre, Teinte.*

BLANCHIMENT

Méd. *Technique utilisant un gel à base d'eau oxygénée qui permet d'éclaircir les dents (et de gagner 2 ou 3 teintes sur les 20 existantes).*

Dans notre société centrée sur l'apparence, des dents blanches valorisent l'image, accentuent le rayonnement de la personnalité et sont associées à la bonne santé. Se faire blanchir les dents, c'est vouloir donner de soi une image impeccable. La blancheur est liée à la recherche de perfection et d'innocence. Rendre ses dents plus blanches, c'est aussi vouloir montrer patte blanche, donc inspirer confiance. Dans une société centrée sur la compétition, outre l'atout que représente un sourire d'un blanc parfait, blanchir ses dents est un moyen de les rendre plus présentes, de les montrer davantage. C'est un moyen subtil d'adresser à l'autre le message qu'on est fort, ambitieux, capable de se défendre, armé jusqu'aux dents, en quelque sorte. Blanchir ses dents, c'est révéler la star en soi, c'est un moyen d'attirer l'attention, de se rendre plus brillant ou plus intéressant. C'est aussi effacer ou atténuer un trait de caractère puisque la couleur naturelle des dents révèle la personnalité. Paradoxalement, c'est vouloir disparaître derrière le masque irréprochable de la blancheur parfaite. Attention à ne pas mettre en péril la vitalité de ses dents sous prétexte de céder à une mode centrée sur l'esthétique plus que sur la santé.

→ ***voir*** *Blancheur, Coloration(s), Sourire parfait, Tartre, Teinte.*

BLESSURE

→ ***lire*** *selon le cas Bouche, Dentiste – petits soucis, Gencive, Joue, Langue, Lèvre, Palais.*

BORD DE LA DENT SENSIBLE ou USÉ

Sensible → ***lire*** *Hypersensibilité non due à carie – causée par émail fin* ■ *usé* → ***lire*** *Usure.*

BOUCHE

La bouche matérialise l'espace personnel et intime. En cas d'atteinte, la personne cherche à limiter et à contrôler sa sensorialité, synonyme pour elle d'envahissement. La liste des problèmes et des lésions de la bouche justifierait un dictionnaire. Sont traités ici les plus représentatifs dans le cadre de l'ouvrage. Pour les cas non répertoriés dans ce dictionnaire, on utilisera deux principes d'interprétation différents, l'un pour les lésions, l'autre pour la succion. **Une lésion** de la muqueuse buccale *(lichen plan, leucoplasie, etc.)* indique une difficulté à délimiter son espace, proportionnelle à la gravité de l'atteinte. La personne se sent envahie dans son territoire le plus intime. **Un problème lié à la succion** révèle une difficulté à occuper son espace et un sentiment de vide affectif (fumer, boire exagérément, sucer un crayon, un bonbon, etc.).

→ ***voir*** *Gencive, Joue, Langue, Muguet, Palais* ■ *en cas d'inflammation de la zone entre et en arrière des incisives supérieures* → ***lire*** *Papille rétro-incisive* ■ → ***lire*** *selon le cas Déglutition atypique, Sucer un objet, Succion du pouce.*

■ APHTE

→ ***lire*** *Aphte.*

■ ATTIRANCE POUR UN GOÛT

→ ***voir*** *Acide – attirance, Sucre – attirance.*

■ BLESSURE

→ ***voir*** *Dentiste – coup de fraise, Gencive, Joue, Langue, Palais* ■ *en cas d'inflammation de la zone entre et en arrière des incisives supérieures* → ***lire*** *Papille rétro-incisive.*

■ BOUCHE PÂTEUSE

La personne se laisse engluer dans une routine, un confort source d'ennui qui finit par étouffer son goût de vivre. Il est temps de se réveiller et de redonner mouvement et imprévu à son quotidien. La bouche pâteuse peut être due à des excès alimentaires ou de boisson. La signification est la même.

■ BOUCHE SÈCHE

Une peur profonde empêche la personne de savourer la vie. Les pensées morbides dominent et tuent l'envie. Le dégoût de soi, de l'autre, de la vie, empêche de se réjouir. La personne n'a plus le goût de parler ni d'entrer en relation au plan social comme au plan intime. Elle refuse la succulence de la vie. Elle refuse de se laisser émouvoir ou toucher par le plaisir, se méfie et se coupe de ses sens. L'eau ne monte plus à la bouche, tout devient insipide. Terne et sans relief, son monde se restreint à de sombres croyances.

Remarque : *les antidépresseurs ou les traitements par radiation après un cancer qui génèrent une sécheresse buccale ne font que révéler ou aggraver un problème préexistant* → ***lire*** *selon le cas Bouche – goût désagréable, Bouche pâteuse.*

■ BOUCHE TROP PETITE POUR CONTENIR LA LANGUE

> ***Méd.*** *La bouche est insuffisante pour contenir le volume de la langue. Soit la taille de la langue est trop importante par rapport à celle de la bouche, soit la « boîte à langue » est trop réduite à cause de dents extraites pour des raisons de traitement orthodontique. La personne se mord fréquemment la langue.*

La personne est à l'étroit dans sa vie et dans son corps. Elle se sent limitée en permanence, déborde d'idées qu'elle n'arrive ni à exprimer ni à réaliser. Elle ne se sent ni posée ni en sécurité. Son espace personnel et intime est insuffisant. Trop de contraintes l'empêchent de s'épanouir, elle a tendance à envahir les autres.

→ ***voir*** *Langue atone, Langue crénelée, Langue – morsure, Mâchoire trop petite, Orthodontie, Taille d'une dent.*

■ CANCER

Refus de la vie et refus du plaisir. Impossibilité d'exister en tant qu'être séparé. Frustration affective majeure vécue durant les premiers mois de la vie dont la personne ne se résigne pas à faire le deuil. Elle cherche à dissoudre ses limites pour retrouver la fusion impossible avec la mère et cherche en même temps à oublier le froid et le sentiment de vide insupportable qui l'habite. Les cancers de la bouche sont favorisés par l'alcool et le tabac. La cigarette procure une chaleur illusoire. Les sensations particulières liées à l'alcool (goût astringent du vin,

brûlure des alcools forts, goût persistant et bulles de la bière, etc.) contribuent à l'impression d'être empli.
Cancer causé par l'habitude de chiquer → ***lire*** *Mâcher une chique.*

■ COMMISSURE IRRITÉE

Méd. *Commissure : jonction entre la lèvre supérieure et la lèvre inférieure. Douleur, coupure, irritation ou ulcération (perlèche).*

La personne est déchirée entre ses envies et sa raison. La scission entre la tête et le cœur, deux dimensions que la personne ne parvient pas à concilier, génère de la colère et un sentiment de dévalorisation. Par exemple, l'envie contradictoire de travailler et de se distraire ou se reposer crée colère et frustration : « je ne suis même pas capable de mener ce projet à terme tout en me ménageant du temps ». La personne n'a pas osé montrer son désaccord ou son opposition dans un conflit relationnel. Chez le jeune enfant, l'ulcération des commissures montre qu'il ressent un conflit larvé entre ses parents. **Irritation après séance prolongée chez le dentiste:** la personne ressent une contrariété de s'être contrainte à ouvrir la bouche. Elle s'est imposé un soin, s'est forcée à supporter une séance longue pour gagner du temps, ou au nom de la raison. L'irritation qui en résulte exprime le désaccord de la tête (il fallait le faire) avec la partie instinctive ou enfant (« je n'avais pas envie de m'imposer cela »).
→ ***lire*** *selon le cas Dentiste – homme ou femme.*

■ GOÛT DÉSAGRÉABLE

Méd. *En cas de goût de vase, consulter d'urgence un dentiste.*

→ ***voir*** *selon le cas Électricité ■ goût fade, goût d'eau →* ***lire*** *Salivation excessive ■ goût sucré →* ***lire*** *Sucre – attirance.*

● ***acide:*** attitude piquante, caustique, voire agressive. Colère non digérée. Constamment sur la défensive, la personne, ne profite pas de la vie. Elle s'empêche d'agir pour apporter des transformations concrètes dans sa vie.

● ***amer:*** la personne vit dans le passé. Tristesse, rancœur, amertume ou soucis lui gâchent la vie. Elle se retient de parler mais ressasse, s'empoisonne avec des pensées venimeuses.

● ***de métal:*** les jugements et les *a priori* gâchent la vie, empêchent de la goûter pleinement. Attitude méfiante, tendance à anticiper les problèmes ou à les créer avant qu'ils n'arrivent. La personne ne prend pas le temps de vivre.

■ INFLAMMATION ou IRRITATION

→ ***voir*** *Gencive, Joue, Langue, Muguet, Palais ■ en cas d'inflammation de la zone entre et en arrière des incisives supérieures →* ***lire*** *Papille rétro-incisive.*

■ OUVERTURE LIMITÉE

● ***sans conséquence*** *(****Méd.*** *limitation ponctuelle ou permanente qui ne pose pas de problèmes hormis chez le dentiste):* la personne se méfie, filtre exagérément les informations extérieures. Elle n'accepte d'en prendre ou d'en recevoir que peu à la fois. Une peur instinctive l'amène à dire un oui mitigé à la vie.

● ***qui empêche de manger*** *(****Méd.*** *ouverture qui rend difficile le fait de manger, voire l'empêche) →* ***lire*** *Trismus.*

■ **PERLÈCHE**

*Ulcération de la commissure des lèvres → **lire** Bouche – commissure.*

■ **PLANCHER DE LA BOUCHE**

***Méd.** Aphte, blessure, irritation de la zone où repose la langue.*

La personne est touchée dans ce qu'elle a de plus intime, de plus secret, de plus vulnérable. Problème en rapport avec le principe nourricier (papa-maman).

■ **RESPIRER PAR LA BOUCHE**

• ***à cause de nez bouché:*** la personne est ponctuellement submergée par ses émotions. Elle ne parvient plus à raisonner ni à prendre de recul. Elle se laisse envahir par ses émotions comme par celles des autres.

• ***en permanence*** *(**Méd.** mode respiratoire de l'enfant ou de l'adulte détecté par un dentiste ou un orthodontiste) → **lire** Respiration buccale.*

■ **RESTAURATION ou RECONSTITUTION DE LA BOUCHE**

*→ **voir** Bridge, Couronne à poser ou déjà posée, Dentier, Prothèse, Sourire parfait.*

BOUCHÉE

*→ **lire** Mastiquer – manière.*

BOUCHER UN ou UNE *OBTURER*

*Boucher une racine → **lire** Dévitalisation, Pâte d'obturation ■ une dent → **lire** Obturation, Pansement, Plombage, Prothèse ■ un espace → **lire** Bridge.*

BOULIMIE *EFFET SUR LES DENTS*

*→ **lire** Érosion dentaire.*

BOURRAGE ALIMENTAIRE ENTRE DEUX DENTS

[dents de lait: lire Lait – bourrage alimentaire]

***Méd.** Accumulation de débris alimentaires dans l'espace interdentaire (délimité par les faces en contact de deux dents contiguës). L'atteinte va de l'inflammation légère à l'abcès.*

La personne est bloquée entre deux états, deux façons de voir la vie ou d'agir, etc. Face à deux alternatives, elle ne peut établir de priorité claire.

➤ **Cas qui vous concerne page 267** *(numéro de la dent et rôle parental page 13) nuancer l'interprétation en fonction de la gravité de l'atteinte en lisant le cas qui vous concerne ci-dessous.*

■ **AFFECTION ASSOCIÉE**

• ***abcès*** *(**Méd.** abcès provoqué par un bourrage alimentaire ancien):* la personne s'enfonce et se débat avec rage dans ses contradictions, refuse depuis longtemps de prendre une position claire. Elle est prise au piège de sa propre indécision. Elle remet toujours son choix à plus tard.

• ***inflammation chronique*** *(**Méd.** bourrage alimentaire ancien avec inflammation importante de la gencive, saignements, douleurs):* la personne n'arrive pas à sortir d'un problème de choix, récurrent ou chronique, s'enlise dans l'indécision et en éprouve de la colère.

• ***irritation légère ou bourrage ponctuel*** *(**Méd.** légère irritation, par exemple miette de pain coincée)*: la personne vit une indécision passagère. Elle ne se sent pas libre de son choix. Néanmoins, la tendance à l'indécision est profonde (même si elle n'est pas encore apparue). C'est le moment de prendre position afin d'éviter de se retrouver dans une impasse.

■ CAUSE DU BOURRAGE

• ***carie*** → ***lire*** *Carie.*

• ***couronne inadaptée*** → ***lire*** *Couronne mal réalisée – défaut d'adaptation à la gencive.*

• ***couronnes soudées, bridge:*** la personne est en colère car elle se sent entravée dans sa liberté.
→ ***lire*** *Bridge.*

• ***déchaussement*** → ***lire*** *Déchaussement d'une dent.*

• ***dents trop espacées*** *(**Méd.** espace entre deux dents créé par une couronne ou une obturation mal réalisée)*: deux domaines de la vie sont inconciliables. Ne sachant sur quel pied danser, la personne hésite à donner priorité à l'un ou à l'autre.
→ ***lire*** *selon le cas Obturation qui gêne – manque de point de contact.*

• ***dents trop serrées*** *(**Méd.** dents trop serrées après pose de couronne ou de « plombage »)*: tension intérieure. La personne est bloquée entre deux urgences. Elle ne peut choisir, elle n'arrive pas à hiérarchiser ses priorités.
→ ***lire*** *selon le cas Couronne mal réalisée – volume inadapté, Obturation qui déborde.*

■ EN ARRIÈRE DE LA DERNIÈRE DENT

Méd. *Inflammation entre la dent et l'arrière de la bouche (molaire ou dent de sagesse). Pour la dent de sagesse: dent sortie ou incomplètement sortie avec gencive qui la recouvre.*

La personne n'arrive pas à aller vers elle-même et à devenir autonome.

• ***en bas:*** rappel à l'ordre plus ou moins fort qui incite la personne à se prendre en charge et à se dégager du cocon familial, à faire le pas pour se détacher de toute dépendance affective ou matérielle, à aller au bout de ses actions.

• ***en haut:*** rappel à l'ordre plus ou moins fort qui incite la personne à se faire confiance et à se dégager de toute influence extérieure, à achever son processus de maturation intérieure, à aller au bout de ses idées.
→ ***voir*** *Gencive irritée en arrière de la dernière dent* ■ → ***lire*** *selon le cas Accident d'éruption de la dent de sagesse.*

■ SE CURER LES DENTS À CAUSE D'UN BOURRAGE ALIMENTAIRE

→ ***lire*** *Se curer les dents.*

BOUT À BOUT – DENTS EN

Méd. *Défaut de l'occlusion ou décalage inter-arcades.*

La raison et l'instinct se confrontent en permanence dans un équilibre instable. L'enfant en soi, ou part vulnérable, ni protégé ni guidé, échappe par moments au contrôle de l'adulte. La personne contient difficilement ses émotions. Elle se laisse emporter et le regrette ensuite. Actions impulsives et irraisonnées alternent avec des périodes de contrôle de soi.

BRIDGE

***Méd.** Le bridge ou pont est une prothèse qui soude plusieurs couronnes entre elles, généralement pour remplacer une dent absente ou extraite, voire plusieurs. Il permet d'obtenir un résultat esthétique et un confort supérieur à une prothèse mobile en donnant l'impression d'avoir encore sa dent.*

Le bridge matérialise des liens dont il est bon de prendre conscience. Toute dent incluse dans le bridge est une facette de soi dont l'expression est limitée et conditionnée par les facettes auxquelles elle est soudée. Le bridge matérialise une croyance ou un comportement qui a pu avoir son utilité : se rassurer, consolider un aspect de soi, compenser une fragilité. Toutefois, sans prise de conscience, la personne ne peut se détacher de l'attitude ni tourner la page. Elle reste dépendante d'une croyance ou d'une personne. Le bridge risque même d'entériner un retour en arrière. La perte de liberté est proportionnelle au nombre d'éléments du bridge.

*Matériau employé → **lire** Prothèse.*

■ COMPRENDRE LE PROBLÈME

***Méd.** Malgré les progrès de la technique, le bridge, comme toute prothèse, reste une solution imparfaite. Il permet un gain de stabilité mais entraîne une perte de liberté.*

Si supprimer le bridge n'est pas possible, prendre conscience du lien qu'il matérialise est important. Le lien n'est pas forcément négatif, car il peut rassurer la personne, mais il concrétise une croyance. Par exemple, le bridge qui s'appuie sur une première molaire [16-26 ou 46-36], ou destiné à la remplacer, est à réserver aux cas où il s'impose pour des raisons d'occlusion. Sur le plan psychique, il revient à redevenir enfant dépendant de ses parents : maman [36], papa [46], mère [16], père [26]. **Bridge en projet** *(proposé par le dentiste par exemple) :* on se demandera s'il est nécessaire. En particulier, si une dent doit être dévitalisée, voire deux, le confort espéré en vaut-il la chandelle ? Certes, le bridge est supposé améliorer la mastication ou l'esthétique, mais le résultat sera-t-il à la hauteur des espérances ? Si la gencive est saine et le parodonte fort, poser un bridge n'est pas toujours indispensable. Dans tous les cas, on se souviendra que le dentiste propose (à juste titre), le patient dispose. Il s'agit de trouver l'équilibre entre la nécessité dentaire et la réalité intérieure. À chacun de voir.

*Afin de comprendre l'essence du futur bridge → **lire** à propos de la dent manquante : Extraction.*

■ NATURE DU BRIDGE

● ***1 couronne en extension :*** la dent en extension représente une facette de soi particulièrement fragile dont l'expression est soumise à conditions, un domaine où l'équilibre, précaire, ne tient qu'à un fil.

***Aperçu** du domaine représenté par la dent : nom symbolique page 13 ■ **analyse** plus fouillée → **lire** la rubrique consacrée à la dent en extension : si la dent en extension est une canine, lire Canine, etc.*

● ***2 couronnes soudées*** *(**Méd.** deux couronnes voisines sont soudées au niveau du point de contact afin de renforcer la solidité ou la tenue d'une prothèse) :* deux facettes de la personnalité par essence indépendantes sont artificiellement réunies. L'expression d'un domaine de vie est conditionnée par celle d'un autre.

➤ **Cas qui vous concerne page 273.**

● ***3 éléments*** *(**Méd.** remplace une dent manquante en prenant appui sur ses deux voisines) :* le bridge qui lie la dent manquante aux deux autres crée une sorte de raccourci entre deux facettes de la personnalité. Chacune d'elle est verrouillée par l'élément intermédiaire du bridge, la dent remplacée. Tant qu'elle ne prend pas la mesure du problème, la personne pérennise une situation qui consiste à entraver des capacités, les dents d'appui, pour compenser un manque.

➤ **Cas qui vous concerne page 271.**

• ***4 éléments ou plus:*** plus le bridge comporte d'éléments, plus la personnalité est figée, l'expression de soi entravée. **Mâchoire du bas:** personnalité intime et vie affective sont entravées. Bas gauche (cadran 3) : l'expression affective en tant que femme ou en tant que maman est entravée, face à la femme ou à sa propre maman ; bas droit (cadran 4) : l'expression affective en tant qu'homme ou en tant que papa est entravée, face à l'homme ou à son propre papa. **Mâchoire du haut:** personnalité adulte et vie sociale sont entravées. Haut droit (cadran 1) : l'expression de l'autorité en tant que femme adulte ou en tant que mère est entravée, face aux femmes ou à sa propre mère ; haut gauche (cadran 2) : l'expression de l'autorité en tant qu'homme adulte ou en tant que père est entravée, face aux hommes ou à son propre père.

➤ **Cas qui vous concerne page 271.**

• ***complet:*** le bridge complet est un tel verrou qu'il est de peu d'intérêt de s'intéresser au détail des dents soudées. Il est préférable d'étudier les causes (caries, fractures, usure) et les circonstances de vie qui ont amené à une telle situation et de considérer les conséquences au niveau de la mâchoire entière. Une prise de conscience s'impose. **Mâchoire du bas:** verrou majeur à l'expression de la personnalité intime et de la vie affective. **Mâchoire du haut:** verrou majeur à l'expression de la personnalité sociale et de l'autorité.

→ ***lire*** *Mâchoire du bas, Mâchoire du haut* ■ → ***lire*** *selon le cas Abcès, Caries multiples, Déchaussement, Fracture, Usure.*

■ PROBLÈMES AVEC UN BRIDGE

• ***descellement ou fracture:*** la personne désire inconsciemment rompre avec un fonctionnement qui la limite. Elle a besoin de retrouver sa liberté et sa mobilité dans les domaines représentés par les dents liées au bridge.

→ ***lire*** *Couronne qui casse ou qui se décolle.*

• ***problèmes divers:*** *bridge mal réalisé* → ***lire*** *Couronne mal réalisée* ■ *qui vieillit mal* → ***lire*** *Couronne ne convenant plus* ■ *qui irrite la gencive* → ***lire*** *Couronne mal réalisée – défaut d'adaptation à la gencive* ■ *Gencive enflammée sous le bridge* → ***lire*** *Gencive irritée par une dent ou une prothèse.*

■ REMPLACEMENT

Le remplacement par une prothèse neuve est l'occasion de reconsidérer les liens matérialisés par le bridge et de les transformer. Ils ont eu leur utilité : un lien peut compenser une fragilité ou rassurer. C'est le moment de les relâcher par la prise de conscience.

→ ***lire*** *Couronne à poser ou déjà posée* ■ *matériau employé* → ***voir*** *Prothèse.*

BROSSAGE DES DENTS

Geste anodin, la manière de se brosser les dents est révélatrice du rapport envers soi-même. Tout brossage effectué de manière mécanique, sans attention, est destructeur, même si on croit le faire selon les règles.

→ *lire Blancheur.*

■ MATÉRIEL : BROSSE ET DENTIFRICE

• ***dentifrice abrasif :*** volonté d'apparaître mieux qu'on est ou sans reproche au prix de la perte de son essence. Colère contre soi-même, tentative d'effacer sa nature réelle, de gommer ses défauts.

• ***brosse dure :*** dureté et attitude rigide de la personne envers elle-même, jusqu'à se blesser en faisant saigner les gencives. Volonté de se venger de mauvais traitement ou de mauvaises appréciations : mauvais fils, traînée, mauvais élève, etc.

• ***brosse usagée :*** négligence de la personne qui omet de prendre soin d'elle-même. Si la personne est propre par ailleurs, elle souhaite se détruire ou cacher certaines choses. Elle souffre que sa vie aille à vau-l'eau mais elle ne se sent pas capable de réagir.

■ TECHNIQUE DE BROSSAGE

• ***en cercle :*** la personne réprime ses pulsions et ses envies. Elle tente de les cacher ou de les diluer mais elle s'en veut de ne pas se laisser aller. Elle finit même par ne plus savoir de quoi elle a envie.

• ***excessif, plusieurs fois par jour :*** désir d'être irréprochable, recherche de perfection. Envie irrépressible mais pourtant contenue de pointer les défauts des autres. Désir d'être au-dessus du lot, d'effacer son corps pour n'être plus qu'esprit, avec la croyance que l'esprit est pur et absolu.

• ***insuffisant :*** la personne a un problème de valeur. Elle cherche à dissimuler sa vraie nature qu'elle juge trop belle pour la laisser apparaître. Désir d'être différent, de ne pas se conformer aux normes, de se faire remarquer et de tenir l'autre à distance. Les adolescents utilisent ce moyen pour affirmer leur différence ou leur opposition face aux parents et aux normes ; l'aspect peu engageant du sourire comme la mauvaise haleine démarquent des normes sociales, vont à l'encontre de la mode dents blanches.

• ***transversal*** *(**Méd.** effets nocifs sur les dents et les gencives, technique déconseillée)* **:** la personne se nie, « non, tu ne seras pas belle, non, tu ne seras pas brillante, ça te ferait trop plaisir ! ». Plaisir à qui ? Au parent. La personne se venge sur elle-même de la manière dont ses parents la traitent, car elle sent que derrière les attentes il y a de la dévalorisation, du moins est-ce son ressenti. La personne est prête à rentrer dans le moule, à faire tout ce qu'il faut quand il faut car « c'est bien ». Elle ne s'autorise aucune envie. Elle nie ses pulsions et ses besoins au point qu'elle ne se rend pas compte qu'elle en meurt.

• ***vertical exagéré*** *(**Méd.** manière non consciente d'appliquer la technique recommandée par les dentistes, qui peut alors être aussi destructrice qu'un brossage transversal)* **:** la personne n'arrive pas à se situer. Elle oscille entre une attitude exagérément raisonnable et un comportement capricieux ou fantasque. Elle voudrait accorder ses envies à sa raison mais ne fait que passer d'un excès à l'autre. Son instabilité l'épuise.

BRÛLURE DE LA LANGUE ou du PALAIS

*De la langue → **lire** Langue – brûlure ■ du palais → **lire** Palais – brûlure.*

BRUXISME *ou BRUXOMANIE ou encore BRYCOMANIE*

*Bruxisme dynamique ou bien bruxomanie (le terme exact est brycomanie) → **lire** Grincer des dents ■ bruxisme statique → **lire** Serrer les dents.*

BUNOÏDE – PAPILLE

*→ **lire** Papille rétro-incisive.*

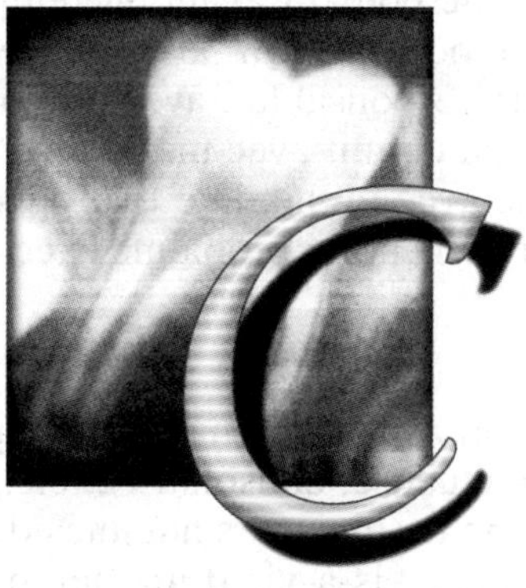

CADRAN *ou HÉMIMÂCHOIRE*

Méd. *La denture est divisée en quatre cadrans ou hémimâchoires de 8 dents : deux cadrans en haut et deux en bas. L'ordre des cadrans détermine la numérotation officielle des dents. Le numéro du cadran correspond au premier chiffre du numéro de la dent. Exemples : la dent numéro 11 est la première dent du premier cadran, la [38] est la huitième du troisième cadran.*

Chaque cadran possède sa signification propre en rapport avec l'un des quatre rôles parentaux. L'interprétation d'une dent dépend de la figure parentale qui domine le cadran où elle se trouve. Féminin et masculin sont croisés entre le haut et le bas. En bas : cadran droit masculin, cadran gauche féminin. En haut : cadran droit féminin, cadran gauche masculin.

Mémoriser *les numéros des cadrans* → ***lire*** *la présentation de l'ouvrage* ■ *les caries ou autres atteintes se produisent fréquemment selon une configuration particulière : uniquement en haut ou en bas, de manière croisée ou de manière unilatérale* → ***lire*** *selon le cas Cadrans – lésions bilatérales, Cadrans – lésions croisées, Cadrans – lésions unilatérales.*

■ **CADRAN 1** *HAUT DROIT*

Le premier cadran est en rapport avec la mère en tant qu'éducatrice, ou la femme détenant l'autorité. Il est lié à la femme dans sa dimension sociale. Il s'agit de la propre mère de la personne ou d'une femme jouant ce rôle. Une ou plusieurs atteintes dans le premier cadran révèlent un problème avec la mère, avec une femme de tête, une femme de pouvoir ayant une emprise forte voire tyrannique, avec une femme plus âgée ayant de l'ascendant, une femme d'influence (directrice, PDG, responsable, etc.), une femme de loi (juge, avocate, etc.) ou encore un conflit avec une femme perçue comme castratrice, dominatrice, un problème avec une femme toute puissante, déesse inaccessible sur son piédestal et plus généralement un problème avec quelqu'un qui rappelle inconsciemment la mère.

■ **CADRAN 2** *HAUT GAUCHE*

Le second cadran est en rapport avec le père en tant qu'éducateur, ou avec l'homme détenant l'autorité. Il est lié à l'homme dans sa dimension sociale. Il s'agit du propre père de la personne ou d'un homme jouant ce rôle. Une ou plusieurs atteintes dans le second cadran révèlent un problème avec le père, avec un homme d'influence, un homme de pouvoir ayant une emprise forte, voire tyrannique, avec un homme plus âgé occupant un poste plus élevé dans la hiérarchie (directeur, chef, PDG, décideur, responsable), avec un homme de loi (juge, procureur, avocat, etc.) ou encore un conflit avec un homme perçu comme dominateur ou castrateur, un problème avec un homme tout puissant, dieu inaccessible sur son piédestal et plus généralement un problème avec quelqu'un qui rappelle inconsciemment le père.

■ CADRAN 3 *BAS GAUCHE*

Le troisième cadran est en rapport avec la maman en tant que nourricière, ou avec une femme jouant ce rôle (affectueuse, consolatrice, etc.). Il est lié à la femme dans sa dimension affective. Une ou plusieurs atteintes dans le troisième cadran révèlent un problème de confiance vis-à-vis d'une femme maternelle et maternante qui accueille et console, un problème avec une femme supposée être dans la disponibilité et dans l'écoute, censée apporter un soutien moral ou affectif, un problème concernant l'intimité avec la femme (amie, amoureuse, amante), un problème avec une femme enfant (câline, joueuse, taquine mais aux réactions imprévisibles) et plus généralement un problème avec quelqu'un qui rappelle inconsciemment la maman.

■ CADRAN 4 *BAS DROIT*

Le quatrième cadran est en rapport avec le papa en tant que nourricier, ou tout homme jouant ce rôle (affectueux, réconfortant, etc.). Il est lié à l'homme dans sa dimension affective. Une ou plusieurs atteintes dans le quatrième cadran révèlent un problème de confiance vis-à-vis d'un homme doux et tendre jouant le rôle de confident, avec un homme supposé soutenir et aider (financièrement ou moralement), un problème d'ordre intime avec l'homme (ami, amoureux, amant) un problème avec un homme enfant au tempérament bohème, imprévisible et emporté et plus généralement un problème avec quelqu'un qui rappelle inconsciemment le papa.

■ CADRAN ET RÔLE PARENTAL

Le rôle de parent nourricier (papa ou maman) est différent et complémentaire du rôle de parent éducateur (père ou mère). L'homme est à la fois un papa (consolateur) et un père (guide). La femme est à la fois une maman (consolatrice) et une mère (guide). À l'époque où les rôles parentaux sont chamboulés, il est important de bien comprendre ces notions. Trop souvent, deux versions des parents tendent à s'affronter : d'un côté, mère qui dirige et papa poule, de l'autre mère aux fourneaux (maman) et père qui éduque (ou absent). En réalité, chaque enfant a besoin des quatre figures parentales : une maman qui console et nourrit, doublée d'une mère qui dirige et éduque, et un père qui éduque ou punit, doublé d'un papa qui joue et s'extasie. L'atteinte de tel ou tel cadran révèle quel rôle a manqué à l'enfant que chacun a été (ou à l'enfant qu'il élève).

■ CADRANS – LÉSIONS BILATÉRALES

Les lésions ne sont pas en rapport direct avec un parent mais plutôt liées à la dimension parentale qui a manqué : soit nourricière, soit éducative.

• ***mâchoire du bas (cadrans 3 et 4):*** l'enfant intérieur, la sphère émotionnelle, la dimension intime est blessée. C'est le signe d'un rejet du corps, de la matière et plus généralement du principe maternel et nourricier.
*Autres détails → **lire** Mâchoire du bas.*

• ***mâchoire du haut (cadrans 1 et 2):*** l'adulte en soi, la sphère mentale, la dimension sociale est blessée. C'est le signe d'une rébellion contre le principe paternel. La personne souffre d'un manque de références par rapport à l'autorité et à la loi.
*Autres détails → **lire** Mâchoire du haut.*

■ CADRANS – LÉSIONS CROISÉES

Lésions en rapport direct avec un parent qui n'a joué son rôle dans aucune de ses deux missions, nourricière et éducative. Du moins, est-ce ainsi que l'enfant l'a perçu.

• ***haut droit et bas gauche (cadrans 1 et 3):*** la personne est blessée dans son féminin. Elle souffre d'un manque de références féminines. Pour une femme : problème d'identité. Pour un homme : problème relationnel avec les femmes ; la femme est une inconnue, une énigme. Il ne sait comment se comporter avec elle.

• ***haut gauche et bas droit (cadrans 2 et 4):*** la personne est blessée dans son masculin. Elle souffre d'un manque de références masculines. Pour une femme : problème relationnel avec l'homme qui est un inconnu, une énigme ; elle ne sait comment se comporter avec lui. Pour un homme : problème d'identité.

■ CADRANS – LÉSIONS UNILATÉRALES

Les lésions spécifiquement soit à droite soit à gauche correspondent à un traumatisme survenu aux environs de six ans. À cet âge l'individu quitte l'enfance, monde où le jeu, le plaisir, l'instant présent, les émotions dominent, pour entrer dans le monde adulte, régi par la performance, la raison et le principe de réalité. L'atteinte unilatérale montre que la personne est restée bloquée au stade du passage entre ces deux mondes et que la transition entre le rêve et la réalité n'a pu se faire correctement.

• ***droite (cadrans 1 et 4):*** la personne détruit le principe de réalité (monde de l'évaluation, de la performance). Elle est attachée au rêve, au monde de l'enfance ou des souvenirs. Au plus profond d'elle-même, elle est restée dans le passé. Note : si la personne mastique ou a longtemps mastiqué à droite, elle s'est forcée à travailler, à réaliser des exploits, etc. ; si elle mastique ou a longtemps mastiqué à gauche, l'enfance reste l'univers préservé où elle vit.

• ***gauche (cadrans 2 et 3):*** la personne détruit inconsciemment tous ses souvenirs d'enfant (période avant six ans). Elle nie le rêve, ainsi que sa part irréelle et fantasque. Elle voudrait oublier son passé et se raccroche à la réalité, à la performance. Dans son inconscient, sa vie commence après six ans. Note : si la personne mastique ou a longtemps mastiqué à gauche, elle s'est acharnée à ressasser son passé, attitude destructrice source de souffrance ; si elle mastique ou a longtemps mastiqué à droite, son univers de prédilection est la compétition, la recherche de performance et d'efficacité.

CALCIFICATION – MANQUE PRÉCOCE

Défaut de calcification sur une dent → ***lire*** *Émail altéré* ■ *manque de calcification (dents peu calcifiées)* → ***lire*** *Dentine peu minéralisée* ■ *émail de faible épaisseur : problématique analogue à celle de l'amélogenèse imparfaite, en moins grave* → ***lire*** *Amélogenèse imparfaite* ■ *manque de calcification des dents de lait* → ***lire*** *Lait – dents fragiles.*

CANAL – PROBLÈMES DIVERS

Canal calcifié → ***lire*** *Pulpe rétrécie ou calcifiée (pulpolithes)* ■ *canal coudé* → ***lire*** *Racine coudée* ■ *canal dédoublé ou divisé* → ***lire*** *Racine dédoublée* ■ *canal oublié ou mal obturé* → ***lire*** *Pâte d'obturation qui manque* ■ *canal perforé* → ***lire*** *Faux canal* ■ *canal qui se ferme spontanément* → ***lire*** *Pulpe rétrécie* ■ *canal surinstrumenté* → ***lire*** *Pâte d'obturation qui déborde.*

CANCER DE LA BOUCHE

→ ***lire*** *Bouche – cancer.*

CANCER DE LA MÂCHOIRE

Méd. *Le cancer dans ses implications générales dépasse le cadre de l'ouvrage. Les informations données concernent l'emplacement des lésions.*

La personne est rongée par une colère profonde qui affecte les bases de sa personnalité.

Autres détails → ***lire*** *Cadran, Mâchoire du bas, Mâchoire du haut.*

■ MÂCHOIRE DU BAS

Colère ou haine viscérale contre le principe maternel ou nourricier, le « ventre », les émotions, les pulsions, la matière. Rejet de la pesanteur de la chair. Rancune qui remonte à la tendre enfance contre le papa nourricier (lésion à droite), contre la maman nourricière (lésion à gauche). La personne s'est sentie trahie dans son intimité, alors qu'elle s'ouvrait à l'autre, vulnérable et confiante.

■ MÂCHOIRE DU HAUT

Colère ou haine viscérale contre le principe paternel, l'autorité, la loi. Rancune profonde contre le père (lésion à gauche), la mère (lésion à droite). Révolte contre le spirituel ou le divin. Révolte contre le ciel, la malchance, les dieux. Sentiment d'injustice enraciné depuis l'enfance : « c'est toujours sur moi que cela tombe, le sort s'acharne sur moi ». La personne s'est sentie victime d'un coup du destin, abandonnée de dieu : « je ne méritais pas cela ».

CANDIDOSE BUCCALE

Affection de la muqueuse buccale causée par un champignon, le Candida albicans → ***lire*** *Muguet, Langue brune.*

CANINES ADULTES [43-33] et [13-23]

[canines de lait : lire Lait – dents]

DENTS DES ORIGINES et de la VOLONTÉ

Méd. *Implantée à l'angle entre secteur antérieur et secteur médian, il n'y a qu'une canine par moitié d'arcade, soit 4 au total. Dent pointue, elle ressemble à un croc.*

La canine, du latin *cane*, le chien, est la dent du carnivore. Elle représente le prédateur à l'intérieur de soi, qui attrape et garde sa proie. Elle incarne la capacité de mordre pour défendre son territoire. Son atteinte est le signe de l'incapacité à montrer les crocs : « je ne peux pas me défendre » (plan animal).

■ CANINE INFÉRIEURE [43-33]
ou DENT DES ORIGINES

La dent des origines incarne la procréation. Elle représente la vie reçue de la lignée qu'on transmet à ses enfants. Liée au passé ancestral, la dent incarne la fidélité familiale, la tradition transmise de manière immuable de génération en génération. La dent des origines représente les croyances, habitudes ou coutumes héritées de la lignée. Elle porte l'empreinte atavique ou programme hérité des parents biologiques. En cas d'adoption, les parents nourriciers n'influencent que le comportement au plan relationnel. La dent des origines incarne également l'endurance physique. Elle représente la brutalité de l'animal en soi, que l'instinct de survie pousse à défendre son territoire à coup de crocs. La dent représente l'instinct de propriété qui se traduit par l'attachement tant matériel qu'affectif, dont un extrême peut s'exprimer par la possessivité ou la jalousie : mes biens, mes enfants, etc.

• ***atteintes :*** la personne refuse l'héritage de la lignée. Elle refuse d'avoir un enfant. Elle nie le pouvoir de transmettre la vie et refuse de l'avoir reçue. La cause est liée à une croyance héritée du parent : donner la vie est interdit, ou source de souffrance, etc. La personne nie sa part instinctuelle et animale qu'elle considère comme bestiale, dont la violence lui fait peur. Elle renonce à se défendre dans le domaine de l'intimité ou sur le plan matériel. Elle refuse l'acte sexuel à cause d'une violence qu'elle a subie. Elle a besoin de retrouver ses racines archaïques, de se réconcilier avec ses pulsions les plus obscures et les plus primitives.

• ***droite [43] :*** la lignée paternelle. L'héritage transmis par le père biologique ou papa. Lésion : la personne refuse de se reconnaître comme son enfant, de suivre ses traces, de vivre comme lui ou de perpétuer la tradition familiale, habitudes de vie ou métier. Problème de défense du territoire face au papa ou à un proche qui le rappelle.

• ***gauche [33] :*** la lignée maternelle. L'héritage transmis par la mère biologique ou maman. Lésion : la personne refuse de se reconnaître comme son enfant, de suivre ses traces, de vivre comme elle ou de perpétuer la tradition familiale, habitudes de vie ou métier. Problème de défense du territoire face à la maman ou à un proche qui la rappelle.

■ CANINE SUPÉRIEURE [13-23]
ou DENT DE LA VOLONTÉ

La dent de la volonté incarne la puissance intérieure qui se manifeste par la volonté personnelle et la détermination. Elle représente la capacité de taper du poing sur la table, de donner de la voix pour faire passer ses idées ou imposer un projet. La dent incarne la force qui permet de montrer les crocs pour se défendre, de faire valoir ses opinions, de leur donner de l'impact ou du poids. Elle incarne l'aptitude à créer, à mener à terme un projet. La pointe de la canine supérieure est l'aiguille de la boussole intérieure qui montre la direction à suivre pour se réaliser et donne la constance nécessaire pour y parvenir. Elle permet de rester fixé sur le but, fidèle à l'objectif, sans démordre ni « lâcher son os » en dépit des retards ou des obstacles. La puissance de la canine du haut donne le courage de maîtriser son destin, de prendre les grandes décisions de la vie. Elle représente l'axe de vie, la voie de la réalisation personnelle.

• ***atteintes:*** perte de l'intégrité morale, psychique, voire physique. Forme de castration. La personne a cédé tout ou partie de son pouvoir au parent éducateur, père ou mère, ou à un représentant de l'autorité (professeur) qui lui rappelle le parent. Elle renonce à s'imposer : dire le fond de sa pensée, mettre les pieds dans le plat. Elle ravale sa colère, joue les moutons conciliants et dociles, se laisse marcher sur les pieds. Elle s'efface devant autrui, baisse les bras pour ne pas blesser l'autre ou parce qu'elle se sent impuissante. Passive, elle subit les événements. Elle a peur qu'on la qualifie de méchante ou de hargneuse si elle exprimait sa colère à voix haute. Elle renonce à se défendre et à mordre, elle plie les genoux, fait le dos rond. Elle s'entête dans une direction sans se poser la question de savoir où elle veut vraiment aller ou si l'engagement pris est toujours d'actualité. Elle a besoin de reprendre sa vie en main, de retrouver sa force, d'accepter sa colère, voire sa violence, manifestation réprimée de sa puissance, afin de reconquérir son intégrité, son pouvoir sur elle-même et sur sa vie.

• ***droite [13]:*** le pouvoir d'exprimer sa volonté face à la mère éducatrice. Lésion : souffrance de céder devant la mère ou quelqu'un qui la rappelle inconsciemment.

• ***gauche [23]:*** le pouvoir d'exprimer sa volonté face au père éducateur. Lésion : souffrance de céder devant le père ou quelqu'un qui le rappelle inconsciemment.

CARIE *GÉNÉRALITÉS*

Méd. *Classée fléau mondial par l'OMS, la carie est une des maladies les plus répandues dans le monde occidental. Les bactéries présentes dans la bouche transforment les résidus sucrés de l'alimentation en acides qui attaquent les tissus durs de la dent, émail et dentine. La carie est un phénomène de dissolution, de pourrissement de la matière dense.*

Une carie est l'expression d'un vide. Elle a pour origine un manque hérité de l'enfance : carence affective, éducative, etc. Le manque génère une souffrance. En réaction, l'individu décide inconsciemment de ne plus exister dans un domaine donné, de se couper d'une facette de lui-même pour ne plus ressentir la souffrance. La décision entraîne la destruction d'une partie de la dent, qui s'abîme inexorablement, malgré les précautions d'usage, hygiène alimentaire, brossage, etc. Les bactéries qui produisent des acides sont des agents au service de l'inconscient. Tant que la décision n'est pas prise, les systèmes d'autoprotection qui agissent par la salive préservent la dent. En cas de carie, si le manque cesse ou si la personne en prend conscience, le processus carieux s'interrompt. Néanmoins, la carie ne se répare pas seule.

→ ***lire*** *l'introduction de l'ouvrage.*

■ CARIE COMME PRINCIPAL PROBLÈME DENTAIRE

Méd. *Caries en nombre variable, mais à la quasi-exclusion d'autres problèmes dentaires.*

La personne préfère se ronger intérieurement plutôt que d'exprimer son malaise à voix haute, se détruire plutôt que de remettre en cause son environnement : famille, proches, etc. Si elle le fait, c'est au prix d'une autonégation assortie de culpabilité : « c'est ma faute ». Elle est rongée par le remords. Elle retourne sa

cerne le côté avant, le
de soi est limitée,
e pour s'épanouir

vécu un manque
ut pas se fier à la

se développe sur la

de. Carie découverte
me, alors que la per-
ur et l'émail finit par
nscient de la réa-
refuse le corps et
intes. Elle aspire
é. L'apparition de
éserves vitales ou
ite trop l'intellect
giène de vie).
our la dentine (invi-
entinogenèse impar-

ême dent, à un autre

t: lire Lait – caries]

vie. Le processus
alité pour retour-
ente à un suicide

udrait n'être que
te est de mourir.
rement masquée
état premier de

unir d'avoir osé dire ou faire
son propre bourreau. Enfant, la
ceur, soutien, etc.) qu'elle atten-
a développé le sentiment que
que l'amour est dévié ou vicié.

[dent de lait: lire Lait – caries]

tée par la dent, se désinvestit de
d'un mécanisme de retrait ins-
ne veux plus de cette partie de
acuer un épisode douloureux de
ématique passée resurgit depuis
nécessaire pour qu'une carie se
oire où se trouve la dent atteinte
nfance a été ressentie: haut droit
cadran 2) au père éducateur; bas
droit (cadran 4) au papa nourri-
nd lié aux deux parents.
nt et rôle parental page 13.
ci-dessous ■ plusieurs dents cariées
*→ **lire** Cadran.*

*lique page 13 ■ **analyse** plus fouillée*
nt le texte d'après les informations ci-

vestibulaire, côté joue, des molaires):
que lié à une forme de « vampi-
elle inconsciemment.
ire valoir ses droits. Capitulation,

n claire et nette face à autrui.
côté palais des incisives et canines supé-
ions, idées inavouées, fantasmes)
u de la ressentir.
dent): la personne éprouve de la
sation pour la partie d'elle-même
re): l'image de soi est dévalorisée.
a dévalorisation touche l'intimité.
la base, trahie. **Sous la gencive:** la

s – personne âgée ■ en cas de déchaus-

• ***côté mésial ou distal*** (***Méd.*** *carie dite proximale, la carie mésiale co plus médian; la carie distale le côté arrière, le plus distant):* l'expressio étriquée. La personne souffre de manquer de temps ou d'espa dans le domaine matérialisé par la dent.

• ***occlusale (ou de la face de mastication):*** la personne a physique, affectif ou éducatif précoce. Elle croit qu'elle ne p qualité correspondant à la dent.

■ NATURE DE LA CARIE

• ***carie de l'émail, ou carie apparente*** (***Méd.*** *carie superficielle qu surface lisse de la dent)* → ***lire*** *Émail abîmé – carie.*

• ***carie de la dentine, ou carie invisible*** (***Méd.*** *carie invisible et profo de manière fortuite par le dentiste qui soigne une lésion en apparence mi sonne pensait ne rien avoir aux dents. La carie creuse la dent en profond s'effondrer. La dent qui paraissait saine se casse brutalement):* refus inc lité. Atteinte préférentielle de la personne trop dans sa tête, qu ses exigences. Elle rejette le quotidien et son lot de contr inconsciemment à s'évader dans un monde virtuel ou désincar plusieurs caries en peu de temps indique un épuisement des bien est un signe de dépression. Exemple : l'étudiant qui solli sans respecter le corps et ses besoins (nourriture, sommeil, hy
À un niveau de gravité moindre, les caries qui ont une affinité spécifique sibles et profondes) révèlent une problématique similaire à celle de la faite → ***lire*** *Dentinogenèse imparfaite.*

■ CARIE – RÉCIDIVE ou REPRISE

Récidive (au même endroit) → ***lire*** *Récidive de carie* ■ *reprise (sur la n endroit)* → ***lire*** *Reprise de carie.*

■ CARIE SOUS-GINGIVALE

→ ***lire*** *Carie du collet, Racine – carie.*

■ CARIE – TRAITEMENT ou SOIN

→ ***lire*** *Obturation, Pansement, Plombage, Prothèse.*

CARIES MULTIPLES *ou POLYCARIES* *[dent de l*

Méd. *5 dents touchées ou plus.*

La personne renonce à exister, à se battre, à mordre dans la carieux est un processus de mort, de dissolution de la person ner au néant. Lorsqu'il se généralise à toutes les dents, il s'app plus ou moins rapide selon le cas.
Autres détails → ***lire*** *Édentation.*

■ ENSEMBLE DE LA BOUCHE

La pulsion de mort l'emporte. La personne rejette la matière, v conscience éthérée ou désire s'anéantir. Sa volonté inconscie Elle vit une dépression profonde qui passe inaperçue, volont ou non reconnue par l'entourage. Elle souhaite retrouver non-séparation avec la maman, stade du bébé dépendant et en fusion. Elle rêve de retourner dans le sein maternel parce que la vie est trop dure, trop pénible, ou le corps de chair trop lourd à porter.

■ MÂCHOIRE DU BAS

La personne rejette les pulsions et les émotions, plus généralement sa partie enfant et la sphère intime. Elle dénie son corps et ses besoins ; peur ou honte de ses pulsions ; répulsion à vivre ou à montrer ses émotions, à se laisser aller au plaisir ; peur de bouger, de jouer, de faire le fou, de satisfaire ses envies ; peur de l'intimité physique et affective, pudeur, retenue exagérée. La personne vit une insécurité par rapport à la vie concrète, qu'elle tente de compenser par un comportement de type boulimique (nourriture, travail, argent, etc.). La problématique est liée au principe maternel ou nourricier.

Autres détails → ***lire*** *Mâchoire du bas.*

■ MÂCHOIRE DU HAUT

La personne rejette l'autorité, le contrôle sous toutes ses formes, plus généralement sa part adulte et la sphère sociale. Elle se sent contrainte, soumise. Elle a la sensation d'être écrasée sous le poids des responsabilités ou du travail, de subir une autorité abusive ou injuste (parent éducateur, supérieur hiérarchique, société). Elle se sent limitée, emprisonnée dans un carcan. Elle est en rébellion contre l'autorité et en même temps manque de repères ou de guides. Elle tente de compenser ce manque en accumulant des connaissances (livres, études, stages) ou par la quête sans fin du père idéal (gourou). La problématique est liée au principe paternel ou d'autorité.

Autres détails → ***lire*** *Mâchoire du haut.*

CARIES SPÉCIFIQUES D'UNE PHASE DE LA VIE

Méd. *Période (adolescence, enfance, etc.) ou événement (grossesse, orthodontie, etc.).*

Après lecture du cas qui vous concerne (sauf pour l'enfant de moins de 6 ans) ➤ **lire page 275 la ou les dents qui vous intéressent.** *Numéro de la dent et rôle parental page 13.*

■ ADOLESCENT

Interpréter la carie à la fois du point de vue de l'adolescent en tant que personne adulte et de l'adolescent en tant qu'être encore sous la dépendance de ses parents.

→ ***lire*** *selon le cas Caries spécifiques – traitements d'orthodontie.*

■ ENFANT DE MOINS DE 6 ANS

Caries du biberon → ***lire*** *Lait – caries du biberon ■ caries des dents de lait →* ***lire*** *Lait – caries multiples.*

■ ENFANT SUR DENT PERMANENTE *[dent de lait: lire Lait – caries]*

La particularité de l'enfant est d'être sous la dépendance des parents, pour le meilleur et pour le pire. Ses caries traduisent un manque grave, une carence dont il est urgent de se préoccuper. Mâchoire du bas : manque affectif ; mâchoire du haut : manque d'une autorité juste et adaptée.

■ **FEMME ENCEINTE**

Le fait d'être enceinte active des conflits latents dans l'inconscient de la jeune mère. La grossesse peut résonner avec son histoire à différents niveaux. Par exemple, l'événement fait écho à sa propre venue au monde : atteinte de l'incisive centrale inférieure ou dent du commencement ; ou bien il réactive son manque par rapport à sa propre maman : atteinte de la première molaire inférieure gauche ou dent de la maman ; ou encore le fait de mettre un enfant au monde représente la transgression d'un interdit parental : atteinte de la seconde molaire supérieure ou dent de la transgression ; etc.

■ **JEUNE MÈRE ou JEUNE PÈRE**

Méd. *Caries qui surviennent chez le parent quelques mois après la venue de l'enfant dans la famille (y compris en cas d'adoption).*

Des conflits liés à l'enfance du parent sont activés. L'enfant physique, qu'il soit biologique ou adopté, est le miroir de l'enfant intérieur. Selon le cas, sa présence active un manque affectif (lésion d'une dent en bas) ou un problème lié à l'autorité (lésion d'une dent en haut). Par exemple, l'apparition d'une carie sur la première molaire supérieure ou dent de père/mère montre que le jeune parent a des difficultés à exercer son rôle éducateur vis-à-vis de l'enfant. Son problème latent par rapport à l'autorité refait surface, soit parce qu'il a été écrasé par ses propres parents, soit parce qu'il a été livré à lui-même.

■ **PERSONNE ÂGÉE**

Méd. *Carie, invasive et d'évolution rapide, du collet ou de la racine. Un développement de caries nouvelles voire subites est à différencier nettement de la poursuite de l'évolution de caries anciennes, qui n'entre pas dans ce cadre.*

La personne veut séparer l'esprit du corps. Elle se coupe de sa vitalité physique (dent du bas) ou psychique (dent du haut). Désir inconscient de mourir, d'autant plus présent que la ou les caries sont étendues et profondes.

→ ***lire*** *Déchaussement.*

■ **TRAITEMENTS D'ORTHODONTIE**

Méd. *Les caries se développent sous les bagues et les verrous posés sur les dents. Des traces blanches de déminéralisation apparaissent, ou des caries d'importance variable.*

L'enfant, l'adolescent ou l'individu n'accepte pas le traitement. Il le subit comme une violence qui lui est faite, une atteinte à son intégrité. Il cherche inconsciemment à se débarrasser des bagues et des verrous placés sur ses dents. Les dents touchées par la carie indiquent les facettes de sa personnalité où l'individu se sent bridé, littéralement mis sous les verrous. Sur la face visible des dents antérieures, les caries expriment en outre le sentiment de dévalorisation et de honte de soi. L'image de l'adolescent ou du jeune adulte est mise à mal par les fils métalliques qui barrent son sourire. Si une mauvaise hygiène favorise les caries sous les bagues, la grève du brossage permet à l'adolescent de protester contre le traitement qu'on lui impose. Quant aux caries qui surviennent malgré une hygiène stricte, elles parlent d'elles-mêmes.

• ***mâchoire du bas:*** l'adolescent se sent trahi par ses parents, abandonné par le papa nourricier (lésions du côté droit de la bouche), la maman nourricière (lésions du côté gauche).

• ***mâchoire du haut:*** l'adolescent en veut à ses parents, son père (lésions du côté gauche de la bouche), sa mère (lésions du côté droit de la bouche). Il se rebelle inconsciemment contre leur autorité.
→ ***lire*** *Orthodontie.*

CASSANTES - DENTS

Méd. *Dents qui se cassent les unes après les autres à la mastication.*

La personne surestime ses forces. Elle exige d'elle-même plus qu'elle ne peut donner. Sa résistance, morale ou physique, n'est pas à la mesure des efforts qu'elle s'impose. Sans cesse sous pression, elle va au-delà de ses limites. Elle veut faire trop de choses à la fois. Inflexible envers elle-même comme envers autrui, perfectionniste voire tyrannique, elle prend sur elle et souffre en silence. Elle doit accepter ses faiblesses et reconnaître sa fragilité, développer la douceur et l'indulgence, apprendre à se ménager.

CASSE...

Bridge qui casse → ***lire*** *Bridge ■ couronne qui casse →* ***lire*** *Couronne qui casse ou qui se décolle ■ dent qui casse →* ***lire*** *Fracture ■ dentier qui casse →* ***lire*** *Dentier ■ obturation qui casse →* ***lire*** *Obturation.*

CELLULITE PÉRIMAXILLAIRE

→ ***lire*** *Joue enflée.*

CÉMENT *CÉMENTOGENÈSE*

→ ***lire*** *Ligament ■ épaississement du cément →* ***lire*** *Ankylose de la racine.*

CÉMENTOME

Méd. *Tumeur minérale qui se développe aux dépens de la racine par prolifération du cément.*

La personne garde au plus profond d'elle une colère profondément cristallisée liée à son enfance. Une rancune extrêmement tenace l'attache à son passé. Elle refoule sa rage et s'endurcit pour ne pas la ressentir. Elle rejette violemment quelqu'un ou quelque chose et, en même temps, s'y accroche maladivement

➤ **souffrance associée à la dent qui vous concerne page 260.** *Numéro de la dent et rôle parental page 13. Tenir compte du fait que le cémentome exprime une souffrance plus intense et plus profonde que l'abcès ■ autres détails →* ***lire*** *Ankylose.*

CÉRAMIQUE *COURONNE ou OBTURATION*

Matériau → ***lire*** *Prothèse ■ couronne en céramique →* ***lire*** *l'une des rubriques de la série « Couronne » ■ obturation en céramique →* ***lire*** *Obturation.*

CHANGER ou REMPLACER...

Un appareil → ***lire*** *Dentier ■ une dent qui manque →* ***lire*** *selon le cas Bridge, Implant ■ une couronne →* ***lire*** *l'une des rubriques de la série « Couronne » ■ un plombage →* ***lire*** *Obturation, Plombage.*

CHICOT

→ ***lire*** *Abcès, Extraction.*

CHIQUE, CHIQUER

Chique → ***lire*** *Abcès, Joue enflée* ■ *chiquer* → ***lire*** *Mâcher une chique.*

CHIRURGIE

Méd. *Il est important d'avoir conscience que l'acte dentaire, comme tout acte chirurgical, est une intervention sérieuse qui comporte des risques.*

Un dentiste est aussi un chirurgien. La chirurgie pratiquée dans le cadre d'un cabinet dentaire est qualifiée de petite chirurgie. Elle n'est pas anodine pour autant. Si extraire une dent est devenu un acte commun pratiqué sous anesthésie locale, il s'agit néanmoins de l'ablation d'un organe. De même, le banal retrait d'un nerf ou pulpectomie est l'ablation de la pulpe. Soigner une carie oblige à enlever une partie de la dent. Piquer, inciser, extraire, cureter, suturer, sont des actes courants qui relèvent de la chirurgie à part entière. La bouche est la seule partie du corps où l'on opère avec autant de facilité et de manière aussi banale. Il est peu probable qu'une personne accepte qu'on intervienne au niveau de ses yeux comme on le fait au niveau de ses dents. Tout acte pratiqué par un chirurgien-dentiste crée une brèche au niveau de la bouche, zone à la fois intime et très innervée (muqueuse buccale comme tissus dentaires). **Attitude face à la chirurgie:** les personnes qui vont se faire soigner les dents comme on va chez le coiffeur et acceptent sans broncher toutes les interventions, y compris les plus pénibles, vivent une forme de déni actif. Leur aisance et leur coopération apparentes cachent la volonté de s'en remettre entièrement au praticien afin d'éviter de prendre conscience de leur souffrance. Elles endurent sans broncher la douleur de l'opération pour ne pas sentir la souffrance intérieure sous-jacente. Leur attitude est une fuite, le moyen d'éviter de voir les enjeux psychiques de l'intervention. Pourtant, la plus banale carie est un phénomène d'autodestruction. Ouvrons les yeux avant d'ouvrir la bouche et acceptons de voir la réalité. Soigner ou arracher une dent, même une dent de sagesse qui ne sert soit disant à rien, c'est toucher à l'intégrité physique et psychique de l'individu tout entier. C'est un acte qu'on ne doit ni banaliser ni dramatiser.

→ ***lire*** *selon le cas Extraction, Extraction difficile, Sagesse – extraction (suites), Germectomie.*

CHIRURGIEN-DENTISTE

→ ***lire*** *Dentiste.*

CHOCS *MICROCHOCS RÉPÉTÉS*

Microchocs répétés qui conduisent à une dévitalisation spontanée → ***lire*** *Nécrose* ■ *à une fracture* → ***lire*** *Fracture* ■ → ***lire*** *selon le cas Émail abîmé – dent ébréchée, Émail abîmé – fêlures ou fissures.*

CHOCS THERMIQUES

Qui font éclater l'émail → ***lire*** *Émail abîmé – fêlures ou fissures.*

CHUTE

Accident → ***lire*** *Fracture, Luxation ■ d'une dent de lait →* ***lire*** *Rhizalyse des dents de lait.*

CICATRISATION

→ ***lire*** *Alvéolite, Douleur persistant après intervention, Sagesse – extraction (suites), Os non reformé après extraction.*

CINGULUM – CARIE

→ ***lire*** *Carie localisée à un endroit de la dent.*

CLOISON NASALE

Dent incluse dans la cloison nasale (mésiodens ou autre) → ***lire*** *Mésiodens ■ conséquences d'une cloison nasale déviée →* ***lire*** *Respiration buccale.*

CLOISON OSSEUSE INTERDENTAIRE

> ***Méd.*** *Lame osseuse (ou septum) qui sépare les racines de deux dents voisines. L'atteinte de la cloison se traduit par une perte d'os (déchaussement localisé). Seul un bilan radiographique effectué par le dentiste ou une radio panoramique permet de la détecter.*

La personne désire réunir deux facettes d'elle-même, rassembler deux capacités ou qualités. Elle confond deux domaines de sa vie dont elle n'envisage pas qu'ils puissent fonctionner séparément. Elle réagit par un réflexe d'autoprotection à une peur, à un sentiment d'insécurité ou d'agression qui se greffe sur une fragilité d'enfance. Elle tente de faire bloc pour mieux résister à l'attaque ou au danger, réel ou supposé. **Abcès**: colère liée à l'impuissance de se protéger.

➤ **Atteinte qui vous concerne page 281** *(suppose de connaître par son dentiste les numéros des deux dents que la cloison sépare).*

→ ***lire*** *Déchaussement ■ atteinte causée par un bourrage alimentaire (dents espacées ou cariées) →* ***lire*** *Bourrage alimentaire.*

COLLET *ou JONCTION DENT-GENCIVE*

> ***Méd.*** *Partie de la dent qui réalise la jonction entre la couronne couverte d'émail et la racine, sans émail mais recouverte par la gencive. En pratique, le terme collet désigne à la fois la zone d'émail proche de la gencive et la naissance de la racine lorsque celle-ci est dénudée.*

Le collet matérialise l'union des contraires en soi ou harmonie intérieure. L'atteinte exprime une discorde intérieure, une répulsion pour soi-même. En lutte intérieure, la personne porte contre elle-même des jugements négatifs, ne s'aime pas, voire se déteste. La dévalorisation est plus profonde si la lésion touche le côté palais ou langue que si elle affecte le côté joue. Une atteinte sous-gingivale montre que la personne a enfoui le problème; invisible, il sape ses forces à la base.

■ CARIE

→ ***lire*** *Carie du Collet ■ →* ***lire*** *selon le cas Arrêtée – carie sèche.*

■ MYLOLYSE

Atteinte en coup de scie détectable quand on passe l'ongle → ***lire*** *Mylolyse.*

■ RÉTRACTION DE LA GENCIVE

→ *lire* *Gencive rétractée.*

■ USURE (du collet)

Méd. *Perte d'émail, voire de dentine, qui fait disparaître le bombé de la dent. Dans les cas marqués, une zone en creux apparaît. Une brosse trop dure, mal utilisée, et un dentifrice abrasif usent le collet. L'usure est accentuée par l'érosion (perte de substance causée par l'acidité des aliments ou par les renvois acides de l'estomac). Les deux phénomènes peuvent coexister et s'aggraver mutuellement. L'usure peut aussi aggraver une mylolyse.*

La personne ne se respecte pas car elle ne s'aime pas. Elle s'est laissée peu à peu entamer par la vie, les soucis, les priorités qu'elle fait passer avant ses propres besoins. Elle se compare aux autres et se dénigre. Elle renonce à se protéger, à faire valoir ses droits face à l'autre qu'elle estime meilleur ou plus méritant qu'elle. Elle pense qu'elle n'en vaut pas la peine. Elle croit qu'elle doit se montrer tendre, qu'il est bon de paraître vulnérable et sensible pour se faire aimer d'autrui. Elle s'interdit de dire non car elle se sent coupable de passer pour quelqu'un de dur. Elle cherche à donner l'image d'une personne compatissante, conciliante, réceptive. À vouloir trop écouter les autres, elle oublie de s'écouter elle-même. Elle y perd ses forces et son intégrité. **Mâchoire du haut:** la personne s'efface en société ou au travail. Elle cède le premier rang à d'autres qu'elle estime plus brillants ou plus compétents. **Mâchoire du bas:** la personne s'efface dans l'intimité, fait passer au second plan ses envies et ses besoins, après conjoint, enfants ou proches.

● ***accentuée par brossage excessif ou brosse dure:*** la personne a reçu une éducation rigide, faite de principes stricts. Elle voit la vie en noir et blanc. Elle ne supporte pas la contradiction extérieure. Quant à la contradiction intérieure, elle s'interdit de la ressentir. Dure avec elle-même, elle ne s'accorde aucune auto-indulgence. Elle juge sévèrement ses défauts. Elle se contrôle au point d'ôter tout relief à sa personnalité. Elle cherche à devenir comme il faut, quitte à renoncer à toute particularité visible. **Dents de devant:** la personne désire se punir, passer inaperçue, « puisque je suis imparfaite et laide, les autres ne peuvent m'apprécier, je préfère disparaître ». Elle s'impose des interdits. Son sourire trahit son dépit. Pour rien au monde elle ne reconnaîtrait combien elle nie sa personnalité.

➤ **Dent qui vous concerne page 348.** *Numéro de la dent et rôle parental page 13.*

→ *lire* *Brossage.*

● ***accentuée par produits corrosifs*** (***Méd.*** *emploi de produits corrosifs – eau oxygénée, jus de citron – pour blanchir les dents*)*:* colère contre soi-même. La personne détourne son besoin d'action ou de changement non satisfait en une recherche vaine et compulsive de perfection qui la détruit.

→ *lire* *Blancheur.*

● ***accentuée par reflux gastrique:*** la personne est épuisée par sa propre aigreur. Elle retourne contre elle-même sa colère non digérée. Elle se fait de la bile, se laisse miner par les soucis, ronger par la haine, la rancœur ou la colère qu'elle n'exprime pas.

→ *lire* *Érosion.*

● ***usure avec gencive rétractée:*** peu sûre d'elle, prête à tout pour se faire apprécier, la personne se laisse envahir et dévorer par autrui sans opposer de défense.

Elle se croit obligée de se sacrifier, de donner jusqu'à sa chemise pour plaire. Sa confiance et son estime d'elle-même sont si faibles qu'elle se laisse dépouiller dans l'espoir d'obtenir un peu d'amour ou de reconnaissance.
→ ***lire*** *Gencive rétractée.*

• ***usure avec hypersensibilité*** → ***lire*** *Hypersensibilité non due à carie.*

COLORATION(s)

Méd. *Anomalie de la couleur qui modifie l'aspect d'une ou plusieurs dents. Selon le cas, coloration indélébile (altération de l'émail en cours de croissance) ou réversible (colorations par le thé, le café et autres agents extérieurs).* ***Attention*** *: les rubriques COLORATION (au singulier) se trouvent avant les rubriques COLORATIONS (au pluriel).*

Coloration naturelle → ***lire*** *Teinte.*

■ DUE À L'ÉROSION

L'hyperacidité buccale (personne boulimique par exemple) attaque l'émail et modifie la couleur des dents → ***lire*** *Érosion.*

■ DUE À LA DÉVITALISATION

Dent qui noircit ou qui rosit → ***lire*** *selon le cas Noircissement, Rose – dent de couleur.*

■ INDÉLÉBILE

Tache blanche ou tache sombre présente dès l'éruption → ***lire*** *Émail altéré.*

■ TACHE BLANCHE QUI ÉVOLUE

Méd. *Leucome précarieux ou tache de déminéralisation réversible.*

• ***qui apparaît:*** la personne est confrontée à une situation où sa confiance en elle est remise en question. Elle se sent la cible d'attaques, de regards, de remarques désobligeantes. Elle s'imagine pointée ou visée et s'en fait toute une histoire.

• ***qui disparaît:*** la personne a résolu le problème ou n'y est plus confrontée. Elle a complètement retrouvé confiance en elle.

• ***qui vire au brun:*** même si la personne n'est plus confrontée au problème, elle est marquée par l'épisode. Sa confiance en elle est amoindrie. Elle se méfie et risque de se retrouver plus tard dans la même situation.
→ ***lire*** *Carie sèche.*

■ TACHE BRUNE DE REMINÉRALISATION

→ ***lire*** *Carie sèche.*

■ CHEZ L'ENFANT *LISERÉ NOIR*

Méd. *Liseré noir sur le collet des dents, à la limite de la gencive, dû à un pigment bactérien adhérent, que seul un polissage chez le dentiste peut éliminer.*

L'enfant exprime le manque d'amour ou l'absence de relation entre les parents. Il s'en attribue la responsabilité : « j'empêche mes parents d'être ensemble » ou « mes parents ne s'entendent plus depuis que je suis là ». Le liseré noir peut exprimer un deuil familial ou un non-dit en rapport avec la séparation ou la mort, que l'enfant capte inconsciemment. Il peut par exemple montrer le chagrin non exprimé de la mère après un divorce ou un épisode tragique. Le liseré sombre peut également manifester un sentiment de dévalorisation, voire de souillure, de l'enfant humilié verbalement ou maltraité (attouchements).

■ **CHEZ LE FUMEUR**

Méd. Les colorations dues au tabac peuvent rester superficielles ou s'imprégner en cas d'usure du bord (dent à bord noir). Dans ce dernier cas, la coloration est indélébile.

• ***dents jaunies:*** la personne s'abrite derrière un écran de camouflage pour se protéger. Elle a besoin d'agir et de se connecter à la réalité.

• ***dents à bord noir:*** la personne usée, diminuée, profondément dévalorisée, dégoûtée d'elle-même, convaincue de sa vilainie, s'acharne à se détruire.

→ ***voir*** *Colorations dues à café, thé, etc.* ■ *autres détails* → ***lire*** *Usure.*

■ **DUES À L'ÂGE**

Méd. Dents qui jaunissent indépendamment de l'hygiène.

La personne s'enferme dans la rigidité et la fixité, elle s'endurcit, se recentre sur le concret. Elle devient plus pragmatique ou plus matérialiste.

Fêlures brunes dues à l'âge → ***lire*** *Émail abîmé.*

■ **DUES À BAINS DE BOUCHE**

→ ***lire*** *ci-dessous Colorations dues à café ou thé.*

■ **DUES À CAFÉ ou THÉ**

Méd. Tabac, colorants alimentaires (café, thé) et certains bains de bouche ternissent les dents.

La personne perd momentanément confiance en son image. Son individualité s'efface sous le masque d'une personnalité convenue. « Qu'est-ce qui, dans ma vie, me conduit à me mettre en retrait, à me faire oublier ? » est la question à se poser. Rentrer dans l'ombre est une manière d'assurer sa survie en prenant, comme le caméléon, la couleur ambiante. La personne expose son sentiment de dévalorisation à autrui en espérant qu'il l'en débarrasse. Elle quête son regard et pourtant le craint, voudrait plaire mais ne pas attirer l'attention, par crainte d'être déçue. Par dépit, elle refuse les apparences. Elle veut être sûre d'être appréciée pour elle-même et non pour son physique.

→ ***voir*** *Brossage* ■ → ***lire*** *selon le cas Tartre.*

■ **DUES AU FLUOR**

Excès de fluor → ***lire*** *Fluorose.*

■ **DUES AU TABAC**

→ ***lire*** *Colorations chez le fumeur, Colorations dues à café ou thé.*

■ **DUES AUX ANTIBIOTIQUES**

[colorations asymétriques : lire Émail altéré]

Méd. La prise de certains antibiotiques (cyclines) durant la période de formation des dents permanentes (0 à 6 ans) ou temporaires (fin de la grossesse et premiers mois de la vie) produit des barres sombres sur l'émail. Elles correspondent à la période de prise de l'antibiotique et alternent avec des zones normales. Elles affectent les deux côtés de la bouche de manière symétrique.

L'enfant a ressenti qu'il ne valait rien, qu'il était moins que rien, etc. Il se sent nié ou dévalorisé par les deux parents. Un interdit est inscrit dans sa personnalité, de manière temporaire (dents de lait) ou définitive (dents permanentes). Il est conseillé de retrouver dans quelles circonstances l'antibiotique a été prescrit et en quoi la maladie infantile traduit une dévalorisation. La présence de colorations sur les dents permanentes indique que l'adulte continue à se croire soumis à une interdiction. **Canine inférieure**: interdiction d'appartenir à un clan. **Canine supérieure**: interdiction de se manifester. **Incisive centrale inférieure**: interdiction d'exister. **Incisive centrale supérieure**: interdiction de se montrer. **Incisive latérale inférieure**: interdiction d'être aimé. **Incisive latérale supérieure**: interdiction de parler. **Si la ligne s'étend sur toutes les dents antérieures** en bas, la personnalité intime est niée; **sur toutes les dents antérieures en haut,** la dévalorisation touche le domaine relationnel social.

Pour dater *la prise de l'antibiotique d'après l'emplacement des taches* → ***lire*** *selon le cas Émail altéré de dent adulte – datation, Émail altéré de dent de lait – datation.*

■ PAR LE TARTRE

→ ***lire*** *Tartre.*

■ PAR MANQUE D'HYGIÈNE

Colorations jaunes par plaque bactérienne → ***lire*** *Brossage insuffisant.*

COMMENCEMENT – DENT DU

→ ***lire*** *Incisive centrale inférieure.*

COMMISSURE DE LA BOUCHE ou des LÈVRES

→ ***lire*** *Bouche – commissure.*

COMMUNICATION – DENT DE LA

→ ***lire*** *Incisive latérale supérieure.*

COMPOSITE – RÉSINE

→ ***lire*** *Obturation, Prothèse.*

CÔNE D'ARGENT

→ ***lire*** *Pâte d'obturation qui déborde.*

CONOÏDE – DENT

→ ***lire*** *Taille d'une dent.*

CONTAMINATION LORS DE SOINS DENTAIRES

→ ***lire*** *Infection transmise par le dentiste.*

CORRESPONDANCES DENTS-ORGANES

Les correspondances entre dents et organes s'appuient sur un lien horizontal, d'une partie du corps (la dent) vers une autre (le foie, l'estomac, etc.). L'approche développée dans l'ouvrage établit un lien vertical, du psychisme (plan intérieur) vers la dent (plan concret). Le lien vertical met en contact avec la cause, la problématique de base enfouie dans l'inconscient. Les deux éclairages sont différents

et complémentaires. Découvrir la problématique liée à une dent peut aider à comprendre celle de l'organe en mettant en lumière les racines du mal.
→ ***lire** Énergie d'une dent* ■ → ***lire** l'introduction.*

CÔTÉ D'UNE DENT

→ ***lire** Carie localisée à un endroit d'une dent.*

CÔTÉ DE LA MÂCHOIRE

→ ***lire** Cadran.*

COULEUR NATURELLE

→ ***lire** Teinte.*

COURONNE

Partie de la dent recouverte d'émail qui émerge de la gencive. Le terme couronne désigne habituellement la prothèse qui coiffe la dent (sections suivantes) ■ ***atteintes** → **lire** Carie, Colorations, Émail, Fracture, Usure.*

COURONNE À POSER ou DÉJÀ POSÉE

[dent de lait : lire Lait – couronne]

***Méd.** Artifice prothétique en métal, résine ou céramique, une couronne restaure une dent abîmée. La couronne peut être entière ou n'être qu'une facette collée sur une dent de coloration disgracieuse ou qui présente des défauts d'émail.*

■ POSE SANS CONSCIENCE

Quand la pose de la couronne n'est pas faite en conscience, la personne enterre le problème qui a conduit au délabrement de la dent. La couronne représente une chape qui scelle hermétiquement la souffrance liée à la dent et permet d'échapper au problème pour être tranquille. Elle donne l'illusion de la santé et de la beauté mais témoigne plutôt du comportement artificiel dans lequel la personne s'enferme. La forme séduisante cache un fond souffrant. Le problème resurgit tôt ou tard : couronne qui casse, déchaussement, douleurs sans cause apparente, etc. Sans prise de conscience, la pose d'une couronne est un leurre, une façade trompeuse.

➤ **Dent qui vous concerne page 286.** *Numéro de la dent et rôle parental page 13.*

*Matériau employé → **lire** Prothèse* ■ *Couronne dans un bridge, couronnes soudées → **lire** Bridge* ■ *couronne posée suite à fracture → **lire** Fracture* ■ *sur dent dévitalisée suite à caries → **lire** Carie, Dévitalisation* ■ *pour des raisons esthétiques → **lire** Colorations dues aux antibiotiques, Émail altéré, Noircissement, Rose – dent de couleur, Teinte* ■ *pour réaligner les dents ou pour servir de support à un bridge → **lire** Dévitalisation d'une dent saine, Implantation* ■ *autres détails → **lire** Sourire parfait.*

■ À POSER EN CONSCIENCE

Effectuée en conscience, la pose d'une couronne représente le fait de réhabiliter une facette de soi, de restaurer l'expression d'un don. L'acte concrétise une reconstruction physique et psychique. L'intention qui l'accompagne et le matériau employé sont déterminants. Encore faut-il savoir quelle part de soi on reconstruit et pourquoi :

➤ **Dent qui vous concerne page 288.** *Numéro de la dent et rôle parental page 13.*
→ ***lire*** *Prothèse (pour le matériau à employer).*

COURONNE MAL RÉALISÉE

[dent de lait : lire Lait – couronne]

Méd. *L'art de la couronne est plus délicat qu'il n'y paraît : couleur, taille, forme, ajustement. Les problèmes peuvent se combiner et nécessiter de lire plusieurs des rubriques regroupées dans cette section. Par exemple un bord mal ajusté, inesthétique, qui irrite la gencive. La responsabilité en incombe souvent au dentiste.*

La personne n'accablera pas le dentiste car il est plus intéressant pour elle de se demander pourquoi elle rencontre des problèmes. Croit-elle que rien ne peut jamais bien se passer, qu'il s'agisse d'un aspirateur neuf qui ne marche pas, d'une arnaque sur des vacances… ou d'une couronne neuve et rutilante ? À moins qu'elle ne s'adresse à elle-même un appel au secours ou un rappel à l'ordre. Le problème qu'elle espérait avoir résolu en l'enterrant sous la couronne se manifeste à nouveau. Il est urgent de s'en occuper, sauf à risquer une aggravation ou un déplacement des symptômes sur une autre partie du corps.

➤ **Comprendre l'enjeu lié à la couronne** → ***lire*** *la rubrique Couronne à poser ou déjà posée ou directement la dent qui vous concerne page 286.*

■ DÉFAUT D'ADAPTATION À LA GENCIVE

Méd. *Décrochement entre la couronne et la base de la dent (collet). Un défaut d'ajustement cause une inflammation de la gencive (saignement ou douleur). Débris alimentaires et bactéries s'infiltrent sous la couronne. La dent s'abîme. À long terme, une couronne mal ajustée peut créer un déchaussement.*

La personne est confrontée à un problème de limites floues sur le plan relationnel. Elle en fait trop ou pas assez, son comportement ne correspond pas à sa personnalité réelle dans le domaine que représente la dent. Elle a besoin de reconnaître et de définir ses limites avec plus de clarté, de dire un oui franc ou un non catégorique au moment opportun, sans revenir ensuite sur ses positions. Les questions à se poser sont « où s'arrêtent mes compétences, mes possibilités, mes envies ? Jusqu'où puis-je ou ai-je envie d'aller dans ce domaine ? ». Couronne en haut : domaine social ou professionnel ; en bas : domaine personnel ou intime.

➤ **Dent qui vous concerne page 295.** *Numéro de la dent et rôle parental page 13.*
Défaut d'ajustement qui nécessite le changement de la couronne → ***lire*** *Couronne à poser ou déjà posée* ■ *responsable d'un abcès* → ***lire*** *Gencive – abcès* ■ *inflammation qui provoque un déchaussement* → ***lire*** *Déchaussement.*

• ***bord trop court*** *(jour ou manque entre la gencive et la couronne).* la personne se sous-estime, n'occupe pas son territoire et ne se protège pas assez.

• ***bord trop court sur couronne ancienne*** → ***lire*** *Couronne ne convenant plus.*

• ***bord trop long qui blesse la gencive :*** la personne s'impose des contraintes disproportionnées par rapport à ses possibilités réelles, se demande à elle-même des efforts ou des prouesses impossibles et en conçoit une irritation sourde.

• ***gencive enflammée :*** la personne entretient une colère larvée contre elle-même et contre autrui. La gencive qui finit par se rétracter montre qu'elle s'épuise et se fragilise à vouloir trop en faire.

■ **FORME INESTHÉTIQUE**

Méd. *Une couronne qui semble adéquate chez le dentiste peut, avec le recul, se révéler mal faite. Une couronne inesthétique reflète un problème psychologique et l'aggrave en retour.*

Reflet d'un problème d'image que la personne n'a pas réglé. La personne se voit d'une manière déformée. La couronne matérialise sa croyance : « je suis trop grande, trop petite, trop grosse, etc. », ou son désir inconscient : paraître plus grande, plus discrète, etc., dans le domaine que représente la dent. Elle manque de confiance en elle, n'accepte pas son image.

• ***trop bombée :*** la personne cherche absolument à se faire voir ou remarquer, à se mettre en avant, gênée en même temps de se comporter ainsi.

• ***trop courte :*** la personne se réduit à peu de chose, pense qu'elle n'est pas à la hauteur, qu'elle ne vaut pas la peine qu'on s'intéresse à elle.

• ***trop étroite :*** la personne a une image d'elle-même étriquée, n'ose pas jouer des coudes pour prendre sa place.

• ***trop large :*** la personne désire montrer qu'elle existe, qu'elle fait le poids face aux autres. Elle a besoin de se rassurer sur sa capacité d'occuper le terrain.

• ***trop longue :*** la personne désire paraître plus importante qu'elle n'est. Elle voudrait plus de pouvoir ou d'influence.

• ***trop plate :*** la personne se dévalorise. Elle cherche à passer pour quelqu'un d'ordinaire ou d'effacé.

■ **QUI NE TIENT PAS**

Méd. *La couronne juste réalisée se descelle.*

La personne n'est pas prête à reconstruire la facette d'elle-même matérialisée par la dent. Le rejet à l'origine du délabrement, carie, fracture ou autre, est toujours présent : le défaut de réalisation n'est qu'un révélateur.

→ ***lire*** *Couronne qui casse ou se décolle – qui doit être refaite.*

■ **TEINTE INESTHÉTIQUE**

Méd. *La teinte d'une dent est un subtil mélange, le blanc pur n'existant pas. La prise de teinte est un moment délicat. Beaucoup de phénomènes peuvent tromper l'œil. Pour cette raison, les cabinets dentaires sont revêtus de couleurs neutres, proches du gris clair. Mais un rayon de soleil malencontreux (ou le chemisier de couleur vive de la patiente !) peut perturber le choix de la teinte. La teinte dépend de l'éclairage. Une couleur qui semble adéquate chez le dentiste peut, chez soi, se révéler une erreur.*

Reflet d'un problème avec le fait de briller, que la personne n'a pas réglé.

• ***trop claire :*** la personne veut briller, attirer les regards sur la facette d'elle-même que représente la dent, veut offrir une image irréprochable dans ce domaine. Elle désire être plus voyante et en même temps se reproche ce comportement.

→ ***lire*** *Blancheur.*

• ***trop sombre ou trop jaune :*** la personne se dévalorise dans le domaine que représente la dent, se croit indigne, sale. Elle cherche à attirer l'attention sur ses manques : pas assez belle, intelligente, etc. Elle a le désir ambivalent d'attirer l'attention sur elle et de se cacher.

→ ***voir*** *Noircissement.*

■ VOLUME INADAPTÉ

Méd. *Une taille inadaptée cause des sensations désagréables en bouche et entraîne des bourrages alimentaires.*

• ***sensation de dent serrée*** *(**Méd.** la couronne donne l'impression désagréable qu'elle force sur les dents) :* la personne n'a pas les coudées franches dans le domaine représenté par la dent. Étouffée ou contrainte, il lui manque du temps ou de l'espace pour se sentir à l'aise. Elle se sent à l'étroit dans un domaine, engoncée dans un rôle. Couronne en haut : domaine du travail ; en bas : domaine personnel ou intime.

***Aperçu** du domaine représenté par la dent : nom symbolique page 13 ■ **analyse** plus fouillée : rubrique consacrée à la dent concernée (Canine, Incisive, etc.) ■ gêne qui nécessite le remplacement de la couronne → **lire** Couronne à poser ou déjà posée.*

• **trop large** *(**Méd.** excès du point de contact. Le fil dentaire ne passe plus, les aliments se coincent entre la couronne et la dent voisine) :* excès de tensions. Stressée, pressée, la personne est coincée par des priorités, deux urgences qui se télescopent et entre lesquelles elle ne peut choisir. Couronne en haut : domaine du travail. Couronne en bas : domaine personnel ou intime.

Avec bourrage alimentaire ➤ **Cas qui vous concerne page 267.** *Numéro de la dent et rôle parental page 13.*

• ***trop basse*** *(**Méd.** sous-pression ou sous-occlusion) → **lire** Obturation qui gêne (trop basse).*

• ***trop étroite*** *(**Méd.** manque du point de contact avec la dent voisine) → **lire** Point de contact – manque.*

• ***trop haute :*** *surpression ou sur-occlusion → **lire** Obturation qui gêne (trop haute).*

COURONNE NE CONVENANT PLUS

[dent de lait : lire Lait – couronne]

■ QU'ON DÉCIDE DE REMPLACER

Méd. *Concerne une couronne ancienne, usée, inesthétique ou toute autre cause de remplacement. Ou encore, couronne qui ne satisfait plus depuis longtemps, ou qui cause problème mais dont le changement a été mille fois remis à plus tard.*

La pose d'une couronne neuve peut être l'aboutissement d'une transformation. La réalité intérieure de la personne est devenue à ce point différente que le remplacement de la couronne s'impose en quelque sorte de lui-même. Ou bien, la personne a décidé de se reprendre en main dans le domaine représenté par la dent ; le changement de couronne concrétise la décision prise. La personne est prête à reconstruire un domaine de sa vie en conscience. Dans ce cas, changer une couronne est l'occasion d'une transformation intérieure. Remplacer une couronne en métal ordinaire par une couronne en un matériau plus noble (céramique ou or) s'apparente à la transmutation du plomb en or. C'est l'occasion de libérer et transformer des parties de soi restées figées dans un passé révolu, d'actualiser des domaines de sa vie. C'est l'opportunité de tourner une page pour redémarrer sur de nouvelles bases et se reconstruire.

➤ **Dent qui vous concerne page 290.** *Numéro de la dent et rôle parental page 13.*

*→ **lire** Prothèse pour choisir le matériau.*

■ **QUI BOUGE (couronne ne convenant plus)**

Phase qui précède le décollement → ***lire*** *Couronne qui casse ou qui se décolle ■ en cas d'inflammation de la gencive →* ***lire*** *Couronne qui irrite la gencive ci-après.*

■ **QUI FAIT MAL**

Si la douleur est passagère, elle est probablement due à une inflammation de la gencive → ***lire*** *Couronne qui irrite la gencive, ci-dessous ■ si la douleur persiste,* ***consulter*** *un dentiste.*

■ **QUI IRRITE LA GENCIVE**

Méd. *Irritation avec ou sans défaut d'ajustement apparent, passagère ou permanente.*

La personne se laisse envahir par des préoccupations ou par autrui. Elle est confrontée de manière ponctuelle ou permanente au problème de fixer ses limites, de baliser son territoire dans le domaine que la dent représente.

➤ **Dent qui vous concerne page 295.** *Numéro de la dent et rôle parental page 13.*

■ **QUI N'EST PLUS AJUSTÉE AU COLLET**

Le manque ou problème que la personne tentait de cacher ou d'enterrer réapparaît au fil du temps.

➤ **Dent qui vous concerne page 286.** *Numéro de la dent et rôle parental page 13.*

Autres détails → ***lire*** *Gencive rétractée.*

■ **QUI PROVOQUE UN DÉCHAUSSEMENT**

→ ***lire*** *Couronne mal réalisée – défaut d'ajustement à la gencive, Déchaussement d'une dent.*

■ **QUI USE LA DENT ANTAGONISTE**

→ ***lire*** *Usure.*

■ **QUI VIEILLIT**

Méd. *Couronne qui s'abîme peu à peu : jaunie, fendillée, usée, etc.*

La personne néglige une facette d'elle-même, se laisse aller peu à peu dans un domaine de sa vie. Elle se sous-estime, se dévalorise : « à quoi bon prendre soin de moi, me consacrer du temps et de l'argent, je n'en vaux pas la peine ». Elle croit que la vieillesse et la dégradation du corps et de l'esprit sont inéluctables.

→ ***lire*** *la rubrique consacrée à la dent : Canine, Incisive, etc.*

COURONNE QUI CASSE ou qui se DÉCOLLE

[dent de lait : lire Lait – couronne]

■ **QUI DOIT ÊTRE REFAITE**

Méd. *impossibilité de la remettre car elle n'est plus adaptée à la dent : perte d'étanchéité, infiltration ; ou la personne l'égare ou l'avale.*

La personne a le besoin urgent de se détacher d'une ancienne façon d'être, de laisser tomber un passé révolu ou de se libérer d'un comportement dans lequel elle s'enfermait. Elle est confrontée à un problème qui l'oblige à se transformer et à considérer le domaine de sa vie représenté par la dent sous un jour nouveau : la manière d'exprimer la qualité représentée par la dent n'est plus d'actualité. Il est temps de muer, d'opérer en soi ou dans ses habitudes une transformation importante.

➤ **Dent qui vous concerne page 290.** *Numéro de la dent et rôle parental page 13.*

→ ***lire*** *Couronne à poser ou déjà posée puis Couronne qu'on décide de remplacer ■ couronne qui casse à la suite d'un choc, accident, bagarre →* ***lire*** *Fracture et selon le cas Fracture de*

*racine, Fracture de racine due à pivot, Fracture des racines qui se séparent ■ si la dent doit être extraite → **lire** Extraction ■ autres détails → **lire** la rubrique consacrée à la dent couronnée : Canine, Incisive, etc.*

• ***couronne ancienne:*** la personne a besoin de renouveau dans le domaine que représente la dent, de retrouver un nouveau souffle.

• ***couronne avalée par accident:*** la personne a besoin de digérer des souffrances ou des événements liés au domaine de sa vie que la dent représente.

• ***couronne égarée:*** besoin de tourner une page en faisant table rase du passé.

• ***couronne juste réalisée qui doit être refaite:*** la personne a intérêt à se demander pourquoi il lui arrive une telle mésaventure ; elle cherchait à enterrer un problème mais s'adresse un appel au secours par le biais de l'incident. Le problème qui a conduit à la pose est toujours actif ; la personne cherche à esquiver la transformation mais s'adresse un rappel à l'ordre à elle-même.

• ***fracture de céramique:*** invitation à aller au-delà des apparences, à abandonner un comportement de façade pour se montrer plus authentique.

■ QUI NE PEUT ÊTRE REFAITE

***Méd.** La couronne tombe ou casse sans qu'il soit possible de la refaire parce que la base de la dent est irrécupérable (support trop abîmé, racine fissurée ou fracturée). La dent doit être extraite.*

La personne est confrontée à la nécessité d'une transformation radicale et impérative dans le domaine que la dent représente. Elle doit se reconstruire à partir de zéro.

*Si la racine est fracturée → **lire** Fracture de racine due à pivot.*

*→ **lire** Extraction ou directement* ➤ **Dent qui vous concerne page 311**

Pour se reconstruire en conscience ➤ **Dent qui vous concerne page 288.**
Numéro de la dent et rôle parental page 13.

• ***ancienne, en mauvais état:*** la personne a longtemps différé une transformation dans un domaine de sa vie. Elle y est confrontée de manière radicale et impérative.

• ***récente:*** la personne n'a pas compris la problématique liée au délabrement de la dent ; elle n'accepte pas de restaurer une facette d'elle-même trop souffrante.

*Comprendre le problème que la personne cherche à éluder → **lire** Couronne à poser.*

■ QUI SE DÉCOLLE À RESCELLER

***Méd.** La couronne tombe d'elle-même ou se décolle au cours de la mastication (aliment collant). Il suffit de la recoller*

La personne est confrontée dans le domaine représenté par la dent à un problème actuel qu'elle cherche inconsciemment à éluder. La couronne qui se décolle de manière répétée montre l'urgence de mettre au jour la cause du problème et d'affronter la situation sans chercher à l'esquiver.

➤ **Dent qui vous concerne page 293.** *Numéro de la dent et rôle parental page 13.*

*Si la couronne se décolle parce qu'elle est mal réalisée → **lire** Couronne mal réalisée ■ autres détails → **lire** la rubrique consacrée à la dent couronnée : Canine, Incisive, etc.*

CROISSANCE OSSEUSE – DÉFAUT

*→ **lire** Mâchoire trop petite ■ → **lire** selon le cas Acromégalie.*

CURE-DENTS

→ ***lire*** *Se curer les dents.*

CUSPIDE

Chacune des pointes de la face de mastication ou occlusale des prémolaires ou molaires. Elles sont parfois le siège de caries → ***lire*** *Carie localisée à un endroit de la dent – carie occlusale.*

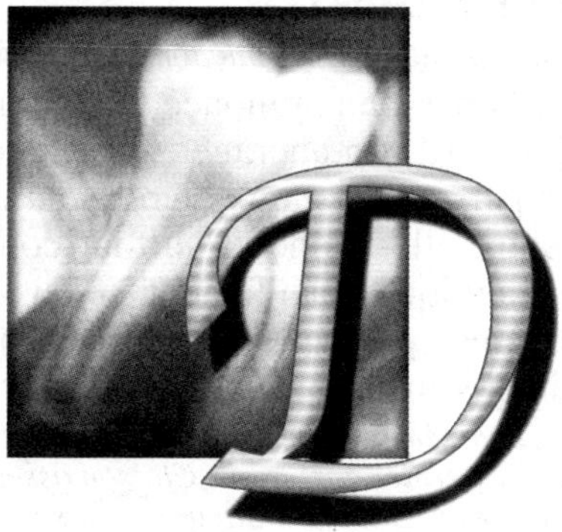

DÉBORDEMENT DE...

Pâte d'obturation → ***lire*** *Pâte d'obturation qui déborde* ■ *plombage* → ***lire*** *Obturation qui déborde* ■ *pivot, tenon ou vis* → ***lire*** *Pivot, tenon ou vis qui perfore une racine.*

DÉCALAGE DES MÂCHOIRES

→ ***lire*** *Déviation des milieux inter-incisifs, Occlusion – dysmorphose inter-arcades.*

DÉCALCIFICATION

→ ***lire*** *Caries multiples, Lait – caries multiples* ■ → ***lire*** *selon le cas Odontocie.*

DÉCHAUSSEMENT *GÉNÉRALITÉS*

Méd. *Manifestation de la maladie parodontale ou atteinte des tissus de soutien de la dent, os et gencive, le déchaussement se traduit par une perte d'attache de la gencive et une perte osseuse ou poche parodontale (alvéolyse). Au stade ultime, une mobilité apparaît.*

Minée par une peur sournoise mais tenace qui l'épuise à son insu, la personne perd son assise et sa sécurité. Elle se sent privée de ses moyens face à une situation contraignante à laquelle elle ne peut s'adapter ni se soustraire. Par exemple, elle perd ses forces en donnant trop à son travail (mâchoire du haut), à sa famille, ses amis (mâchoire du bas). Elle subit une pression liée à une ambiance de vie ou de travail qui génère en elle un stress permanent. Même s'il n'est pas conscient, le stress est puissant au point que la personne, dépassée, baisse les bras et renonce à se battre. La personne croit que sa vie ne lui appartient pas, elle se résigne. Elle se sent étrangère à elle-même, en décalage avec sa vérité profonde. Elle aurait besoin de faire peau neuve pour se retrouver. Elle cède peu à peu du terrain face à la peur qui l'envahit et qui la chasse hors d'elle-même. Perdre sa ou ses dents est le moyen de s'auto-anesthésier, d'opérer un pseudo-détachement face aux contraintes intolérables qui l'assaillent.

DÉCHAUSSEMENT D'UNE DENT

***Important :** pour une vision complète du problème, on lira l'ensemble des modalités.*

Dans un domaine de sa vie, la personne renonce face à un stress qui la dépasse, elle se sent impuissante. Elle perd son ancrage, son territoire est remis en question. **Gencive enflammée :** la personne est en colère ; son impuissance génère une irritation sourde dirigée contre elle-même et surtout contre les autres. **Gencive non enflammée :** la personne abdique placidement, se laisse user sans réagir. Elle n'a pas conscience du problème : pour elle, la dégradation du corps est un processus naturel, le renoncement s'installe en douceur, avec le temps.

*Demander à son dentiste si le déchaussement concerne la dent dans son ensemble ou seulement la cloison entre deux dents ; dans ce dernier cas → **lire** Cloison osseuse interdentaire ■ lui faire préciser si la furcation (zone entre les racines) est atteinte ; dans ce cas → **lire** Déchaussement entre les racines d'une dent ■ → **lire** Parodonte.*

■ AVEC ABCÈS DE LA GENCIVE

Rage intense. La personne veut éliminer sa souffrance avec violence et le plus vite possible. Elle expulse une partie d'elle-même qu'elle ressent comme insupportable, trop souffrante ou encombrante : « cet élément de ma vie ne fait plus partie de moi, il m'est étranger ».

➤ **Dent qui vous concerne page 297.** *Numéro de la dent et rôle parental page 13.*

→ ***lire** Gencive – abcès parodontal.*

■ DÉCOUVERT PAR LE DENTISTE

***Méd.** Absence de symptômes marqués. Déchaussement découvert par bilan (radios).*

La personne s'adresse un signal d'alarme par l'intermédiaire du praticien. Elle utilise de manière faussée la qualité représentée par la dent. Elle adopte un comportement en désaccord avec sa vérité, fait semblant ou se ment. Elle essaie de se persuader que tout va bien mais son corps n'est pas dupe. Cette manière fausse d'agir l'épuise. Elle tire trop sur la corde dans un domaine de sa vie.

➤ **Dent qui vous concerne page 301.** *Numéro de la dent et rôle parental page 13.*

*Déchaussement provoqué par une couronne → **lire** Couronne mal adaptée – défaut d'ajustement à la gencive ■ par un défaut de l'occlusion → **lire** Occlusion ■ conséquence d'une fracture → **lire** Fracture ■ aggravé par le tartre → **lire** Tartre ■ provoqué par un bourrage alimentaire (dents espacées ou abîmées) → **lire** Bourrage entre deux dents ■ localisé entre deux dents ou causé par un plombage qui déborde → **lire** Cloison osseuse interdentaire.*

■ DENT MOBILE

Manque de stabilité et peur viscérale liés au domaine que représente la dent. Dépendante d'autrui, la personne se sent impuissante à contrôler une situation, même si elle s'impose des contraintes pour donner le change. Sentiment d'échec : « je suis impuissante dans ce domaine, je ne peux rien faire ». Si la dent est rapidement expulsée, la personne veut se débarrasser du problème que la dent représente.

➤ **Dent qui vous concerne page 299.** *Numéro de la dent et rôle parental page 13.*

→ ***voir** Parodontite, Parodontose.*

■ DENT TOTALEMENT EXPULSÉE

***Méd.** La gencive se reforme sous la dent à mesure qu'elle est expulsée, sans douleurs ni saignements. La dent tombe (presque) d'elle-même.*

Déni profond : la personne ne veut rien voir, rien entendre. Elle se débarrasse de son problème ou de sa souffrance en se comportant comme s'ils n'existaient pas. Elle éradique toute trace ou souvenir du passé pour oublier.

→ *lire Déchaussement – dent mobile* ■ → *voir Parodontose.*

■ ENTRE DEUX DENTS

*Atteinte de la cloison osseuse entre deux dents en particulier → **lire** Cloison osseuse interdentaire ■ déchaussement causé par bourrage alimentaire → **lire** Bourrage alimentaire.*

■ ENTRE LES RACINES D'UNE DENT *FURCATION ou ZONE INTER-RADICULAIRE*

***Méd.** Type de déchaussement appelé atteinte de la furcation qui touche la cloison osseuse séparant les racines d'une même molaire (zone inter-radiculaire).*

La personne souffre d'une insécurité viscérale dont elle n'a pas conscience, due à une carence profonde dans le domaine représenté par la dent. Ses fondations reposent sur du vide. Elle vit un état de manque qui la plonge dans la frustration. Son attitude est celle d'un enfant affamé et dépendant qui pleure ou trépigne quand il n'est pas satisfait. **Surinfection ou abcès :** la personne éprouve colère et dépit car ni les autres ni elle-même ne comblent ses attentes. Elle finit par rejeter le domaine que la dent représente.

➤ **Dent qui vous concerne page 303.** *Numéro de la dent et rôle parental page 13.*

DÉCHAUSSEMENT ÉTENDU

***Méd.** Perte d'os étendue à toutes les dents ou une majorité. Il existe deux types de déchaussement : régulier (ou horizontal), avec poches (ou vertical).*

Un stress majeur déborde la personne. Elle ne parvient plus à faire face aux sollicitations et contraintes de son environnement. Elle abdique face à une pression trop forte dans tous les domaines : responsabilités professionnelles, familiales, personnelles. Elle vit un bouleversement profond qui entraîne une incohérence totale. Rien ne va plus. Elle ne fait plus face à la réalité. Elle perd ses appuis, ses repères, ses ressources. Sa vie ne lui correspond pas, elle s'y sent comme étrangère à elle-même. Elle n'ose exprimer son profond ras-le-bol. Il est temps de revenir à ses besoins et ses capacités, de rendre ses conditions de vie plus humaines et plus supportables au lieu d'essayer de s'adapter à un stress ingérable. Le moment est à une remise en question et à des transformations radicales et urgentes.

→ ***lire** Parodonte ■ grincer ou serrer les dents (stress) est un facteur aggravant → **lire** Grincer des dents, Serrer les dents ■ → **lire** selon le cas Tartre.*

■ LOCALISATION

● ***mâchoire du bas :*** la personne vit des contraintes à dominante affective et matérielle. Par exemple, les besoins de son corps ne sont pas respectés, rythmes veille/sommeil, nourriture, etc. Elle se sent dans l'insécurité matérielle et/ou affective, ou vit un stress dû à la dépendance vis-à-vis d'un proche ou d'un conjoint, ou bien se donne trop à sa famille. Le territoire physique ou intime est remis en cause. Elle souffre d'un manque profond de la dimension maternelle ou nourricière, « je n'ai pas été nourrie, réconfortée, portée par maman » qui remonte à la petite enfance, avant 3 ans. Elle ne se sent pas reconnue par sa mère : « maman ne me voulait pas ». Un manque sournois de légitimité à vivre la mine,

ainsi qu'une peur viscérale de l'intimité. Elle peut éprouver jusqu'au sentiment d'être bannie par la maman nourricière.
Autres détails → ***lire*** *mâchoire du bas.*

• ***mâchoire du haut:*** la personne vit des contraintes à dominante sociale et professionnelle, par exemple des responsabilités écrasantes, qui génèrent un stress ingérable. Ou bien sa place sociale est remise en cause. Ou encore elle se consacre trop à son travail. Elle manque de confiance en ses compétences, dévalorise ses facultés intellectuelles. Elle est désorientée, incapable de suivre une ligne de conduite cohérente. Elle est submergée par ses émotions, impuissante à les canaliser. Sa pensée est déstructurée. Elle souffre d'un manque profond de la dimension paternelle qui remonte à la petite enfance, avant 6 ans: « je n'ai pas été nourrie, confortée par mon père ». Elle ne sent pas reconnue par son père: « il ne me voulait pas ». Elle manque de légitimité sociale et vit dans la peur viscérale de l'autorité. Elle peut éprouver jusqu'au sentiment d'être bannie par son père.
Autres détails → ***lire*** *mâchoire du haut.*

■ NATURE DU DÉCHAUSSEMENT

• ***avec poches*** *(**Méd.** perte osseuse verticale irrégulière):* la personne oscille entre la lutte et le laisser-faire. Elle croupit dans sa colère et son impuissance face au stress ou la situation qui la fait souffrir. La rage alterne avec la résignation. Elle tente de s'accrocher, de garder le contrôle dans certains domaines mais elle abdique dans d'autres. Elle essaie de s'en sortir mais retombe dans la passivité.
→ ***lire*** *Déchaussement d'une dent.*

• ***régulier*** *(**Méd.** perte osseuse horizontale régulière):* lassitude profonde. La personne se sent vidée, incapable de rien donner. Profondément usée, fatiguée de lutter, elle rend les armes: « il n'y a plus rien à faire, je laisse tomber, je renonce à me battre ». Accablée, elle croit que tout est inéluctable. Elle redevient telle le nourrisson, vulnérable et dépendante. Son désir profond qu'elle n'ose exprimer est l'abandon: « à mon tour de me laisser nourrir ».

• ***stade ultime*** *(**Méd.** le déchaussement conduit à l'extraction, parfois à la perte spontanée des dents):* la personne ne peut plus revenir en arrière. Il est temps d'opérer des transformations radicales en soi et dans sa vie, de prendre les décisions importantes longtemps différées: changer de travail, de partenaire, de lieu d'habitation, mettre fin à un stress ou à des contraintes endurés, etc. La personne peut mettre à profit les extractions nécessaires pour tourner une page, revenir à qui elle est vraiment. À cette condition, la restauration prothétique matérialise la reconstruction intérieure. Sinon, les dents extraites empêchent seulement de ressentir un stress et une disharmonie toujours présents.
→ ***lire*** *Édentation, Extraction (au sujet des dents atteintes).*

DÉCHAUSSEMENT SPÉCIFIQUE D'UNE PÉRIODE DE LA VIE

→ ***lire*** *Parodonte.*

■ ENFANT ou ADOLESCENT

Enfant: signe d'un problème majeur, d'une déstabilisation profonde. **Adolescent:** impuissance majeure à s'exprimer face aux parents ou à la société.
→ ***lire*** *Parodontite juvénile, Parodontite.*

■ MÈRE DE FAMILLE

Méd. *Déchaussement chez la mère de famille après grossesses successives.*

Trop sollicitée, enfants, mari, responsabilités, la femme aspire à poser ses fardeaux et à se reposer. Elle a trop donné aux autres, s'est consacrée à eux sans compter en oubliant de se nourrir elle-même.

→ ***lire*** *Parodontose.*

■ QUARANTAINE

Cadre dynamique stressé qui vit à trois cents à l'heure, jongle avec une vie professionnelle surchargée et une vie personnelle exigeante. Il est temps de changer de vie. C'est le fameux virage de la quarantaine. Perdre ses dents est parfois le prix du refus de changer. Ou peut également être une bonne manière de trouver une motivation d'effectuer des transformations difficiles, de revenir à soi avant que le corps ne s'effondre.

→ ***lire*** *Parodontose* ■ *éventuellement* → ***lire*** *Grincer des dents, Serrer les dents.*

■ CINQUANTAINE

La personne regrette quelque chose qu'elle n'a pas vécu ou mal vécu. Elle n'a pas fait le deuil de ses jeunes années, des flirts qui n'ont pas eu lieu, des occasions ratées, et elle n'envisage pas de le faire. Elle ne veut pas voir qu'elle est passée à côté de quelque chose d'important. Elle sent qu'elle n'agit pas comme elle devrait mais elle estime que tout est trop engagé pour modifier quoi que ce soit. Vie de famille, vie professionnelle, le temps des regrets s'annonce. Pour l'instant, la personne préfère abandonner toute velléité de changer ou de se rapprocher d'elle-même.

→ ***lire*** *Parodontose.*

■ PRÉRETRAITE

La personne vit la perspective de la retraite comme une castration, un arrêt de mort. Elle n'envisage pas d'arrêter de travailler, elle n'a pas choisi d'être sur le carreau. Identifiée à son travail ou à sa vie sociale, la mise à la retraite est pour elle une déchéance, un stress insupportable, une angoisse profonde. Elle n'envisage pas une autre vie. Elle n'existe que par son travail. Si on l'en prive, elle s'effondre. Elle se dit : « à quoi bon tous ces sacrifices si c'est pour en arriver là ? ».

→ ***lire*** *Parodontose* ■ *éventuellement* → ***lire*** *Affaissement des mâchoires, Édentation.*

■ RETRAITE ou VIEILLESSE

Retraite : la personne regrette de s'être fourvoyée dans sa vie, mais sa vie est derrière elle, croit-elle. Il n'y a plus rien à faire. C'est une capitulation, et non un deuil : le regret domine, voire le remords. Privée de son travail, elle n'a plus de raison de se battre. Elle se laisse aller. **Vieillesse :** la personne, affaiblie moralement et physiquement, ne peut plus faire face. Elle n'assume plus le quotidien et son lot de petits maux.

→ ***lire*** *Édentation, Parodontose.*

DÉCOUVRIR LES DENTS

→ ***lire*** *Montrer les dents.*

DÉCROCHEMENT DE LA MÂCHOIRE

→ ***lire*** *ATM* ■ → ***lire*** *selon le cas ATM – luxation.*

DÉDOUBLEMENT

D'une dent → ***lire*** *Surnuméraire – dédoublée* ■ *de racine ou de canal* → ***lire*** *Racine dédoublée.*

DÉFAUT...

D'implantation → ***lire*** *Implantation* ■ *d'occlusion* → ***lire*** *Occlusion – défauts* ■ *de calcification* → ***lire*** *selon le cas Amélogenèse imparfaite, Émail altéré* ■ *de croissance osseuse* → ***lire*** *selon le cas Acromégalie, Mâchoire trop petite* ■ *de l'émail* → ***lire*** *selon le cas Amélogenèse imparfaite, Émail altéré* ■ *de mastication* → ***lire*** *ATM, Mastication unilatérale* ■ *de réalisation d'un dentier* → ***lire*** *Dentier* ■ *de réalisation d'une couronne* → ***lire*** *Couronne mal réalisée.*

DÉGLUTITION ATYPIQUE *ou INFANTILE*

Méd. *On parle de déglutition atypique lorsque l'adulte continue d'avaler à la manière d'un petit enfant. Le mode dit « infantile » est caractérisé par l'interposition de la langue qui déborde entre les arcades dentaires au moment de la déglutition. Le passage au mode adulte se fait avec l'apparition des dents de lait, entre 2 et 3 ans.*

Adulte ou enfant, la personne ne s'est pas affranchie de la fusion avec la maman, ou stade oral. Soit la non-satisfaction de ses besoins n'a pas permis à l'enfant de se détacher, soit la maman trop possessive ne lui a pas laissé l'espace pour grandir. Le sevrage affectif n'est pas fait. La personne est restée sur sa faim de tendresse, d'amour, de chaleur maternelle. Elle cherche une maman et projette sa frustration sur autrui, ami, conjoint, partenaire. Envahissante par sa quête d'attention, de temps, d'approbation ou de reconnaissance, elle attend de l'autre qu'il réponde à ses demandes de manière immédiate, avec une disponibilité totale. Dans le cas contraire, elle ne peut contenir sa frustration et décharge ses émotions, pleurs ou rage, sur autrui. La vie affective, centrée sur le manque maternel, est une recherche compulsive de fusion qui conduit inéluctablement à la déception. L'attachement puissant à la mère demande un travail de deuil qui passe par la prise de conscience de la souffrance du petit enfant en soi. **Enfant de plus de 3 ans:** s'il déglutit de cette manière, il ne peut se résoudre à lâcher maman. En état d'insécurité, il ne peut trouver sa place pour exister en dehors d'elle. Il doit sa survie à son statut de bébé. La présence rassurante du père, déterminante dans le processus de détachement, lui manque.

La poussée de la langue peut déplacer les dents vers l'avant, en particulier les incisives → ***lire*** *Déplacement spontané* ■ *en cas de respiration par la bouche* → ***lire*** *Respiration buccale.*

DÉLABREMENT

Atteinte de la dent, progressive ou non → ***lire*** *Abcès, Carie, Dévitalisation, Fracture, Usure.* → ***voir*** *Énergie d'une dent* ■ → ***voir*** *l'introduction.*

DÉMINÉRALISATION

→ ***lire*** *Carie, Coloration – tache blanche qui évolue, Salive acide.*

DENS IN DENTE *ou DENT INVAGINÉE*

***Méd.** Malformation embryonnaire : dent développée à l'intérieur d'une autre par invagination à partir du puits cingulaire.*

La personne est habitée par un secret lié à la lignée. Elle porte l'empreinte d'un souvenir, sorte de double caché, présent au cœur de sa structure. Exemple : mémoire d'un frère ou d'une sœur décédé, d'une personne qui a beaucoup compté dans l'histoire familiale ou qui a marqué la mère pendant la grossesse. Trace d'un non-dit, d'une émotion puissante, hérité du parent, dont l'écho n'en finit pas de hanter la personne.

*Le côté de la mâchoire où se trouve l'anomalie indique à quel parent le secret est lié → **lire** Cadran ou → **voir** tableau page 13.*

DENT(s) – LISTE DE RENVOIS *PAGE 249*

Atteintes exprimées en langage courant par « dent... », « dent de... », « dent qui... », « dents... ».

Par exemple : « dent qui agace » renvoie à Hypersensibilité non due à carie ; « dent en avant » renvoie à Implantation ; « dent de six ans » renvoie à Premières molaires, etc.

DENT(s) DE LAIT

*→ **lire** Lait – dents de lait ou Lait – problèmes.*

DENT(s) DE SAGESSE [48-38] et [18-28]

[atteintes : lire ensuite Sagesse – problèmes]

***Méd.** La dent de sagesse ou troisième molaire fait son éruption en dernier, à partir de l'âge de 18 ans. La denture adulte en compte quatre.*

La dent de sagesse marque l'entrée de l'individu dans l'âge adulte. Elle représente l'accès à l'autonomie, à la maturité de corps et d'esprit. Les dents de sagesse sont les ressources et les appuis personnels : « ma vie ne dépend que de moi ». Elles représentent la liberté d'être pleinement soi-même, en dehors de toute norme, de vivre avant tout pour et par soi-même, sans se référer à quiconque. Leur atteinte témoigne d'un manque profond de confiance en soi.

■ DENT DE SAGESSE INFÉRIEURE [48-38]

La dent de sagesse inférieure incarne l'autonomie matérielle et affective qui fait d'une personne un adulte à part entière, capable de subvenir à ses besoins et de prendre en charge ses états d'âme. La dent de sagesse inférieure représente la capacité à ne compter que sur soi en se débrouillant par ses propres moyens. La personne « sage » s'affranchit de toute dépendance. Elle sait se faire aider mais compte en premier sur elle-même. Elle sait assumer la solitude. Des dents de sagesse larges et fortes annoncent un tempérament solitaire, une tendance à tout faire par soi-même. L'éruption de la dent de sagesse inférieure pousse l'individu à faire un pas concret vers l'autonomie : quitter les parents nourriciers ou un système rassurant, mariage, association, pour suivre sa propre route et s'accomplir par lui-même. Un cycle est révolu tandis qu'une nouvelle étape commence.

● ***atteintes :*** la personne refuse de se suffire à elle-même, oublie qu'elle est son principal soutien. Elle refuse d'être autonome au plan matériel ou affectif. La lésion révèle un manque d'assise fondamental. Les appuis personnels ne sont pas solides. La personne vit dans la dépendance, ne se croit pas assez forte pour se prendre en charge. Selon le cas, elle dépend du parent ou du conjoint. Elle peut aussi refuser l'autonomie par crainte de perdre l'amour des proches : parents, conjoint ou amis.

• ***droite [48] :*** capacité de s'autopaterner, de se passer du papa nourricier. Lésion : refus de le quitter et d'être pleinement adulte.

• ***gauche [38] :*** capacité de s'automaterner, de se passer de la maman nourricière. Lésion : refus de la quitter et d'être pleinement adulte.

■ DENT DE SAGESSE SUPÉRIEURE [18-28]

La dent de sagesse supérieure incarne le système de valeurs que l'individu construit selon ses critères personnels. Elle représente la capacité de découvrir sa vérité et de devenir son propre guide. La personne « dotée de sagesse » pense de manière adulte, sans se laisser influencer par quiconque, parents, amis ou conjoint. Elle ne se laisse pas déstabiliser par l'avis d'autrui car elle dispose de ses propres repères. Aux lois et aux normes sociales, elle substitue sa loi personnelle et sa propre éthique. La dent de sagesse supérieure représente le savoir ou sagesse innée qu'on puise en soi-même, la voix intérieure, l'intuition. Des dents de sagesse larges et fortes annoncent un tempérament solitaire, une tendance au retrait, à tout apprendre par soi-même.

• ***atteintes :*** la personne renie ses racines les plus profondes et les plus authentiques. Elle ne fait pas confiance à sa sagesse innée. Elle n'ose pas se fier à sa voix intérieure et refuse de suivre un code de conduite personnel. Soit elle continue de se fier aux valeurs transmises par le père ou la mère, soit elle substitue les normes sociales à ses propres valeurs ; ou encore, reste dans la transgression en s'opposant au père ou à la mère sans atteindre la maturité réelle. La lésion de la dent traduit un manque d'assise personnelle, une négation de soi fondamentale.

• ***gauche [28] :*** capacité d'être son propre père, autonome en pensées. Lésion : refus de s'affranchir complètement de la tutelle du père.

• ***droite [18] :*** capacité d'être sa propre mère, autonome en idées. Lésion : refus de s'affranchir complètement de la tutelle de la mère.

DENTIER

__Méd.__ Au contraire des prothèses fixées sur les dents, ou bridges, le dentier est un appareil mobile, partiel ou complet. Fixé le cas échéant par des crochets, il s'appuie sur la gencive.

Une prothèse donne l'illusion de la santé et de la beauté d'un alignement parfait. Toutefois, sans prise de conscience des problèmes qui ont conduit à l'extraction ou au délabrement des dents, l'appareil ou dentier, si parfait soit-il, n'est qu'un leurre, une image idéalisée que l'on tente de donner aux autres. En tant que prothèse, l'appareil ou dentier demande à être intégré physiquement mais aussi psychologiquement. La compréhension de la cause profonde de l'édentation, caries, déchaussement, accident, etc., est indispensable.

*Dentier partiel → **lire** selon le cas Abcès, Carie, Déchaussement, Extraction, Fracture, Luxation ■ dentier complet → **lire** Édentation, Sourire parfait.*

■ ACCEPTATION
La personne qui n'accepte pas son dentier, quelle qu'en soit la cause, brûlure, démangeaison, prothèse inadaptée, oubli malencontreux, etc., n'a pas résolu la problématique liée à la perte de ses dents et ne veut donc pas restaurer par le biais d'un appareil la dimension qu'elle a rejetée en détruisant ses dents. La personne dont le dentier pose problème a intérêt à comprendre le message que l'inconscient lui adresse par ce biais. Sans quoi, changer la prothèse aboutit à un échec, les mêmes problèmes ne manquant pas de se manifester à l'identique.

■ ALLERGIE À LA RÉSINE DE LA PROTHÈSE
Rejet profond et viscéral de l'expression de soi. La personne est allergique à la vie ou à sa mère (dentier du bas), à l'autorité ou à son père (dentier du haut). À interpréter en fonction de la problématique ayant conduit à l'édentation.

■ BORD QUI BLESSE
• ***bord trop grand:*** empreinte toujours active dans l'inconscient d'un parent envahissant, exigeant, abusif ou trop présent (père en haut, mère en bas).

• ***bord trop long qui irrite le fond de la bouche:*** problème d'autonomie. La personne se laisse aller, est trop dépendante.

*→ **lire** Gencive irritée en arrière de la dernière dent.*

• ***bord trop long qui cisaille le frein de la langue:*** empreinte encore active dans l'inconscient d'une mère étouffante qui a empêché la personne de s'exprimer.

*→ **lire** Frein de la langue.*

■ DENT QUI SE DÉCOLLE
La dent artificielle qui se décolle, s'abîme ou se casse correspond à une facette de soi qu'on rejette.

__Aperçu__ du domaine représenté par la dent: nom symbolique page 13 ■ __analyse__ plus fouillée: rubrique consacrée à la dent concernée (Canine, Incisive, etc.) ■ → __lire__ selon le cas Émail abîmé – dent ébréchée, Fracture, Usure.

■ QU'ON NE SUPPORTE PAS
En bas: la personne rejette inconsciemment le principe maternel ou nourricier, le corps et ses besoins, les pulsions. En haut: la personne garde une rébellion contre l'autorité ou principe paternel; elle rejette sa part adulte: raison, contrôle de soi.

*→ **lire** selon le cas Mâchoire du bas, Mâchoire du haut.*

■ QUI CASSE
Colère contre le père, refus de l'autorité (dentier en haut), contre la mère, refus du corps et des émotions (dentier en bas).

*→ **lire** selon le cas Mâchoire du bas, Mâchoire du haut.*

■ QUI NE TIENT PAS
La personne n'accepte pas le père (dentier en haut), la mère (dentier en bas). Elle fuit inconsciemment le parent dont le contact lui répugne et tout ce qui se rapporte au principe d'autorité (haut) ou au principe nourricier (bas).

*→ **lire** selon le cas Mâchoire du bas, Mâchoire du haut.*

■ QUI S'USE ANORMALEMENT

Une seule dent anormalement usée indique le désir d'effacer une partie de soi. Plusieurs dents anormalement usées montrent sur quelles facettes d'elle-même la personne s'appuie trop et quelles qualités elle n'utilise pas.

*→ **voir** Usure ■ → **lire** selon le cas Occlusion.*

■ QU'ON OUBLIE

Méd. *Dentier qu'on jette malencontreusement ou qu'on range dans un tiroir.*

Désir d'oublier le père (dentier du haut), la mère (dentier du bas). La personne a besoin de se débarrasser de tous les problèmes ou souffrances liés à l'autorité (dentier du haut), au corps et aux émotions (dentier du bas).

*→ **lire** selon le cas Mâchoire du bas, Mâchoire du haut.*

DENTIFRICE ABRASIF

*→ **lire** Brossage ■ effet sur les dents → **lire** Collet – usure.*

DENTINE

Méd. *Recouverte par l'émail, sauf au niveau des racines, la dentine (ou ivoire) représente les 3/4 du volume de la couronne et constitue les racines. Tissu moitié organique, moitié minéral, de densité moindre que l'émail, la dentine est à la dent ce que la chair est au fruit.*

La dentine correspond à la conscience de la réalité concrète : « je suis solide, je suis charnu ». Elle représente la réalité incompressible, les limites relatives à l'espace et au temps, imposées par le corps et auxquelles se conformer.

■ CARIE

Méd. *Son caractère plus tendre fait de la dentine la cible privilégiée de la carie qui se développe sous l'émail, de manière insidieuse et totalement invisible aux premiers stades.*

Refus inconscient de la réalité. C'est l'atteinte préférentielle de la personne trop « dans sa tête » qui refuse le corps et ses exigences. Elle rejette le quotidien et son lot de contraintes. Inconsciemment, elle aspire à s'évader dans un monde virtuel ou désincarné. L'apparition de plusieurs caries en peu de temps indique un épuisement des réserves vitales ou bien est le signe d'une dépression.

*À un niveau de gravité moindre, révèle une problématique similaire à celle de la dentinogenèse imparfaite → **lire** ci-après.*

■ PEU MINÉRALISÉE

*Tendance à développer des caries invisibles et profondes. La dentine peu minéralisée des dents dites fragiles peut être considérée comme une disposition congénitale. À un niveau de gravité moindre, la problématique est analogue à celle de la dentinogenèse imparfaite → **lire** ci-après.*

DENTINOGENÈSE IMPARFAITE

Méd. *Anomalie congénitale de la dentine, probablement héréditaire, qui touche les dents de lait et les dents permanentes. Sous l'émail normal, la dentine présente un défaut de structure qui la rend friable et provoque son effondrement. Non soutenu, l'émail se fracture. La dentinogenèse imparfaite conduit à la destruction complète des dents qui prennent un aspect brun ou gris bleuâtre opalescent. Dents dites en sucre d'orge qui fondent au fil du temps.*

Il est donné à la personne de prendre conscience de croyances profondes voire ancestrales qui ont trait au refus de la réalité. La personne rejette les contraintes et les limitations imposées par le corps. Sa peur viscérale de la mort la conduit à vouloir vivre dans un monde où le temps n'existe pas. Elle est en quelque sorte convaincue d'être trop évoluée ou trop consciente pour supporter la densité d'un corps de chair. Elle est trop parfaite pour se confronter à la grossièreté de la matière : « je suis trop pure pour ce monde de brutes ». Elle aspire à s'élever au-dessus des réalités terrestres, « je ne veux pas m'enfermer dans un corps fait de matière grossière ». La personne, centrée sur ses qualités intellectuelles ou spirituelles, rejette les imperfections et les lenteurs du corps. Elle cherche à évoluer, à parfaire sa conscience mais refuse de se réaliser de manière concrète. Constamment dans ses pensées, elle répugne à gérer le quotidien. Elle oublie que la conscience ne peut se manifester si elle n'est pas portée par le corps. La problématique est liée au sentiment d'avoir été rejeté(e) par le père durant la période de gestation, voire au moment de la conception. La personne a intégré la croyance que son père ne voulait pas d'elle, que sa venue au monde n'était pas souhaitable. « Je n'ai pas ma place ici-bas », croit-elle.

DENTISME

***Méd.** Pratique qui consiste à enchâsser une pierre dans une dent.*

La personne a besoin de se démarquer à tout prix dans le domaine que représente la dent, de clamer haut et fort sa différence. En quête de son identité, elle désire se prouver et montrer aux autres qu'elle est unique. Elle a besoin de renforcer et de rendre plus présente la facette d'elle-même que représente la dent. Par exemple, sur l'incisive centrale supérieure (dent du rayonnement) : affirmer son identité, se démarquer du père (incisive gauche), de la mère (incisive droite) ; sur l'incisive latérale supérieure (dent de la communication) : donner du poids à ses paroles, être pris au sérieux ; sur la canine supérieure (dent de la volonté) : affirmer son pouvoir, montrer à l'autre qu'on est capable de se défendre.

***Aperçu** du domaine représenté par la dent : nom symbolique page 13 ■ **analyse** plus fouillée → **lire** la rubrique consacrée à la dent concernée (Canine, Incisive, etc.).*

DENTISTE

Chacun trouve le thérapeute qui lui correspond. Se faire soigner par tel ou tel praticien résulte d'un choix, inconscient mais délibéré. La manière dont un patient se sent traité par le praticien reflète la manière dont il se traite lui-même. Le dentiste pressé qui ne l'écoute pas montre à la personne le peu de temps et d'attention qu'elle s'accorde. La personne qui ne veut pas voir un problème s'arrange pour rencontrer un dentiste qui ne le détecte pas. Des personnes accusent leur dentiste de les avoir « massacrées » sans se rendre compte que c'est leur désir inconscient de s'autodétruire qui les a placées dans cette situation. La torture du dentiste n'est que le miroir des tourments qu'on s'inflige à soi-même.

■ HOMME ou FEMME

En position dominante face au patient allongé, le dentiste est le reflet de la figure parentale. À certains, il rappelle le papa ou la maman (attitude de compassion et d'écoute), à d'autres il rappelle le père ou la mère (attitude autoritaire). Des relations difficiles avec un praticien s'expliquent par la projection inconsciente du patient. Chacun le comprendra d'autant mieux en étudiant la répartition des lésions dans sa bouche. Le cadran (côté de la mâchoire) le plus atteint montre par rapport à quel parent (père ou mère en haut, papa ou maman en bas) il a le plus souffert et avec quel type de personne il risque d'avoir des difficultés. Par exemple, quelqu'un qui a souffert du rapport à sa mère (cadran haut droit) risque de s'entendre difficilement avec une dentiste autoritaire. Le réaliser permet de prendre du recul ou de changer de praticien si nécessaire en évitant de reproduire la mésaventure.

*Côté de la bouche et figures parentales → **lire** Cadran.*

■ PETITS SOUCIS AVEC LA FRAISE

Zone intime par excellence, la bouche est ouverte au dentiste. Les problèmes rencontrés dans son cabinet sont révélateurs de la manière dont le patient vit cette entrée dans son intimité.

- ***coup de fraise dans le palais:*** la personne se rebelle contre l'autorité du praticien qui lui rappelle inconsciemment son père (blessure à gauche), sa mère (blessure à droite).
- ***coup de fraise dans le plancher de la bouche*** *(partie sous la langue):* le patient se sent mis à nu, contrarié ou blessé d'être envahi dans son intimité la plus secrète.
- ***coup de fraise dans la langue:*** la personne se sent réduite au silence. Elle avait peut-être quelque chose d'important à dire au praticien sans l'oser ou le pouvoir.
- ***coup de fraise dans la lèvre:*** problème relationnel, attirance ou répulsion, avec le praticien qui rappelle inconsciemment un trait du parent.
- ***coup de fraise dans la joue:*** la personne se sent traitée avec rudesse, se sent mal à l'aise avec le praticien, privée de protection.

*Autres détails → **lire** la rubrique concernée (Bouche – plancher, Langue, Lèvre, Joue, Palais).*

■ PERSONNE QUI OUVRE DIFFICILEMENT LA BOUCHE

Que la difficulté ou la répugnance à ouvrir la bouche provienne de peur ou de phobie, la personne refuse d'ouvrir les yeux sur sa souffrance intérieure. La raideur de ses muscles traduit sa résistance à la transformation intérieure. Pourtant, il est probable que des soins soient rendus d'autant plus nécessaires qu'elle résiste à évoluer psychiquement et qu'elle a besoin d'aide pour le faire.

■ PEUR DU DENTISTE

La peur de la douleur physique suite à une expérience traumatisante, soin ou extraction difficile, explique à un premier niveau la peur qu'ont certains patients à l'égard du dentiste. La terreur du dentiste trouve ses racines dans la peur de se mettre à nu (la bouche est la zone intime par excellence) et dans celle d'être envahi (la bouche représente l'espace intérieur). La personne qui redoute les soins dentaires craint de se livrer pieds et poings liés sans pouvoir se défendre ni rien maîtriser. Sa peur de perdre le contrôle cache la peur d'être trahie, abusée ou trompée par l'autre, alors qu'elle s'ouvre à lui dans un état de vulnérabilité totale. Elle se demandera avec intérêt qui, parent ou proche, lorsqu'elle était enfant, a trahi sa confiance alors qu'il était censé l'aider ou prendre soin d'elle.

*→ **voir** Bouche, Chirurgie.*

■ PHOBIE DU DENTISTE

La personne phobique de la roulette et du dentiste ne supporte pas l'idée qu'on intervienne dans sa bouche. Elle laisse ses dents s'abîmer jusqu'au délabrement ou à la souffrance extrême. Elle ne veut pas voir qu'elle s'inflige une mutilation équivalente ou pire à celle d'une opération. Elle est en quelque sorte dans le déni passif de sa propre destruction. Son attitude est une fuite, le moyen d'éviter de voir les enjeux psychiques de l'intervention.

■ PROBLÈMES SÉRIEUX ou ERREURS

***Méd.** Bénigne ou grave, l'erreur est due à la négligence, à une faute d'inattention ou d'appréciation. Le dentiste peut se tromper ou commettre des maladresses dont les conséquences sont parfois lourdes pour le patient. Toutes les fautes opératoires ne sont pas admissibles mais toutes peuvent servir à la compréhension de soi.*

Se poser en victime ne sert à rien. Chercher à comprendre pourquoi sa route a croisé celle d'un praticien qui commet une maladresse ou une négligence est plus constructif; attitude qui n'exclut pas, bien entendu, de protester ou de changer de dentiste. La personne porte la croyance inconsciente que si elle fait confiance ou se risque à s'ouvrir à l'autre, elle ne peut qu'être trahie. Elle doit payer chèrement sa naïveté ou sa bêtise. L'incident fait écho au sentiment d'avoir été, enfant, abusé ou trahi par le parent, éducateur ou nourricier, dont le dentiste est le reflet. Le cadran (côté de la mâchoire) de la dent concernée est révélateur du parent en cause.

*→ **lire** Cadran, Dentiste – homme ou femme ■ → **lire** selon le cas Dentier, Dévitalisation d'une dent à la place d'une autre, Couronne mal réalisée, Extraction de dent par erreur, Fusée arsenicale, Infection transmise par le dentiste, Obturation qui déborde, Obturation qui gêne, Pâte d'obturation, Point de contact, Pivot, tenon ou vis qui perfore une racine.*

■ SÉANCE DIFFICILE ET SUITES DOULOUREUSES

En cas de problème lié au soin, séance difficile ou suites anormalement douloureuses, il est intéressant de prendre en compte la signification du cadran où se trouve la dent traitée. Par exemple, une personne qui se fait soigner par un homme la première molaire supérieure gauche (dent du père) a l'opportunité de comprendre et de guérir (au moins en partie) sa problématique avec son père.

*Côté de la bouche et figures parentales → **lire** Cadran ■ → **lire** selon le cas ATM – luxation suite à soin, Douleur persistant après intervention.*

■ SUITES DE SOINS

*Selon leur emplacement, les aphtes ou autres irritations qui apparaissent les jours suivant les soins révèlent une problématique analogue à celle décrite à la sous-rubrique Dentiste – petits soucis ■ commissures ou coins de la bouche irrités → **lire** Bouche – commissure.*

DENTITION ET DENTURE

***Méd.** Le langage courant assimile la dentition à la denture. La denture est l'ensemble des dents alors que la dentition est le processus de mise en place des dents sur l'arcade.*

■ DENTURE ADULTE ou PERMANENTE

***Méd.** La denture permanente ou adulte se compose de 32 dents. Sa mise en place débute aux environs de l'âge de 6 ans avec l'éruption des premières molaires ou dents de six ans. Elle est complète avec l'éruption des troisièmes molaires ou dents de sagesse.*

La denture permanente représente la personnalité adulte dont chaque sous-partie ou facette correspond à une dent. La denture matérialise la structure intérieure de chacun et le filtre qu'il interpose entre lui et le monde. La disposition des dents, ou implantation, reflète ses croyances.

*→ **voir** Arcades, Forme des dents, Implantation, Taille d'une dent, Teinte.*

■ DENTURE DE LAIT

Méd. *La denture temporaire ou de lait compte 20 dents qui commencent leur éruption vers six mois et la terminent vers 3 ans. Elle reste en place jusqu'à 6 ans puis est progressivement remplacée par la denture permanente. Les dents de lait présentent normalement entre elles un léger espace.*

La denture de lait représente l'héritage que l'enfant reçoit des parents. Elle lui permet de se séparer de son environnement, de sa mère en particulier, et de faire ses premières expériences en tant qu'individu à part entière. Mais la barrière qui le sépare de l'extérieur est incomplète et poreuse. Encore très dépendant, il est soumis à l'influence des parents. Si chaque parent prenait conscience du point auquel son enfant est dépendant de lui avant 6 ans, son attitude serait probablement fort différente. Comme elle le serait également s'il prenait conscience du point auquel l'enfant devient *indépendant* de lui au fur et à mesure de la chute des dents de lait, de 6 à 12 ans.

• ***dents anormalement serrées:*** l'enfant est étouffé, il manque d'espace intérieur et extérieur pour s'épanouir et respirer du fait d'un parent surprotecteur ou trop autoritaire. En réaction, il s'intellectualise précocement et trop, au détriment du développement corporel et de l'exercice physique. Note: la disposition laisse présager des problèmes de place pour les dents adultes.

• ***dents anormalement espacées:*** l'enfant est trop dépendant affectivement de la maman. La dimension paternelle d'autorité lui manque. Il est important de le socialiser: école, activités dirigées par des hommes, parrain, etc.

*→ **lire** Denture mixte ■ → **voir** Lait – dents ■ les dents de lait sont rarement mal implantées, mais des décalages inter-arcades peuvent apparaître dès ce stade → **lire** selon le cas Articulé inversé, Béance, Bout à bout – dent en, Déviation des milieux inter-incisifs.*

■ DENTURE MIXTE: DENTS DE LAIT ET DENTS ADULTES

Méd. *La denture mixte, stade intermédiaire entre dentures de lait et adulte, se compose de dents de lait qui coexistent avec des dents permanentes. Elle évolue normalement entre l'âge de 6 et 12 ans.*

Phase de transformation intérieure majeure pendant laquelle l'individu passe de l'état d'enfant au stade d'adulte potentiel. Chaque dent matérialise par son éruption la mise en place d'une facette de sa personnalité et représente un stade de développement précis.

*Les problèmes d'implantation dentaire apparaissent généralement à ce stade → **lire** Implantation, Mâchoire trop petite ■ problèmes de décalage inter-arcades → **lire** la liste à Occlusion – décalages inter-arcades ■ → **lire** selon le cas Double rangée de dents.*

DÉNUDÉE – RACINE

*→ **lire** selon le cas Déchaussement, Gencive rétractée.*

DÉPASSEMENT DE PÂTE ou d'INSTRUMENT

*→ **lire** Pâte d'obturation qui déborde.*

DÉPLACEMENT DE COMPENSATION D'UNE DENT

***Méd.** Une dent manque car elle n'a pas poussé ou a été extraite, une autre prend sa place.*

La personne compense une capacité qui lui manque par une autre, qui de ce fait, s'exprime de manière faussée. Une facette de la personnalité s'exprime à la place d'une autre. Une qualité en remplace une autre, avec plus ou moins de bonheur. Par analogie, c'est un peu comme si, dans une maison, la salle de bains occupait l'espace de la cuisine ou de la chambre à coucher, ou que dans le théâtre de la bouche, un acteur endossait le rôle d'un autre, rôle pour lequel il n'est pas taillé : on imagine mal un costaud dans le rôle d'un fluet ou l'inverse.

*Si deux dents voisines ont échangé leur place → **lire** Permutation.*

■ MOMENT DU DÉPLACEMENT

● ***déplacement précoce au cours de la croissance*** *(**Méd.** si une dent n'a jamais poussé – agénésie ou dent incluse – la dent voisine prend sa place au cours de la phase d'éruption des dents. Cas différent de la permutation, voir ce terme) :* l'anomalie témoigne d'un trait marqué du caractère, d'une croyance profondément ancrée, d'autant plus si l'anomalie est bilatérale.

● ***déplacement tardif*** *(**Méd.** après une extraction, une dent se verse plus ou moins pour occuper l'espace laissé vacant) :* la personne tente de s'adapter à son manque mais ne parvient à le compenser que partiellement. Pour cela, elle sacrifie une facette d'elle-même (la dent versée) qui de ce fait fonctionne de façon bancale et ne remplit plus qu'incomplètement son rôle.

■ NATURE DU DÉPLACEMENT

● ***vers l'arrière :*** la personne recule devant la vie, voudrait revenir en arrière car elle redoute l'avenir. Repli sur soi, caractéristique d'une réaction de fuite ou de protection. La dent montre dans quel domaine de sa vie la personne recule. Par exemple, en haut, une canine (dent de la volonté) qui recule dans l'espace laissé libre par l'extraction de la première prémolaire (dent de l'audace) montre que la personne cède du terrain devant autrui, craint de se battre et d'affronter les obstacles.

● ***vers l'avant :*** la personne fait face à son manque, elle le compense de manière active. C'est une réaction de type combatif.

➤ **Dent qui vous concerne page 304.** *Numéro de la dent et rôle parental page 13.*

● ***vers le haut ou le bas*** *→ **lire** Égression provoquée par une extraction.*

DÉPLACEMENT SPONTANÉ D'UNE DENT ou de PLUSIEURS

[s'il compense l'absence d'une dent : lire Déplacement de compensation]

***Méd.** Dent qui se déplace sans raison apparente alors que ses voisines sont présentes. Les dents ont tendance à se resserrer naturellement avec l'âge. Un problème de déchaussement accentue la tendance. Un écartement se produit lorsqu'une déglutition atypique est associée au déchaussement.*

La dent qui se déplace représente une facette de soi qui n'est plus intégrée à l'ensemble. La personnalité perd sa cohésion.

■ VERS L'ARRIÈRE ou l'INTÉRIEUR

***Méd.** Dent qui glisse vers l'intérieur de la bouche.*

La personne rejette une facette trop fragile ou cherche instinctivement à la cacher ou à la protéger, ou encore veut se préserver par peur de perdre le contrôle dans le domaine correspondant. Elle se replie sur elle-même (tendance passive) à la suite d'un stress ou d'un épisode douloureux, perte du conjoint, rupture sentimentale, etc. Le déplacement de plusieurs dents vers l'intérieur indique un effondrement de la personnalité à la suite d'un choc ou d'un traumatisme. C'est le signe d'une dépression.

Aperçu *du domaine représenté par la dent: nom symbolique page 13* ■ ***analyse*** *plus fouillée: rubrique consacrée à la dent concernée (Canine, Incisive, etc.)* ■ → ***lire*** *selon le cas Déchaussement.*

■ VERS L'EXTÉRIEUR ou l'AVANT

Méd. *Dent qui se déplace vers l'avant ou sur le côté. Un espace apparaît entre deux dents. Déplacement favorisé par la poussée de la langue (déglutition atypique).*

La personne met en avant une part d'elle-même pour se défendre ou protéger une facette plus fragile qu'elle préfère masquer. Elle recherche l'attention et l'approbation d'autrui (tendance active). Trop centrée sur l'extérieur, elle se perd dans une recherche inconsciente de fusion avec l'autre, elle se disperse. **Incisive centrale inférieure:** sentiment d'exclusion; la personne ne se sent plus à sa place, recherche le réconfort ou l'assistance d'un papa (dent droite), d'une maman (dent gauche) pour satisfaire ses besoins. Il est temps de couper le cordon avec le parent nourricier, ou avec la personne qui joue ce rôle, et de redémarrer sur de nouvelles bases. **Incisive centrale supérieure:** la personne a perdu confiance en elle, elle quête le regard d'autrui ou adopte une attitude défensive, une fausse assurance, pour masquer sa fragilité. Elle cherche la reconnaissance du père (dent gauche), de la mère (dent droite). **Incisive latérale inférieure:** sentiment d'abandon; la personne a perdu confiance en la relation, elle ressent un besoin accru d'amour. Elle recherche activement l'affection d'un papa (dent droite), d'une maman (dent gauche). **Incisive latérale supérieure:** la personne a perdu sa confiance dans sa capacité d'échanger; même sous des dehors incisifs, elle quête l'assentiment d'un père (dent gauche), d'une mère (dent droite). Elle se perd dans son besoin d'être avec les autres, exagérément perméable à leur influence.

Aperçu *du domaine représenté par la dent: nom symbolique page 13* ■ ***analyse*** *plus fouillée* → ***lire*** *la rubrique consacrée à la dent concernée (Canine, Incisive, etc.)* ■ *en cas de déplacement causé par la poussée de la langue lors de la déglutition* → ***lire*** *Déglutition atypique* ■ → ***lire*** *selon le cas Déchaussement.*

■ VERS LE HAUT ou le BAS

Phénomène de poussée continue → ***lire*** *Égression spontanée* ■ *dent qui s'enfonce dans la mâchoire* → ***lire*** *Ingression.*

DÉSÉQUILIBRE OCCLUSAL

→ ***lire*** *Occlusion.*

DESMODONTE *DESMODONTITE*

→ ***lire*** *Ligament.*

DÉTARTRAGE

→ **lire** *Tartre.*

DEUXIÈME MOLAIRE, DEUXIÈME PRÉMOLAIRE

→ **lire** *Secondes molaires adultes, Secondes prémolaires adultes.*

DEUXIÈME MOLAIRE DE LAIT

→ **lire** *Lait – dents.*

DÉVIATION DE LA MANDIBULE

→ **lire** *ci-dessous Déviation des milieux inter-incisifs* ■ → **lire** *selon le cas ATM, Ankylose de l'ATM* ■ *déviation du trajet de la mandibule* → **lire** *ATM.*

DÉVIATION DES MILIEUX INTERINCISIFS

***Méd.** Défaut d'occlusion, ou décalage inter-arcades.*

La personnalité est coupée en deux. L'intellect et le corps, la raison et l'instinct sont des sphères séparées. Il y a d'un côté la vie sociale et de l'autre la vie intime, sans lien ni continuité de l'une à l'autre.

■ AVEC DÉVIATION DE LA MANDIBULE

Deux personnalités distinctes coexistent ; la séparation peut aller jusqu'à la schizophrénie, ou du moins le comportement schizophrène ou schizoïde.

■ SANS DÉVIATION DE LA MANDIBULE

La personne cloisonne vie sociale et vie privée.

DÉVITALISATION *ou PULPECTOMIE*

[dent de lait : lire Lait – dévitalisation]

***Méd.** On dévitalise une dent (retrait du nerf ou pulpe) lorsque la carie atteint le nerf ou lorsqu'il s'est nécrosé de lui-même.*

La personne a laissé s'éteindre la facette d'elle-même représentée par la dent. Elle s'est coupée d'une ressource matérielle, affective ou intellectuelle, qui n'existe plus qu'en souvenir. Elle a perdu sa souplesse dans un domaine donné, est devenue rigide et cassante. Blessée au cœur, elle s'interdit de ressentir certaines émotions. Elle préfère perdre conscience que de ressentir la souffrance enregistrée dans la dent, souffrance qui reste néanmoins présente. La personne se fige dans des attitudes ou des croyances qui n'ont plus lieu d'être. Mais la dévitalisation n'est pas une condamnation sans appel. Si on ne peut rendre sa vitalité physique à une dent, il est toujours possible de restaurer le plan psychique. La prise de conscience permet, même après plusieurs années, de se réapproprier la qualité dont on s'est coupé. Si une dent doit être dévitalisée, la manière de vivre l'acte et d'y participer, l'intention qu'on y met sont déterminants. La mort d'une dent peut devenir le point de départ d'une transformation intérieure et donner l'opportunité d'en finir avec un domaine de sa vie : fin d'une période, d'une manière de se comporter ou de concevoir l'existence. Voir et accepter l'intervention nécessaire comme une aide pour se libérer de la souffrance associée à la dent évite de se couper de la qualité correspondante.

➤ **Dent qui vous concerne page 306.** *Numéro de la dent et rôle parental page 13.*

→ ***lire** la rubrique consacrée à la dent dévitalisée : Canine, Incisive, etc.* ■ → ***lire** Énergie.*

■ ACCIDENT DE DÉVITALISATION

*Dégâts osseux dus à la fuite du produit nécrosant → **lire** Fusée arsenicale.*

■ APRÈS CARIE DOULOUREUSE

La personne s'est débattue avant de laisser mourir la partie d'elle-même que représente la dent. L'émotion dominante est la colère. La dent soignée plusieurs fois *(récidive de carie)* jusqu'à ce que la carie atteigne le nerf montre que la personne s'est approchée de sa souffrance sans pourtant accepter de la reconnaître.

➤ **Dent qui vous concerne page 309.** *Numéro de la dent et rôle parental page 13.*

→ ***lire** selon le cas Récidive de carie, Reprise de carie.*

■ APRÈS NÉCROSE SPONTANÉE

*Suite à microchocs, plombage trop profond, usure → **lire** Nécrose spontanée.*

■ APRÈS RAGE DE DENT

La dent est le siège d'une souffrance vive et présente. La personne se débat dans une rage paroxystique. La dévitalisation met un terme à la douleur physique, faute de mieux. Un travail de libération s'impose.

→ ***lire** Rage de dent.*

■ D'UNE DENT À LA PLACE D'UNE AUTRE

***Méd.** Erreur médicale, ou parce que les symptômes sont déplacés sur une autre dent.*

La facette que représente la dent atteinte est à ce point souffrante que la personne préfère en sacrifier une autre plutôt que d'accepter qu'on y touche. Voir sa vraie souffrance est intolérable : la personne préfère s'en inventer une.

→ ***lire** Dentiste – problèmes sérieux ou erreurs.*

■ D'UNE DENT SAINE POUR RAISON PROTHÉTIQUE ou ESTHÉTIQUE

***Méd.** Une dent peut être dévitalisée dans un but esthétique, pour améliorer sa couleur ou son alignement (dent mal implantée), ou pour servir de support à un bridge.*

Dévitaliser une dent saine, c'est sacrifier une partie de soi à l'apparence. L'option est légitime si les enjeux sont clairs. Le bénéfice retiré vaut-il le sacrifice ? S'agit-il de réparer une disgrâce ou de se plier à la mode du sourire parfait ? Le résultat, intérieur et extérieur, sera différent selon que l'opération est réalisée pour masquer un défaut ou au contraire dans l'intention sincère de réhabiliter une facette de soi. La conscience que la personne met dans l'acte est déterminante.

Pour comprendre les enjeux :

➤ **Dent qui vous concerne page 306.** *Numéro de la dent et rôle parental page 13.*

→ ***lire** selon le cas Bridge, Implantation, Teinte* ■ *autres détails → **lire** Sourire parfait.*

■ PAR PRODUIT NÉCROSANT *ou ARSÉNIEUX*

***Méd.** Nécrose induite volontairement par l'utilisation d'un produit tue-nerf à base d'arsenic. La nécrose produit un changement de teinte.*

La personne ressent colère et souffrance. Elle lutte contre ses propres forces de destruction, se bat contre ses démons qui l'empêchent de vivre. Elle ne veut pas laisser mourir la part d'elle-même que la dent représente. La mort finit par l'emporter mais au terme d'une rude bataille.

➤ **Dent qui vous concerne page 309.** *Numéro de la dent et rôle parental page 13.*

*Accident → **lire** Fusée arsenicale ■ dent qui noircit → **lire** Noircissement ■ dent qui devient rose → **lire** Rose – dent de couleur.*

■ QUI NE PREND PAS

Méd. *Le pansement à base d'arsenic posé dans la dent pour tuer le nerf n'agit pas. La dent conserve sa sensibilité. Ou encore, l'anesthésie ne prend pas*

La personne refuse de laisser mourir la part d'elle-même que la dent représente. Elle n'est pas prête à se détacher d'une qualité ou d'une personne. Elle refuse d'opérer des transformations dans un domaine de sa vie parce qu'elles sont prématurées. Si le cas le permet, il est bon de demander du temps au dentiste afin de se préparer au détachement. En forçant les choses, on se fait violence. On risque de réagir par la colère. Les suites n'en seraient que plus longues et douloureuses.

➤ **Dent qui vous concerne page 309.** *Numéro de la dent et rôle parental page 13.*

■ SUITE À FAUSSE MANŒUVRE

Méd. *Fraise qui perfore le nerf par accident. Le dentiste qui le signale à son patient est particulièrement honnête, d'autant que sa responsabilité n'est que rarement engagée : la fausse manœuvre peut être due à un geste du patient.*

La personne porte la croyance qu'elle ne peut qu'être trahie si elle fait confiance ou se risque à s'ouvrir à l'autre. Sentiment de trahison, lié au domaine qui correspond à la dent, et au parent associé au côté de la mâchoire concerné. La personne souhaite inconsciemment en finir avec le problème ou la souffrance que la dent représente, y mettre un terme une fois pour toutes.

*→ **lire** Dentiste ■ rapports entre le parent et le côté de la mâchoire → **lire** Cadran ou page 13.*

DIASTÈME

*→ **lire** selon le cas Isolée – dent, Espacées – dents, Implantation.*

DIDUCTION

*→ **lire** Latéralité.*

DIFFICULTÉ À FERMER ou à OUVRIR LA BOUCHE

*Difficulté à fermer → **lire** selon le cas ATM, Gêne causée par une dent, Obturation trop haute, Occlusion ■ à ouvrir → **lire** selon le cas ATM, Bouche – ouverture limitée, Trismus.*

DILACÉRATION CORONO-RADICULAIRE

Méd. *L'axe de la racine fait un angle avec l'axe de la couronne de la dent. La cause physique est un choc sur la dent de lait transmis au germe sous-jacent en cours de formation.*

L'impact physique est le reflet d'un traumatisme psychique violent vécu par l'enfant. Il a le sentiment d'avoir été brutalement remis à sa place, parce qu'il se montrait trop voyant ou exubérant. Adulte, la personne croit qu'elle doit ravaler sa fierté, baisser la tête ou ravaler ses paroles ; sa croyance d'être inférieure ou insuffisante est profondément ancrée dans la personnalité. La personne doit apprendre a retrouver sa dignité dans le domaine que représente la dent.

DIMENSION VERTICALE D'OCCLUSION

→ **lire** *Affaissement des mâchoires.*

DISCERNEMENT – DENT DU

→ **lire** *Seconde prémolaire supérieure.*

DISSOLUTION DE LA RACINE

→ **lire** *Rhizalyse.*

DISTALE – CARIE

→ **lire** *Carie localisée à un endroit d'une dent.*

DIVISION PALATINE

→ **lire** *Bec-de-lièvre.*

DOUBLE RANGÉE DE DENTS

Méd. *Défaut transitoire d'implantation chez l'enfant. Dents de lait et permanentes sont en alignement double lors de la phase de denture mixte.*

L'enfant a transitoirement une double personnalité, une d'enfant et une d'adulte. Incapable de se situer, il passe sans transition de l'une à l'autre avec un comportement tantôt bébé, tantôt plus mûr. Il est partagé entre son désir de rester petit et son envie de grandir. Aux parents, par une attitude sans équivoque, de l'aider à se situer et à franchir le pas définitif vers l'âge adulte.

DOULEUR, DOULEURS

■ À LA PRESSION

Méd. *La personne ne peut plus mastiquer sur la dent.*

La personne impose à la part d'elle-même que représente la dent une pression excessive. C'est une invitation à faire preuve de plus de douceur et de patience envers soi-même, à se donner plus d'espace ou de temps pour souffler dans le domaine de sa vie représenté par la dent. **Après un soin :** invitation à se donner le temps nécessaire pour panser ses plaies ou faire un deuil.

Aperçu *du domaine représenté par la dent : nom symbolique page 13* ■ ***analyse*** *plus fouillée* → ***lire*** *la rubrique consacrée à la dent concernée (Canine, Incisive, etc.)* ■ → ***lire*** *Douleur persistant après intervention* ■ *en cas de dévitalisation, la douleur peut être liée à une fausse manœuvre* → ***lire*** *Pâte d'obturation* ■ *autres détails* → ***lire*** *Ligament.*

■ ABSENCE ou HYPOSENSIBILITÉ

Méd. *Absence ou manque de sensibilité. En l'absence de signes avertisseurs, les éventuels problèmes que d'autres auraient ressentis ne sont détectés qu'à l'occasion d'une radio ou d'un examen de contrôle.*

Qualifiées de chanceuses parce qu'elles n'ont jamais mal aux dents, les personnes hyposensibles occultent inconsciemment les messages qui viennent de leur corps. C'est un manque de conscience de soi. La personne adopte la politique de l'autruche, se comporte comme si tout allait bien alors que les problèmes s'aggravent et prennent de l'ampleur. Ils sont détectés trop tard, quand il faut dévitaliser ou extraire. La personne hyposensible est d'une certaine manière en retard sur sa vie : elle agit ou se décide toujours trop tard. Ce qui se présente au départ comme une chance s'avère un handicap. Vigilance et contrôles réguliers chez le dentiste doivent pallier le manque de sensibilité.

■ AU CHAUD, AU FROID, À L'ACIDE, AU SUCRE, etc.

→ ***lire*** *Hypersensibilité non due à carie.*

■ AU CHAUD UNIQUEMENT

Nécessite un diagnostic par un dentiste ; puis → ***lire*** *selon le cas Abcès, Gencive – abcès.*

■ DOULEUR FANTÔME APRÈS EXTRACTION

> ***Méd.*** *Douleur qui persiste à l'emplacement d'une dent extraite, des mois ou des années après. La dent manquante fait mal comme si elle était là. La douleur se manifeste de manière épisodique, dans certaines circonstances.*

La personne n'a pas fait le deuil de la situation ou de la facette d'elle-même que représente la dent. Refermée en apparence, la plaie n'est pas guérie intérieurement. La mémoire de la souffrance est toujours présente. Le problème qui a motivé l'extraction de la dent est encore actif dans l'inconscient. La personne n'est pas détachée de son passé. La douleur fantôme l'invite à prendre conscience d'un problème que l'extraction n'a pas réglé. En cas de manifestations cycliques, il est intéressant de faire le rapprochement avec les événements qui interviennent au moment où les douleurs se réveillent.

Aperçu *du domaine représenté par la dent : nom symbolique page 13* ■ ***analyse*** *plus fouillée →* ***lire*** *la rubrique consacrée à la dent concernée (Canine, Incisive, etc.)* ■ *→* ***voir*** *Extraction, Extraction difficile.*

■ DOULEUR LANCINANTE

→ ***lire*** *selon le cas Abcès, Rage de dent.*

■ DOULEUR RÉSISTANT À L'ANESTHÉSIE

→ ***lire*** *Anesthésie – résistance.*

■ DOULEURS FRÉQUENTES ET INTENSES

> ***Méd.*** *La douleur est un phénomène subjectif qui dépend du vécu et des croyances de chacun. Certaines personnes ont mal aux dents à la seule évocation de la roulette du dentiste. Différencier néanmoins le fait d'avoir souvent mal aux dents avec le fait d'être hypersensible quand on a mal.*

La douleur violente, rage de dent, abcès, révèle le besoin de libérer par le cri une forte souffrance. Le besoin s'enracine dans l'enfance, par association psychique entre les douleurs liées à la percée des dents de lait et le besoin de couper le cordon au moment du sevrage affectif avec la maman. Plus tard, des douleurs se manifestent chaque fois que la personne se détache avec peine d'une situation passée, qu'elle fait difficilement un deuil, qu'elle met fin à une relation pour passer à autre chose. De là peut-être l'origine du dicton : *mal de dents, mal d'amour*. La personne croit que les transformations ne peuvent s'opérer que dans la douleur.

■ HYPERSENSIBILITÉ AUX SOINS, « DOUILLET »

→ ***lire*** *Hypersensibilité aux soins.*

■ PERSISTANT APRÈS INTERVENTION

Méd. *Comme après toute intervention chirurgicale, une sensibilité après un soin est normale. La douleur est dite persistante si la dent continue de faire mal quelques jours, voire quelques semaines ou des mois après avoir été extraite ou soignée. Parfois, la dent reste sensible au chaud ou au froid. La douleur a pour cause l'inflammation qui perdure.*

La personne reste figée dans une attitude de colère. Elle n'a pas accepté la mutilation que représente l'intervention ou ne s'est pas libérée de la souffrance liée à la facette que représente la dent. Il est nécessaire de faire un travail de libération et de détachement en rapport avec le domaine représenté par la dent.

Aperçu *du domaine représenté par la dent : nom symbolique page 13* ■ ***analyse*** *plus fouillée* → ***lire*** *la rubrique consacrée à la dent concernée (Canine, Incisive, etc.)* ■ → ***lire*** *la rubrique qui concerne le problème : Carie, Dévitalisation, Extraction* ■ *douleur persistant après extraction* → ***lire*** *Alvéolite* ■ → ***lire*** *Dentiste – séance difficile et suites douloureuses* ■ *autres détails* → ***lire*** *Chirurgie.*

■ SANS CAUSE PHYSIQUE

Méd. *Douleur dite erratique sur une dent saine, sans cause objective. De la simple gêne (dent plus présente) à des élancements, voire des douleurs vives. On parle aussi de névralgies pour désigner ces douleurs mystérieuses.*

La personne a l'opportunité de prendre conscience d'une problématique avant que des symptômes physiques n'apparaissent. La conscience anticipe sur le corps, tire une sonnette d'alarme. Le message est si important et si urgent que l'inconscient n'a pas le temps de fabriquer une lésion physique. Tout se passe au niveau des nerfs. Si la douleur se manifeste au niveau d'une dent en particulier, une facette d'elle-même adresse un message précis à la personne. Pour le comprendre, on étudiera avec soin les circonstances d'apparition ou de déclenchement de la névralgie et on fera le rapprochement avec la signification de la zone atteinte.

Comprendre *le message* → ***lire*** *la rubrique consacrée à la dent (Canine, Incisive, etc.)* ■ *douleur entre deux dents* → ***lire*** *Bourrage alimentaire* ■ *qui diffuse dans la mâchoire* → ***lire*** *Mâchoire du bas, Mâchoire du haut, Cadran* ■ → ***voir*** *Gêne causée par une dent.*

DYSCHROMIE

Terme médical (anomalie de la pigmentation de la peau, ou vitiligo) parfois utilisé par analogie à propos des dents → ***lire*** *Émail altéré.*

DYSFONCTION OCCLUSALE

→ ***lire*** *Occlusion – défauts.*

DYSMORPHOSE INTER-ARCADES

→ ***lire*** *Occlusion – décalages inter-arcades.*

DYSPLASIE

Hyperplasie ou hypoplasie → ***lire*** *Taille d'une dent.*

ÉBRÉCHÉE – DENT

→ ***lire*** *Émail abîmé – dent ébréchée.*

ÉCHEC...

→ ***lire*** *selon le cas Anesthésie – résistance à, Dentier, Couronne mal réalisée, Dévitalisation qui ne prend pas, Récidive de carie.*

ECTOPIE

Méd. *Dent qui occupe une place inhabituelle, dans la mâchoire ou dans le corps.*

■ DENT DANS LA MÂCHOIRE

→ ***lire*** *selon le cas Implantation, Incluse – dent, Mésiodens, Sagesse – dent incluse, Surnuméraire – dent.*

■ DENT EN PLUS DANS LE CORPS

Méd. *Dent qui se forme à n'importe quel endroit du corps ailleurs que dans la bouche. Le problème est lié à l'embryogenèse. Signification à moduler selon l'endroit du corps.*

L'endroit où la dent pousse en ectopie a besoin d'être densifié ou renforcé. Le fœtus a enregistré la rancune tenace contre quelqu'un, non exprimée, qui se transmet de génération en génération dans la famille. Ou encore, tabou particulièrement difficile à traiter. La personne, hantée à son insu par la mémoire d'un frère ou d'une sœur décédé, ou bien d'un ancêtre, est investie du devoir de se souvenir.

ÉDENTATION *PERTE DE PLUSIEURS DENTS*

[à une époque particulière de la vie : lire aussi Édentation selon l'âge]

Méd. *L'édentation est une absence partielle ou totale de dents, conséquence de caries, de problèmes parodontaux ou d'un accident.*

La personne a perdu ses facultés créatrices telles qu'elle les avait jusqu'à présent manifestées. Ses possibilités d'agir et de s'exprimer sont réduites à néant. Toutefois, même si les dents manquent, leur potentiel demeure. S'il n'est pas réaliste d'espérer les faire repousser, on peut se réapproprier les qualités ou capacités qu'elles représentent par un travail de conscience. Un travail de reconstruction de la personnalité (psychothérapie) est conseillé, spécialement chez une personne jeune ou dans la force de l'âge. La perte des dents d'un côté de la mâchoire ou cadran révèle un problème profond par rapport au parent qui correspond au cadran : le haut droit (cadran 1) est lié à la mère éducatrice, le haut gauche (cadran 2) au père éducateur, le bas gauche (cadran 3) à la maman nourricière, le bas droit (cadran 4) au papa nourricier.

→ ***lire*** *Cadran* ■ → ***lire*** *selon le cas Dentier.*

■ CAUSES DE L'ÉDENTATION

• ***abcès :*** la personne renie ses émotions, les non-dits l'étouffent et l'empoisonnent.

→ ***lire*** *Abcès.*

• ***caries :*** la personne s'autocensure, elle refuse d'exprimer ses dons.

→ ***lire*** *Carie.*

• ***déchaussement :*** la personne est dans l'impuissance, la castration, la peur.

→ ***lire*** *Déchaussement, Parodonte.*

• ***fractures :*** la personne est brisée moralement. La violence qu'elle a subie l'empêche de s'exprimer.

→ ***lire*** *Fracture.*

■ LOCALISATION DE L'ÉDENTATION

• ***mâchoire du bas*** *(**Méd.** perte de toutes les dents ou d'une majorité de dents en bas, quelle qu'en soit la cause) :* la personne a vécu un rapport traumatique précoce avec la maman, entre 0 et 3 ans. Enfant, elle a éprouvé de la honte vis-à-vis du corps et de ses besoins, a été blâmée de manifester ses émotions. Elle en a conclu qu'il valait mieux les réprimer : ni pleurer ni se plaindre, etc. Coupée du corps, elle bride ses pulsions, estimées sales ou honteuses, réprime toute envie ou manifestation spontanée. Elle ne sait ni jouer, ni délirer. Une insécurité fondamentale la mine. Elle se méfie de la matière et croit le monde dangereux. Pour combler le vide matériel et affectif, elle accumule argent, conquêtes, possessions ; boulimie de nourriture, de travail et autres, possessivité vis-à-vis du conjoint, des enfants, etc. L'intellect domine. Tendance à la rigidité, à la froideur par contrôle excessif des émotions. Idées fixes, comportement obsessionnel, incapacité à s'adapter. La personne veut tout prévoir, tout maîtriser, ne laisse aucune part à l'improvisation ou à la fantaisie. Elle agit par obligation et non par envie : « il faut, je dois, je suis obligée de… ». Elle a un sens exagéré du devoir et se croit indispensable ou supérieure aux autres, vit dans un monde sérieux, un univers sans couleurs, régi par des lois, des règles morales strictes, où seuls comptent travail et objectifs à réaliser. La personne a oublié les choses simples de la vie et du quotidien comme s'amuser, se distraire, prendre du plaisir. Elle manque de douceur, de tendresse et d'amour ; « je ne suis pas soutenue », « on me laisse tomber », « on m'abandonne » font partie de ses croyances. Un travail de réhabilitation de l'enfant en soi et de réconciliation avec le corps et les émotions est conseillé.

• ***mâchoire du haut*** *(**Méd.** perte de toutes les dents ou d'une majorité de dents en haut, quelle qu'en soit la cause) :* la personne a vécu un rapport traumatique précoce avec l'autorité. Elle a dû se plier au bon vouloir des adultes, s'est sentie traitée de manière injuste. Elle a pris des coups au physique ou au moral, a été brimée. Le rapport avec l'autorité, la hiérarchie et le monde adulte en général est basé sur la méfiance ou le rejet. Ordres, interdits, sanctions sont perçus comme négatifs. Qu'il ait été trop présent, violent, dominateur, ou au contraire absent, le père véritable manque. La personne n'a pas de références. Désorientée, elle ne sait pas se diriger seule, manque de conseils et de guide. Elle recherche un substitut au père éducateur : gourou, faux maître, secte, accumulation de savoir, livres, stages, etc. Mais inconsciemment elle rejette toute forme d'autorité : « je suis une victime, c'est injuste, ça me retombe toujours dessus ». Elle a le sentiment de vivre avec un couperet au-dessus de la tête. Elle manque de raison et de maîtrise sur elle-même et ne supporte pas qu'on la contrôle. Difficultés de concentration. Les débordements et autres crises sont fréquents. Les émotions trop présentes la submergent. L'humeur est instable, le tempérament changeant, volcanique. Impulsive, impatiente, la personne veut, exige tout et tout de suite. Elle vit au présent, sans se limiter ni se soucier des conséquences à long terme. Elle perçoit le monde comme injuste, impitoyable, dur. Elle voudrait grandir pour pouvoir se défendre mais reste dans la persécution. Même si elle le cache sous des airs hautains, elle se sent inférieure aux autres. Un travail de réhabilitation de l'adulte en soi et de réconciliation avec l'autorité est conseillé.

- ***totale*** *(**Méd.** perte étendue en haut et en bas)* : évolution vers la passivité. La personne aspire à la paix, au repos, « je suis vieille, lasse, fatiguée » est le message inconscient qu'elle s'adresse à elle-même ; « je veux enfin me reposer et me laisser nourrir à mon tour comme un bébé au lieu de continuer à me démener pour nourrir les autres ». Sentiment de dépendance et d'impuissance extrême. La personne vit ou souhaite de manière inconsciente revenir à la période fusionnelle de l'allaitement, « je dois ma survie à l'autre (maman), je ne peux me nourrir par mes propres moyens ». Elle croit que son entourage doit la prendre en charge. Sa personnalité est anéantie, la dévalorisation et la négation de soi sont extrêmes, en particulier chez quelqu'un de jeune. La personne ne veut plus goûter la vie. Elle a perdu son pouvoir créateur, n'a plus de prise sur son destin, est privée de toute force et de toute protection.

ÉDENTATION SELON L'ÂGE

■ ADOLESCENT, JEUNE ADULTE

Incapacité à s'affirmer, manque profond d'estime de soi, liés aux parents ou au contexte éducatif qui étouffent ou nient l'expression personnelle du jeune adulte.

→ ***lire*** *selon le cas Caries multiples, Parodontite juvénile localisée.*

■ AVANT 6 ANS

Grave problème lié au refus de vivre. L'enfant désire inconsciemment redevenir bébé pour retrouver la fusion avec la maman : peur, conditions difficiles, sentiment de n'avoir pas sa place en ce monde, etc.

→ ***lire*** *selon le cas Lait – caries, Parodontite juvénile localisée.*

■ FORCE DE L'ÂGE, TRENTAINE

La personne perd la maîtrise de sa vie, vit une véritable castration. Des événements marquants qu'elle n'accepte pas la minent au physique et au moral : licenciement, décès d'un être cher, divorce, maladie invalidante.

→ ***lire*** *selon le cas Caries, Déchaussement, Parodontite.*

■ MATURITÉ, QUARANTAINE

Méd. *Les problèmes de déchaussement sont les causes premières de perte des dents à partir de cet âge.*

La personne a accumulé trop de stress, n'a pas su se ménager. Il est temps d'arrêter de s'épuiser, que ce soit pour de nobles causes ou non.

→ ***lire*** *selon le cas Carie, Déchaussement, Parodontite, Parodontose.*

■ TROISIÈME ÂGE

La personne sent qu'elle perd ses forces vitales, elle éprouve le désir inconscient de se reposer, de se laisser nourrir, voire mourir. L'édentation du vieillard rappelle celle du nouveau-né. Le cycle s'achève.

→ ***lire*** *Déchaussement, Parodontose.*

ÉGRESSION PROVOQUÉE PAR UNE EXTRACTION

Méd. *Dent qui continue à pousser au-delà de son éruption normale. Le phénomène peut se produire à tout âge, causé par la perte de contact avec la dent antagoniste suite à une extraction. La dent qui s'égresse devient plus longue et peut perturber la mastication.*

La personne cherche à compenser son manque (dent extraite et non remplacée) en amplifiant la qualité représentée par la dent qui s'égresse. L'égression reflète un déséquilibre local entre la tête et le corps, révélé ou accentué par l'extraction de la dent. D'une manière générale, la personne redoute l'absence et le vide.

Aperçu *du domaine représenté par la dent qui s'égresse : nom symbolique page 13* ■ ***analyse*** *plus fouillée* → ***lire*** *la rubrique consacrée à la dent concernée (Canine, Incisive, etc.)* ■ ***procéder*** *de même avec la dent extraite pour connaître le manque* ■ *autres détails* → ***lire*** *Manquante – dent, Extraction.*

■ MÂCHOIRE DU BAS

Les pulsions envahissent les pensées. La personne amplifie ses réactions émotionnelles pour compenser son manque de réflexion, elle pense avec ses tripes. La raison ne tempère plus l'instinct.

■ MÂCHOIRE DU HAUT

La raison envahit la sphère du corps et des émotions. La personne amplifie l'intellect pour tenter de compenser les émotions qu'elle ne ressent plus, elle sent avec sa tête ; ses idées ne se concrétisent pas.

ÉGRESSION SPONTANÉE

Méd. *Phénomène de poussée continue qui peut se produire à tout âge. La dent qui s'égresse devient plus longue et peut perturber la mastication.*

Une facette de la personnalité est en train de prendre trop de place et d'envahir un domaine qui n'est pas le sien. La personne a besoin d'exister davantage dans un domaine de sa vie pour compenser un manque subtil. Par exemple, l'égression spontanée de l'incisive latérale supérieure ou dent de la communication montre le besoin d'échanges accrus avec autrui pour compenser un sentiment d'exclusion, de solitude ou de manque d'amour.

Aperçu *du domaine représenté par la dent qui s'égresse : nom symbolique page 13* ■ ***analyse*** *plus fouillée* → ***lire*** *la rubrique consacrée à la dent concernée (Canine, Incisive, etc.).*

■ **MÂCHOIRE DU BAS**

Dans le domaine représenté par la dent, la personne cherche à s'élever, à sublimer ses instincts. Elle recherche un contact avec le plan spirituel.

■ **MÂCHOIRE DU HAUT**

Dans le domaine représenté par la dent, la personne a besoin de revenir les pieds sur terre ou cherche à entrer en contact avec ses pulsions.

ÉLECTRICITÉ

Méd. *Les sensations d'électricité dans la bouche peuvent être produites par de réels courants électriques, d'intensité variable (électrogalvanisme). Le galvanisme buccal est provoqué par la présence de métaux différents dans une même bouche : or qui voisine avec des plombages, eux-mêmes formés d'un amalgame de métaux variés liés par du mercure : argent, étain, zinc, cuivre. Une salive acide accentue les phénomènes électriques.*

Véritable pile électrique, la personne est en proie à des tensions nerveuses trop fortes pour elle. Elle cogite trop, épuise sa résistance nerveuse et physique par une tension excessive. Appel à s'apaiser ou à se reposer avant de disjoncter.

Aperçu *du domaine dans lequel la personne a besoin de se calmer : nom symbolique de la dent qui subit des décharges électriques page 13* ■ ***analyse*** *plus fouillée* → ***lire*** *la rubrique consacrée à la dent concernée (Canine, Incisive, etc.).*

■ **ACCENTUÉE PAR LA SALIVE ACIDE**

Activité mentale excessive (agitation intellectuelle) et manque d'action concrète. La personne cogite mais ne passe pas à l'acte.

→ ***lire*** *Salive acide.*

■ **CAUSÉE PAR LA PRÉSENCE DE MÉTAUX DIFFÉRENTS**

Méd. *Présence d'acier ou d'or en plus des plombages.*

Le mental de la personne est encombré de croyances contradictoires qui embrouillent sa conscience. Les facettes de la personnalité sont désaccordées, certaines valorisées, d'autres négligées ou méprisées. Un travail d'harmonisation intérieure est conseillé, afin d'accorder la même valeur à chacune des parties de soi.

→ ***lire*** *Plombage, Prothèse* ■ → ***lire*** *selon le cas Goût désagréable dans la bouche.*

■ **DÉCOUVERTE PAR LE DENTISTE**

La personne ne perçoit pas sa tension nerveuse excessive, qui peut se manifester par une fatigue ou un goût de métal dans la bouche, par exemple.

→ ***lire*** *Plombage, Prothèse* ■ → ***lire*** *selon le cas Goût désagréable dans la bouche.*

ÉLECTROGALVANISME BUCCAL

→ ***lire*** *ci-dessus Électricité.*

ÉMAIL *en GÉNÉRAL*

[atteintes congénitales : liste page suivante]

Méd. *L'émail recouvre la dent. Tissu à 95 % minéral formé de cristaux liés entre eux par une colle organique (5 %), il a une fonction protectrice. Comme l'écorce du fruit, il recouvre d'une carapace dure la chair tendre ou dentine.*

L'émail représente le fait de montrer aux autres ses qualités, sa beauté intérieure : « je suis lumineux, je suis beau, je suis noble. » Il représente l'éclat de la personnalité, l'ampleur de son rayonnement. Sa dureté proche de celle du diamant en fait un symbole de perfection. Les cellules qui sécrètent l'émail sont dites adamantines (*adamantin* : qui a la dureté et l'éclat du diamant). La dureté peut devenir implacabilité. L'expression populaire « avoir la dent dure » désigne une attitude trop exigeante ou trop critique envers autrui. L'émail représente la capacité de se protéger. Il matérialise la force qui permet de mordre dans la vie et de se défendre, au point d'être armé jusqu'aux dents.

*→ **voir** Blancheur, Teinte ou couleur naturelle.*

***Atteintes congénitales** → **lire** selon le cas Mélanodontie infantile, Amélogenèse imparfaite ■ émail friable ou peu solide : forme atténuée d'amélogenèse imparfaite → **lire** Amélogenèse imparfaite ■ émail terne ou rugueux dès l'éruption de la dent → **lire** Mat – émail.*

ÉMAIL ABÎME *APRÈS ÉRUPTION DE LA DENT*

***Méd.** Atteinte indolore, réversible ou partiellement réversible.*

■ CARIE

La personne se sent dévalorisée ou souillée dans le domaine que représente la dent.

***Aperçu** du domaine représenté par la dent : nom symbolique page 13 ■ **analyse** plus fouillée → **lire** la rubrique consacrée à la dent concernée (Canine, Incisive, etc.) ■ → **lire** Carie d'une dent – collet ■ si la lésion s'arrête d'elle-même → **lire** Arrêtée – carie sèche.*

■ CARIES NOMBREUSES

***Méd.** Caries de l'émail qui se développent en nombre sur les surfaces lisses des dents (exemple : caries du collet). Lésions peu profondes mais étendues.*

La personne porte l'empreinte d'une fragilité innée liée à la dévalorisation de soi et au refus de briller.

*À un niveau de gravité moindre, les caries qui ont une affinité pour l'émail révèlent une problématique similaire à celle de l'atteinte congénitale de l'émail → **lire** Amélogenèse imparfaite ■ dents de lait → **lire** selon le cas Lait – caries du biberon, Mélanodontie infantile.*

■ DENT ÉBRÉCHÉE

***Méd.** Dent qui présente un manque d'émail au niveau de son bord, à la suite d'un choc ou d'un microtraumatisme (mastication ou autre). Sur la dent ébréchée, la perte de substance ne concerne que l'émail ; à différencier de la fracture où la perte est plus importante.*

La personne a perdu son intégrité dans le domaine que représente la dent. L'apparence est touchée en proportion de la perte d'émail. Néanmoins, l'atteinte narcissique reste superficielle. La personne perd de son tranchant (incisive ébréchée), de son mordant (canine ébréchée) et de son assurance. Ses propos sont moins catégoriques, ses réparties moins incisives, ses critiques moins acerbes, elle a la dent moins dure. Plus qu'une atteinte réelle à l'estime de soi, c'est un accroc minime qui exacerbe sa susceptibilité. Elle s'est laissée entamer par le doute sans que sa confiance en elle-même soit remise en cause de manière importante.

***Aperçu** du domaine représenté par la dent : nom symbolique page 13 ■ **analyse** plus fouillée → **lire** la rubrique consacrée à la dent concernée (Canine, Incisive, etc.).*

■ FÊLURES ou FISSURES

***Méd.** Les fêlures de l'émail sont semblables à celles qu'on observe dans de la porcelaine ancienne. Elles sont produites par des chocs thermiques ou des microtraumatismes (personnes qui grincent des dents par exemple).*

Vieillissement prématuré de la facette de soi que représente la dent : les fissures sont les rides de l'émail. La personne a reçu des coups au moral, a essuyé des revers mais elle a eu la force ou la résistance nécessaire pour les encaisser. Elle a pris sur elle, s'est contrainte à faire bonne figure malgré les épreuves et les aléas de la vie. Par exemple, elle s'est forcée à sourire ou à rester de marbre alors qu'elle aurait eu envie d'exploser. Néanmoins, sa résistance est amoindrie, elle porte sa fragilité à fleur de peau. **Fêlures brunes:** indépendamment de son âge, la personne se sent vieille. Elle se dévalorise, elle n'en finit plus de faire le deuil de sa beauté enfuie, d'une jeunesse supposée meilleure.

Aperçu *du domaine représenté par la dent: nom symbolique page 13* ■ ***analyse*** *plus fouillée* → ***lire*** *la rubrique consacrée à la dent concernée (Canine, Incisive, etc.)* ■ → ***lire*** *selon le cas Grincer des dents, Usure.*

■ TACHES QUI APPARAISSENT

Tache blanche de déminéralisation → ***lire*** *Coloration(s) – tache blanche qui évolue* ■ *tache brune de reminéralisation* → ***lire*** *Carie sèche* ■ *autres colorations* → ***lire*** *Coloration(s).*

■ USURE

→ ***lire*** *Collet – usure, Usure d'une dent.*

ÉMAIL ALTÉRÉ *DÉFAUTS DE STRUCTURE ou de CROISSANCE*

[altérations sur toutes les dents: lire Amélogenèse imparfaite]

Lire ci-dessous Dent de lait ou Dent adulte (selon le cas) puis, page suivante, Emplacement de la dent altérée et enfin le cas qui vous concerne.

■ DENT DE LAIT

Méd. *Altération de la structure de l'émail présente dès l'éruption qui touche une ou plusieurs dents de lait et n'implique pas nécessairement l'atteinte de la dent adulte sous-jacente. Les défauts ont pour cause un traumatisme, choc physique ou psychique, maladie, administration de médicaments, etc., qui a perturbé la sécrétion de l'émail durant la période de formation de la dent.*

Empreinte d'un vécu traumatique survenu lors de la seconde partie de la grossesse, à partir du cinquième mois, ou durant les neuf premiers mois après la naissance: maladie, traumatisme, accident, abandon, maltraitance, etc. L'emplacement (mâchoire du bas ou du haut) de la dent altérée indique quel traumatisme a été vécu, le côté (droit ou gauche) par rapport à quel parent. La dent altérée indique quelle facette de la personnalité a été blessée chez l'enfant ou chez le parent dont l'enfant est le miroir.

Datation: *l'emplacement de la lésion permet de dater l'événement traumatique, sachant que la couronne se forme du bord libre vers la racine. Plus le défaut est proche du bord libre, plus l'événement est précoce, plus il est proche de la gencive, plus il est tardif. La couronne des incisives de lait débute sa formation vers le cinquième mois de vie intra-utérine et la termine au cinquième mois après la naissance. Les canines de lait commencent leur formation vers six mois de vie intra-utérine et la terminent au neuvième mois après la naissance. Un défaut proche du bord ou de la pointe reflète un choc lié à la grossesse. Un défaut proche de la gencive reflète un choc lié aux premiers mois de la vie.*

■ DENT ADULTE

Méd. *Altération de la structure de l'émail présente dès l'éruption qui touche une ou plusieurs dents adultes. Les défauts ont pour cause un traumatisme, choc physique ou psychique, maladie, administration de médicaments, etc., qui a perturbé la sécrétion de l'émail durant la période de formation de la dent.*

Un ou des coups durs sont gravés dans le psychisme de la personne. En réaction au trauma initial la personne a développé des croyances qui la limitent. La dent altérée indique quelle facette de la personnalité a été blessée. L'emplacement (mâchoire du bas ou du haut) de la dent altérée indique quel traumatisme a été vécu, le côté (droit ou gauche) par rapport à quel parent.

***Aperçu** du domaine représenté par la dent : nom symbolique page 13* ■ ***analyse** plus fouillée* → ***lire** la rubrique consacrée à la dent concernée (Canine, Incisive, etc.).*

> ***Datation :** l'emplacement de la lésion permet de dater l'événement traumatique, sachant que la couronne se forme du bord libre vers la racine. Plus le défaut est proche du bord libre, plus l'événement est précoce, plus il est proche de la gencive, plus il est tardif. La couronne des incisives débute sa formation aux environs de la naissance et l'achève vers 5 ans. Par exemple, un défaut au collet indique un traumatisme survenu vers 5 ans, un défaut à mi-chemin du bord de la dent et du collet indique un événement survenu vers 2 ou 3 ans. Sur les canines le principe est le même, sachant que la formation de l'émail débute vers six mois après la naissance et s'achève vers l'âge de 7 ans.*

■ EMPLACEMENT DE LA DENT ALTÉRÉE

• ***mâchoire du bas :*** manque de protection, rejet corporel, négligence, voire maltraitance, événement (peur ou accident) qui met en péril la vie physique. Bas gauche (cadran 3) lié à la maman nourricière, bas droit (cadran 4) lié au papa nourricier. Défauts symétriques à droite et à gauche : problème grave lié à la mère.

• ***mâchoire du haut :*** jugement, sévérité excessive, sentiment de rejet, frayeur, qui conduit au refus d'exister. Haut droit (cadran 1) lié à la mère éducatrice, haut gauche (cadran 2) au père éducateur. Défauts symétriques à droite et à gauche : problème grave lié au père.

■ NATURE DE L'ALTÉRATION

> ***Méd.** Sur dent adulte ou sur dent de lait, la signification est la même, mais le principe de datation est différent : lire l'une des deux rubriques précédentes.*

• ***dent en timbre-poste ou à bord dentelé*** *(**Méd.** lésion le long du bord libre qui donne à la dent un aspect en timbre-poste) :* survie difficile. La personne a ressenti une grande vulnérabilité durant les premiers mois de sa vie. Elle a le sentiment d'exister en pointillé : « j'ai le droit de survivre mais uniquement en étant transparente ». **Sur dent de lait :** grave traumatisme vécu par la mère au cinquième mois de grossesse.

• ***manque en biseau*** *(**Méd.** un éclat d'émail manque au niveau de la surface lisse de la dent) :* complexe lié au manque. La personne se sent entamée, son intégrité est atteinte. Elle porte la trace d'une blessure narcissique. Elle croit être diminuée, amputée d'une partie d'elle-même qui lui manque. **Incisive centrale supérieure :** manque d'estime de soi, « je vaux moins que les autres ». **Incisive latérale supérieure :** manque d'élocution, « je parle moins bien que les autres ». **Canine supérieure :** manque de puissance personnelle, « je suis moins fort(e) que les autres ».

• ***manque en cercle*** *(**Méd.** lésion en forme d'impact de balle à la surface de l'émail) :* empreinte d'une agression. L'impact, physique ou verbal, est puissant comme un coup de fusil.

• ***manque en plaque*** *(**Méd.** le manque est plus ou moins étendu) :* période où la personne s'est sentie à nu, sans protection et sans défense.

• ***strie horizontale*** *(Méd. le manque d'émail dessine une fine gorge ou raie horizontale)*: période où l'énergie a été coupée (zone d'étranglement). Arrêt brutal. Mise en suspens brève mais marquante de la fonction incarnée par la dent. L'enfant a mal vécu un événement violent: accident, frayeur, etc. **Incisive centrale inférieure:** étranglement, arrêt de la vie, danger, « je vais mourir ». **Incisive centrale supérieure:** arrêt de la conscience, cesser d'être vu, « je disparais ». **Incisive latérale inférieure:** interruption de l'amour, « je suis abandonné ». **Incisive latérale supérieure:** arrêt de la parole, « je suis muet ». **Canine inférieure:** rupture du lien familial, « je suis orphelin ». **Canine supérieure:** interruption de la force, je suis impuissant à me défendre.

• ***tache claire*** *(Méd. zone ou tache blanche – endroit où l'émail est moins minéralisé)*: période où la personne a refusé la vie: « je ne veux plus être ici ». Mémoires de mort: fuir ce monde impur pour retrouver l'innocence originelle, en réaction à un coup dur, abandon, deuil, etc. La personne s'est crue à un moment de sa vie trop pure, trop bien pour ce monde. Signe d'un complexe de supériorité lié au domaine que la dent représente.

• ***tache crayeuse ou voile blanc*** *(Méd. zone où est l'émail est opaque, trop blanc, d'aspect crayeux, en voile blanc)*: voile d'invisibilité posé sur la dent. Il correspond à une période où l'enfant s'est senti éclipsé aux yeux des parents: naissance d'un frère ou d'une sœur, etc. **Incisive centrale inférieure:** ne plus exister. **Incisive centrale supérieure:** ne plus être vu. **Incisive latérale inférieure:** ne plus être aimé. **Incisive latérale supérieure:** ne plus être entendu ou compris. **Canine inférieure:** ne plus faire partie du clan. **Canine supérieure:** ne plus avoir d'importance.

• ***tache sombre irrégulière*** *(Méd. tache ou zone sombre plus ou moins étendue, en point ou en cercle)*: croyance de souillure, sentiment de honte. La personne se croit indigne ou méprisable. Signe d'un complexe d'infériorité lié au domaine que la dent représente. La personne se sent atteinte dans sa pureté à la suite d'un événement traumatisant tel que viol, agression physique, verbale, visuelle, etc. **Incisive centrale inférieure:** le corps est souillé (honte, agression sexuelle). **Incisive centrale supérieure:** l'image de soi est dévalorisée, la personne se croit laide. **Incisive latérale inférieure:** la relation affective est dévalorisée, l'amour est sali. **Incisive latérale supérieure:** la parole dévalorisée, la personne a honte de s'exprimer. **Canine inférieure:** l'acte reproducteur est dévalorisé. Abus sexuel. **Canine supérieure:** la détermination est dévalorisée, coup dur porté à l'intégrité morale.

• ***taches blanches dues à l'exces de fluor*** → ***lire*** *Fluorose.*

• ***taches sombres symétriques en barre*** → ***lire*** *Colorations dues aux antibiotiques.*

ENCOMBREMENT

Tendance générale → ***lire*** *Mâchoire trop petite* ■ *encombrement d'un secteur de l'arcade ou d'une dent* → ***lire*** *Implantation, Incluse – dent.*

ÉNERGIE D'UNE DENT *CAPACITÉ ou QUALITÉ*

Chaque dent représente un type d'énergie particulier. Il ne s'agit pas d'énergie telle que la conçoit l'acupuncture, qui se situe à un niveau différent, mais d'une énergie psychique ou qualité spécifique en rapport avec la fonction symbolique de la dent. Chaque dent canalise ou véhicule un type d'énergie, dont elle est la matérialisation et incarne un axe énergétique qui détermine son implantation. Le nom donné à chaque dent par l'auteur est représentatif de la capacité ou qualité qu'elle incarne. Par exemple, la qualité de l'incisive centrale supérieure est le rayonnement, d'où son nom, la dent du rayonnement. De même pour la canine supérieure, nommée dent de la volonté car elle représente la ténacité, la puissance, la détermination.

Noms symboliques et correspondances avec noms usuels et numéro des dents : tableau de référence page 13 ■ → ***voir*** *Correspondances dents-organes.*

ÉNERGIES FÉMININE ET MASCULINE

Au niveau de la bouche, féminin et masculin sont croisés entre le haut et le bas. En haut la droite est féminine, la gauche masculine : haut droit : féminin, lié à la mère éducatrice ; haut gauche : masculin, lié au père éducateur. En bas, la droite est masculine, la gauche féminine ; bas gauche : féminin, lié à la maman nourricière ; bas droit : masculin, lié au papa nourricier. Le rôle de parent nourricier, papa ou maman, est différent et complémentaire de celui d'éducateur, père ou mère ; l'homme est à la fois papa consolateur et père guide ; la femme maman consolatrice et mère guide.

Précisions sur la droite et la gauche → ***lire*** *Cadran.*

ENFANT QUI NAÎT AVEC UNE DENT

Signe de précocité, d'un fort élan vital. L'enfant est en avance sur son âge. Actif, éveillé, il fonce tête baissée dans la vie. Il est prêt à être sevré et à se séparer plus tôt de la maman, à condition toutefois que l'éruption précoce des autres dents confirme la prédisposition. Dans le cas contraire, l'enfant accélère sa croissance pour oublier un vécu pénible ou douloureux lié à la grossesse.

ENGRÈNEMENT

→ ***lire*** *Occlusion.*

ÉPAISSISSEMENT DE L'OS

→ ***lire*** *Exostose* ■ → ***lire*** *selon le cas Acromégalie.*

EPULIS

Méd. *Tumeur bénigne de la gencive.*

La personne éprouve le besoin vital de se protéger, de tisser une coque isolante entre elle et le monde. Tout ce qui vient de l'extérieur est une agression potentielle. Sur la défensive, la personne tient l'autre à distance en exhibant son côté repoussant. Peu sûre de ses limites, elle se ferme par avance aux demandes d'autrui. Le « non » systématique, le recours à des faux-semblants ou à des prétextes lui servent de barrière défensive.

■ EPULIS À CELLULES GÉANTES

Besoin de montrer une colère monstrueuse qui sert de rempart car elle donne l'alibi d'être une victime : « voyez quel monstre on a fait de moi ».

■ EPULIS DE LA LÈVRE INFÉRIEURE

Besoin de combler un manque affectif ou sexuel. La localisation à droite ou à gauche indique à quel parent ou type de personne le problème est lié.

→ ***lire*** *Cadran ou page 13.*

■ EPULIS ENTRE DEUX DENTS

La personne se fige dans une attitude de non-choix. Elle fait l'autruche par peur de prendre position.

→ ***lire*** *Bourrage alimentaire entre deux dents ou directement :*

➤ **Cas qui vous concerne page 267.**

ÉROSION DENTAIRE

Méd. *Déminéralisation des tissus durs des dents par les aliments acides, sans l'intervention d'aucun mécanisme bactérien.*

■ DUE À DES ALIMENTS ACIDES

Méd. *Jus de fruit, sodas, fruits acides, suppléments en vitamine C provoquent une érosion, principalement des dents antérieures dans la zone du collet.*

Le besoin d'action de la personne n'est pas satisfait. Elle est en conflit entre vivre pleinement, de manière intense et sans retenue, et s'empêcher de le faire. Elle renie sa nature combative, elle se retient d'opérer des transformations importantes ou qui lui tiennent à cœur. Au lieu d'aller de l'avant et d'en découdre avec la vie, elle ronge son frein. Ou alors elle croque de manière excessive dans la vie, elle brûle la chandelle par les deux bouts, sport, activité effrénée, sexe. Dans tous les cas, elle se blâme et se dévalorise.

Autres détails → ***lire*** *Collet – usure, Salive acide.*

■ DUE À DES REFLUX GASTRIQUES

L'action est inhibée. Inemployés, l'énergie et le mordant de la personne se retournent contre elle et la détruisent. Son fiel qui ne trouve pas son exutoire à l'extérieur la déborde et la ronge. Elle ravale sa colère et s'empêche de réagir. Elle ne peut digérer un événement, des paroles informulées lui restent sur l'estomac. Elle se dévalorise et se reproche sa passivité.

→ ***lire*** *Collet – usure.*

■ DUE À DES VOMISSEMENTS RÉPÉTÉS

Méd. *En cas de boulimie, les personnes qui se font vomir ont leurs dents rongées par l'acide gastrique. L'acide chlorhydrique (pH 2) décape les dents dont l'émail fond littéralement.*

La personne souffre d'une dévalorisation profonde, elle refuse de se montrer et de prendre sa place. Elle est extrêmement dure et exigeante envers elle-même mais ne sait pas se protéger vis-à-vis des autres et des agressions extérieures. Elle se croit indigne d'intérêt, obligée de se cacher, de rester petite ou étriquée. Ces croyances alimentent la maladie qu'est la boulimie/anorexie.

Autres détails → ***lire*** *Émail.*

ÉROSION EN COUP D'ONGLE

Sorte de coup de scie à la base de dent, près de la gencive, qu'on détecte en grattant avec l'ongle, qui passe souvent inaperçu mais riche d'enseignements sur un plan psychique → ***lire*** *Mylolyse.*

ERREUR DU DENTISTE

→ ***lire*** *Dentiste – problèmes sérieux ou erreurs.*

ÉRUPTION

■ BLOQUÉE

→ ***lire*** *selon le cas Ankylose de racine sur dent de lait, Incluse – dent, Rhizalyse des dents de lait – retard.*

■ DIFFICILE

→ ***lire*** *Poussée dentaire difficile* ■ *dent de sagesse* → ***lire*** *Accident d'éruption de dent de sagesse.*

■ ORDRE D'ÉRUPTION

Méd. *Les dents de lait comme les dents permanentes font leur éruption selon un ordre chronologique précis. Généralement, les dents du bas sortent avant celles du haut.*

L'éruption de chaque dent, de lait comme adulte, matérialise un stade de développement de l'individu. L'ordre montre comment les facettes de la personnalité se mettent en place. Par exemple, vers l'âge de six mois, l'éruption des premières incisives de lait marque le début du sevrage physique et affectif d'avec la maman ; celle des canines de lait met fin au stade oral ; celle des premières molaires de lait coïncide avec l'acquisition de la marche. Lorsque la denture de lait est totalement en place vers l'âge de 3 ans, l'enfant affirme sa personnalité naissante par la fameuse crise du non. Autre exemple, vers 6 ans, les premières molaires permanentes concrétisent le passage de l'enfant de la petite à la grande école (CP). Premières dents permanentes à faire leur apparition, les dents de six ans représentent les bases de la personnalité adulte. À chaque stade d'éruption correspondent des besoins particuliers et des aptitudes spécifiques de l'enfant.

- ***ordre habituel des dents de lait*** → ***lire*** *Lait – dents (stades de développement).*
- ***ordre habituel des dents permanentes et étapes de développement :***

Âge	*Dent permanente*	*Étapes de développement*
6 ans	*premières molaires supérieure et inférieure*	appuis donnés par les parents ; dents de père/mère et de papa/maman
6-7 *7-8* *8-9*	*incisive centrale inférieure* *incisives centrale supérieure et latérale inférieure* *incisive latérale supérieure*	individualisation, apprentissage de l'échange ; dents du commencement, du rayonnement, de la relation, de la communication
9-11 *10-11* *10-12* *11-12*	*canine inférieure* *première prémolaire supérieure* *première prémolaire inférieure et seconde prémolaire supérieure* *seconde prémolaire inférieure*	revendication de sa différence ; dents des origines, de l'audace, de la métamorphose, du discernement, de l'affirmation
12 *12-13*	*canine supérieure* *secondes molaires inférieure et supérieure*	capacité de décider et socialisation ; dents de la volonté, de la transgression, de l'union
18 +	*dents de sagesse supérieure puis inférieure*	acquisition de l'autonomie ; dents de sagesse

Les correspondances entre noms usuels et noms symboliques des dents se trouvent page 13.

• ***ordre inhabituel*:** l'enfant est soit perturbé dans son développement psychologique, soit en avance dans certains domaines de sa personnalité. On interprète au cas par cas. Par exemple, les dents du haut qui sortent avant les dents du bas montrent que le développement intellectuel de l'enfant est précoce, en avance sur la maturité du corps ; les incisives latérales qui sortent avant les incisives centrales montrent que pour l'enfant, être aimé est plus important qu'exister, la relation affective avec le parent est prioritaire.

■ PRÉCOCE

Méd. *Éruption qui se produit dans un délai d'un an ou plus avant la date normale.*

L'enfant a l'âge de ses dents. L'éruption précoce, d'une dent de lait comme d'une dent permanente, est le signe d'un enfant éveillé et actif, qui s'affirme et s'émancipe plus tôt qu'un autre au même âge. La présence des dents doit inciter les parents ou les éducateurs à faciliter l'autonomie de l'enfant en évitant de le surprotéger. Attention toutefois, tant que les premières molaires permanentes ou dents de six ans n'ont pas fait leur éruption, l'enfant est encore très dépendant des parents, même si la présence des premières incisives permanentes peut laisser croire le contraire. En cas d'éruption précoce, c'est la présence des dents de six ans qui doit guider l'attitude des parents (→ ***lire*** *Premières molaires*). Avant, l'enfant a besoin de leur appui et de leur présence constante ; après, il est plus autonome, on peut lui laisser davantage de latitude pour se débrouiller seul.

*→ **lire** selon le cas Enfant qui naît avec une dent.*

■ RETARDÉE

*Éruption qui se produit un an ou plus après la date présumée normale. Dates d'éruption des dents de lait → **lire** Lait – dents ■ des dents adultes → **lire** Éruption – ordre habituel (page précédente) ■ signification → **lire** Poussée dentaire difficile ■ si la dent reste bloquée dans l'os → **lire** Incluse – dent ■ ne sort pas parce que le germe ne s'est pas formé → **lire** Agénésie de dent permanente.*

ESPACE ENTRE DEUX DENTS *ESPACE INTERDENTAIRE*

*→ **lire** Bourrage alimentaire.*

ESPACES ENTRE LES DENTS DE LAIT

*→ **lire** Denture de lait.*

ESPACÉES – DENTS

Méd. *Dents sans contacts entre elles.*

■ DISPOSITION CONGÉNITALE

Méd. *Absence de contact entre deux dents dès leur éruption.*

La personne disjoint deux facettes de sa personnalité, deux domaines ou qualités qu'elle ne peut manifester en même temps. Par exemple, à la mâchoire du haut, un espace entre l'incisive latérale (dent de la communication) et la canine (dent de la volonté) montre que la personne ne peut à la fois se montrer ferme et diplomate. Elle choisit tour à tour de privilégier l'une ou l'autre attitude.

*Dents petites et espacées → **lire** Taille d'une dent ■ → **lire** selon le cas Isolée – dent ■ autres détails → **lire** Implantation.*

■ **PAR PERTE DE CONTACT**

Méd. *Perte de contact entre deux dents suite à extraction, soin ou déplacement spontané.*

Deux facettes de soi qui au départ fonctionnaient ensemble mais probablement en disharmonie ne communiquent plus. La personne a pris l'habitude de cloisonner sa vie en domaines séparés.

Pour connaître les domaines séparés : *noms symboliques page 13* ■ ***analyse*** *plus fouillée* → ***lire*** *les rubriques consacrées aux dents concernées : Canine, Incisive, etc.* ■ *dents espacées suite à dent extraite* → ***lire*** *Manquante – dent* ■ → ***lire*** *selon le cas Déplacement de compensation, Déplacement spontané* ■ *dents espacées suite à un soin* → ***lire*** *Point de contact – manque.*

EXCROISSANCE OSSEUSE

→ ***lire*** *Exostose ci-après.*

EXOSTOSE

Méd. *Épaississement de l'os de soutien de la dent survenant chez certaines personnes qui grincent des dents ou serrent les mâchoires. C'est un renforcement du parodonte.*

« Ce qui ne me détruit pas me rend plus forte » : telle pourrait être la devise de la personne. Si des grincements de dents et éventuellement d'autres réactions au stress montrent qu'elle se laisse user et détruire en surface par le conflit qui l'anime, elle se cuirasse à un autre niveau. Adaptée à son stress, elle s'est endurcie et blindée en profondeur. Résistante au physique et au moral, elle fige ses émotions, son unique moyen de s'adapter à la pression et à l'usure de la vie ou de ne pas (trop) souffrir de ses contradictions. Sa carapace émotionnelle lui permet de tenir mais au prix du déni de ses émotions. Faire un travail pour les libérer paraît dans ce cas difficile ; la prudence s'impose : il pourrait remettre en question l'équilibre acquis.

→ ***lire*** *selon le cas Grincer des dents, Serrer les dents.*

EXPULSION D'UNE DENT

→ ***lire*** *Luxation* ■ → ***lire*** *selon le cas Déchaussement d'une dent – dent totalement expulsée.*

EXTRACTION *DENT ABÎMEE ou ATTEINTE*

[dent de lait : lire Lait – extraction]

Méd. *Une extraction de dent est loin d'être un acte anodin. C'est un acte chirurgical, une amputation d'organe, même si ce dernier est en fin de vie.*

La personne a refusé pendant longtemps d'opérer une transformation radicale dans un domaine de sa vie jusqu'à ce que les circonstances extérieures l'y obligent. Elle a besoin de se libérer de souffrances liées au passé qui sont autant de fardeaux mais vit cette mutation dans la douleur et la contrainte. Un véritable accouchement même, en particulier si l'extraction est difficile. Qu'elle ait eu lieu ou qu'elle soit à faire, l'extraction d'une dent symbolise le détachement concret d'une partie de soi, émotion, croyance, attitude. C'est l'occasion de faire le deuil du passé, de l'enfance en particulier, d'extirper de soi la charge psychique liée à la dent, l'opportunité d'abandonner, de lâcher des croyances ou des comportements inadaptés qui nuisent, pour faire place nette et redémarrer sur de nouvelles bases dans le domaine qui correspond à la dent. Envisagée sous cet angle, l'opération n'est plus une amputation mais une libération. Pleinement acceptée, elle concrétise un lâcher prise qui conduit à une nouvelle manière d'être et de concevoir la vie. L'intervention prend alors la dimension d'une renaissance. Débarrassée de ses fardeaux, émotions négatives et croyances, voire secrets qui encombrent l'esprit, la personne repart plus légère. Si l'extraction a déjà eu lieu, le moment est venu de prendre conscience de la libération qu'elle représente. Si elle n'a pas encore eu lieu, elle constitue un acte symbolique; la manière d'y participer, l'intention qu'on y met sont déterminants pour les suites opératoires et la guérison.

➤ **Dent qui vous concerne page 311.** *Numéro de la dent et rôle parental page 13.*

■ APRÈS ABCÈS

La personne a besoin qu'on l'aide à opérer un profond nettoyage des émotions qui polluent sa conscience. Un travail de deuil et de pardon s'impose.

→ ***lire** Abcès.*

■ APRÈS ABCÈS DE LA GENCIVE

La personne a besoin qu'on l'aide à expulser une souffrance intolérable.

→ ***lire** Gencive – abcès parodontal.*

■ APRÈS CARIES

La personne a besoin d'une aide extérieure pour se défaire de fardeaux encombrants, de tourments qu'elle s'inflige inutilement.

→ ***lire** Extraction difficile.*

■ APRÈS DÉCHAUSSEMENT

La personne a besoin de se débarrasser d'une peur qui lui gâche la vie ou d'une croyance d'impuissance. Elle a besoin d'opérer une mutation radicale.

→ ***lire** Déchaussement.*

■ APRÈS FRACTURE

La personne n'accepte pas une séparation irrémédiable: perte d'une personne, d'une situation, d'une facette d'elle-même dont elle est coupée avec violence. Elle a besoin d'être aidée à opérer un détachement brutal.

→ ***lire** Fracture de dent, Fracture de racine.*

■ APRÈS FRACTURE PAR UN PIVOT

La personne a besoin qu'on l'aide à se libérer de contraintes ou de croyances qui lui nuisent.

→ ***lire** Fracture de racine due à pivot.*

■ DE PLUSIEURS DENTS ATTEINTES

La personne éprouve le besoin de faire place nette, de transformer profondément et radicalement sa vie, ses croyances, ses attitudes.

→ ***lire** selon le cas Anesthésie, Caries multiples, Déchaussement, Édentation.*

■ PAR ERREUR

> ***Méd.** Extraction d'une dent à la place d'une autre par négligence ou parce que les symptômes se sont déplacés sur une autre dent.*

La personne est attachée à sa souffrance au point de sacrifier une dent saine plutôt que de s'y confronter. Sa souffrance l'attache à son passé. Elle ne peut ou ne veut en faire le deuil. Elle se sent cruellement trahie par le parent qui correspond au cadran où se trouve la dent arrachée par erreur. Elle lui voue une rancune tenace et cherche à régler ses comptes avec lui, par dentiste interposé.

*→ **lire** Dentiste – problèmes sérieux ou erreurs ■ **aperçu** du domaine représenté par la dent : nom symbolique page 13 ■ **analyse** plus fouillée : rubrique consacrée à la dent concernée (Canine, Incisive, etc.) ■ rôle parental correspondant → **lire** Cadran.*

■ REFUS DE L'EXTRACTION

La personne refuse l'acte chirurgical perçu comme une amputation. Elle ne peut se résoudre à se détacher d'une partie d'elle-même. Elle n'est pas prête à faire le deuil de son passé, si souffrant soit-il. Elle répugne d'autant plus à se séparer de la dent qu'elle est peu sûre d'avoir intégré la qualité que celle-ci représente. De voir son manque intérieur matérialisé par l'absence physique de la dent lui est insupportable.

EXTRACTIONS DE DENTS SAINES *[dent de lait : lire Lait – extraction]*

Méd. Extractions imposées par un traitement d'orthodontie, chez l'adolescent, parfois chez l'adulte. Procéder à l'amputation d'un organe sain paraîtrait absurde pour toute autre partie du corps. L'amputation des dents saines peut se justifier dans certains cas mais le moins qu'on puisse conseiller est de réfléchir à deux fois avant de se lancer.

Dans le cas où les extractions doivent être pratiquées sur un adolescent, l'informer et avoir son accord paraît indispensable : c'est son corps, ses dents, son intimité. Un minimum de prudence est de ne pas se précipiter. Ensuite, par respect, il est conseillé de remettre la dent à son propriétaire au lieu de la laisser au praticien ou de la jeter à la poubelle. Il appartient à l'adolescent de décider de la conserver ou de s'en débarrasser. Sans prise de conscience, par les croyances qu'elles ancrent dans l'inconscient, les extractions ciblées ne sont pas de nature à favoriser l'émancipation du jeune adulte. Toutefois, une bonne préparation permet de limiter les conséquences de l'extraction, voire d'en tirer profit. Faire lire à l'adolescent la présente rubrique. Si possible, étudier la question avec lui ou lui proposer de consulter un psychologue.

*→ **lire** éventuellement Syndrome Tanguy.*

■ STADE D'ÉVOLUTION DES DENTS EXTRAITES

● ***dents en germe*** *→ **lire** Germectomie.*

● ***dents en place sur l'arcade*** *(**Méd.** au motif de faire de la place, des dents saines sont extraites. L'ouvrage ne traite pas de la nécessité avérée ou non de telles extractions mais aborde leur impact sur l'inconscient) :* sans précaution psychologique ni prise de conscience, l'extraction ampute l'adolescent ou le jeune adulte de la qualité que représente la dent. La pratique, qui confine à la mutilation, véhicule la croyance qu'avoir toutes ses dents, avoir toutes ses facettes ou qualités, donc être complet, est non seulement inutile mais nuisible. Un individu en possession de tous ses moyens est encombré et encombrant. L'extraction des dents saines au motif de son bien, de sa santé et de sa beauté lui envoie le message que certaines parties de soi doivent être mises à la poubelle, que l'apparence vaut le sacrifice de son intégrité. Ainsi, pour être beau, faut-il non seulement souffrir mais aussi se laisser mutiler. Quant à l'adolescent ou à l'adulte qui a subi un traitement, il peut se demander avec profit pourquoi il a subi pareille amputation car l'extraction ne fait qu'ancrer et renforcer une croyance déjà présente dans l'inconscient. Au-delà des nécessités techniques, le choix des dents extraites dans le cadre du traitement

d'orthodontie n'est pas anodin, il révèle les croyances latentes de l'individu et les renforce. Mais il peut également lui permettre d'en prendre conscience.
→ ***voir*** *Chirurgie, Orthodontie.*

■ TYPES DE DENTS EXTRAITES

• ***prémolaires.*** **Premières prémolaires supérieures:** l'adolescent croit qu'entreprendre, aller de l'avant, prendre des initiatives est inutile, voire dangereux. **Premières prémolaires inférieures:** l'adolescent croit que se transformer, devenir homme, devenir femme, n'est pas souhaitable; il pense que la sensualité et le plaisir doivent être éliminés. **Secondes prémolaires:** il croit que se séparer des parents est inutile ou dangereux, qu'il est bon de continuer à leur ressembler, de penser comme eux.
→ ***lire*** *la rubrique consacrée à chaque dent concernée.*

• ***dents de sagesse*** *(**Méd.** les dents de sagesse sont retirées de manière quasi systématique, souvent au stade de germes, pour éviter les récidives après traitement):* on conforte l'adolescent dans la croyance qu'il n'est incapable de quitter ses parents et de s'assumer seul.
→ ***lire*** *Germectomie de dent de sagesse, Sagesse – extraction.*

• ***dents de sagesse et prémolaires.*** **Dents de sagesse et premières prémolaires inférieures:** l'adolescent croit qu'il doit renoncer à grandir et rester chez ses parents. **Dents de sagesse et premières prémolaires supérieures:** l'adolescent croit qu'il ne doit pas se lancer, que le monde est dangereux, qu'il ne peut pas quitter ses parents. **Dents de sagesse et secondes prémolaires:** l'adolescent croit qu'il ne peut pas se séparer de ses parents, qu'il doit rester avec eux.

EXTRACTION DIFFICILE

[dent de lait: lire Lait – extraction]

> ***Méd.*** *Intervention qui se prolonge dans le temps parce qu'elle cause des problèmes. La ou les racines se cassent, l'anesthésie ne prend pas, le praticien doit procéder au dégagement de l'os, à la séparation des racines, etc. Le patient supporte des suites opératoires longues avec complications: surinfection, alvéolite, hémorragie, œdème, etc.*

Dans le domaine représenté par la dent, la personne vit des transformations dans la contrainte et la rébellion. Elle résiste à changer, se contracte pour ne pas lâcher prise. Elle s'accroche en quelque sorte à son malheur, refuse de laisser s'en aller les souffrances du passé. Elle croit qu'il faut souffrir pour se libérer, qu'on ne peut accoucher de soi-même que dans la douleur.
➤ **Dent qui vous concerne page 311** *(numéro de la dent et rôle parental page 13), remplacer « besoin » de par « résiste à ».*

Fracture due à une racine coudée → ***lire*** *Racine coudée ■ complications post-opératoires →* ***lire*** *Alvéolite, Hémorragie, Joue enflée, Ostéite, Sagesse – extraction (suites), Trismus.*

■ FRAGMENT DE RACINE DANS L'OS

La personne n'est pas allée au bout de sa transformation personnelle, une situation reste inachevée. Elle est hantée par son passé, demeure attachée à des fantômes, dans la nostalgie de ce qu'elle a perdu et ne retrouvera jamais. La dent concernée montre dans quel domaine de la personnalité un deuil reste à faire. Par exemple, première molaire inférieure droite ou dent du papa: un travail de détachement reste à faire par rapport au papa nourricier.
Aperçu *du domaine représenté par la dent: nom symbolique page 13.*

■ SURINFECTION

Méd. *Un fragment d'os ou de racine cause une surinfection.*

La personne a subi l'extraction comme une violence qu'on lui inflige. Elle entretient rancune et colère contre elle-même ou le praticien. En réalité, elle ne veut pas se libérer de sa souffrance, tirer un trait définitif sur un domaine ou une période de sa vie et tourner la page.

→ ***lire*** *Alvéolite suppurée* ■ → ***lire*** *selon le cas Sagesse – extraction.*

FACE D'UNE DENT

→ ***lire*** *Carie localisée à un endroit de la dent.*

FACETTE

Dans le cadre du dictionnaire, le mot « facette » est employé dans deux sens différents. La facette est un artifice prothétique collé sur une dent, et chaque dent correspond à une facette de la personnalité.

→ ***lire*** *Énergie* ■ *facette collée, dent à facette* → ***lire*** *Couronne à poser ou déjà posée, Prothèse.*

FAIRE SES DENTS

→ ***lire*** *Éruption, Poussée dentaire difficile.*

FAUSSE DENT

→ ***lire*** *Bridge, Couronne, Dentier, Implant.*

FAUX CANAL

Méd. Erreur du dentiste qui perfore la dent lors d'un traitement de racine.

La personne refuse de contacter un épisode particulièrement trouble ou douloureux de son enfance.

→ ***lire*** *Pâte d'obturation qui manque.*

Pâte qui fuse à l'extérieur de la racine : l'événement de son passé que la personne occulte est lié à un abus. Il est urgent d'en prendre conscience.

→ ***lire*** *Pâte d'obturation qui déborde.*

FÊLURES ou FISSURES DE L'ÉMAIL

→ ***lire*** *Émail abîmé – fêlures ou fissures.*

FESTON – BORD EN

*Dent en fleur de lys → **lire** Forme des dents et tempérament– bord festonné en fleur de lys (page suivante).*

FIL DENTAIRE

*Difficulté à le passer entre deux dents → **lire** Point de contact – excès ■ acharnement à le passer → **lire** Se curer les dents.*

FISTULE

> ***Méd.** Canal qui se crée entre os et gencive ou entre os et épiderme afin d'évacuer le pus en cas d'abcès de l'extrémité d'une racine ou d'abcès parodontal. Rare au niveau de la peau, la fistule se manifeste sur la gencive par l'apparition d'un point blanc d'où suinte du pus.*

Un problème émotionnel profond et ancien empoisonne la vie de la personne. Une charge négative énorme stagne dans son inconscient. Elle se retient depuis longtemps de montrer ses sentiments. Libérer les émotions accumulées, colère, animosité, tristesse, etc., est une priorité vitale, une question de survie. La personne a besoin de cracher son venin, de s'autoriser enfin à vider son sac, c'est-à-dire à montrer au grand jour sa souffrance et ses sentiments véritables. Elle ne peut plus différer davantage le travail important et profond de nettoyage émotionnel qui s'impose. Note : une psychothérapie est préférable à un défoulement sauvage aux conséquences imprévisibles.

*→ **lire** selon le cas Abcès, Gencive – abcès.*

FLUOROSE

> ***Méd.** Surexposition au fluor par cumul de fluor de diverses origines : eau de boisson, sel fluoré, comprimés. À haute dose, le fluor diminue les facultés intellectuelles. À plus faible dose, en se fixant sur l'émail en formation, il produit des taches blanches irrégulières sur les dents.*

La personne est intoxiquée par des croyances sur l'esprit, la lumière, les mondes subtils. Son esprit est parasité, sa conscience embrouillée par des injonctions telles que : il faut se montrer noble, irréprochable, pur, parfait. La personne croit que les défauts ne sont pas tolérables. Elle ne peut se hisser à la hauteur de l'idéal de perfection et de sainteté qu'elle porte en elle et de ce fait, se dévalorise. Le conflit se joue entre son idéal de perfection et sa réalité d'humain. Il lui faut accepter qu'elle ne soit pas pure lumière. Elle a besoin de voir la dualité de sa nature humaine, à la fois ombre et lumière, esprit et matière, etc.

FORME DES DENTS ADULTES ET TEMPÉRAMENT

> *Les dents de lait, de forme peu différente d'un enfant à l'autre, n'entrent pas dans le cadre de ce sujet.*

■ ARRONDIES

Nature féminine et sensible, centrée sur la séduction, dont la tendance innée est d'arrondir les angles.

■ BOMBÉES

Tempérament fonceur et passionné d'une personne qui se fie d'abord à son instinct.

■ BORD FESTONNÉ EN FLEUR DE LYS

Facette de la personnalité où la personne a conservé la pureté et la candeur d'un enfant. Dans ce domaine, elle n'a pas vieilli ou mûri.

■ CANNELÉES À STRIES VERTICALES

Nature encline à séparer méthodiquement les différents aspects de sa vie : une chose à la fois et chaque chose en son temps.

■ ÉTROITES ET ALLONGÉES

Nature sensible et peu expansive qui répugne à prendre sa place.

■ LARGES ou CARRÉES

Esprit méthodique, centré sur le concret, bien structuré.

■ PLATES

Nature réfléchie qui pense avant d'agir.

■ TRIANGULAIRES

Tempérament actif et énergique, esprit entreprenant.

■ INCISIVES AIGUËS À BORD NET ET ACÉRÉ

Nature décidée, capable de trancher dans le vif sans s'encombrer de sentiments. Personnalité caustique à la critique piquante, la parole incisive. Aptitude à la netteté et à la précision dans l'expression verbale.

→ ***voir*** *Arcades, Taille d'une dent, Teinte.*

FORME DES RACINES

→ ***lire*** *Racine coudée, Racine dédoublée, Racines emmêlées, Racines fusionnées.*

FOSSETTE – CARIE

→ ***lire*** *Carie localisée à un endroit de la dent.*

FRACTURE DE COURONNE ou de BRIDGE

→ ***lire*** *Couronne qui casse ou qui se décolle* ■ *de bridge* → ***lire*** *Bridge – problèmes.*

FRACTURE DE DENT

[à l'extraction : lire Extraction difficile]

Méd. *La fracture peut être due à un choc extérieur ou à la mastication.*

Destruction violente d'une facette de soi. La personne est brutalement privée d'une ressource ou d'une faculté. Elle se sent brisée dans un domaine de sa vie. Elle est confrontée à sa fragilité.

■ DUE À CHOC EXTÉRIEUR

Méd. *Fracture consécutive soit à un impact frontal : chute, accident, bagarre, etc., soit à un choc violent des mâchoires l'une contre l'autre (suite à une chute ou à un accident).*

Reflet d'un traumatisme psychique survenu peu avant l'accident. L'événement a été bref mais cinglant. La personne accuse un coup moral, exprime le sentiment d'être agressée par une violence extérieure, reçue de plein fouet : paroles cinglantes, regard qui foudroie, etc. Ou bien elle se heurte à une attitude d'autrui qui l'a choquée: indifférence, incompréhension, etc. Elle se sent diminuée, cassée ou anéantie dans un ou plusieurs domaines de sa personnalité. La fracture représente une amputation dont la personne risque d'avoir du mal à se remettre, même si elle en minimise l'importance.

➤ **Dent qui vous concerne** *(numéro de la dent et rôle parental page 13):*
fracture partielle, la personne est privée en partie d'une capacité → **lire page 315** ■ *fracture totale, la personne est privée totalement d'une capacité* → **lire page 319** ■ *fracture de couronne et de racine qui oblige à l'extraction: la personne est anéantie, obligée de se reconstruire entièrement dans un domaine de sa vie* → **lire page 323.**

Éventuellement, si la fracture aboutit à une perte de vitalité → ***lire*** *Dévitalisation, Nécrose spontanée suite à choc ou accident* ■ *provoque un changement de teinte* → ***lire*** *Noircissement* ■ *ne concerne que la racine* → ***lire*** *Fracture de la racine* ■ *doit être extraite* → ***lire*** *Extraction* ■ *si une couronne doit être posée* → ***lire*** *Couronne à poser ou déjà posée* ■ *si une prothèse fracturée doit être changée* → ***lire*** *Couronne qui casse ou qui se décolle.*

• ***enfant ou adolescent:*** appel au secours, tentative désespérée d'être vu ou entendu. L'enfant ou l'adolescent proteste face à la sévérité ou à l'indifférence du parent à laquelle il se heurte. C'est le signe d'un mal-être sérieux que les parents ne devraient pas négliger. Non prise en compte, la fracture inscrit une fragilité, une faille au niveau du psychisme *(→ **lire** ci-dessous: récidive).*
Fracture d'une dent de lait → ***lire*** *Lait – fracture.*

• ***récidive*** *(**Méd.** dent déjà réparée ou couronnée pour le même problème):* sans prise de conscience, la fracture intérieure reste sous la forme d'une faille potentielle susceptible de se rouvrir plus tard sous l'effet d'un autre choc. La fracture récidive alors, des mois ou des années plus tard, lorsque la personne se heurte à des circonstances analogues à celles qui ont généré le traumatisme initial. La dent qui se casse pour la seconde, voire la troisième fois ou plus, indique que la fracture intérieure n'a pas été prise en compte. Le message délivré n'a pas été reconnu, le choc se répète et les symptômes s'aggravent. Comprendre la cause profonde de la fracture est essentiel à la prévention d'une récidive.

• ***toutes les incisives:*** la personnalité sociale s'effondre, anéantie. La personne perd la face, elle s'est cassé les dents sur plus fort ou plus résistant qu'elle. La gravité des dégâts exprime la violence du refus auquel la personne se heurte: refus d'une promotion sociale, refus amoureux, etc. Dans ce dernier cas, la fracture traduit le désir impossible de fusion avec l'autre. La personne a tenté de se rapprocher et s'est sentie repoussée avec violence ou brutalité.

■ DUE À LA MASTICATION

[dent de lait: lire Lait – fracture]

Méd. *Dent qui éclate sous l'effet de la pression d'un corps dur (noyau, croûte de pain). Parfois la dent semble se casser spontanément.*

Signe avertisseur. La personne est plus fragile qu'elle ne pense. Sa résistance n'est pas en proportion des exigences qu'elle s'impose. Appel à se traiter avec plus de douceur et d'indulgence dans le domaine que la dent représente.

• ***partielle, du bord ou de la pointe*** *(Méd. fracture du bord ou de la pointe sur une dent saine):* la personne se heurte à son propre tyran intérieur. Elle s'inflige à elle-même une violence qui peut faire écho à une violence subie dans l'enfance.

Elle s'autocensure, se punit, et résiste à exprimer une facette d'elle-même ou une capacité.

➤ **Dent qui vous concerne page 315.** *Numéro de la dent et rôle parental page 13.*

• ***partielle, sur dent cariée ou abîmée:*** signal d'alarme que la personne s'adresse à elle-même. Attention, fragile ! Il est urgent de prendre conscience d'une fragilité ou de tensions internes inhérentes au domaine concerné par la dent. La vie confronte la personne à une faille ou une blessure qui se rouvre. Il est urgent qu'elle reconnaisse sa faiblesse et en tienne compte, sous peine d'aggravation. Invitation expresse à consacrer le temps et l'énergie nécessaire pour consolider la facette de soi que la dent représente (se ménager et se reconstruire en douceur).

➤ **Dent qui vous concerne page 315.** *Numéro de la dent et rôle parental page 13.*

*Pour le faire en conscience → **lire** la rubrique consacrée à la dent concernée: Première Molaire, etc., puis* ➤ **Cas qui vous concerne page 288** *(reconstruire en conscience).*

• ***totale qui ne nécessite pas l'extraction:*** effondrement d'une facette de soi dont la fragilité éclate au grand jour. La personne ne peut plus fuir le problème et faire comme si tout allait bien. Elle s'y trouve confrontée d'une manière brutale, obligée de voir son manque dans le domaine que représente la dent et son refus d'exprimer une qualité ou une capacité. Ses appuis sont remis en question.

➤ **Dent qui vous concerne page 319.** *Numéro de la dent et rôle parental page 13.*

• ***totale qui nécessite l'extraction:*** la personne est confrontée à son rejet de la facette d'elle-même que la dent représente. Elle doit faire face à un manque viscéral, une faille profonde longtemps ignorée. Elle est face au défi de se reconstruire de fond en comble dans un domaine de sa vie.

➤ **Dent qui vous concerne page 323.** *Numéro de la dent et rôle parental page 13.*

*→ **lire** Extraction.*

*Reconstruire le domaine de sa vie que la dent représente suppose une bonne dose de recul. Pour le faire en conscience → **lire** la rubrique consacrée à la dent concernée: Première Molaire, etc., puis* ➤ **Cas qui vous concerne page 288** *(reconstruire en conscience).*

FRACTURE DE LA MÂCHOIRE

L'accident ou le choc extérieur qui cause la fracture des mâchoires est le reflet d'un traumatisme psychique violent, survenu peu de temps avant et de manière inopinée, qui a mis la personne K.O. Elle est diminuée au point de ne plus pouvoir se défendre, agir ou avoir prise sur les événements. Le choc intérieur a réduit son autonomie à néant. L'état physique confirme la réalité psychique. L'immobilisation forcée par contention post-traumatique montre que la personne est pieds et poings liés. Paralysée, muselée, elle ne peut ni s'exprimer ni réagir. Elle vit une situation d'enfermement qui la laisse impuissante, à la merci totale de son entourage. La fracture de la mâchoire du bas montre que l'enfant intérieur est brisé tandis qu'à la mâchoire du haut c'est la dimension adulte qui est brisée.

*→ **lire** selon le cas Mâchoire du bas, Mâchoire du haut ■ si des dents sont fracturées → **lire** selon le cas Fracture de dent, Fracture de racine.*

Chez l'enfant: désir inconscient de réunir et de souder par la force le couple parental suite à divorce ou séparation, avérée ou que l'enfant redoute.

*Si les dents de lait sont fracturées → **lire** Lait – fracture ■ dents permanentes fracturées → **lire** Fracture de dent.*

FRACTURE DE RACINE

Méd. En cas de trauma violent, la fracture d'une dent touche aussi la racine. Parfois, la fracture n'intéresse que la racine.

La personne perd brutalement et irrémédiablement son assise, son ancrage. Elle croit qu'elle ne pourra jamais plus compter sur la partie d'elle-même que représente la dent. Il lui faut reconstruire intégralement un aspect de sa vie, anéanti.

*Fracture de racine et de couronne → **lire** selon le cas Fracture de dent due à choc extérieur, Fracture de dent due à la mastication ■ fracture de la racine seule → **lire** page suivante.*

■ EN COURS D'EXTRACTION

*→ **lire** Extraction difficile ■ si la racine est coudée → **lire** Racine coudée.*

■ DUE À PIVOT *FRACTURE ou FÊLURE*

Méd. La racine où est placé le pivot se fracture ou se fissure à la suite un choc ou d'une pression un peu forte (aliment dur). La couronne qui tombe ou des douleurs à la pression avertissent la personne de la fracture ou de la fêlure. La dent doit être extraite.

La personne s'impose des obligations excessives dans le domaine que représente la dent. Soumise à une éducation sévère, centrée sur la performance et les résultats, elle continue de s'imposer les mêmes exigences. Dure et inflexible envers elle-même, elle se contrôle ou se force pour obtenir la perfection. Elle s'en demande plus qu'elle ne peut en supporter, ne s'accorde aucun répit. Elle s'épuise et finit par s'effondrer. Elle craque, trahie par ses propres capacités de résistance.

➤ **Dent qui vous concerne page 313.** *Numéro de la dent et rôle parental page 13.*

■ RACINE SEULE

Méd. La fracture ne touche que la racine, alors que la couronne reste en apparence intacte.

La personne est brisée au plus profond d'elle-même et de manière insidieuse. Elle a vécu un trauma psychique qui fait d'elle une personne différente. L'appui qu'elle pensait sûr, matériel ou affectif (dent en bas), moral (dent en haut), s'effondre sans crier gare. Elle se sent trahie au plus profond d'elle-même, ses certitudes se dérobent. Il lui faut réapprendre la confiance et réapprivoiser la facette d'elle-même représentée par la dent.

➤ **Cas qui vous concerne page 323.** *Numéro de la dent et rôle parental page 13.*

■ RACINES QUI SE SÉPARENT

Méd. Concerne les dents pourvues de deux racines : première prémolaire supérieure, première et seconde molaires inférieures, dent de sagesse inférieure.

La personne vit une rupture irrémédiable et irréversible. Elle doit dire un adieu définitif à une partie d'elle-même et de son enfance.

➤ **Dent qui vous concerne page 323.** *Numéro de la dent et rôle parental page 13.*

*→ **lire** Extraction.*

FRAGILES – DENTS

*→ **lire** Dentine peu minéralisée ■ émail fragile → **lire** en l'adaptant Amélogenèse imparfaite (problématique analogue en moins grave) ■ → **lire** selon le cas Lait – dents fragiles.*

FRAGMENT OSSEUX QUI CAUSE UNE INFECTION

*Séquestre osseux après extraction → **lire** Extraction difficile.*

FRAGMENT DE RACINE DANS L'OS

→ ***lire*** *Extraction difficile.*

FRAISE – COUP DE

→ ***lire*** *Dentiste – petits soucis avec la fraise.*

FREIN DE LA LANGUE TROP COURT

Méd. *Bride qui attache la langue au plancher de la bouche. Trop puissant ou trop court, le frein limite la mobilité de la langue.*

Il est donné à la personne de prendre conscience de croyances profondes voire ancestrales liées à la limitation de l'expression de soi. La personne se sent bridée au niveau de ses facultés créatrices. Elle se méfie de la parole : le silence est d'or. Elle s'impose des limites par peur de trop en dire. Elle croit qu'il faut tenir sa langue, parler à mots couverts, taire un secret. L'attachement à la maman nourricière est à la fois viscéral et puissant. **Freinectomie** *(**Méd.** ablation chirurgicale du frein) :* vécue en conscience, à condition de donner suffisamment d'explications à l'adolescent, la freinectomie représente une libération du verbe, une possibilité de délier la langue, d'opérer un détachement salvateur d'avec la maman. Les parents sont-ils prêts à en accepter les conséquences ?

Un frein hypertrophié est souvent associé à d'autres troubles → ***lire*** *selon le cas Langue atone, Langue basse, Respiration buccale, Déglutition atypique.*

FREIN DE LA LÈVRE HYPERTROPHIÉ

Méd. *L'hypertrophie du frein de la lèvre est responsable de l'écartement entre les deux incisives centrales supérieures.*

Il est donné à la personne de prendre conscience de croyances profondes voire ancestrales liées à la limitation du rayonnement de l'individu. La personnalité est double et influençable. L'individu tente de cacher sous le masque d'une fausse identité son manque de confiance en lui. Il voudrait être invisible. Il ignore qui il est et compense la peur qui en résulte en s'imposant des limites et des interdits. L'adolescent a particulièrement besoin d'être rassuré sur sa valeur, il a le sentiment qu'on ne peut l'accepter tel qu'il est avec ses défauts et ses insuffisances. On évitera de le bloquer davantage en lui imposant des normes inutiles : « il faut être comme ceci ou comme cela, montrer telle image, etc. ». **Freinectomie** *(**Méd.** ablation chirurgicale du frein pratiquée en cas de traitement d'orthodontie) :* vécue en conscience, la freinectomie peut être une libération de l'image de soi et du rayonnement. Encore faut-il que l'adolescent ait reçu suffisamment d'explications. Est-ce possible ?

FRIABLES – DENTS

Fragilité congénitale de l'émail → ***lire*** *Amélogenèse imparfaite* ■ → ***lire*** *selon le cas Lait – dents fragiles.*

FREINECTOMIE

→ ***lire*** *selon le cas Frein de la langue, Frein de la lèvre.*

FURCATION – ATTEINTE

→ ***lire*** *Déchaussement entre les racines d'une dent.*

FUSÉE ARSENICALE

Méd. *Par manque d'étanchéité du pansement, l'arsenic gagne l'os et le détruit.*

Même si l'accident est le fait du dentiste, la personne a intérêt à se demander pourquoi sa route a croisé celle d'un praticien négligent. La personne se laisse envahir, empoisonner la vie par quelqu'un ou par le stress. Dans le domaine de sa vie représenté par la dent, elle se sent impuissante à poser des limites et assiste, passive, à sa propre destruction. Elle se laisse déposséder d'une partie d'elle-même et se laisse ravager par l'autre, par les soucis, etc. Il est urgent de réagir et de se battre.

→ ***lire*** *Dévitalisation* ■ ***aperçu*** *du domaine représenté par la dent : nom symbolique page 13* ***Analyse*** *plus fouillée : rubrique consacrée à la dent concernée (Canine, Incisive, etc.).*

FUSION

Méd. *Union de deux ou de plusieurs germes dentaires durant la formation embryonnaire pour former une seule dent.*

L'anomalie reflète des croyances profondes voire ancestrales dont il est donné à la personne de prendre conscience. La personne amalgame deux facettes d'elle-même, confond deux ou plusieurs domaines de sa vie, inextricablement et indissolublement liés. Le cadran où se trouve l'anomalie indique à quel parent la croyance est liée.

→ ***lire*** *Cadran* ■ *pour comprendre quelles facettes ou qualités la personne confond,* ***aperçu*** *des domaines confondus : noms symboliques page 13* ■ ***analyse*** *plus fouillée : rubrique consacrée aux dents fusionnées : Canine, Incisive, etc.*

GALVANISME BUCCAL
→ **lire** *Électricité.*

GANGRÈNE PULPAIRE
→ **lire** *Nécrose spontanée, Noircissement.*

GÉMINÉE – DENT
Variante de la dent dédoublée → ***lire*** *Surnuméraire adulte.*

GENCIVE
[inflammation : lire Gingivite]

Méd. *Chair qui recouvre l'os et le collet des dents, la gencive empêche toute invasion de microbes ou de particules extérieures.*

La gencive représente la frontière qui délimite le territoire physique et psychique de l'individu.

■ ABCÈS PARODONTAL

Méd. *Infection de la gencive et de l'os qui soutient la dent. La gencive est gonflée, douloureuse, la dent est mobile, du pus remonte le long de la racine. La poche ou dépression osseuse créée par le déchaussement se surinfecte. Parfois, l'abcès est causé par une couronne mal ajustée ou un débordement de pâte.*

• ***diffus :*** la personne expulse avec rage une facette d'elle-même qui lui est insupportable. Elle est révulsée. À travers la dent, elle cherche à éliminer la souffrance liée à un traumatisme de l'enfance. Elle tente de se débarrasser une fois pour toutes d'émotions négatives, colère, tristesse, désespoir, etc., accumulées dans l'inconscient. Elle bouillonne de rage. Impuissante face à un vécu insupportable, sa réaction instinctive est le rejet. Elle ne veut ni voir ni ressentir la souffrance, seulement l'éliminer. Aussi, la guérison de ce type d'abcès est-elle difficile, voire impossible. Toutefois, dans certains cas, l'élimination pure et simple de la dent peut être la solution parfaite trouvée par l'inconscient pour régler le problème.

Couper la branche malade en expulsant la dent permet de tourner une page. La plaie cicatrise alors rapidement.

➤ **Dent qui vous concerne page 297.** *Numéro de la dent et rôle parental page 13.*

*→ **lire** Déchaussement ■ → **lire** selon le cas Couronne mal réalisée – défaut d'ajustement à la gencive, Couronne ne convenant plus – qui irrite la gencive, Fistule, Joue enflée, Ostéite, Pâte d'obturation qui déborde.*

• ***localisé entre deux dents:*** *créé par bourrage alimentaire chronique → **lire** Bourrage alimentaire entre deux dents ■ par surinfection d'une poche entre deux dents → **lire** Cloison osseuse interdentaire.*

■ CANCER DE LA GENCIVE

*→ **lire** Bouche – cancer ■ → **lire** selon le cas Mâcher une chique.*

■ GONFLÉES

*→ **lire** Gingivite, Parodontite.*

■ IRRITÉE

[bourrage d'aliments: lire Bourrage alimentaire]

__Méd.__ Gencive gonflée, rouge ou douloureuse sans bourrage d'aliment, ou encore gencive blessée localement.

• ***côté palais*** *→ **lire** Palais. Irritée en arrière des incisives du haut → **lire** Papille rétro-incisive.*

• ***en face d'une dent:*** la personne est irritée, se sent envahie ou bien est stressée dans un domaine de sa vie.

__Aperçu__ du domaine représenté par la dent: nom symbolique page 13 ■ __analyse__ plus fouillée: rubrique consacrée à la dent concernée (Canine, Incisive, etc.).

• ***entre deux dents:*** la personne est en colère parce qu'elle se sent momentanément bloquée face à un choix.

➤ **Dent qui vous concerne page 267.** *Numéro de la dent et rôle parental page 13.*

• ***en arrière de la dernière dent*** *(__Méd.__ irritation entre la dernière dent et le fond de la bouche).* **Mâchoire du bas:** la personne vit une période où elle a besoin de se prendre en charge. Elle s'impatiente de ne pouvoir sortir d'une situation qui l'étouffe, de prendre sa liberté et de s'affranchir de la dépendance par rapport à autrui ou au parent nourricier. Côté droit: papa; côté gauche: maman. **Mâchoire du haut:** la personne ne veut pas se voir, évite de regarder sa part d'ombre (imperfections, pulsions, fantasmes, etc.). Elle est contrariée de ne pouvoir chasser ses démons en les ignorant. Elle se refuse l'accès à ses valeurs essentielles, fait la sourde oreille à son intuition. Elle a besoin de s'affranchir de toute influence du parent éducateur. Côté gauche: père; côté droit: mère.

• ***en arrière des incisives du haut*** *→ **lire** Papille rétro-incisive.*

■ IRRITÉE PAR UNE DENT ou une PROTHÈSE

• ***par recouvrement incisif*** *(__Méd.__ le bord des incisives supérieures irrite la gencive de la mâchoire du bas):* la personne moleste sa part instinctive et spontanée. Elle martyrise par excès de brimades l'enfant fragile qu'elle est. Sans doute enfant a-t-elle été traitée de cette manière. Masochiste, elle dénigre ses besoins et ses faiblesses. En voulant se contrôler, elle se tyrannise et se détruit.

*→ **lire** Recouvrement (supraclusion).*

• ***par une couronne*** → ***lire*** *Couronne mal réalisée – défaut d'ajustement à la gencive, Couronne ne convenant plus – qui irrite la gencive.*

• ***sous un bridge:*** la personne ne supporte pas qu'on entrave sa liberté. **Inter de bridge qui appuie sur la gencive:** la personne ne supporte pas d'être contrainte dans le domaine que la dent remplacée représente. Elle s'irrite de la moindre pression qu'on lui fait subir, elle a l'impression d'étouffer.

Aperçu *du domaine représenté par la dent inter de bridge: nom symbolique page 13* ■ ***analyse*** *plus fouillée* → ***lire*** *la rubrique consacrée à la dent concernée (Canine, Incisive, etc.).*

■ QUI SAIGNE

Un saignement même modéré, localisé, ou qui se produit seulement au brossage est une gingivite → ***lire*** *Gingivite* ■ *saignement important* → ***lire*** *Gingivorragie.*

■ RÉTRACTÉE *ou RÉCESSION GINGIVALE*

Méd. *Rétraction de la gencive localisée au collet de la dent (côté joue). La racine est apparente, la dent plus ou moins sensible. Un brossage mal conduit accentue la rétraction.*

Besoin inconscient de rendre plus présente ou plus importante une facette de soi. Désir de capter l'attention, d'attirer le regard sur une partie de soi pour la valoriser. La personne manque de confiance en elle dans le domaine que la dent représente. Elle amplifie son comportement pour compenser son sentiment d'infériorité. Conflit entre apparences (image de force et d'assurance que l'on donne) et réalité (fragilité intérieure, manque de confiance en soi). S'il y a inflammation, la dévalorisation et le manque d'attention que la personne ressent la mettent en colère.

➤ **Dent qui vous concerne page 325.** *Numéro de la dent et rôle parental page 13.*

Gencive rétractée à cause d'une obturation → ***lire*** *Obturation qui déborde au collet* ■ *rétractée sous une couronne* → ***lire*** *Couronne mal réalisée – défaut d'adaptation à la gencive, Couronne ne convenant plus* ■ *rétractée à cause du brossage* → ***lire*** *Brossage.*

• ***dent sensible:*** la personne est à nu, sans protection, vulnérable dans le domaine de sa vie que la dent représente. L'hypersensibilité avertit de la fragilité d'une part de soi et invite à se ménager. Elle attire l'attention sur le manque de confiance en soi dans un domaine donné et invite à prendre conscience d'un comportement exagéré ou captatif, développé pour compenser.

→ ***voir*** *Hypersensibilité non due à carie* ■ *en cas d'usure du collet* → ***lire*** *Collet – usure.*

• ***mâchoire du bas:*** la personne désire être appréciée et attirer l'attention du parent nourricier, papa (à droite), maman (à gauche) ou d'un proche qui le rappelle inconsciemment. Dans le domaine que représente la dent, elle en demande trop à l'autre et, en retour, elle est prête à trop donner pour se faire aimer (jusqu'à se laisser « bouffer », si le collet est usé).

• ***mâchoire du haut:*** la personne désire être reconnue dans le domaine social. Elle a besoin de se valoriser aux yeux du parent, père (à gauche), mère (à droite), ou de ceux qui le lui rappellent inconsciemment. Pour cela, elle est prête à aller au-delà de ses possibilités (jusqu'à se laisser « bouffer », si le collet est usé).

GÊNE CAUSÉE PAR UNE DENT

Méd. Dent qui cause un inconfort car plus présente. Il peut s'agir d'une impression de dent plus haute, après avoir croqué sur un aliment dur par exemple, ou d'une sensation diffuse sans cause apparente. Si la gêne persiste, faire établir un diagnostic.

L'attention est attirée sur la facette représentée par la dent, invitation à une prise de conscience. Il s'agit d'un domaine de sa vie que la personne néglige, d'une qualité qu'elle emploie mal ou pas du tout, d'une partie d'elle-même dont il lui faut prendre soin, etc. Même en l'absence d'une lésion avérée, il serait dommage de prendre le signal à la légère. Sa compréhension peut éviter un problème plus grave à long terme et permettre en tout cas de mieux se connaître.

***Aperçu** du domaine représenté par la dent : nom symbolique page 13 ■ **analyse** plus fouillée : rubrique consacrée à la dent concernée (Canine, Incisive, etc.) ■ → **lire** selon le cas Douleur persistant après intervention, Douleur sans cause physique ■ en cas de surpression → **lire** Obturation qui gêne (trop haute), Occlusion – défauts (surocclusion).*

GERMECTOMIE

[dent surnuméraire : lire Surnuméraire – dent]

Méd. Intervention chirurgicale qui consiste à retirer le germe d'une dent pour des raisons orthodontiques, dents de sagesse, prémolaires ou canines. Le recours à la germectomie devrait être limité à des cas spécifiques.

Chaque fois que possible on différera l'opération afin de laisser à la dent une chance d'évoluer *(avant 12 ans, l'os, en pleine croissance, est plastique)*. Cesser d'étouffer chez l'enfant la qualité ou capacité que la dent représente favorise son éruption.

■ CAS GÉNÉRAL

La qualité représentée par la dent est retirée dans l'œuf. Plus qu'une amputation, c'est une mutilation. L'adolescent est privé de l'aptitude représentée par la dent qu'on lui arrache en l'extirpant du plus profond de lui-même. Par exemple, dans le cas de la germectomie des secondes prémolaires, on lui arrache la possibilité de se séparer des parents. La croyance « je suis incapable de couper le cordon » est inscrite en lui au fer rouge. Elle est renforcée par la brutalité et la précocité de l'intervention. Aussi est-il important d'obtenir son accord et sa participation. À cette condition, l'opération peut libérer la qualité représentée par la dent au lieu de l'en priver. L'intervention permet alors d'accoucher de soi-même, en quelque sorte, à condition que l'adolescent ait la maturité nécessaire pour en comprendre le sens et la vivre comme telle.

*→ **lire** la rubrique consacrée à la dent. Par exemple, germectomie prévue sur les secondes prémolaires supérieures : lire Seconde prémolaire supérieure ■ → **lire** Énergie, Extraction de dents saines ■ → **voir** Orthodontie ■ → **lire** aussi Incluse – dent.*

■ CAS PARTICULIER DES DENTS DE SAGESSE

Méd. L'utilité de la germectomie systématique des dents de sagesse est discutable. Il n'a pas été prouvé que la dent joue un rôle dans les récidives de traitements d'orthodontie.

On retire à l'adolescent une aptitude, et non des moindres : celle d'être autonome et de se prendre en charge. Il porte dans son inconscient la croyance qu'il doit être aidé car incapable de se débrouiller seul. Il a une peur instinctive du changement. La vie lui paraît emplie de dangers. Il croit devoir étouffer toute velléité de s'éloigner des parents, que l'amputation de son autonomie est le prix à payer pour sa sécurité. Sans prise de conscience, il risque de rester toute sa vie dépendant de ses parents, puis d'un conjoint, d'un système, etc. Pourtant, il suffit parfois de laisser l'adolescent affirmer son autonomie de pensée (dent de sagesse supérieure) ou affective (dent inférieure) pour que la dent sorte. Si l'intervention est nécessaire, la vivre en conscience donne l'opportunité de naître à la vie d'adulte.

*Complications → **lire** Sagesse – extraction chirurgicale, Joue enflée, Hémorragie, Trismus.*

GINGIVITE

[autres affections de la gencive : lire Gencive]

***Méd.** Premier stade de la maladie parodontale. La gencive est rouge, gonflée, douloureuse ou saigne.*

La personne ne parvient ni à définir son territoire ni à se protéger contre des agressions extérieures : personnes envahissantes, situations de stress. Elle oppose une vive défense contre l'envahisseur. Elle éprouve une colère inconsciente, générée par l'impuissance à se protéger, et proportionnelle à la gravité des symptômes. Trop perméable aux influences ou sollicitations extérieures, elle se laisse atteindre de manière excessive. **Ensemble de la bouche :** la personne ne peut pas exprimer une révolte, une colère ou un dégoût. Elle se sent impuissante à manifester son mal-être ou son indignation. Vidée de ses forces, elle est dans l'état d'un écorché vif que la moindre sollicitation exaspère. **Mâchoire du bas :** la personne se laisse envahir par ses proches, enfants, mari, amis qui l'épuisent, par des préoccupations affectives ou par les émotions d'autrui. Le côté indique par qui elle se laisse envahir, le parent ou quelqu'un qui le lui rappelle inconsciemment ; côté gauche : maman nourricière ; côté droit : papa nourricier. **Mâchoire du haut :** la personne vit un stress dans le domaine professionnel ou social, envahie par des préoccupations d'ordre intellectuel, soucis, cogitation. Le côté indique par qui elle se laisse envahir, le parent ou quelqu'un qui le lui rappelle inconsciemment : haut droit, mère éducatrice ; haut gauche, père éducateur.

*Inflammation à un endroit précis → **lire** Gencive irritée.*

■ ADOLESCENT *GINGIVITE PUBERTAIRE*

L'adolescent n'arrive pas à s'affirmer face, par exemple, à un parent surprotecteur ou à des frères et sœurs envahissants. Il peut aussi se sentir démuni face à un stress : études, milieu scolaire, pension, etc.

■ ENFANT

Le territoire de l'enfant et sa place dans la famille ne sont pas définis. L'enfant est contaminé par le stress des parents, du père (mâchoire du haut), de la maman (mâchoire du bas). **Gingivite en haut et en bas :** l'enfant n'est pas séparé de la maman. Il est une éponge vis-à-vis d'elle. Il est contaminé par ses soucis ou par ses émotions.

■ FEMME ENCEINTE *GINGIVITE GRAVIDIQUE*

***Méd.** Les saignements sont favorisés par les bouleversements hormonaux liés à la grossesse ou par les traitements à base d'hormones destinés à la provoquer.*

La future mère se sent envahie malgré elle dans son territoire le plus intime et le plus profond par l'enfant qui l'habite. Elle a le sentiment inconscient d'être parasitée par le fœtus. Même si la grossesse est désirée, une partie d'elle-même la refuse. Fortement sollicitée par sa grossesse, la femme se sent vulnérable et exposée aux agressions extérieures. Elle croit qu'elle n'aura pas suffisamment d'énergie pour tout assumer, l'enfant qu'elle porte, les obligations de la vie courante, son couple et elle-même. Elle se sent harcelée par ses proches, trop sollicitée par son travail. Elle aspire à plus de calme et de repos, a besoin de se recentrer sur elle-même, de conserver ses forces et de prendre soin d'elle.

■ **GINGIVITE PROVOQUÉE PAR DES MÉDICAMENTS** *GINGIVITE HYPERPLASIQUE*

Méd. *Gingivite causée par la cyclosporine ou autres immunodépresseurs.*

Même signification que la gingivite simple : interpréter selon la localisation, mâchoire du bas ou du haut, ou ensemble de la bouche. Faire le lien avec la maladie ou le problème général à l'origine de la prescription du médicament.

■ **GINGIVITE ULCÉRO-NÉCROTIQUE**

La personne est ulcérée, mortifiée de ne pouvoir se défendre face à l'envahissement de son territoire.

GINGIVORRAGIE

Méd. *Saignement important de la gencive (type hémorragie).*

La personne se laisse non seulement envahir mais aussi vider de son énergie par autrui, dans le domaine social (mâchoire du haut) ou intime (mâchoire du bas). Elle est impuissante à garder ses forces, sa vitalité pour elle. Trop de gens l'exploitent, la vampirisent malgré elle.

→ ***lire*** *aussi Gingivite.*

GOÛT DÉSAGRÉABLE DANS LA BOUCHE

→ ***lire*** *Bouche – goût désagréable.*

GOÛT POUR L'ACIDE ou pour le SUCRE

Goût pour l'acide → ***lire*** *Bouche* ■ *effets de l'acide* → ***lire*** *Érosion dentaire* ■ *goût pour le sucre* → ***lire*** *Sucre – attirance.*

GRAIN DE RIZ – DENT EN

→ ***lire*** *Taille d'une dent.*

GRANULOME, GRANULOME MARGINAL POSTÉRIEUR

Granulome → ***lire*** *Abcès* ■ *granulome marginal postérieur* → ***lire*** *Accident d'éruption de la dent de sagesse.*

GREFFE OSSEUSE – REJET

→ ***lire*** *Os alvéolaire – greffe qui ne prend pas.*

GRINCEMENT – BRUIT DE

Méd. *Bruit caractéristique et occasionnel, au cours ou en dehors de la mastication.*

La personne laisse échapper des plaintes malgré elle. Elle se retient d'exprimer un malaise ou une contrariété. Elle n'est pas en accord avec elle-même ou avec l'autre mais se retient de le dire.

Bruits de grincements la nuit → ***lire*** *Grincer des dents.*

GRINCER DES DENTS *ou BRUXISME DYNAMIQUE*

***Méd.** Les personnes qui grincent des dents (bruxomanes ou, terme exact, sujets à la brycomanie) le font préférentiellement la nuit quand la vigilance est suspendue. Le problème peut être ponctuel (stress intense) ou durer des années.*

Conflit majeur entre tête et émotions, adulte et enfant en soi, l'un tentant de dominer l'autre. La personne, divisée sans pouvoir trouver l'harmonie, ne parvient pas à concilier raison et passion. La voix spontanée (j'aime, j'ai envie) s'oppose à la voix raisonnable (je dois, je suis obligée de). Partagée entre envie et devoir, la personne ronge son frein sans se décider à agir dans un sens ou dans l'autre. Animée par une colère qui ne peut s'exprimer, elle cherche à se détruire. La personne est animée d'une énorme puissance de vie qu'elle refrène.

*→ **lire** Mâchoire du bas, Mâchoire du haut, Mâchoire serrée, Occlusion instable ■ lésions associées → **lire** selon le cas Ankylose de la racine, ATM, ATM – luxation, Déchaussement, Hypersensibilité non due à carie, Exostose, Gencive rétractée, Ligament, Mylolyse, Usure.*

■ EN DÉPLAÇANT LA MÂCHOIRE

• ***de côté*** *(**Méd.** Latéralité ou mouvement transversal) :* la personne ne sait pas comment agir. Elle est divisée car elle ne sait si elle doit prendre une voie plutôt qu'une autre pour sortir du conflit dans lequel elle s'enferme.

• ***vers l'avant*** *(**Méd.** Propulsion ou mouvement antéro-postérieur) :* la personne hésite à passer à l'acte, à manifester son agressivité par des paroles ou des gestes.

■ PERSONNE ATTEINTE

• ***adolescent:*** révolte qui ne peut s'exprimer. L'adolescent ne peut se faire les dents sur les parents ou à l'école. Il est obligé de contenir son agressivité physique ou verbale.

• ***enfant de moins de 6 ans:*** l'enfant manifeste le conflit latent existant entre ses parents. La cause est à rechercher chez les parents dont il reflète les tensions relationnelles non exprimées. L'enfant cherche en vain à réunir (en cas de séparation physique) ou à réconcilier ses parents (en cas de séparation affective). Il perçoit et reflète le déséquilibre de force entre les parents, l'un cherchant à dominer l'autre ou se montrant trop envahissant. Par exemple, le couple va mal mais pour préserver l'enfant, du moins le croient-ils, les parents font comme si tout allait bien. L'inconscient de l'enfant le capte et manifeste par des grincements de dents leurs désaccords. Une solution est de verbaliser le conflit en expliquant à l'enfant que tout ne va pas bien entre papa et maman mais qu'ils sont ses parents et qu'ils l'aimeront toujours, et surtout qu'il n'est pour rien dans le conflit qui les oppose.

• ***enfant de plus de 6 ans:*** l'enfant exprime un conflit relationnel avec l'un des deux parents. Il cherche à effacer le parent contre lequel il n'ose ou ne peut exprimer une colère forte.

*→ **lire** Usure associée page suivante.*

• ***jeune adulte*** *(**Méd.** à la fin de l'adolescence, le jeune adulte qui vient de subir un traitement d'orthodontie est particulièrement exposé au grincement des dents : le traitement remet en cause l'équilibre de sa denture, l'extraction de dents de sagesse fragilise l'ATM. De plus, les enjeux de la période et le stress des études favorisent le problème) :* le jeune adulte vit une période de désarroi ; il ne sait plus où il en est. Il peut vivre un stress lié à l'éloignement d'avec les parents (partir dans une autre ville faire des études) ou aux études elles-mêmes ; il s'est engagé dans une voie qui ne lui convient pas, pour faire plaisir aux parents, être raisonnable, avoir un bon métier, etc. ; il a écouté la voix de la raison, et la passion en lui se manifeste pour protester. Ou au contraire, fonceur, il a choisi de suivre ses envies, et sa tête proteste, manifestant ses remords par des grincements de dents. S'il a perdu ses repères, s'il ne sait plus faire la part des choses entre ses envies et sa raison, faire une pause dans ses études afin de se donner le temps de trouver la voie qui lui convient serait salutaire. Mieux vaut perdre un an que la santé pour se retrouver finalement dans un métier qu'on n'aime pas. À chacun de voir.

Autres détails → ***lire*** *Occlusion instable.*

■ USURE ASSOCIÉE

• ***de quelques dents :*** le conflit concerne un ou plusieurs domaines de la personnalité. Le cadran où se trouvent les dents usées indique contre quel parent ou type de personnes la colère est dirigée ; haut droit : mère éducatrice ; haut gauche : père éducateur ; bas gauche : maman nourricière ; bas droit : papa nourricier.

➤ **Dent qui vous concerne page 350.** *Numéro de la dent et rôle parental page 13.*

• ***de toutes les dents :*** *(**Méd.** en cas d'atteinte globale, l'usure des deux arcades n'est pas symétrique) :* la personne est épuisée par la lutte intérieure. **Dents du haut plus usées :** les émotions, le corps, l'instinct, les pulsions l'emportent sur la raison ; l'enfant intérieur triomphe et détruit l'adulte ou part raisonnable. Volonté de détruire le père en tant que représentant de l'autorité, ou rébellion contre l'autorité. **Dents du bas plus usées :** la tête, la raison, le mental, le contrôle l'emportent sur le corps ; l'adulte triomphe et détruit l'enfant ou part instinctive. Volonté de détruire la mère en tant que principe nourricier et affectif, ou rébellion contre l'envahissement affectif.

→ ***lire*** *Mâchoire du haut, Mâchoire du bas.*

• ***des dents de lait*** → ***lire*** *Lait – usure.*

• ***restauration prothétique*** *(**Méd.** aussi longtemps que la personne grince des dents, aucune reconstitution prothétique n'est possible : les couronnes cassent ou se descellent, les obturations s'usent ou tombent) :* le seul traitement efficace passe par la prise de conscience du conflit qui se joue dans les profondeurs de l'inconscient. La personne devra prendre des mesures concrètes afin de permettre aux parts adulte et enfant de retrouver une place harmonieuse dans sa vie. Exemple : une jeune femme renonce au piano, sa passion de toujours, pour se consacrer à des études plus sérieuses. Reléguée au second plan, sa dimension enfant (la passion, jouer du piano) se rebelle en usant les dents de la mâchoire du haut à coup de grincements. Pour cette femme, la guérison passe par la prise de conscience du problème (la passion négligée) et par les retrouvailles concrètes avec sa dimension artistique : se ménager du temps pour reprendre le piano.

GUIDAGE

→ ***lire*** *Occlusion – défauts* ■ *guidage excessif* → ***lire*** *Recouvrement.*

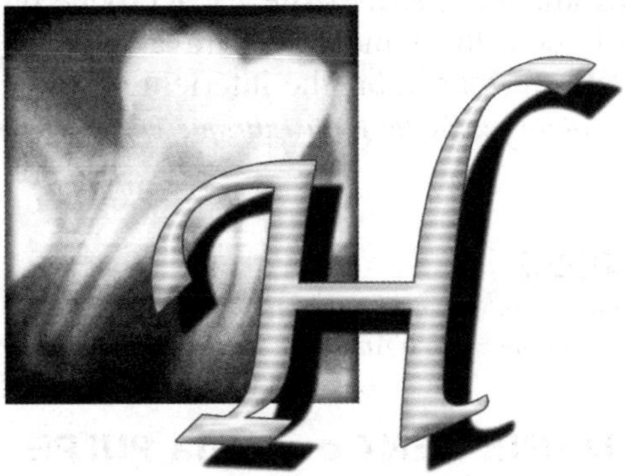

HABITUDES, TICS ou MANIES LIÉS AUX DENTS

Il existe de nombreux gestes liés aux dents, plus ou moins conscients → ***lire*** *Toucher ses dents.*

HALEINE *HALITOSE*

→ ***lire*** *Mauvaise haleine. L'halitose ou mauvaise haleine d'origine non buccale sort du cadre de l'ouvrage.*

HAUTE *SENSATION DE DENT TROP HAUTE*

Dent momentanément trop haute → ***lire*** *Ligament – inflammation* ■ *dent en permanence trop haute* → ***lire*** *Obturation qui gêne (trop haute), Occlusion – défauts (surocclusion).*

HÉMIMÂCHOIRE

→ ***lire*** *Cadran.*

HÉMORRAGIE DE LA GENCIVE

→ ***lire*** *Gingivorragie.*

HÉMORRAGIE POST-OPÉRATOIRE

Méd. *Après une extraction, un saignement léger et intermittent durant quelques heures est normal. Au contraire, l'hémorragie est caractérisée par une perte de sang importante et continue.*

La personne ne parvient pas à contenir ses émotions, chagrin, colère, etc. Elle demeure inconsolable face à une perte ou une transformation irrémédiable. Trop puissant, le flux émotionnel rompt ses digues et submerge la personne. Elle vit une forme d'anéantissement. Elle est plongée dans la peur de la mort et ressent paradoxalement l'envie de se laisser mourir, incapable de se reprendre, de réagir à une agression qu'elle vit comme une mutilation. Au niveau inconscient, la personne n'est pas détachée de la part d'elle-même que représente la dent extraite.

Elle ne s'est pas résolue à la perdre. Elle s'y accroche physiquement car la qualité que représente la dent lui manque. Un travail pour se réapproprier l'énergie qu'incarne la dent et refermer la brèche intérieure est conseillé.
→ ***lire*** *Extraction, Extraction difficile, et la rubrique consacrée à la dent extraite : Canine, Incisive, etc.*

HYPERCÉMENTOSE

Épaississement anormal de la couche minéralisée qui recouvre la racine. L'hypercémentose produit l'ankylose de la racine → ***lire*** *Ankylose de la racine* ■ → ***lire*** *selon le cas Cémentome.*

HYPERPLASIE D'UNE DENT ou de la PULPE

D'une dent → ***lire*** *Taille d'une dent* ■ *de la pulpe* → ***lire*** *Pulpe.*

HYPERSENSIBILITÉ AUX SOINS

Méd. *Les personnes qualifiées de douillettes ressentent la douleur avec plus d'acuité que les autres ; d'une personne à l'autre, le nombre de fibres nerveuses dans une dent et donc sa sensibilité varie dans un rapport d'un à trois cents.*

Vigilance exacerbée. La personne est en permanence sur le qui-vive, sur ses gardes, dans l'attente inconsciente d'une attaque. Le soin dentaire est une épreuve redoutable car elle s'attend à avoir mal ou anticipe même la douleur. Elle vit l'intervention comme une agression, soit que l'intégrité corporelle revête pour elle une importance particulière, soit qu'elle ait été victime de sévices ou de maltraitances dans l'enfance. La focalisation sur la douleur physique est le moyen inconscient de ne pas ressentir la souffrance psychique associée aux dents, très ou trop présente.
→ ***voir*** *Anesthésie – résistance, Chirurgie, Dentiste – peur, Dentiste – phobie* ■ → ***lire*** *selon le cas Douleur fantôme, Douleur qui persiste après intervention, Douleur sans cause physique, Carie.*

HYPERSENSIBILITÉ NON DUE À CARIE

CHAUD, FROID, ACIDE, SUCRE, CONTACT, AIR.

Méd. *L'hypersensibilité a deux origines possibles : soit un émail trop fin qui manque de densité ou est usé, soit une gencive rétractée qui laisse le collet dénudé.*

La personne manque de protection. Hypervigilante, tendue, sa sensibilité est à fleur de peau dans tous les domaines de sa vie (hypersensibilité généralisée) ou dans un domaine particulier (hypersensibilité locale).

■ CAUSÉE PAR DÉNUDATION DU COLLET

Méd. *Gencive rétractée ou déchaussement avec éventuellement usure du collet.*

La personne ne parvient pas à se protéger des agressions extérieures. Elle se laisse envahir insidieusement par le stress, les demandes ou les émotions d'autrui. C'est la bonne poire trop tendre qui se laisse entamer et « bouffer ». La douleur est un signal d'alarme : la personne est sur les dents, donne trop et ne se protège pas assez.

• ***mâchoire du bas :*** la personne se sent harcelée par les demandes de son entourage personnel sans parvenir à se préserver. L'épuisement physique est la cause de son hyper-réactivité.

• ***mâchoire du haut:*** la personne se sent harcelée par les demandes de son entourage professionnel sans parvenir à se préserver. L'épuisement nerveux est la cause de son hyper-réactivité.

Autres détails → ***lire*** *Gencive rétractée ■ →* ***lire*** *selon le cas Collet – usure, Déchaussement.*

■ CAUSÉE PAR ÉMAIL FIN

> ***Méd.*** *Gencive normale, absence de déchaussement. Émail fin ou de qualité insuffisante depuis toujours, ou bien usure du bord libre de la dent ou de sa face de mastication.*

La personne est trop attachée à l'image qu'elle donne aux autres. Elle voudrait plaire à tout le monde. Elle reçoit la moindre remarque comme une attaque personnelle et y réagit de manière disproportionnée. Susceptible, trop sensible aux critiques, elle en « prend plein les dents à toute occasion » ; son besoin de plaire cache une dévalorisation : « je ne suis pas assez bien, pas assez belle, pas assez brillante, spirituelle ». Convaincue de son insuffisance, elle ne supporte pas qu'autrui la lui confirme. Toute remarque ou critique vient pointer le manque et réveille son narcissisme à vif.

• ***mâchoire du bas:*** dévalorisation de soi dans l'intimité. La personne ne supporte pas les critiques venant des proches, conjoint, enfants, parents, amis. Bas gauche : problème lié à la maman nourricière ; bas droit : au papa nourricier.

• ***mâchoire du haut:*** dévalorisation de l'image sociale. La personne ne supporte pas les critiques venant de l'entourage professionnel. Haut droit : problème lié à la mère éducatrice ; haut gauche : au père éducateur.

Autres détails → ***lire*** *Émail ■ →* ***lire*** *selon le cas Usure.*

■ HYPERSENSIBILITÉ PASSAGÈRE D'UNE DENT

La personne est incitée à être plus consciente de la part d'elle-même que la dent représente, à se montrer particulièrement vigilante dans un domaine de sa vie. Elle néglige une qualité, emploie mal ou pas du tout une partie d'elle-même dont il lui faudrait prendre soin, etc. Même en l'absence de lésion avérée, il serait dommage de prendre le signal à la légère. Sa compréhension peut éviter qu'un problème plus grave s'installe à long terme et permettre en tout cas de mieux se connaître. Mâchoire du haut : domaine social ; mâchoire du bas : domaine intime.

Aperçu *du domaine représenté par la dent : nom symbolique page 13 ■* ***analyse*** *plus fouillée : rubrique consacrée à la dent concernée (Canine, Incisive, etc.).*

HYPODONTIE *ou OLIGODONTIE*

> ***Méd.*** *Absence de formation de plus de six dents ; nombre insuffisant de dents.*

L'anomalie est le reflet de croyances profondes, voire ancestrales. La personne croit que ses possibilités d'expression sont réduites. Seules quelques facettes ou qualités de la personnalité sont acceptables et montrables. Les dents non formées correspondent aux capacités auxquelles la personne a renoncé pour survivre. Elle ne peut exister et se manifester que dans un nombre limité de domaines, les autres lui sont inaccessibles ou interdits.

→ ***lire*** *Agénésie.*

HYPOPLASIE DE L'ÉMAIL, d'une DENT ou de la MANDIBULE

Émail de toutes les dents → ***lire*** *Amélogenèse imparfaite* ■ *d'une seule dent* → ***lire*** *Émail altéré* ■ *hypoplasie d'une dent dite en grain de riz* → ***lire*** *Taille d'une dent* ■ *hypoplasie de la mandibule causée par problème d'ATM* → ***lire*** *Ankylose de l'ATM* ■ → ***lire*** *Rétrognathie.*

HYPOSENSIBILITE

→ ***lire*** *Douleur – absence* ■ *perte de sensibilité suite à extraction* → ***lire*** *Sagesse – extraction (suites ou complications sévères).*

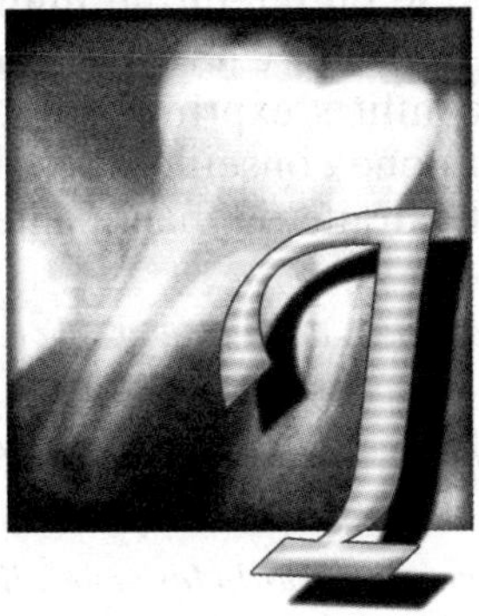

IMPLANT DENTAIRE

Méd. Racine artificielle en titane placée dans l'os de la mâchoire, destinée à supporter une couronne ou un bridge. L'implant permet de remettre une dent où il n'y en avait plus, après extraction par exemple. L'absorption de la fausse racine par l'os est une sorte d'ankylose réussie puisque le ligament dentaire ne se reforme pas entre l'os et le métal.

Sans prise de conscience des problèmes qui ont conduit à la perte de la dent remplacée, l'implant est au mieux une jambe de bois, un succédané intégré à l'os, au pire il est rejeté. S'il comble une plaie non guérie, il représente une contrainte mentale que la personne s'impose, une attitude de faux-semblant, de faire comme si, dictée par la peur de manquer, qui masque la faille au prix d'un épuisement des ressources profondes. La personne compense un vide en se raccrochant à une béquille. Elle se raidit pour ne pas ressentir le manque et la souffrance associés à la dent perdue. C'est une torture de plus qu'elle s'impose. À moins de se préparer et de se reconstruire en conscience *(lire ci-dessous).*

*→ **lire** la rubrique consacrée à la dent remplacée par l'implant : Canine, Incisive, etc. ■ → **voir** Couronne à poser ou déjà posée ■ autres détails → **lire** Ankylose, Prothèse ■ si l'implant remplace une dent extraite → **lire** Extraction ■ → **lire** selon le cas Abcès, Carie, Déchaussement, Fracture.*

■ QUI COMPENSE UNE AGÉNÉSIE

Méd. L'implant remplace une dent qui n'a pas poussé parce que le germe ne s'est pas formé.

Dans le cas d'une dent qui ne s'est pas formée, poser un implant sans prise de conscience revient à contredire une croyance fondamentale : « pour survivre, je dois renoncer à telle ou telle qualité ».

*→ **lire** Agénésie de dent permanente.*

■ SE PRÉPARER

Méd. S'il rend bien des services, l'implant reste un artifice prothétique avec ses limites et ses inconvénients.

La perte d'une dent est probablement la meilleure solution trouvée à un moment donné pour se débarrasser d'une souffrance impossible à digérer. Sans prise de conscience, poser un implant revient à violenter son propre inconscient, « tu ne veux pas garder cette facette de moi ? Eh bien, je t'y forcerai ! ». On dispose aujourd'hui des moyens techniques de faire tenir un implant. Mais à quel prix ? Le risque est de générer un conflit profond. Un risque plus grand encore est que l'implant soit toléré mais que le conflit s'exprime ailleurs. Avant de poser un implant, un travail de libération est donc conseillé. Il est important de mettre au jour la problématique liée à la dent extraite ou manquante.

Implant suite à extraction :

➤ **Dent qui vous concerne page 311.** *Numéro de la dent et rôle parental page 13.*

Implant suite à agénésie :

➤ **Dent qui vous concerne page 265.** *Numéro de la dent et rôle parental page 13.*

■ SE RECONSTRUIRE

***Note.** La lecture de cette rubrique suppose d'avoir lu les généralités sur l'implant et d'avoir fait le travail de libération proposé ci-dessus (se préparer).*

Intégré consciemment, l'implant est l'occasion de reconstruire ses racines, de (re) matérialiser une facette de soi entièrement détruite ou même qui n'a jamais existé *(agénésie).*

➤ **Dent qui vous concerne page 288.** *Numéro de la dent et rôle parental page 13.*

IMPLANTATION DES DENTS

***Méd.** Position naturelle des dents sur l'arcade.*

L'implantation des dents révèle les tendances profondes de la personnalité. Les défauts d'alignement ne sont pas dus au manque de place mais à l'axe des dents, lui-même sous l'influence du psychisme. La manière dont les dents s'implantent révèle nos croyances.

→ ***lire** Énergie* ■ → ***voir** Arcades, Occlusion, Taille d'une dent* ■ *pour chacune des implantations décrites ci-dessous, **aperçu** du domaine représenté par la dent : nom symbolique page 13* ■ ***analyse** plus fouillée : rubrique consacrée à la dent concernée (Canine, Incisive, etc.).*

■ DENT EN MALPOSITION

• ***à l'extérieur de l'arcade*** *(**Méd.** dent trop en avant des autres qui fait saillie à l'extérieur de l'arcade) :* la facette représentée par la dent n'est pas intégrée à la personnalité. La qualité correspondante s'exprime sur un mode agressif ou excessif. La personne en fait trop pour cacher un manque de confiance en elle. Par exemple en haut, une canine qui sort devant les incisives, à la manière d'un croc de vampire, montre que le pouvoir personnel de la personne lui échappe. Sous une apparente détermination, le caractère est velléitaire.

• ***à l'intérieur de l'arcade*** *(**Méd.** dent trop en arrière des autres qui peut disparaître complètement, cachée par ses voisines) :* la facette représentée par la dent n'est pas intégrée à la personnalité, la qualité correspondante est inhibée, la personne ne peut l'exprimer. Par exemple en haut, une incisive latérale dans le palais montre que la communication est bloquée. La personne ne parle pas, s'enferme dans son monde intérieur. Si la canine sort dans le palais, la volonté est inhibée, la personne s'incline et se soumet devant la volonté d'autrui.

■ DENT INCOMPLÈTEMENT SORTIE

La personne n'a pas atteint sa pleine dimension d'adulte dans le domaine que la dent représente, domaine où elle se sent en infériorité ou bien qui est insuffisamment développé. Par exemple en bas, l'incisive latérale ou dent de la relation plus courte montre que la personne croit ne pas pouvoir recevoir tout l'amour dont elle a besoin. La relation n'est jamais à la hauteur de ses espérances.

*→ **lire** selon le cas Ingression.*

■ DENT LONGUE ou HAUTE

***Méd.** Éruption trop importante.*

La personne s'investit en priorité dans le domaine que la dent représente. La facette, plus présente, correspond à un domaine de réalisation ou d'expression de soi particulièrement important pour la personne. Par exemple, des canines longues révèlent le tempérament ambitieux de quelqu'un qui en veut. D'où l'expression « avoir les dents longues ».

*→ **lire** selon le cas Égression.*

■ DENTS QUI SE CHEVAUCHENT

***Méd.** Dents qui se recouvrent partiellement.*

Méfiante, constamment sur la défensive, la personne se protège car elle croit que les autres cherchent à la blesser ou à l'agresser.

■ DENTS ÉCARTÉES DEVANT

***Méd.** Dents dites du bonheur ou de la chance. Diastème inter-incisif.*

Difficulté à s'affranchir du modèle parental pour trouver sa propre identité. Tendance à calquer son image sur celle des parents. Forte identification.

- ***mâchoire du haut:*** la personne a un problème d'identité. Elle se laisse influencer et envahir par autrui malgré elle. Elle est autant hypersensible qu'intuitive.
- ***mâchoire du bas:*** l'écartement central indique une peur viscérale de la vie.

*Avec hypertrophie du frein de la lèvre → **lire** Frein de la lèvre (problème lié à la gestation ou à la naissance).*

■ DENTS ESPACÉES

Personnalité influençable et indécise qui délimite avec difficulté son territoire et se laisse envahir sans savoir se protéger.

*Une dent isolée → **lire** Isolée – dent ■ deux dents espacées → **lire** Espacées – dents ■ toutes les dents espacées et petites → **lire** Taille d'une dent.*

■ DENTS SERRÉES

La personne manque de temps et d'espace pour s'exprimer. Ses capacités créatrices sont limitées. Elle se ferme aux autres par besoin de se protéger.

*Dents larges qui se chevauchent, dents petites et serrées → **lire** Taille d'une dent.*

■ DENTS VERS L'ARRIÈRE *RÉTRO-ALVÉOLIE*

Tendance au repli sur soi, à fuir le contact d'autrui pour s'enfermer dans son monde intérieur. Tempérament timide, attitude réservée. En haut: les contacts sociaux sont difficiles; en bas: peur instinctive de la vie, besoin d'être protégé.

■ DENTS VERS L'AVANT *PRO-ALVÉOLIE*

Tempérament actif, exubérant, tourné vers les autres. En haut: fort besoin de se montrer et de communiquer; en bas: tempérament précoce, débrouillard et confiant dans la vie.

■ DENTS DIVERGENTES

• ***incisives du bas en éventail:*** la personne est jalouse de son intimité. Centrée sur ses besoins, elle est avide d'espace.

• ***incisives du haut divergentes:*** la personne a besoin d'occuper une place importante et centrale, de prendre ses aises en société. De tendance rayonnante et envahissante, elle accapare l'attention.

INCISIVES CENTRALES ADULTES [41-31] et [11-21]

DENTS DU COMMENCEMENT et du RAYONNEMENT

[incisives centrales de lait: lire Lait – dents]

Méd. *Implantée à l'avant de la mâchoire, l'incisive centrale est une dent fine au bord tranchant. Remarque: en plus des 4 incisives centrales, la denture adulte compte 4 incisives latérales. Les incisives ont un rôle essentiel de phonation. En offrant des points d'appui à la langue, elles permettent la production de sons articulés. Les centrales font leur éruption entre 6 et 8 ans.*

L'incisive marque l'émergence de la future personnalité adulte. Du latin *caedere*, « couper, tailler », l'incisive est la dent qui sert à trancher. Elle permet de couper le cordon qui unit l'enfant aux parents, de se montrer taillé différemment d'eux. Les incisives centrales sont liées au verbe qui sert à se différencier. Leur atteinte montre l'incapacité à s'affirmer unique: « je ne peux pas parler de moi, montrer que j'existe, exprimer qui je suis ».

■ INCISIVE CENTRALE INFÉRIEURE [41-31]

ou DENT DU COMMENCEMENT

Méd. *Dent la plus petite, elle ressemble par sa forme peu différenciée et sa taille réduite à une dent de lait, une dent d'enfant.*

La dent du commencement représente le moi intime. Elle incarne la facette dévoilée seulement dans le cadre du cercle familial: conjoint, enfants, amis proches. Elle représente la partie la plus vulnérable de la personnalité, l'enfant intérieur qui a besoin d'être guidé et protégé par l'adulte. Elle reflète la période prénatale, porte l'empreinte des parents géniteurs ou biologiques, à laquelle se superpose ensuite celle des parents nourriciers en cas d'adoption. Elle montre comment la personne s'est sentie désirée et acceptée par les parents géniteurs lors de sa venue au monde, gestation et naissance, puis comment elle s'est séparée du parent pour commencer à exister en dehors de lui en faisant ses premiers pas dans la vie. La dent du commencement incarne la manifestation la plus ténue et la plus timide, où tout est encore à l'état de germe. Elle reflète le potentiel vital, la capacité d'être à l'aise dans son corps, de se sentir et de se maintenir en vie. Elle révèle l'attitude fondamentale de la personne par rapport à la vie, confiante ou craintive.

• ***atteintes:*** la personne est blessée au plus profond d'elle-même, au cœur de son intimité. L'atteinte est le signe d'une baisse importante de vitalité. La dent qui s'abîme montre que l'enfant intérieur souffre ou qu'il est en train de mourir: « je n'ai plus goût à la vie ». La personne est coupée de son élan vital, sa joie de vivre s'éteint. La lésion témoigne de la négation du corps et de ses besoins.

• ***droite [41]:*** l'enfant désiré et accueilli par le père biologique, « ai-je le droit d'exister par rapport à papa? ». Elle témoigne du rapport dynamique au corps: bouger, faire du sport, s'activer. Lésion: blocage de l'énergie masculine; la personne refuse de donner vie à son corps par le mouvement. La carie peut aussi refléter un problème lié à quelqu'un qui rappelle inconsciemment le papa nourricier.

• ***gauche [31]:*** l'enfant désiré et accueilli par la mère biologique, « ai-je le droit d'exister par rapport à maman ? ». Elle témoigne du rapport statique au corps : le fait de se sentir plus ou moins bien dans sa peau, la sensualité, le rapport à la nourriture. Lésion : blocage de l'énergie féminine ; la personne refuse de ressentir les besoins de son corps, nourriture, repos, etc., et d'y répondre. La carie peut aussi refléter un problème lié à quelqu'un qui rappelle inconsciemment la maman nourricière.

■ INCISIVE CENTRALE SUPÉRIEURE [11-21]
ou DENT DU RAYONNEMENT

Méd. *Elle est la dent qui présente les aspects les plus variés. Forme, implantation, teinte sont différents d'un individu à l'autre.*

Implantée au centre de l'arcade, la dent du rayonnement représente la facette la plus visible et la plus brillante de la personnalité. Elle représente l'image de soi, la manière de se montrer dans un contexte social ou professionnel. Elle est liée d'une part à l'identité, d'autre part au fait de se faire connaître et reconnaître comme une personnalité unique. Elle montre comment la personne brille, se met en valeur. La dent reflète l'estime de soi, l'amour-propre. Elle représente l'image de marque, la carte de visite d'un individu. La dent du rayonnement révèle la vérité de la personnalité, son caractère essentiel et unique. Elle montre la nature profonde de l'individu, elle est en quelque sorte le miroir de son âme.

• ***atteintes:*** atteinte à l'estime de soi, blessure narcissique grave. La critique et la comparaison conduisant à la dévalorisation de soi sont les acides psychiques qui rongent la dent du rayonnement. Touchée au cœur d'elle-même, la personne perd son identité. L'image de soi est blessée, l'individu perd confiance dans sa dimension sociale ou adulte : « je ne veux plus exister en tant que personne adulte ». Il refuse d'être en vue, d'assumer un rôle de premier plan: « je ne veux plus me montrer ni tenir de rôle social ». Il dénie son image, refuse d'accepter sa valeur et que d'autres la reconnaissent.

• ***droite [11]:*** la facette féminine, construite par identification à la mère éducatrice et grâce à son regard. Elle indique comment la personne se sent vue et reconnue par les femmes ou tout adulte qui lui rappelle inconsciemment la mère. Lésion : dévalorisation par rapport à la mère. La personne rejette sa facette féminine : « je ne veux pas ressembler à ma mère » ou « je ne veux plus me montrer dans ma dimension féminine » ou encore « je ne veux plus du regard de la femme ou des personnes qui me rappellent ma mère ».

• ***gauche [21]:*** la facette masculine, construite par identification au père éducateur et grâce à son regard. Elle indique comment la personne se sent vue et reconnue par les hommes ou tout adulte qui lui rappelle inconsciemment le père. Lésion : dévalorisation par rapport au père. La personne rejette sa facette masculine : « je ne veux pas ressembler à mon père » ou « je ne veux plus me montrer dans ma dimension masculine » ou encore « je ne veux plus du regard de l'homme ou des personnes qui me rappellent mon père ».

INCISIVES LATÉRALES ADULTES [42-32] et [12-22]

DENTS DE LA RELATION et de la COMMUNICATION

[incisives latérales de lait : lire Lait – dents]

***Méd.** Implantée à l'avant de la mâchoire, l'incisive latérale est une dent fine au bord tranchant. Remarque : en plus des 4 incisives latérales, la denture adulte compte 4 incisives centrales. Les incisives ont un rôle essentiel de phonation. En offrant des points d'appui à la langue, elles permettent la production de sons articulés. Les latérales font leur éruption entre 7 et 9 ans.*

L'incisive marque l'émergence de la future personnalité adulte. Du latin *caedere*, « couper, tailler », l'incisive est la dent qui sert à trancher. Les incisives latérales représentent le partage et l'échange. Elles sont liées au verbe, à la parole en tant que communication, capacité proprement humaine. Leur atteinte montre l'incapacité à dialoguer : « je ne peux pas parler avec les autres ».

■ INCISIVE LATÉRALE INFÉRIEURE [42-32]

ou DENT DE LA RELATION

La dent de la relation incarne l'élan affectif qui pousse à créer une relation intime. Elle représente le jeu relationnel ou amoureux. La dent représente la relation affective établie avec le parent nourricier, qui n'est pas nécessairement le parent géniteur, puis celle créée avec le partenaire. L'état de la dent montre si le partenaire ou le parent compte un peu, beaucoup, à la folie, pas du tout… « y a-t-il une place pour l'autre dans mon cœur ? ». La dent de la relation révèle la manière dont l'échange intime est vécu, les croyances sur l'amour. Le domaine concerné par la dent est celui des relations affectives qui englobe la relation amoureuse, la relation de couple, les relations amicales proches.

• ***atteintes :*** souffrance liée au sentiment de manquer d'amour. La personne refuse la relation avec le parent nourricier ou avec quelqu'un, partenaire ou ami, qui le lui rappelle inconsciemment. Par exemple, la dent s'abîme lorsque la souffrance liée à l'abandon par le parent nourricier est réactivée par un partenaire qui évoque le papa ou la maman. La personne désinvestit la relation pour se protéger. La lésion peut également coïncider avec la dégradation d'une relation affective à laquelle la personne n'ose mettre un terme.

• ***droite [42] :*** la relation avec le papa nourricier. Chez une femme, elle représente également la relation de couple. Lésion : souffrance liée à une relation initiale traumatique avec le papa.

• ***gauche [32] :*** la relation avec la maman nourricière. Chez un homme, elle représente également la relation de couple. Lésion : souffrance liée à une relation initiale traumatique avec la maman.

■ INCISIVE LATÉRALE SUPÉRIEURE [12-22]

ou DENT DE LA COMMUNICATION

La dent de la communication représente la facette de la personnalité où s'établissent les échanges avec le monde. Elle incarne le mouvement qui pousse l'individu vers l'extérieur pour rencontrer autrui ou qui l'incite au contraire à s'intérioriser. Sur un autre plan, la dent représente le mouvement qui génère la pensée, les idées, l'imagination. La dent de la communication indique comment la personne établit des contacts sociaux d'adulte à adulte, des relations publiques avec le plus grand nombre. La dent représente le langage oral et le langage écrit. Son implantation révèle la manière dont une personne s'y prend pour communiquer

• ***atteintes:*** par choix, parce qu'elle se sent incapable de communiquer ou parce qu'elle a été blessée, la personne refuse d'échanger avec autrui. Elle se replie sur elle-même. Elle se coupe des contacts sociaux. Elle perd souplesse d'esprit, capacité d'adaptation à l'autre et diplomatie. Elle se tait, refuse d'entendre et de s'entendre avec les autres. Elle a le sentiment de ne pas être écoutée, de ne pas comprendre autrui et de ne pas être comprise en retour.

• ***droite [12]:*** la communication avec la mère éducatrice. Lésion : refus de parler avec la mère ou toute personne adulte (le plus souvent une femme) qui la rappelle inconsciemment.

• ***gauche [22]:*** la communication avec le père éducateur. Lésion : refus de parler avec le père ou toute personne adulte, le plus souvent un homme, qui le rappelle inconsciemment.

INCLUSE – DENT

[dent de sagesse incluse : lire Sagesse – incluse]

Méd. *Trois cas peuvent se présenter : dent incluse en germe, entièrement formée, qui provoque une rhizalyse.*

■ INCLUSE EN GERME

Méd. *Une dent reste incluse dans l'os sans faire son éruption pour des raisons diverses : manque de place, axe d'éruption dévié ou incliné, etc. Une dent peut rester incluse malgré l'absence d'obstacle mécanique à son éruption.*

L'individu ne peut s'épanouir dans le domaine représenté par la dent. L'aptitude correspondante reste à l'état embryonnaire. Étouffée, elle ne peut éclore. Un interdit pèse sur la personne qui n'ose pas manifester une qualité par peur de contrarier ouvertement le parent ou de décevoir son attente inconsciente. Par exemple, inclusion de l'incisive latérale supérieure : communication étouffée ; ne pas avoir le droit de parler. Inclusion de la canine supérieure : volonté et puissance personnelle inhibées ; ne pas oser se défendre, se laisser abuser, physiquement ou moralement ; ne pas oser se réaliser dans la voie de son choix.

*En cas d'obstacle mécanique, il est nécessaire de recourir à l'orthodontie → **lire** Traction, ci-après ■ se faire une idée du problème :*

➤ **Dent qui vous concerne page 265** *(numéro de la dent et rôle parental page 13), tenir compte du fait que le problème, moins profond, peut être résolu plus facilement ■ **aperçu** du domaine représenté par la dent : nom symbolique page 13 ■ **analyse** plus fouillée : rubrique consacrée à la dent concernée (Canine, Incisive, etc.) ■ dent incluse infectée → **lire** Kyste folliculaire.*

• ***côté de la mâchoire:*** le côté de la mâchoire indique quel parent exerce une emprise qui empêche la qualité d'émerger ; haut droit (cadran 1) lié à la mère éducatrice ; haut gauche (cadran 2) au père éducateur ; bas gauche (cadran 3) à la maman nourricière ; bas droit (cadran 4) au papa nourricier. Par exemple en haut, l'inclusion de la canine gauche indique que la volonté personnelle et la capacité de se diriger seul sont étouffées par le père. Si les deux côtés sont concernés, l'inhibition est plus profonde puisqu'elle concerne les deux parents, dont l'autorité ou l'emprise s'avère écrasante.

• ***devenir de l'espace*** *(**Méd.** l'espace laissé libre sur l'arcade par la dent incluse est soit comblé par la dent située juste en arrière, soit reste partiellement vide).* **Espace vide :** la personne ne

sait pas comment se comporter dans le domaine représenté par la dent incluse. Par exemple, si l'espace laissé par l'incisive latérale supérieure reste vide, la personne ignore comment communiquer. **Espace comblé** : une autre qualité s'exprime à la place de celle qui est inhibée.
→ ***lire*** *Déplacement de compensation.*

• ***traitement: traction de la dent incluse*** *(**Méd.** Procédé chirurgico-orthodontique qui consiste à tracter une dent pour la mettre sur l'arcade).* Sans prise en compte de l'obstacle inconscient qui empêche la dent de sortir, le procédé revient à faire violence à la personne et à lui envoyer un message contradictoire. D'un côté on l'empêche de manifester une qualité (par exemple la volonté en cas de **canine** incluse dans le palais) et de l'autre on l'y force. La contradiction est destructrice pour le psychisme. Parallèlement à l'intervention, comprendre et lever la pression faite sur l'enfant ou l'adolescent permet à la qualité d'éclore. Chez l'adulte, il faut retrouver la source du blocage lié au parent et lever l'obstacle inconscient.
→ ***lire*** *la rubrique consacrée à la dent incluse (Canine, Incisive, etc.).*

■ ENTIÈREMENT FORMÉE

Méd. *Dent qui s'est formée complètement à l'intérieur de l'os, racine comprise.*

L'individu n'a pu développer un domaine de sa personnalité qu'en se cachant, à l'insu de tous et surtout du parent. Dans ce domaine, la personne adopte profil bas. Elle ne peut s'exprimer que dans le secret de son intimité. Par exemple chez une femme, une première prémolaire dans la mâchoire du bas montre que la féminité ne peut être vécue ou ressentie que dans le plus grand secret.

• ***côté de la mâchoire:*** il indique de quel parent la personne a dû se cacher ; haut droit lié à la mère éducatrice ; haut gauche au père éducateur ; bas gauche à la maman nourricière ; bas droit au papa nourricier.
Aperçu *du domaine représenté par la dent: nom symbolique page 13* ■ ***analyse*** *plus approfondie* → ***lire*** *la rubrique consacrée à la dent : Canine, Incisive, etc.*

■ QUI PROVOQUE UNE RHYZALYSE

→ ***lire*** *Rhizalyse causée par une dent incluse.*

INCONTINENCE SALIVAIRE

→ ***lire*** *Baver, Sagesse – extraction (suites ou complications sévères).*

INFECTION

→ ***lire*** *selon le cas Abcès, Accident d'éruption de la dent de sagesse, Alvéolite suppurée, Fistule, Gencive – abcès, Lait – abcès, Ostéite* ■ *infection d'une dent par des bactéries provenant d'un autre organe* → ***lire*** *Anachorèse.*

INFECTION TRANSMISE PAR LE DENTISTE

Méd. *Contamination lors de soins dentaires (remarque : les cas de contamination se produisent surtout dans l'autre sens, du patient vers le dentiste).*

La personne se sent trahie. L'événement fait écho à un sentiment lié au parent nourricier. La personne croit que quiconque est chargé de prendre soin d'elle peut lui faire du mal voire l'empoisonner.
→ ***lire*** *Dentiste.*

INFLAMMATION

Méd. *Caractérisée par quatre signes : chaleur, rougeur, douleur, gonflement.*

L'inflammation exprime une colère, une irritation d'autant plus vive que les symptômes sont plus marqués.

*Inflammation après intervention → **lire** Douleur persistant après intervention ■ de l'alvéole osseuse après extraction → **lire** Alvéolite sèche, Alvéolite suppurée ■ de la gencive → **lire** Gingivite ■ de la gencive entre les dents → **lire** Bourrage alimentaire ■ de la gencive en arrière des incisives du haut → **lire** Papille rétro-incisive ■ de la langue (glossite) → **lire** Langue – brûlure ■ du ligament (desmodontite) → **lire** Ligament ■ de l'os → **lire** Ostéite ■ du palais → **lire** Palais – brûlure ou irritation ■ du parodonte (tissus de soutien de la dent) → **lire** Parodontite ■ de la pulpe ou nerf (pulpite) → **lire** Rage de dent.*

INGRESSION

Méd. *Inversion du processus d'éruption. La dent s'enfonce dans l'os de la mâchoire.*

La personne ne peut plus se développer ni s'épanouir dans le domaine que représente la dent. Plus qu'étouffée, elle est enfoncée, écrasée. Elle éprouve l'envie inconsciente de se cacher, de disparaître sous terre. C'est le signe d'une forte inhibition, d'une dévalorisation extrême et plus encore, d'une involution qui montre le désir de revenir en arrière, de retrouver la matrice protectrice, le ventre maternel, en réaction à une grande peur. La personne se replie sur elle-même pour fuir devant la vie ou échapper aux contraintes que parents, éducateurs, système social ou autre exercent sur elle.

■ MÂCHOIRE DU BAS

L'adolescent désire redevenir le petit du parent nourricier, ou bien il éprouve l'impossibilité de grandir parce qu'il est surprotégé. Il veut revenir sous l'aile du papa (ingression à droite), de la maman (ingression à gauche).

■ MÂCHOIRE DU HAUT

L'adolescent fait le dos rond, se tasse devant l'autorité du parent éducateur, père (ingression à gauche), mère (à droite) ou de quelqu'un de plus puissant que lui.

***Aperçu** du domaine représenté par la dent : nom symbolique page 13 ■ **analyse** plus fouillée : rubrique consacrée à la dent concernée (Prémolaire, Molaire).*

INGRESSION ou INTRUSION DUE À UN CHOC

Méd. *Le choc cause l'enfoncement de la dent dans l'os de la mâchoire.*

Le choc physique est le reflet d'un traumatisme psychique qui remet en question le droit de l'enfant ou de l'adolescent de prendre sa place et d'exister. Il se sent nié dans sa personnalité, brutalement ramené à moins que rien, juste bon à se tasser devant une autorité qui le terrasse et le domine. Il se sent renvoyé à la case départ, rétrogradé sans ménagement au rang de « minus » ou de bébé. L'humiliation est profonde. En cas d'inflammation ou d'infection consécutive, l'enfant réagit par la colère. Le côté de la mâchoire où se trouve la dent ingressée montre à quel parent le problème est lié.

*Numéro de la dent et rôle parental page 13 ■ autres détails → **lire** Cadran ■ l'ingression d'une dent de lait peut léser le germe sous-jacent → **lire** Dilacération corono-radiculaire.*

INLAY, INLAY CORE

Inlay → ***lire*** *Obturation, Prothèse* ■ *inlay core* → ***lire*** *Couronne, Pivot, Prothèse.*

INSTRUMENT QUI CASSE DANS UNE RACINE

→ ***lire*** *selon le cas Pâte d'obturation qui déborde, Pâte d'obturation qui manque, Racine coudée.*

INTERMAXILLAIRES – RAPPORTS

→ ***lire*** *Occlusion.*

IRRÉGULARITÉS DE L'ÉMAIL

→ ***lire*** *Émail altéré* ■ *sur toutes les dents* → ***lire*** *Amélogenèse imparfaite.*

IRRITATION

Après un soin → ***lire*** *Douleur persistant après intervention* ■ *irritation d'une dent* → ***lire*** *Douleur, Hypersensibilité* ■ *de la commissure des lèvres* → ***lire*** *Bouche – commissure irritée* ■ *de la gencive* → ***lire*** *Gencive, Gingivite* ■ *de la joue* → ***lire*** *Joue irritée* ■ *de la langue* → ***lire*** *Langue irritée* ■ *de la lèvre* → ***lire*** *Lèvre irritée* ■ *du palais* → ***lire*** *Palais – brûlure ou irritation.*

ISOLÉE – DENT

Méd. *Dent privée de contacts avec ses voisines sur l'arcade.*

Une facette n'est pas intégrée à la personnalité. Un domaine reste étranger ou inaccessible à la personne. Elle s'interroge : « que faire avec cela ? ». Par exemple, une première prémolaire du bas isolée montre que la sexualité est étrangère à la personne qui ne sait que faire de son corps ou de ses pulsions.

→ ***lire*** *la rubrique consacrée à la dent.*

IVOIRE

→ ***lire*** *Dentine.*

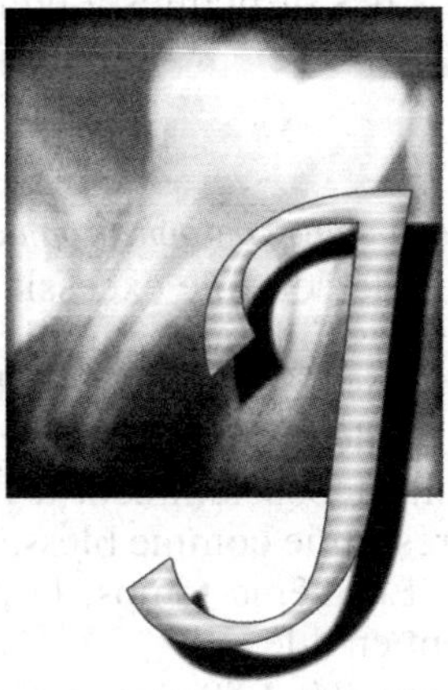

JAUNES, JAUNISSEMENT

Dents jaunes → ***lire*** *Teinte* ■ *jaunissement dû à l'âge, au café, etc.* → ***lire*** *Coloration(s).*

JOUE

La joue représente à la fois notre limite avec le monde extérieur et le contact affectif ou charnel que nous établissons avec lui.

■ APHTE

→ ***lire*** *Aphte.*

■ BLESSÉE PAR UN COUP DE FRAISE

→ ***lire*** *Dentiste – petits soucis.*

■ CANCER

→ ***lire*** *Bouche – cancer.*

■ ENFLÉE

La personne retient un trop plein d'émotions (colère, peur, tristesse).

• ***abcès, cellulite périmaxillaire*** *(**Méd.** en cas de cellulite périmaxillaire, le pus envahit les tissus):* longtemps contenues, des émotions liées au passé cherchent à se libérer mais la personne n'accepte ni de les voir ni de s'en détacher.

→ ***lire*** *Abcès, Gencive – abcès.*

• ***œdème post-opératoire*** *(**Méd.** après extraction):* colère actuelle que la personne n'ose pas manifester, contre le dentiste, les parents ou elle-même.

→ ***lire*** *Extraction difficile, Germectomie, Sagesse – extraction.*

• ***éruption de dent de sagesse:*** le jeune adulte se reproche inconsciemment son incapacité à quitter ses parents. Il enrage de ne pas arriver à partir et cherche en même temps à se protéger du monde extérieur qui lui fait peur.

→ ***lire*** *Accident d'éruption de la dent de sagesse.*

• ***percée des dents de lait:*** l'enfant a des difficultés à prendre sa place. Il a peur de se séparer de la maman.
→ ***lire*** *Poussée dentaire difficile.*

■ IRRITÉE PAR UNE DENT

Méd. *Irritation provoquée par une dent ou une couronne trop pointue ou trop saillante.*

La personne se blesse elle-même par le contrôle excessif qu'elle s'impose (dent du haut), par un comportement ou des émotions qu'elle n'arrive pas à réguler (dent du bas). Par exemple, dans le cas d'une irritation de la joue due à la première molaire supérieure gauche, ou dent du père, la personne se blesse en se traitant avec sévérité. Elle reproduit inconsciemment à l'encontre d'elle-même l'attitude dure et intransigeante ou ressentie comme blessante qu'avait son propre père ou un éducateur à son égard. En même temps, la personne est fâchée de garder l'empreinte toxique du parent en elle.
→ ***lire*** *la rubrique consacrée à la dent responsable de l'irritation (Canine, Molaire, Prémolaire).*

■ MORSURE DE LA JOUE

• ***adulte :*** la personne renonce à prendre la place qui lui revient. Elle reste en deçà de ses possibilités à tous les niveaux : personnel, professionnel, affectif, intellectuel. Elle refuse l'expansion physique, matérielle ou sociale. Elle contrôle son corps et ses émotions, rejette l'épanouissement sensuel et charnel. Elle éprouve de la culpabilité par rapport à la nourriture, domaine où elle se restreint. Elle réagit au stress et aux contrariétés en se punissant et en se mortifiant. Elle se croit responsable de tout et de tout le monde et s'accuse à la place des autres. Elle pense n'avoir pas le droit à l'erreur. Elle n'ose pas remettre les autres à leur place et les laisse empiéter sur son territoire. Masochiste, elle se dénigre volontiers avec une certaine délectation : mauvaise mère, piètre épouse, employé incompétent. La personne a été élevée dans la croyance qu'il faut expier ses fautes et payer ses erreurs par la souffrance. En cas de morsure régulière, le problème est profond. La personne est invitée à se libérer des limitations qu'elle s'impose, à remplacer ses peurs par l'estime de soi et l'épanouissement. **Joue droite :** la personne se retient d'agir, de poser un acte concret pour prendre sa place. Elle se tourmente pour l'avenir. **Joue gauche :** la personne bride son imagination et sa créativité, se restreint au plan artistique. Elle se torture à propos du passé.

• ***bébé :*** l'enfant manque de contacts, de marques d'affection. Il a faim de caresses ou baisers. Il a besoin d'être rassuré. **Joue droite :** besoin d'être pris dans les bras, rassuré par les contacts physiques du papa. **Joue gauche :** besoin de tendresse, de mots rassurants de la maman.

• ***enfant de plus de 6 ans :*** l'enfant pense « je prends trop de place ». Il se sent limité dans son développement, il croit qu'il doit se faire tout petit pour être toléré. **Joue droite :** excès de sévérité de la mère. **Joue gauche :** excès de sévérité du père.

■ PIERCING DE LA JOUE

La personne rejette tout contact charnel par peur de se laisser engloutir. Elle a besoin d'affirmer et de baliser son territoire personnel par une sorte de barbelé : « qui s'y frotte, s'y pique ». Elle cherche à transgresser par la provocation les interdits parentaux ou sociaux qui la font souffrir. Elle cherche désespérément à prendre une place à laquelle elle ne croit pas avoir droit.

KYSTE

[dent de lait : rubrique suivante]

***Méd.** Lésion en forme de petit sac arrondi délimité par une membrane. Celle-ci, caractéristique du kyste, se forme par prolifération de restes embryonnaires à l'origine de la formation de la racine.*

La personne enfouit depuis longtemps son ressentiment et sa colère au plus profond d'elle-même. Elle tente de s'en isoler pour l'oublier. Rancune tenace, haine, pensées noires, pulsions inavouables, souffrance intolérable : elle met à part ce qui la dérange et qu'elle ne peut ou ne veut exprimer. Ne rien dire, ne rien voir, mais tout ranger soigneusement en un endroit où elle espère que la charge négative ne la gênera pas trop. Pourtant, fabriquer un kyste est aussi coûteux en énergie que sur le plan de la santé : une masse importante d'os est détruite. Lésion froide et silencieuse, c'est une bombe à retardement. Il est impossible de prévoir quand elle explosera.

→ ***lire** Abcès ou directement :*

➤ **Dent qui vous concerne page 260.** *Numéro de la dent et rôle parental page 13.*

■ DÉCOUVERT PAR HASARD

Le kyste découvert à l'occasion d'une radio montre que la personne est prête à devancer l'appel du corps en prenant conscience du problème psychique avant qu'il n'explose. Saisira-t-elle cette chance de s'épargner des souffrances en regardant ce qu'elle a longtemps dénié ?

■ QUI SE RÉVEILLE

***Méd.** Kyste découvert au moment où il se surinfecte et crée des douleurs.*

Le corps a atteint sa limite de résistance. Il n'en peut plus, le soulager est impératif. La personne est au pied du mur, elle ne peut plus remettre à plus tard la libération intérieure qui s'impose.

■ SOIN

Selon le cas, la personne choisira de vider son sac par tout moyen à sa disposition : parole, écriture, défoulement dans un cadre choisi, psychothérapie, etc.

L'ablation du kyste, vécue en conscience et dans l'intention de se libérer, et uniquement dans ce cas, peut représenter une solution radicale.
→ ***lire*** *Abcès.*

KYSTE DE DENT DE LAIT

Chez l'enfant, le kyste joue le rôle d'une soupape de sécurité vis-à-vis du milieu où il se trouve. L'enfant draine les émotions et états négatifs de son entourage, ses parents en particulier. Le kyste lui permet de les stocker sans que son corps en soit autrement affecté ou malade. L'enfant se dévoue pour ses parents, il joue en quelque sorte le rôle d'un éboueur. La masse kystique développée est un amortisseur qui lui permet de se protéger des influences nocives du milieu où il vit.

La localisation du kyste permet de déterminer par rapport à quel parent l'enfant joue le rôle d'éponge → ***lire*** *Cadran ou voir page 13* ■ *autres détails* → ***lire*** *Lait – abcès.*

KYSTE FOLLICULAIRE *ou CORONO-DENTAIRE*

Méd. *Se forme à partir d'une enveloppe résiduelle sur une dent qui n'a pas fait son éruption.*

La personne croit qu'elle doit étouffer dans l'œuf l'expression d'une qualité ou d'une capacité et l'enfouir au plus profond d'elle-même. Elle renonce à se développer, à s'épanouir dans un domaine de sa personnalité pour répondre à l'attente des parents. Elle en conçoit une colère profonde. Le côté de la mâchoire indique à quel parent le problème est lié. **Surinfection:** la personne n'en peut plus de nier l'expression de son don ou de sa qualité. Elle a atteint la limite de l'asphyxie. Sa rage a besoin de trouver un exutoire.

→ ***lire*** *la rubrique consacrée à la dent (Dents de sagesse, Canine, Prémolaire, etc.)* ■ *côté de la mâchoire et rôle parental* → ***lire*** *Cadran ou page 13* ■ *autres détails* → ***lire*** *Incluse – dent.*

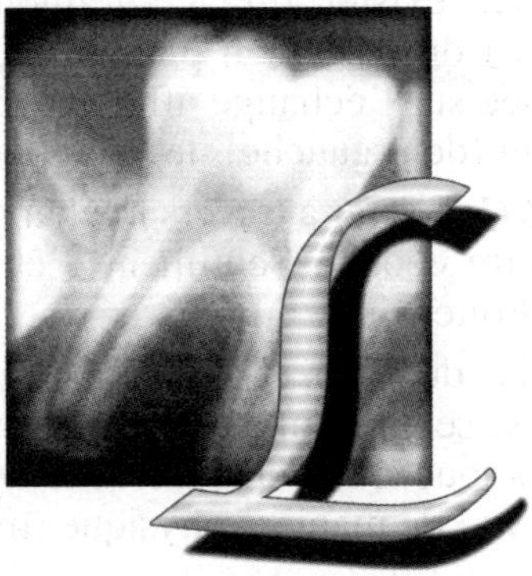

LAIT *DENTS DE LAIT* *[problèmes : lire Lait – problèmes]*

Méd. *Les dents de lait commencent à apparaître vers l'âge de six mois et achèvent leur éruption vers 3 ans. Elles commencent à tomber vers 7 ans.*

Les dents de lait ont pour fonction symbolique de séparer la mère de l'enfant. Elles lui donnent l'autonomie suffisante pour exister en dehors d'elle : se nourrir, parler, se défendre. Lorsque la denture de lait est en place, l'enfant est sorti de la fusion avec la mère, il passe par la fameuse crise du non. Les dents de lait représentent une première étape d'individualisation. À ce stade, l'enfant se perçoit comme séparé de l'extérieur, en étant encore très fragile et dépendant des parents.

→ ***voir*** *Denture de lait, Éruption.*

■ SIGNIFICATION DES DENTS DE LAIT

Les dents de lait représentent les qualités et les appuis que les parents donnent à l'enfant. Grâce à ce « prêt », il peut exister en dehors d'eux et évoluer progressivement vers une autonomie relative. La mâchoire du bas représente la sécurité matérielle et affective donnée par les parents. Elle est liée au corps et au sens du toucher. La mâchoire du haut représente les facultés intellectuelles, la capacité d'apprendre et de se socialiser grâce aux normes et aux limites fixées par les parents. Comme chez l'adulte, il existe quatre cadrans, chacun relie à un rôle parental : haut droit lié à la mère éducatrice ; haut gauche lié au père éducateur ; bas droit lié au papa nourricier ; bas gauche lié à la maman nourricière.

→ ***voir*** *schéma page 15.*

- ***incisive centrale du bas [71-81] :*** exister à travers le corps, avoir conscience d'être physiquement distinct de son environnement. La satisfaction des besoins fondamentaux (nourriture, sommeil). Exister à travers le toucher. Les soins prodigués par le parent nourricier, maman (dent gauche), papa (dent droite).
- ***incisive centrale du haut [51-61] :*** exister à travers le regard du parent éducateur et grâce aux signaux de reconnaissance tels que compliments, marques d'attention. Se sentir regardé, admiré, valorisé par le père (dent gauche), la mère (dent droite).

• ***incisive latérale du bas [72-82]:*** exister à travers l'amour du parent nourricier. Avoir conscience d'être distinct du parent au plan émotionnel. Établir avec lui une relation de complicité basée sur l'échange affectif (câlins, tendresse). Sentiment d'être aimé par la maman (dent gauche), le papa (dent droite).

• ***incisive latérale du haut [52-61]:*** exister à travers l'échange verbal avec le parent éducateur. Pouvoir parler et être écouté. Sentiment d'être apprécié par le père (dent gauche), la mère (dent droite).

• ***canine du bas [73-83]:*** maîtrise du corps et des sphincters. Sentiment d'appartenance à la famille, de filiation: se sentir l'enfant du papa (dent droite), de la maman (dent gauche). Posséder (« mes jouets, ma chambre, mon papa, ma maman »), se défendre, exprimer son agressivité de manière physique (mordre, frapper).

• ***canine du haut [53-63]:*** capacité de se concentrer, de contenir ses émotions. Manifester des aptitudes et un certain degré de maîtrise. Dire non, s'opposer à la volonté du père (dent gauche), de la mère (dent droite). Se défendre, exprimer verbalement son agressivité, exercer une influence sur l'entourage (exemple: manipuler le parent éducateur par les pleurs, la colère, les caprices, etc.).

• ***première molaire du bas [74-84]:*** grandir et s'éloigner de la maman (dent gauche), du papa (dent droite). S'adapter à la nouveauté, faire face à l'inconnu. Se sentir en sécurité et suffisamment soutenu par le parent nourricier pour avancer avec confiance dans la vie.

• ***première molaire du haut [54-64]:*** capacité de progresser, d'apprendre de nouvelles choses, de relever des défis. Être guidé dans ses progrès, encouragé et stimulé par le père (dent gauche), la mère (dent droite). Le goût et la curiosité de faire un pas dans l'inconnu pour découvrir de nouvelles personnes, situations ou centres d'intérêt, soutenu et guidé par le parent éducateur.

• ***seconde molaire du bas [75-85]:*** la présence physique et affective du parent nourricier qui donne la sécurité de base pour exister et avoir un minimum d'autonomie. Le soutien matériel et affectif donné par la maman (dent gauche), le papa (dent droite). Le sentiment d'avoir sa place dans la famille.

• ***seconde molaire du haut [55-65]:*** l'autorité exercée par le parent éducateur. Les repères et les normes données par lui qui permettent de se socialiser (école, loisirs ou activités avec d'autres enfants). Le parent en tant que guide et référent, l'appui moral du père (dent gauche), de la mère (dent droite). Le sentiment d'avoir sa place à l'école, parmi d'autres enfants.

■ STADES DE DEVELOPPEMENT

Méd. *L'éruption de chaque dent de lait matérialise un stade de développement chez l'enfant.*

• ***incisive centrale*** *(6 à 8 mois):* début du sevrage physique et affectif avec la maman. Fin de la fusion des premiers mois. L'enfant se perçoit distinct au plan physique.

• ***incisive latérale*** *(8 à 10 mois):* début d'une relation affective plus consciente avec les parents. L'enfant se perçoit distinct au plan émotionnel.

• ***première molaire*** *(12 à 16 mois):* acquisition de la marche, premier pas vers l'autonomie. Ébauche de contrôle des sphincters.

• ***canine*** *(16-20 mois) :* fin du stade oral et début du stade anal. Contrôle du corps et des sphincters, acquisition de la propreté.

• ***seconde molaire*** *(20-30 mois) :* fin de mise en place de la denture de lait, affirmation de la personnalité ou crise du non.

LAIT *PROBLÈMES AUX DENTS DE LAIT*

Chez l'enfant, les dents représentent la fragile barrière qui lui permet d'exister, de sortir du chaos et de l'indifférencié. Toute lésion représente une régression et doit être prise au sérieux. C'est un signal important, un appel au secours que l'enfant adresse au parent. La lésion d'une dent de lait fait souvent miroir à un problème du parent lui-même. Par exemple, une atteinte de l'incisive centrale de lait en haut à gauche montre un problème du père avec sa propre image. De même que chez l'adulte, chacun des quatre cadrans est relié à un rôle parental.

→ ***lire*** *Cadran.*

■ ABCÈS

L'enfant a refoulé beaucoup de colère ou n'a pas pu exprimer ses émotions, peur, chagrin, etc., déniées par les parents. L'abcès représente une tentative pour lui de protester et de se protéger contre une manière d'être traité qui ne lui convient pas. Il cherche à ne pas sentir la souffrance ou le manque représenté par la carie de la dent de lait. Mâchoire du haut : colère contre l'autorité. Mâchoire du bas : frustration affective.

➤ **Dent qui vous concerne, lire Carie page 327** *pour connaître la souffrance associée.*

→ ***lire*** *selon le cas Kyste.*

■ AGÉNÉSIE

→ ***lire*** *Agénésie de dent de lait.*

■ ANODONTIE

→ ***lire*** *Anodontie.*

■ ANKYLOSE DE LA RACINE

→ ***lire*** *Ankylose de la racine sur dent de lait.*

■ ATTEINTES CONGÉNITALES DE L'ÉMAIL

→ ***lire*** *selon le cas Amélogenèse imparfaite, Émail altéré de dent de lait, Mélanodontie infantile.*

■ BOURRAGE ALIMENTAIRE ENTRE DEUX DENTS

L'enfant souffre d'un manque qu'il cherche à combler tant bien que mal par des substituts : sucreries, caprices, etc.

Selon les dents abîmées → ***lire*** *Lait – carie d'une dent (ci-dessous).*

■ CARIE D'UNE DENT

L'enfant ne reçoit pas la nourriture dont il a besoin ou la rejette parce qu'elle ne lui convient pas. Il n'est pas nourri au sens large ; il souffre de carences affectives et éducatives : manque d'attention, limites ou sanctions inadaptées, etc. Par exemple, il est gavé de douceurs, bonbons, boissons sucrées, gâteaux, etc., mais ne reçoit pas la véritable douceur, tendresse, amour, présence, dont il a besoin. Son goût immodéré pour le sucre est une tentative de compenser le manque parental. La dent de lait atteinte montre dans quel domaine l'enfant ne se sent pas nourri, de quelle carence spécifique il souffre. Le manque fragilise potentiellement la qualité représentée par la dent en germe sous la dent de lait. Mâchoire du haut : autorité inadaptée ; du bas : insécurité matérielle ou carence affective.

➤ **Dent qui vous concerne page 327.**

Remarque : *une carie sur une dent de lait n'entraîne pas automatiquement une lésion sur la dent permanente qui la remplace.*

■ CARIES DU BIBERON

Méd. *Le syndrome du biberon, atteinte généralisée des dents de lait, concerne le petit enfant à qui on donne un biberon de boisson sucrée (jus de fruit, eau sucrée, lait) pour qu'il s'endorme. Des caries dites rampantes atteignent les incisives du haut puis s'étendent progressivement aux autres dents. Des caries multiples peuvent apparaître chez le jeune enfant (moins de 3 ans) en dehors de la prise répétée de biberons sucrés.*

L'enfant cherche à retrouver la fusion première avec sa maman. Le syndrome du biberon est une réaction à l'angoisse de séparation. Le sucre donné à l'enfant pour qu'il s'endorme est une tentative artificielle de l'apaiser. Son besoin effréné de sucre est un palliatif à l'angoisse qui se manifeste par exemple lors de tensions dans le couple parental, lorsque la maman travaille trop ou est accaparée par ses autres enfants, lors de la naissance d'un petit frère ou d'une petite sœur, ou lorsqu'il ressent une ambiance d'insécurité, etc. Ou encore, il souffre d'être surprotégé. Il réagit alors à l'angoisse de la maman et ne croit pas possible d'exister en dehors d'elle.

→ ***lire*** *Sucre – attirance.*

■ CARIES MULTIPLES

• ***généralisées à la mâchoire du bas :*** l'enfant souffre d'un manque maternel. Il ne reçoit pas de la maman la nourriture dont il a besoin, principalement affection, tendresse, réconfort, sécurité, chaleur maternelle. Finalement, il la rejette. Il ne se sent pas à sa place, ne se sent ni aimé ni soutenu.

• ***généralisées à la mâchoire du haut :*** l'enfant souffre d'un manque paternel. Il ne reçoit pas du père la nourriture dont il a besoin, principalement autorité juste, limites, présence. Finalement, il le rejette. Il ne se sent ni valorisé ni guidé.

• ***généralisées en haut et en bas :*** l'enfant souffre de carences affectives et éducatives, il rejette en bloc l'apport des parents.

• ***précoces*** *(avant 4 ans) :* désir plus ou moins marqué de régresser, de redevenir bébé pour retrouver la chaleur et la sécurité du sein maternel.

• ***tardives*** *(5 ou 6 ans) :* désir de brûler les étapes. L'enfant veut grandir avant l'heure et accéder au statut de « grand » pour se débarrasser des parents et de leur influence.

■ COURONNE

Méd. *Couronne préformée posée sur une dent de lait très abîmée.*

La couronne est une béquille qui cache un manque profond. L'enfant manque de stabilité, le parent ne joue pas son rôle de soutien. Attention à ne pas enterrer la souffrance de l'enfant.

→ ***lire*** *Lait – Carie ou directement* ➤ **Dent qui vous concerne page 327.**

• ***descellée ou cassée :*** l'enfant rejette l'appui du parent. Il veut attirer son attention sur le fait qu'il ne se sent pas soutenu. Il refuse de se laisser enfermer et contrôler.

• ***qui irrite la gencive*** *(ou obturation qui irrite)* : l'enfant se sent blessé, chapeauté ou contraint. Les demandes ou attentes du parent sont disproportionnées par rapport aux capacités de l'enfant.

■ DENT NOIRCIE

Expression d'un deuil ou d'un chagrin par rapport à l'un des deux parents. L'enfant veut rentrer dans l'ombre, se faire discret face au parent. Il éprouve de la honte ou se sent laid aux yeux du parent. Il est en deuil de l'attention qu'il ne reçoit pas, il a le sentiment de ne plus exister. Il se résigne à passer inaperçu.

Le cadran où se trouve la dent indique à quel parent le problème est lié → ***lire*** *Cadran ou voir page 13 ■ liseré noir sur les dents →* ***lire*** *Coloration(s).*

■ DENTS FRAGILES

La grossesse a été difficile. L'enfant hésite à se détacher de la maman par crainte inconsciente d'exister par lui-même. Ses premiers pas dans la vie sont difficiles, il ne se sent pas en sécurité. Il croit qu'il n'a pas le droit d'être en vie.

■ DENTS TACHÉES

→ ***lire*** *Coloration(s).*

■ DENTURE DE LAIT, DENTURE MIXTE

Denture de lait → ***lire*** *Denture de Lait ■ denture mixte →* ***lire*** *Denture mixte.*

■ DÉVITALISATION *PULPOTOMIE*

> ***Méd.*** *La pulpe large des dents de lait rend son atteinte rapide et leur dévitalisation fréquente, laquelle intervention chez l'enfant se limite généralement à une partie de la pulpe (pulpotomie). On évite de toucher les racines pour ne pas léser le germe sous-jacent de la dent permanente.*

L'enfant n'est plus nourri sur les plans affectif et éducatif dans le domaine que la dent de lait représente. La souffrance et le manque sont profonds. Il refuse d'être nourri au sens large ou exprime une carence importante par rapport au parent. La problématique est analogue à celle d'une carie, en plus grave.

➤ **Dent qui vous concerne page 327.**

■ ÉRUPTION

→ ***lire*** *Éruption, Lait – dents (stades de développement).*

■ EXTRACTION

> ***Méd.*** *Les dents de lait sont normalement éliminées à partir de l'âge de six ans par un phénomène de résorption des racines (rhizalyse). Il arrive qu'on doive les extraire pour faire de la place à la dent permanente ou parce que la dent de lait est trop délabrée ou infectée. En cas de résorption incomplète, la longueur des racines de certaines dents de lait rend l'opération longue et délicate.*

Retirer une dent à l'enfant, c'est le priver définitivement de la part de son enfance représentée par la dent. L'occasion lui est offerte de mûrir précocement et de tourner une page. Est-il prêt pour cela ? L'extraction est une épreuve, particulièrement chez l'enfant. Lui en expliquer les motifs afin d'obtenir sa coopération est essentiel. En ménageant la place pour qu'une dent adulte puisse sortir, extraire la dent de lait permet à l'enfant d'accéder au statut de « grande personne ». Il est important de lui expliquer que l'extraction est pratiquée dans le but de lui donner une nouvelle dent (une dent de grand !) et non pour lui en enlever une. Plutôt que de conserver la dent, ce qui reviendrait à garder le passé et la souffrance, il est préférable de lui proposer un acte symbolique pour la purifier : la jeter dans le feu, dans un cours d'eau ou l'enterrer près d'un arbre, par exemple. Il est important que l'extraction revête un sens positif pour lui. Sinon, il risque de la subir comme une mutilation et la perte ultérieure des dents de lait sera connotée négativement.

*Extraction motivée par le retard d'éruption de la dent permanente → **lire** Poussée dentaire difficile ■ → **lire** selon le cas Ankylose de la racine sur dent de lait ■ extraction motivée par un abcès → **lire** Lait – Abcès.*

■ FRACTURE

• ***incisives et canines :*** appel au secours, l'enfant veut attirer l'attention du parent. **Incisive centrale :** il réclame d'être regardé davantage. Le parent porte un regard trop sévère ou bien ne fait pas assez attention à lui. **Incisive latérale :** l'enfant réclame plus d'amour, d'échanges, de jeux, de câlins, qu'on lui parle ou qu'on l'écoute davantage. **Canine :** besoin d'être protégé. **Fracture totale qui nécessite l'extraction :** l'enfant rejette le parent. Le cadran où se trouve la dent indique à quel parent le problème est lié.

*→ **lire** Cadran ou voir page 13.*

• ***molaires :*** l'enfant se sent trahi, abandonné par le parent, dont il perd brutalement le soutien. Le cadran où se trouve la dent indique à quel parent le problème est lié.

*→ **lire** Cadran ou voir page 13.*

■ INGRESSION DUE À UN CHOC

*→ **lire** Ingression ou intrusion due à un choc.*

■ KYSTE

*→ **lire** Kyste sur dent de lait.*

■ LUXATION

Protestation véhémente. L'enfant rejette le parent : le père (en haut à gauche), la mère (en haut à droite). On recherchera les causes du rejet dans les jours ou les semaines qui ont précédé l'accident (enfant grondé, rejeté, traité injustement, annonce de la naissance d'un autre enfant, etc.). **Incisive centrale :** l'enfant ne veut plus du regard du parent, trop sévère ou trop indifférent. Il rejette également l'image du parent. Il manifeste son refus inconscient de prendre modèle sur lui : « je ne veux pas te ressembler ». **Incisive latérale :** l'enfant ne veut plus de la relation affective avec le parent. Il se sent trahi, abandonné : « je ne veux plus de ton amour ». **Canine :** l'enfant rejette la brutalité ou toute manifestation de force de la part du parent. Il lui adresse également le message : « je ne veux plus être ton enfant ».

*Le cadran où se trouve la dent indique à quel parent le problème est lié → **lire** Cadran ou p. 13.*

■ MÉLANOGENÈSE IMPARFAITE

*→ **lire** Mélanogenèse imparfaite.*

■ OBTURATION QUI POSE PROBLÈME

***Méd.** Obturation ou plombage qui tombe, se fracture, etc.*

L'enfant attire l'attention de ses parents sur sa souffrance ou sur son manque qui n'a pas été comblé.

*→ **lire** Lait – carie ■ aliment coincé → **lire** Lait – bourrage alimentaire ■ obturation qui déborde → **lire** Lait – couronne.*

■ PERSISTANCE DE DENT DE LAIT

→ ***lire** Persistance d'une dent de lait.*

■ PERTE DE TOUTES LES DENTS

→ ***lire** Édentation selon l'âge (avant 6 ans).*

■ TACHE INDÉLÉBILE ou DÉFAUT D'ÉMAIL

→ ***lire** Émail altéré d'une dent de lait* ■ *autre tache* → ***lire** Coloration(s).*

■ USURE

***Méd.** Conséquence du grincement des dents.*

L'usure traduit la colère de l'enfant contre l'un des deux parents, ou bien reflète le déséquilibre ressenti entre ses parents, l'un se montrant trop dur, dominateur ou envahissant.

• ***dents du haut:*** l'enfant veut effacer le père, ou bien il traduit l'effacement du père face à une maman envahissante.

• ***dents du bas:*** l'enfant veut effacer la maman, ou bien il traduit l'effacement de la maman face à un père dominateur ou envahissant.

→ ***lire** Grincer des dents chez l'enfant* ■ *conséquences de l'usure* → ***lire** Occlusion chez l'enfant.*

LANGUE

***Méd.** Muscle puissant, composé en réalité de 17 muscles, la langue est le siège chez l'adulte des récepteurs du goût.*

Premier pont relationnel et affectif avec la maman, la langue est le siège d'émotions viscérales liées au début de la vie. Elle est l'élément central des fonctions orales: mastication, phonation, déglutition, gustation. Sa position, haute ou basse, révèle l'attitude inconsciente d'une personne face à la vie. L'atteinte, irritation, morsure, y compris le coup de fraise malencontreux du dentiste, exprime le dégoût, l'impossibilité de parler, le manque d'unité. Toute lésion de la langue est une invitation à dire et à s'exprimer. Note: la position de la langue chez l'enfant, qui influe sur la croissance des mâchoires et l'implantation des dents, dépend de son état psychique.

À côté d'affections spécifiques, voire rares, cette section traite d'affections courantes comme Bouton au bout de la langue ■ Brûlure ■ Douleurs ■ Irritée par frottement des dents ■ Langue chargée ■ Langue enflée ■ Morsure ■ Picotements.

■ APHTE

→ ***lire** Aphte.*

■ BOUTON AU BOUT DE LA LANGUE

La personne réprime ses passions. Elle voudrait se dire mais renonce devant le contraste entre les turbulences de son cœur et la retenue imposée par l'éducation ou par la société.

■ BRÛLURE

La personne s'empêche de parler d'un sujet passionné ou urgent. Elle se retient d'exprimer ce qu'elle a sur le cœur: colère ou autres sentiments tels que passion, amour, enthousiasme. Elle s'interdit de prononcer les paroles enflammées dont la charge émotionnelle bouillonne en elle. Les sentiments profonds mais aussi la rancœur ou l'amertume qu'elle retient et qui la rongent l'empêchent de goûter et de profiter de la vie. À moins qu'elle ne soit rongée par une passion, une attraction irrésistible pour quelqu'un, à laquelle elle refuse de céder ; il se peut qu'elle cède à la personne mais pas à ses propres pulsions, qu'elle cache alors.

■ CANCER DE LA LANGUE

La personne a accumulé beaucoup de rancœur et de non-dit. Elle en a gros sur le cœur. Combien de fois a-t-elle eu sur le bout de la langue des paroles qu'elle s'est retenue de dire au dernier moment ? Combien de fois s'est-elle retenue de prononcer le mot de plus qui aurait changé sa vie, au motif d'avoir peur qu'il ne soit le mot de trop ? Plongée dans l'amertume, elle se reproche avec colère de n'avoir su parler : « à quoi bon avoir une langue, si c'est pour ne pas l'utiliser ! ». L'amputation représente la castration que la personne s'inflige pour se punir de ne pas avoir su trouver les mots pour se dire.

■ DOULEURS

Mal de vivre, dégoût profond. La personne perd ses appétits, elle ne sait même plus si elle a envie de quelque chose. Elle réprime jusqu'à l'idée d'y penser.

■ FREIN TROP COURT

→ ***lire** Frein de la langue.*

■ IRRITÉE PAR FROTTEMENT CONTRE LES DENTS

La personne se contient particulièrement dans un domaine de sa vie correspondant à la dent responsable de l'irritation. Elle souffre d'être limitée : parole, expression, créativité. La sensation d'être emprisonnée ou réduite au mutisme la met en colère.

→ ***lire** la rubrique consacrée à la dent cause de l'irritation (Canine, Incisive, etc.).*

■ LANGUE ATONE *ou PTOSÉE*

***Méd.** Langue molle, volumineuse, qui s'étale.*

La personne est passive. Elle renonce à s'exprimer, ne croit pas possible de créer ou de changer sa vie. Elle se laisse mener par les autres, ses parents, les événements. Elle reste inconsciemment dans un état de fusion avec autrui, sa mère en particulier. La personne se montre physiquement envahissante. Ignorante de ses limites, elle empiète sur l'espace de l'autre. Elle méconnaît sa propre identité et ses possibilités. Influençable, elle est à la merci des changements d'humeur de son entourage.

■ LANGUE BASSE

L'enfant reste lové dans les bras de sa mère (voire dans son ventre) parce qu'il n'y a pas de père vers lequel se tourner. La personne est prisonnière de ses émotions, ses peurs en particulier. Elle n'arrive pas et ne cherche pas à se défaire du lien maternel. Elle baisse la tête devant la vie comme l'enfant soumis qu'elle est restée.

*En cas de respiration par la bouche → **lire** Respiration buccale.*

■ LANGUE BRUNE *MYCOSE*

Les paroles que la personne prononce ne sont pas les siennes. Elle répète comme un perroquet un discours convenu hérité des parents, de l'éducation ou encore de livres, de magazines ou de la télévision. La morale ou la culpabilité qui l'habitent s'interposent comme un écran sournois qui l'empêche de goûter la vie.

■ LANGUE COUPÉE

*Partiellement → **lire** Langue – morsure ■ complètement, suite à accident ou ablation → **lire** Langue – cancer ■ complètement, en raison d'une coutume → **lire** Langue – morsure ■ par la fraise du dentiste → **lire** Dentiste – petits soucis.*

■ LANGUE CHARGÉE

La personne n'arrive pas à digérer un événement récent, conflit au travail, dispute sentimentale, etc. En outre, elle est arrivée à saturation d'une forme de plaisir. Elle a besoin de profiter de la vie d'une autre manière en changeant ses habitudes. L'entêtement qu'elle met à conserver des habitudes alimentaires qui ne lui conviennent pas exprime ses résistances à s'écouter.

■ LANGUE CRÉNELÉE

Les possibilités créatrices de la personne sont étouffées. Emprisonnée derrière le rempart de ses dents comme derrière les barreaux d'une prison, elle s'est adaptée tant bien que mal aux limites imposées par l'environnement, parents, école, etc. Elle a appris à se restreindre, à occuper peu de place, à se taire. Elle a besoin de respirer et de se libérer.

*→ **lire** Bouche trop petite, Mâchoire trop petite.*

■ LANGUE ENFLÉE

La personne accumule les rancœurs et les non-dits. Elle s'empêche de vider son sac, se retient de lâcher la phrase qu'elle a sur le bout de la langue ou d'exprimer les sentiments qu'elle a sur le cœur. Les mots qu'elle retient pèsent lourds, peut-être parce qu'ils sont trop gros pour être gardés.

■ LANGUE FISSURÉE

La personne tient un double discours, d'un côté celui qu'elle réserve à ses proches, de l'autre celui qu'elle destine à la société. Elle adopte autant de manières de parler que de personnes rencontrées. Elle s'exprime d'une manière non cohérente avec elle-même. Elle ment aux autres par peur de leur déplaire et s'engage dans des compromis qui la divisent. En réalité, elle se ment à elle-même et elle en souffre.

■ LANGUE GÉOGRAPHIQUE

***Méd.** Langue desquamée par plaques.*

La personne est partagée entre goût et dégoût, attirance et répulsion pour quelque chose ou pour quelqu'un. Une partie d'elle voudrait goûter à des plaisirs défendus, tandis qu'une autre partie rejette violemment cette possibilité. La personne est déchirée entre envies et morale, entre « je veux » et « je ne veux pas », sans pouvoir se décider.

■ LANGUE NOIRE

***Méd.** Langue noire du fumeur, ou maladie rare.*

La personne a depuis longtemps renoncé à se faire entendre. Elle se protège afin de ne pas ressentir l'incompréhension qui existe entre elle et son entourage, et qui l'empêche également de goûter au plaisir. Elle s'anesthésie pour ne pas souffrir.

Elle remâche des pensées sombres dont l'amertume lui gâche la vie. Elle porte le deuil de la sensualité et du plaisir.

■ **LANGUE TROP GROSSE** *ou MACROGLOSSIE*
→ ***lire*** *Bouche trop petite, Mâchoire trop petite, Langue atone.*

■ **MORSURE**
La personne veut s'empêcher de parler (qu'avait-elle sur le bout de la langue ?) ou bien éprouve du remords d'avoir parlé. Elle se coupe la parole à elle-même, s'autocensure. Elle se punit pour sa gourmandise ou sa sensualité. **Chez l'enfant:** il sent quelque chose à propos de ce que vivent les parents qu'il s'interdit d'exprimer, à moins qu'il ne s'agisse d'un bavard à qui l'on a fait honte. Ou encore, on l'a réprimandé à propos de mots touchant la sexualité.
Morsure fréquente → ***lire*** *selon le cas Bouche trop petite, Mâchoire trop petite.*

■ **PICOTEMENTS**
La personne n'exprime pas son agressivité. Elle se retient de prononcer les mots acerbes qu'elle a sur le bout de la langue. Elle réprime son côté langue de vipère alors qu'elle meurt d'envie de pourfendre autrui avec des paroles bien senties.

■ **PIERCING**
La personne revendique son intimité et sa sexualité. Elle donne à voir une colère, un désespoir ou une révolte tellement profonds ou énormes qu'elle ne peut les mettre en mots. Elle met en scène la souffrance de ne pouvoir s'exprimer. Elle désire exorciser les tabous familiaux ou sociaux qui l'emprisonnent et dont en réalité elle ne parvient pas à s'affranchir. Elle souhaite tirer la langue aux conventions et à la bienséance. **Anneau dans la langue:** la personne cherche à exorciser sa dépendance viscérale à la mère qu'elle adore et déteste en même temps.

■ **TÉTER SA LANGUE**
L'enfant cherche l'apaisement. Il tente de combler le manque maternel. Affamé affectif, il réclame inconsciemment la nourriture qu'il ne reçoit pas ou pas assez et dont il est avide : présence, tendresse, attention de la maman.

■ **VARICES**
La personne n'exprime pas des émotions en rapport avec l'intimité, la sexualité ou un secret. Il y a un sujet honteux ou tabou qu'elle n'a jamais osé aborder, qu'elle s'est toujours retenue d'évoquer : pulsions secrètes, fantasmes, etc.

LATÉRALITÉ – MOUVEMENTS DE

Méd. *La personne éprouve de la difficulté à effectuer les mouvements de la mâchoire du bas dans le sens transversal droite-gauche. On parle de diduction.*

Problématique liée au libre arbitre. La personne ne sait comment agir. Faire des choix lui pose problème. Elle éprouve des difficultés avec la fantaisie ou le fait de prendre des chemins de traverse.
→ ***lire*** *selon le cas ATM, Grincer des dents, Occlusion, Recouvrement.*

LÈVRE, LÈVRES

Méd. *En tant que muscle (sphincter labial), les lèvres participent par leur tonicité à l'implantation des dents. Avec la langue, elles déterminent le couloir dentaire. L'ouvrage traite des lésions de la face interne des lèvres.*

Toute atteinte des lèvres, irritation, morsure, y compris le coup de fraise malencontreux du dentiste, comme tout mouvement témoigne d'un problème relationnel. La lèvre inférieure est liée au corps, aux pulsions, aux relations intimes, la lèvre supérieure aux sentiments, à la séduction, aux relations sociales.

■ ANESTHÉSIE

→ ***lire*** *Sagesse – extraction (suites ou complications sévères).*

■ APHTE

→ ***lire*** *Aphte.*

■ CANCER

→ ***lire*** *Bouche – cancer.*

■ COINS ou COMMISSURES

Irritation → ***lire*** *Bouche – commissure* ■ *ulcération des commissures ou perlèche* → ***lire*** *Bouche – commissure.*

■ COUP DE FRAISE

→ ***lire*** *Dentiste – petits soucis.*

■ LÈVRE IRRITÉE PAR UNE DENT

La personne n'exprime pas la facette d'elle-même ou capacité représentée par la dent. Elle néglige une qualité qui cherche à se faire reconnaître, soit constamment (dent proéminente), soit à certains moments. Par exemple, la lèvre supérieure irritée parce qu'elle frotte sur l'incisive latérale ou dent de la communication montre que la personne brûle d'en découdre verbalement avec autrui, sans pourtant s'autoriser à se montrer aussi tranchante qu'elle le voudrait.

■ LÈVRE QUI CACHE LES DENTS

→ ***lire*** *Montrer les dents.*

■ LÈVRE QUI GONFLE

• ***lèvre enflée:*** la personne cherche à contenir les émotions qui la submergent : colère ou désir. Colère : la personne se protège afin d'éviter d'en prendre plein les dents. Désir : la personne cherche à établir un contact affectif ou physique avec quelqu'un qui lui paraît lointain ou inaccessible. Lèvre inférieure enflée : la personne veut protéger son intimité ; elle contient envies et pulsions qui montent (colère, sexualité). Lèvre supérieure enflée : la personne redoute de se montrer et retient ses sentiments.

• ***qui gonfle subitement:*** en société, pulsion inavouable, envie de « baiser » l'autre, au propre ou au figuré selon le cas. Dans l'intimité, être touché au cœur, montrer ses faiblesses, moment d'abandon.

■ MORDILLER ou MORDRE SES LÈVRES

• ***mordiller:*** la personne veut jouer, s'amuser, sans pour autant avoir l'énergie d'organiser un véritable jeu. Elle cherche plus de légèreté dans sa vie sans oser le dire. Lèvre supérieure : elle se retient de faire des jeux de mots idiots ou de dire des méchancetés gratuites, juste pour rire. Lèvre inférieure : envie de jouer avec la sexualité plutôt que de passer véritablement à l'acte mais croyance que ça ne se fait pas, qu'il faut y mettre des sentiments.

• ***mordre à se faire mal:*** la personne retient son agressivité parce qu'elle sait qu'elle pourrait tout casser ou commettre des actes lourds de conséquences. Elle vit une rage impuissante. Lèvre supérieure : rage de ne pouvoir attaquer l'autre par crainte des conséquences professionnelles (par exemple son patron) ou légales. Lèvre inférieure : rage contre soi-même de ne pas pouvoir mieux se défendre ou faire valoir ses droits.

• ***mordre sans se blesser*** *(fait d'attraper la face interne d'une lèvre en la coinçant entre deux dents, par exemple entre les incisives latérales) :* la personne s'empêche de parler. Elle réprime sa sensualité. Elle refuse de se pourlécher les babines, coupe ses élans. Morsure de la lèvre inférieure : la personne condamne ses pulsions, colère, agressivité, sexe, qu'elle juge bestiales ou primaires et pour lesquelles elle cherche à se punir. Morsure de la lèvre supérieure : gêne de montrer et d'exprimer ses sentiments, honte de séduire et de plaire.

■ MOUVEMENTS DE LÈVRES

Ne sont pas traités ici les moues, « bisous dans l'air », murmures et mouvements divers dont le sens est évident ou appartient à chacun et qui constituent un véritable code ou langage affectif personnel.

• ***agiter les lèvres*** *(tics) :* besoin irrépressible de faire partager ses émotions, incapacité à retenir ses sentiments tout en masquant la vérité cependant. Souvent associé à un flot de paroles (moulin à paroles).

• ***appuyer les dents sur la lèvre:*** lèvre inférieure → ***lire*** *Succion de la lèvre*. Lèvre supérieure, impatience par rapport à une idée qui ne vient pas. Désir d'agir sans réfléchir. La personne se retient de mordre l'autre.

• ***passer sa langue sur ses lèvres:*** besoin de se rassurer, de s'autoriser à libérer ses émotions ou sa sensualité. Lèvre supérieure : besoin de s'autoriser la gourmandise (en pensée) ou l'excitation intellectuelle, la jouissance des mots par exemple, ou un fantasme. Lèvre inférieure : envie de s'autoriser la gourmandise ou même de consommer sans modération. Désir à peine contenu de passer à l'acte sexuel.

• ***sucer sa lèvre*** → ***lire*** *Succion de la lèvre.*

• ***tremblements:*** incapacité à vivre pour soi la joie émotionnelle. Nature émotive plus qu'émue, qui tend à se débarrasser des émotions fortes et, de ce fait, éprouve le besoin d'en vivre d'autres. Lèvre supérieure : excès d'excitation intellectuelle ; tendance à confondre l'euphorie due à un surmenage intellectuel avec l'eurêka salvateur. Lèvre inférieure : personne à l'émotion facile, cœur d'artichaut ; elle pense que désirer, « ça ne se fait pas », surtout sans relation sérieuse ; elle s'autorise difficilement à être vulnérable.

■ PIERCING DE LA LÈVRE

Désir de provoquer en exhibant sa sexualité. La personne affiche son besoin de couper le cordon avec la dimension maternelle en même temps que son incapacité à le faire. Elle expose son envie d'accrocher l'autre pour qu'il comble ses besoins.

■ TONICITÉ DE LA LÈVRE

• ***lèvre atone:*** la personne est à la fois trop perméable et encline à s'épancher sur autrui. Lèvre du bas pendante : la personne ne contient pas ses émotions, ses pulsions l'entraînent et la dirigent. Lèvre du haut pendante : la personne se protège par la fuite ou la dissimulation, comportement qui lui tient lieu de défense.

→ ***lire*** *selon le cas Baver.*

• ***lèvre hypertonique ou contractée:*** fermeture instinctive par rapport à l'extérieur. La personne filtre exagérément, ne se découvre ou ne se livre pas facilement. Nature méfiante, en retrait, repliée sur elle-même. Lèvre du bas tonique ou contractée : les instincts sont contrôlés ; la personne en a d'autant plus peur qu'ils sont puissants. Lèvre du haut tonique ou contractée : la personne contrôle ses sentiments ou son image.

LIGAMENT *ATTEINTES*

Méd. *Inclus dans le parodonte, le ligament ou desmodonte relie la dent à l'os. Il joue le rôle d'amortisseur entre la racine et l'os et permet une micromobilité de la dent à l'intérieur de son alvéole. Son élasticité compense les chocs dus à la mastication.*

La personne est en conflit avec son environnement proche. La dent touchée permet de préciser le domaine où se joue le conflit. Mâchoire du haut : environnement social ou travail ; mâchoire du bas : intimité.

→ ***lire*** *la rubrique consacrée à la dent : Canine, Incisive, etc.*

■ DISPARITION

Méd. *Disparition (ankylose de la racine) causée par l'épaississement du cément qui recouvre la racine (hypercémentose).*

Raidissement intérieur et refus de s'adapter à l'environnement proche. Des conflits relationnels sont profondément cristallisés dans l'inconscient.

→ ***lire*** *Ankylose de la racine* ■ → ***lire*** *selon le cas Cémentome.*

■ INFLAMMATION *ou DESMODONTITE*

Méd. *Elle se manifeste par des douleurs à la pression avec sensation de dent trop haute ou trop longue.*

Colère générée par un conflit avec l'extérieur. La personne est heurtée, blessée, choquée ou encore opprimée par quelqu'un, une situation ou un événement auquel elle ne parvient ni à s'adapter ni à trouver de parade. Elle manque de diplomatie et se cabre.

LUETTE

→ ***lire*** *Palais.*

LUXATION D'UNE DENT

Méd. *La luxation est l'expulsion d'une dent de son alvéole à la suite d'un choc frontal violent (dents antérieures – incisives ou canines – exposées aux chocs). Dans le cas où la dent luxée est réimplantée, sa racine tend à se résorber.*

La personne vient de vivre un choc psychique d'une violence insoutenable. Elle expulse de manière radicale la facette d'elle-même que représente la dent parce qu'elle lui répugne ou lui fait horreur. Véritable dislocation, la luxation montre que la personne est dépossédée avec brutalité d'une partie d'elle-même qui lui est littéralement arrachée.

➤ **Dent qui vous concerne page 329**, *même signification que la fracture en plus violent (numéro de la dent et rôle parental page 13).*

Autres détails → ***lire*** *Fracture de dent due à choc extérieur.*

■ CHEZ L'ADOLESCENT

La luxation d'une dent, incisive centrale du haut en particulier, est une manière de renier toute ressemblance ou lien avec le parent. « Je n'ai rien de commun avec lui ! » proclame l'adolescent qui se désolidarise d'un parent dont il juge le comportement abject ou méprisable.

■ DENT DE LAIT

→ ***lire*** *Lait – luxation.*

■ RHIZALYSE

Méd. *Résorption de la racine qui survient après réimplantation.*

La cause psychique de la luxation n'a pas été identifiée. La volonté inconsciente d'éliminer la facette de soi représentée par la dent reste et se manifeste de manière sournoise.

→ ***lire*** *Rhizalyse de dent adulte.*

LUXATION DE LA MÂCHOIRE

→ ***lire*** *ATM – luxation.*

MÂCHER

Méd. La rubrique traite du fait de mâcher quelque chose et non de la manière de mâcher, traitée à la rubrique Mastication et mastiquer.

Le fait de mâcher est relié au fait d'être présent ici-bas. Quoi qu'on mâche, on peut y lire sa façon de se comporter et le besoin qu'on ressent. Les informations données ci-dessous donnent quelques clés pour interpréter chaque cas spécifique.

■ BESOIN DE MÂCHER

En sollicitant les muscles des mâchoires, dont le masséter, la mastication énergique, d'un chewing-gum par exemple, est une manière dynamique d'évacuer les tensions liées au stress quotidien. La personne compense ainsi son besoin d'action et de mouvement non satisfait. Elle tente de pallier son sentiment d'être paralysée ou impuissante.

■ UN CARAMEL MOU

***Méd.** si un caramel ou autre bonbon collant ne peut à lui seul arracher une couronne, il peut accélérer son descellement. Il joue alors le rôle de révélateur.*

Si la façon de mâcher concerne certaines dents, voire une seule, tentative d'extraire de soi la qualité concernée. Ou encore, avertissement du corps qui informe que l'appui qu'on imaginait sûr est plus mouvant qu'il n'y paraît.

***Aperçu** du domaine représenté par la dent : nom symbolique page 13 ■ **analyse** plus fouillée : rubrique consacrée à la dent concernée (Canine, Incisive, etc.).*

■ UN CHEWING-GUM

L'habitude de mastiquer des chewing-gums est liée au besoin d'occuper son espace personnel et de solliciter les capacités liées aux dents. Par exemple mastiquer en sollicitant fortement la canine est une manière d'appeler ses propres forces.

*Si la manière de mastiquer concerne une dent plus qu'une autre → **consulter** le tableau des noms symboliques page 13 pour en connaître la signification.*

● ***avec les molaires*** *(la mastication concerne l'arrière de la mâchoire au point de risquer d'avaler le chewing-gum. La personne sollicite fortement ses molaires) :* très puissante, la mastication est un moyen de ressentir ses appuis les plus forts et les plus stables, une façon de ressentir en soi la présence rassurante des parents. La personne s'adresse le message qu'elle est en sécurité et dispose de repères solides.

• ***en poussant les incisives:*** la personne n'arrive pas à accoucher d'elle-même (incisives du bas) ou d'une idée (incisives du haut). Elle s'énerve de ne pas trouver les mots justes ou de ne pas être entendue. Elle voudrait qu'on l'ait comprise avant même d'avoir parlé.

• ***sur les prémolaires*** *(la mastication concerne surtout le milieu de la mâchoire. La personne sollicite fortement ses prémolaires) :* la personne vit une période de transformation difficile, adolescence par exemple. Ou alors, elle souhaite faire un pas dans sa vie, changer sur le plan psychologique, mais elle n'y arrive pas. Elle s'impatiente car elle voudrait des résultats rapides avec un minimum d'efforts.

■ UN CRAYON ou un STYLO

La personne refuse de voir qu'elle est stressée. Elle tente de se venger de mauvaises appréciations subies dans l'enfance, qui la conduisent à vouloir rendre un travail meilleur que ses possibilités ne lui permettent. Elle risque de s'épuiser à la tâche, par désir de bien faire. Au lieu de faire semblant d'être zen et d'investir dans des moyens de relaxation, mieux vaut confier à ses muscles des mâchoires le soin d'évacuer le stress.

■ UN OBJET DUR

La personne se fait violence. Elle se sait incompétente dans un domaine, ou incapable de le gérer, mais elle s'entête.

■ UNE CHIQUE

Méd. *Habitude qui aboutit à la destruction de la joue et de la gencive par cancer.*

La personne cherche à détruire le souffle de vie en elle. Ses pulsions sont à vifs. Elle voudrait pouvoir les montrer mais elle est persuadée qu'on la rejetterait ou la tuerait si on savait quel monstre elle est. En deuil de la chaleur et de la douceur maternelles qu'elle n'a jamais eues, elle désespère de ne jamais en recevoir. Elle croit être viscéralement mauvaise, indigne de vivre et d'être aimée.

→ ***lire*** *selon le cas Bouche – cancer.*

MÂCHOIRE(s)

Méd. *Sous l'emprise de neuroleptiques, la mâchoire du bas pend. L'immense fatigue se traduit par l'expression « bailler à se décrocher les mâchoires ». La mort est caractérisée par un décrochement de la mâchoire.*

Les mâchoires expriment la manière dont chacun gère les oppositions en lui. Elles rappellent que la vie comporte une part de lutte. Être vivant, c'est accepter deux forces qui s'opposent et se complètent. Quand l'une d'elle cesse de se manifester, les dents ne peuvent plus se rencontrer, la mâchoire du bas pend… parce que la personne est morte. Quant aux conflits ouverts, ils aboutissent entre autres à l'usure des dents.

■ CANCER

→ ***lire*** *Cancer de la mâchoire.*

■ DÉCROCHEMENT

→ ***lire*** *ATM.*

■ **DÉVIATION**

→ ***lire*** *Déviation des milieux inter-incisifs.*

■ **DOULEUR**

Méd. *Douleur sans gravité mais momentanée ou liée à une période de la vie.*

Le corps ou l'inconscient avertit d'une disharmonie passagère mais sérieuse qu'il vaut mieux ne pas prendre à la légère.

→ ***lire*** *ATM – luxation, en édulcorant le sens* ■ → ***lire*** *ATM – douleur, ATM – problèmes aggravés par la mastication.*

■ **FORME**

→ ***lire*** *Arcades.*

■ **LUXATION**

→ ***lire*** *ATM – luxation.*

■ **MÂCHOIRE DU BAS** *ou MANDIBULE*

Les dents du bas incarnent notre part enfant, pleine de vie et de fantaisie, où corps et plaisir sont rois. C'est un monde de jeu, d'improvisation permanente, sans cesse en mouvement où seule existe la réalité du moment. La mâchoire du bas représente les émotions incontrôlées ou pulsions. Elle décline la gamme des besoins et des envies. Elle représente le monde protégé de l'intimité, réservé aux proches, conjoint, enfants, amis. Elle incarne le plan matériel et concret. Elle correspond au principe maternel ou nourricier, incarné par les parents nourriciers, papa et maman. **Atteintes:** la personne refuse de s'écouter, de répondre à ses besoins, de prendre soin de son enfant intérieur, pourtant blessé. Elle est touchée sur le plan affectif ou matériel. Elle refuse de laisser monter ses pulsions ou ses envies, jugées inconvenantes ou dangereuses, le plaisir, estimé honteux. Elle refuse l'imprévu de l'instant, le jeu, le fait de laisser s'exprimer les tripes, l'animal, le sauvage en soi. Elle bloque le mouvement physique et émotionnel. Elle refuse le trivial, elle a oublié les menus plaisirs du quotidien: manger, goûter à un repos mérité, se balader au clair de lune en amoureux, etc. À mesure que les lésions s'étendent, la personne se coupe de la vie, perd le contact avec la réalité concrète.

La description est à moduler selon le nombre et la gravité des lésions. Cas particulier: des atteintes généralisées ou symétriques révèlent un problème dominant avec la maman.

■ **MÂCHOIRE DU HAUT** *ou MAXILLAIRE*

Les dents de la mâchoire du haut incarnent notre part adulte. Elles représentent la conscience, la raison, le contrôle, la capacité d'obéir à des principes, de se plier aux lois, de se fixer des règles de conduite. L'adulte est la part de soi qui dit « il faut, je dois, je suis obligé de… ». Son univers est codifié. Il se dirige, prend ses responsabilités, se réalise socialement ou professionnellement. La mâchoire du haut représente le principe paternel lié à l'autorité, à la justice, à la loi. Il est incarné par les parents éducateurs: père et mère. **Atteintes:** la personne est en conflit avec l'autorité parentale ou figurée par un supérieur hiérarchique (chef, direction), un représentant de la loi ou de l'ordre (magistrat, policier), un personnage officiel ou influent (proviseur, professeur). La personne peut aussi être en conflit avec sa propre autorité intérieure, mental ou raison. Elle refuse de se contrôler, de faire preuve de patience ou de pondération. Elle rejette les contraintes. Ou bien, elle refuse d'exercer elle-même l'autorité par rapport à un enfant ou un subordonné. Elle se sent traitée de manière injuste, écrasée ou dominée. Le coup vient d'en haut : couperet de la justice, coup du sort, « tuile » ou malchance. La dent lésée montre le domaine où la pression, exercée par un tiers ou soi-même, est intolérable.

La description est à moduler selon le nombre et la gravité des lésions. Cas particulier : les atteintes généralisées ou symétriques révèlent un problème dominant avec le père.

■ **PENDANTE**

***Méd.** Pour des raisons de tonicité, d'attitude personnelle ou encore suite à la prise d'antidépresseurs ou de somnifères.*

Manque de tonicité et de réactivité. La personne se laisse aller. Son attitude est passive. Sa vie est dirigée par d'autres : maman ou substituts de la mère. La personne est coupée de ses ressources vitales et de ses instincts. Elle se désintéresse de sa vie au point de devenir un zombie. Risque de dépression ou d'accident.

→ ***lire** selon le cas Langue atone, Langue basse, Respiration buccale.*

■ **SERRÉE** *TENSION DU MASSÉTER*

***Méd.** Les mâchoires sont mobilisées par le masséter, un des muscles les plus puissants du corps.*

Quand une personne est immobile ou immobilisée, le muscle des mâchoires est le seul à permettre les mouvements dont le corps a besoin. L'état de tension des mâchoires reflète la manière de concevoir la vie : statique, dans la lutte, dans la juste mobilisation des forces, dans le refus du combat. Le masséter est sollicité quand il y a lutte intérieure ou extérieure, nécessité d'agir, de se battre, de se concentrer. Il augmente de volume dès que la personne doit se défendre ou imagine sa vie menacée. Il mobilise une force énorme, soit de manière statique (crispations) soit de manière dynamique (mâcher un chewing-gum, grincer des dents). Sa relaxation à l'effort (sprinters par exemple) est contre-nature. Elle demande beaucoup de concentration. Un masséter détendu libère la colonne vertébrale et l'énergie pour les autres muscles. Il est toutefois déconseillé à une personne qui n'est pas un sportif de haut niveau de les imiter car elle risque de bloquer l'évacuation du bon stress. Les calmants qui agissent sur le masséter (mâchoire pendante) bloquent le soulagement du stress et empêchent la personne d'accéder à sa force intérieure. Quant à la relaxation, si elle traduit un refus du combat ou de prise de conscience du stress, elle peut entraîner un déplacement de symptômes, les tensions s'évacuant par un autre organe (ulcère de l'estomac par exemple).

• ***constriction*** → ***lire** Bouche – ouverture limitée, Trismus.*

• ***réaction à un événement*** *(**Méd.** à différencier de la constriction, qui est réflexe, involontaire, et à différencier du fait de serrer les dents, attitude permamente) :* la personne se retient de mordre ou de hurler, de tout casser. Elle a l'impression qu'elle ne sera jamais entendue. La crispation est un moyen de canaliser sa rage, de s'approprier l'émotion sans se laisser submerger, de trouver un certain apaisement.

→ ***voir** Grincer des dents, Serrer les dents.*

• ***tension permanente du masséter*** *(**Méd.** la tension résulte d'une combinaison de contraction, acte volontaire, et de crispation, contraction réflexe) :* la sollicitation intense du masséter indique un besoin entravé de mouvement. Le masséter constamment contracté et saillant révèle un esprit sur le qui-vive, prêt à la riposte. La personne se sent menacée, elle appréhende la vie comme une lutte constante. Elle se raidit

pour se donner l'illusion d'être plus forte. La mobilisation permanente de ses forces finit par l'épuiser.
→ ***voir*** *ATM* ■ → ***lire*** *selon le cas Grincer des dents, Serrer les dents.*

■ TROP GRANDE ou LARGE

→ ***lire*** *Acromégalie* ■ *prognathie* → ***lire*** *Articulé inversé* ■ *mâchoire trop grande par rapport aux dents* → ***lire*** *Taille d'une dent – dents petites et espacées.*

■ TROP PETITE ou ÉTROITE

Méd. *Mâchoire étroite, trop petite dans l'absolu ou par rapport à la taille des dents. L'étroitesse des mâchoires est attribuée à l'évolution de l'espèce ou phylogenèse. On constate un rétrécissement des mâchoires au fil des générations. Il est actuellement admis que les mâchoires trop petites sont responsables des défauts d'implantation des dents, qui se chevauchent à cause du manque de place.*

L'atrophie des fonctions orales (absence de mastication, persistance d'une déglutition atypique, respiration buccale) engendre l'étroitesse des mâchoires en empêchant la langue de jouer son rôle stimulateur de la croissance osseuse. L'absence de maturation des fonctions orales signe l'immaturité affective de l'enfant. Sevré trop brutalement, il n'a pas coupé le cordon avec la maman. L'intellect, stimulé trop précocement, se développe aux dépens de la maturité corporelle et affective. Le stress et les pressions liées à la recherche de performances intellectuelles freinent le développement du corps et des mâchoires. Stress et peurs créent des contractions inconscientes au niveau des muscles des mâchoires qui entravent le développement osseux. De plus, des conditions extérieures difficiles (compétition, peur de l'avenir) génèrent un repli sur soi. Il se traduit par des axes d'éruption inclinés trop en dedans qui empêchent les dents de stimuler la croissance osseuse. La personne n'a pas la place de s'épanouir, elle ne peut prendre ni envergure ni ampleur, confinée par un environnement qui limite ses possibilités. Ses facultés créatrices sont étouffées, elle est restreinte dans tous les domaines de sa vie. Sa parole et son rayonnement sont atrophiés, elle ne peut pas s'exprimer. **Mâchoire du bas étroite:** le refoulement domine; le corps, les instincts, les émotions sont bridés. **Mâchoire du haut étroite:** l'emprise de l'intellect et du contrôle de soi est excessive; le mental est rigide, la personne est enfermée dans des lois ou des dogmes.
→ ***lire*** *selon le cas Avaler tout rond, Déglutition atypique, Respiration buccale, Rétrognathie.*

• ***étroitesse par manque de développement des bases osseuses*** *(**Méd.** endognathie, micrognathie):* elle révèle une croyance profondément ancrée, « je n'ai pas le droit de m'exprimer, de prendre ma place et de m'épanouir ». L'interdit est engrammé précocement (période prénatale, petite enfance).

• ***étroitesse par manque de développement de l'os alvéolaire*** *(**Méd.** endo-alvéolie, rétro-alvéolie):* l'individu dispose de bases saines mais il est contraint de s'adapter à un milieu stressant qui l'étouffe ou le limite trop par rapport à ses besoins. Il se heurte à des entraves au moment où il commence à développer sa personnalité adulte (à partir de 6 ans, aussi précoce que cet âge puisse paraître).

• ***orthodontie*** *(**Méd.** certains traitements d'orthodontie se bornent à extraire des dents saines pour faire de la place et à aligner les dents sur des bases réduites):* la personne se trouve fixée dans l'étroitesse et les limites, amputée de surcroît de facultés créatrices (les dents). Elle est confinée dans un espace réduit, prisonnière de son

immaturité affective *(faute d'un volume suffisant pour la langue, il est impossible de restaurer des fonctions orales correctes).*
Redonner de l'expansion aux arcades doit être la priorité de tout traitement, qui devrait pour cette raison intervenir tôt, avant l'âge de 12 ans, et s'accompagner le plus tôt possible d'une rééducation des fonctions orales (mastication, déglutition, respiration) → ***lire*** *Extraction de dents saines, Germectomie, Orthodontie* ■ *autres détails* → ***lire*** *Bouche trop petite.*

MACRODONTIE
Dents larges → ***lire*** *Taille d'une dent – dents larges qui se chevauchent* ■ *trop larges par rapport à la taille des mâchoires* → ***lire*** *Mâchoire trop petite* ■ *autres détails* → ***lire*** *Implantation.*

MALADIE PARODONTALE
→ ***lire*** *Déchaussement, Parodonte.*

MALOCCLUSION
Décalages inter-arcades ou dysmorphoses → ***lire*** *selon le cas Articulé inversé, Articulé transversal exagéré, Béance, Bout à bout – dents en, Déviation des milieux inter-incisifs, Recouvrement, Surplomb incisif* ■ *défaut localisé* → ***lire*** *Occlusion.*

MALPOSITION DENTAIRE
→ ***lire*** *Implantation, Occlusion.*

MANDIBULE DÉVIÉE, HYPOPLASIE *ou MICROGNATHIE*, TRAJET DÉVIÉ
Mandibule déviée → ***lire*** *Déviation des milieux inter-incisifs* ■ *hypoplasie ou micrognathie causée par un problème de l'ATM* → ***lire*** *Ankylose de l'ATM* ■ *trajet dévié* → ***lire*** *ATM.*

MANIES LIÉES AUX DENTS
Il existe de nombreux gestes liés aux dents, plus ou moins conscients → ***lire*** *Toucher ses dents.*

MANQUANTE *DENT QUI MANQUE SUITE À EXTRACTION*
Méd. *La dent, formée normalement, a dû être extraite (cariée, fracturée ou déchaussée).*

Une facette de la personnalité n'est pas représentée, qualité ou possibilité créatrice que la personne a développée mais dont elle a ensuite été privée. La carence est en rapport avec les parents. Plus la dent manque depuis longtemps, plus la carence est profonde. Le côté de la mâchoire où se trouve la dent manquante indique par rapport à quel parent un vide a été ressenti. Haut droit (cadran 1) : mère éducatrice, haut gauche (cadran 2) : père éducateur. Bas gauche (cadran 3) : maman nourricière, bas droit (cadran 4) : papa nourricier.

Aperçu *du domaine représenté par la dent manquante : nom symbolique page 13* ■ ***analyse*** *plus fouillée : rubrique consacrée à la dent concernée (Canine, Incisive, etc.)* ■ → ***lire*** *Extraction.*

■ DEVENIR DE L'ESPACE
Méd. *La dent manquante laisse un espace, comblé ou non par d'autres dents.*

• ***espace comblé*** *(les dents de part et d'autre se rapprochent ou la dent postérieure se verse, ou encore la personne fait poser une prothèse)*: la personne compense partiellement son manque en faisant appel à une autre qualité ou une autre ressource.
*→ **lire** Déplacement de compensation.*

• ***espace vide*** *(les dents voisines ne se rapprochent pas et la dent n'est pas remplacée par une prothèse)*: la personne n'a pas fait le deuil du manque. Elle attend inconsciemment le retour de la partie d'elle-même manquante ou attend que la vie satisfasse ses besoins. Par exemple, en bas à droite, une première molaire non remplacée indique que la personne n'a pas fait le deuil du papa nourricier dont elle n'a pas voulu combler l'absence par la capacité de s'autopaterner.

■ REMPLACÉE PAR UNE PROTHÈSE

Remplacer la dent sans prise de conscience (appareil, bridge, implant) revient à masquer le vide sans se réapproprier la capacité qu'elle représente. La personne reste bloquée par son manque.
*→ **lire** Bridge, Dentier, Implant.*

MANQUE DE PLACE

*Tendance générale → **lire** Mâchoire trop petite ■ manque de place d'une dent → **lire** Implantation, Incluse – dent ■ manque de place d'une dent de sagesse → **lire** Sagesse – incluse, Sagesse – partiellement sortie.*

MASSÉTER *CONTRACTION ou CRISPATION*

*→ **lire** Mâchoire serrée.*

MASTICATION *et MASTIQUER* *[voir aussi Mâcher et Mâchoire]*

La mastication révèle la manière de s'approprier le monde, de transformer matière brute, information, ressenti, etc., en une réalité personnelle. Les dents sont les qualités employées pour cette transformation.

■ ABSENCE

*→ **lire** Avaler tout rond.*

■ BRUITS À LA MASTICATION

*Selon l'origine du bruit → **lire** ATM (articulation des mâchoires), Grincements – bruits (dents ou couronnes qui frottent entre elles de temps à autre), Mastiquer bruyamment.*

■ MASTICATION UNILATÉRALE

> ***Méd.*** *Par habitude, confort ou en raison d'un problème d'occlusion (dents manquantes ou mal implantées), la personne mastique d'un seul côté.*

La personne s'enferme dans une vision réductrice du monde. Elle ne sollicite que la moitié de son potentiel.
*Mastication unilatérale et lésions → **lire** Cadrans – lésions unilatérales ■ → **lire** selon le cas Occlusion, Occlusion instable ■ en cas de problème articulaire → **lire** ATM.*

• ***à droite:*** la personne nie ses qualités d'imagination pour ne solliciter que son aptitude à être efficace et performante. Elle est confinée à une représentation du monde où la femme (mère éducatrice) en tant que maîtresse femme détient l'autorité et où l'homme (papa nourricier) est soumis, affectueux et tendre. La femme est intellectuelle, l'homme concret et pragmatique. La personne vient d'une famille où ce schéma était actif et elle tend à le reproduire dans son propre couple.

Si la personne a mastiqué longtemps à gauche avant que les dents abîmées ne l'obligent à changer de côté, mastiquer à droite est une compensation → ***lire*** *ci-dessous « à gauche ».*

• ***à gauche:*** la personne nie ses qualités d'efficacité et de performance pour ne solliciter que son imaginaire. Elle est limitée à une représentation du monde où l'homme (père éducateur) détient l'autorité et où la femme (maman nourricière) est soumise, affectueuse et tendre. L'homme est intellectuel, la femme concrète et pragmatique. La personne vient d'une famille où ce schéma était actif et elle tend à le reproduire inconsciemment dans son propre couple.

Si la personne a mastiqué longtemps à droite avant que les dents abîmées ne l'obligent à changer de côté, la mastication à gauche est une compensation → ***lire*** *ci-dessus « à droite ».*

• ***alternée*** *(selon les périodes, la personne change de côté de mastication):* le côté que la personne utilise à un moment donné est révélateur des événements qu'elle vit, dans son couple notamment.

■ **MASTIQUER** *MANIÈRE DE MÂCHER*

La manière dont quelqu'un mâche est révélatrice du rapport qu'il entretient avec la vie. Elle montre sa manière d'exister, d'agir et de se comporter. Plusieurs manières de mâcher peuvent se combiner ou, parfois, alterner en fonction des périodes de la vie et du vécu associé.

• ***à belles dents:*** la personne veut s'ancrer. Le bon vivant qui n'hésite pas à prendre de franches bouchées croque la vie à pleines dents, nourrit le corps, alimente le concret en lui. À la fois charnel et acharné, il est prêt à l'action, la lutte. C'est le signe d'un tempérament actif, courageux, énergique, éventuellement possessif ou sans scrupule.

• ***à grandes bouchées, en avalant vite:*** la personne qui avale goulûment, presque sans mastiquer, cherche à emplir son estomac en négligeant de remplir sa bouche. Elle se gave d'une manière compulsive pour combler un manque profond. Prendre le temps de remplir sa bouche en mastiquant vraiment éviterait pourtant d'avoir à s'emplir plus bas (l'estomac).

→ ***lire*** *Avaler tout rond ■ si la personne se fait vomir →* ***lire*** *Érosion.*

• ***bruyamment:*** la personne fait grand cas de ses états intérieurs. Elle cherche à impressionner les autres et à les éclipser. En réalité, elle masque le peu d'intérêt qu'elle accorde à sa propre vie intérieure (voire son inexistence). Le concret est la planche de salut qui risque de lui échapper au premier revers important, même si d'apparence elle semble bien réagir aux problèmes de la vie. Il vaudrait mieux se recentrer sur sa vérité et la dire avant qu'une maladie n'y oblige.

• ***du bout des dent:*** la personne alimente son mental plus que son corps. Elle est détachée de la matière ou répugne à s'y investir. Elle redoute en quelque sorte de se salir les dents. Elle veut se démarquer d'un monde qu'elle considère comme un monde de brutes. Elle se nourrit davantage avec sa tête (nourritures intellectuelles), préfère la cogitation à l'action. À l'extrême, vouloir se nourrir uniquement de pilules témoigne du désir de vivre dans un monde virtuel où le rapport à la réalité se fait par écran interposé, télé, ordinateur, jeux vidéo.

- ***en faisant claquer la langue:*** être vorace, affamé affectif qui ne sait pas se nourrir, pour qui manger est un acte mécanique, instinctif, voire dérangeant. Éventuellement, honteux. Le comportement de la personne n'est qu'une longue et éternelle plainte. Si possible, rechercher les événements tabous dans l'enfance.
- ***en passant la langue sur les dents:*** la personne est envahissante ou impudique par désir de se faire voir tout en se blâmant de tant se montrer. Sous des dehors de matamore, elle est faible. Un rien l'atteint. Il serait temps d'accepter l'autre et l'affectif avant de se retrouver seul à en mourir.
- ***en goûtant, en dégustant:*** la personne qui prend le temps de goûter, de savourer, comme les amateurs de vin par exemple, sollicite ses sens à un niveau subtil, spirituel (on parle des vins comme de spiritueux). Si elle en oublie de manger, elle préfère ressentir plutôt qu'agir.
- ***longuement:*** mastiquer avec vigueur et longtemps révèle le besoin de s'approprier totalement la matière brute pour la transformer avant de l'intégrer. L'idéation se fait davantage par la pratique que par les mots. La personne se tourne plus vers le passé que l'avenir. Non qu'elle le néglige, mais elle veut l'éprouver.
- ***préférer les aliments craquants:*** la personne est stressée. Elle voudrait une autre vie. Elle n'arrive pas à faire le deuil de ses illusions perdues. Elle veut se faire entendre mais n'y arrive pas. Son corps révèle que par tous les pores, elle proteste. Elle voudrait que l'extérieur se plie à ses désirs.
- ***préférer les aliments durs:*** la personne croit qu'il faut se battre pour survivre. Elle voudrait plier le monde à sa volonté. Elle aime les conflits ou les attire pour se donner l'illusion de vivre ou d'être quelqu'un de fort, elle a envie d'en découdre. Elle masque son conflit avec l'autorité et le principe paternel par son aptitude à prendre les devants.
- ***préférer les aliments mous:*** à la confrontation avec la matière, la personne préfère la passivité ou du moins la facilité. Elle n'a pas envie de se battre ou de faire des efforts pour assurer sa survie. Elle recherche une douceur, une onctuosité qui lui fait défaut dans sa vie, nostalgique qu'elle est du giron maternel. Elle semble d'autant plus cool qu'elle fait tout pour dissimuler son tyran intérieur.

MAT – ÉMAIL

Méd. ***Méd.*** *Émail terne et rugueux dès l'éruption de la dent (atteinte congénitale).*

Il est donné à la personne de prendre conscience de croyances profondes voire ancestrales qui touchent au refus de briller. Elle croit que sa survie dépend de sa capacité à passer inaperçue.

→ ***lire*** *Amélogenèse imparfaite.*

MATÉRIAU DE RECONSTITUTION

Employé pour obturation, couronne ou bridge → ***lire*** *Prothèse.*

MAUVAISE HALEINE

Méd. *Cas de mauvaise haleine causés directement par des problèmes dentaires: dents abîmées, déchaussement, bourrages d'aliments, abcès des gencives. L'halitose, mauvaise haleine d'origine non buccale, n'entre pas dans le cadre de l'ouvrage.*

La personne s'empoisonne la vie, et celle des autres, avec les relents de son passé. Son univers intérieur est semblable à un marécage où pourrissent des émotions négatives non digérées. La personne croupit derrière la muraille de protection qu'elle s'est construite, étouffée par des croyances caduques. Sa vie manque de fraîcheur et de mouvement, elle a besoin d'un nouveau souffle. Il est temps de faire un sérieux ménage dans sa conscience. Il est urgent d'éliminer les vieilles rancœurs qui stagnent au tréfonds d'elle-même, de libérer les émotions pour assainir la qualité des relations avec autrui. Un nettoyage radical et profond s'impose, sous peine de s'enliser dans sa négativité et de voir d'autres atteintes se développer (abcès notamment).

Mauvaise haleine par manque d'hygiène → ***lire*** *Brossage ■ selon l'origine →* ***lire*** *Carie, Déchaussement, Gencive – abcès, Parodonte, Tartre ■ en cas de bourrages d'aliments entre les dents →* ***lire*** *Bourrage alimentaire.*

MÉLANODONTIE INFANTILE

Méd. *Affection des dents de lait uniquement. L'émail, détruit sur une surface plus ou moins grande, laisse apparaître la dentine durcie, qui prend une teinte brun noirâtre.*

L'enfant éprouve des difficultés à sortir des jupes de la maman. Il recherche instinctivement sa protection et reste très dépendant d'elle. Il a hérité de ses parents un profond sentiment de dévalorisation. Soit les parents se considèrent comme ne valant rien ; ils ont transmis ce sentiment à l'enfant ; il reflète une problématique qui ne lui appartient pas. Soit les parents, ou la tradition familiale, considèrent qu'avant l'âge de raison un enfant n'est pas digne d'intérêt. Ils ont transmis à l'enfant la croyance : « tant que je suis enfant, je ne dois pas me montrer. Un enfant ne vaut rien. Avant sept ans, c'est un fardeau encombrant, une bouche à nourrir, etc. ». L'enfant porte un problème de reconnaissance dont il aura l'opportunité de se défaire au moment de la chute des dents de lait. En réaction, il peut se montrer exagérément envahissant, cherchant à se faire voir à tout prix, ou au contraire effacé, se cachant dans le giron maternel.

MERCURE

→ ***lire*** *Plombage.*

MÉSIALE – CARIE

→ ***lire*** *Carie localisée à un endroit de la dent.*

MÉSIODENS *ou ODONTOÏDE MÉDIAN*

Méd. *Dent surnuméraire en forme de petit croc placée entre les incisives centrales supérieures. On le détecte à la radio ou quand il fait son éruption, vers l'âge de 7 ans, en même temps que les incisives centrales. On procède alors à son extraction. La présence de dents surnuméraires dans la cloison nasale révèle une problématique analogue.*

L'enfant manifeste une forte volonté de vivre, en réaction à des obstacles rencontrés durant la grossesse : elle a été difficile, a failli être interrompue, ou la mère a été tentée d'y mettre fin ; ou une grossesse précédente n'a pu être menée à terme (avortement délibéré, fausse couche). L'enfant est sensible à la trace psychique du précédent bébé qui n'a pu venir au monde. Son identité en est parasitée. En même temps que l'extraction, un travail de libération de l'empreinte est conseillé, deuil de l'enfant mort par exemple. Pour la maman, c'est l'occasion de prendre conscience de l'événement dramatique intervenu au cours d'une grossesse précédente. Elle l'expliquera à l'enfant avec des mots simples afin de rompre la chaîne du secret et de le libérer d'un poids inconscient qu'il porterait toute sa vie, sinon.

MÉTAL, MÉTALLIQUE

*Métal, couronne ou obturation → **lire** Prothèse ■ métallique, goût dans la bouche → **lire** Électricité, Goût désagréable dans la bouche.*

MÉTAMORPHOSE – DENT DE LA

*→ **lire** Première prémolaire inférieure.*

MICROCHOCS RÉPÉTÉS *MICROTRAUMATISMES*

*Microchocs répétés qui provoquent une dévitalisation → **lire** Nécrose spontanée ■ une fracture → **lire** Fracture ■ une mylolyse (coup de scie à la base de la dent, près de la gencive, qu'on détecte en passant l'ongle) → **lire** Mylolyse ■ une perte de l'os → **lire** Déchaussement ■ une dent ébréchée ou une fêlure → **lire** Émail abîmé ■ un changement de teinte → **lire** Noircissement.*

MICRODONTIE

*→ **lire** Taille d'une dent – dents petites et espacées.*

MICROGNATHIE

*→ **lire** Ankylose de l'ATM – enfant.*

MIGRATION D'UNE DENT

*→ **lire** Déplacement spontané.*

MILIEUX INTERINCISIFS – DÉVIATION DES

*→ **lire** Déviation des milieux inter-incisifs.*

MINÉRALISATION

*Manque localisé → **lire** Émail altéré ■ minéralisation insuffisante → **lire** Dentine peu minéralisée, Amélogenèse imparfaite, Lait – dents fragiles.*

MOLAIRES ADULTES

> ***Méd.** La denture adulte compte 12 molaires. Il y a 3 molaires par moitié d'arcade : la première ou dent de six ans, la seconde ou dent de douze ans, la troisième ou dent de sagesse. Au plan mécanique, les molaires déterminent la stabilité de l'occlusion, ou rapport des dents entre elles, et permettent la mastication.*

Les molaires incarnent les appuis, garants de stabilité et de sécurité. Fondations de la denture, elles sont les bases de la personnalité adulte. Elles représentent la capacité de se nourrir et de tenir debout, ferme sur ses pieds. **Premières molaires :**

tenir grâce aux parents. **Secondes molaires :** tenir grâce aux autres, conjoint, amis, société. **Troisièmes molaires** ou dents de sagesse : tenir par ses propres moyens, se suffire à soi-même. Des molaires abîmées sont le signe d'une perte des repères existentiels et de l'assise intérieure.
*→ **voir** Premières Molaires, Secondes molaires, Dents de sagesse.*

MOLAIRES DE LAIT

*→ **lire** Lait – dents et Lait – problèmes.*

MOMENT D'ÉRUPTION

*Les dents de lait et les dents permanentes font leur éruption suivant un ordre chronologique précis ; cas général → **lire** Éruption ■ dents de lait uniquement → **lire** Lait – dents ■ problème d'éruption → **lire** Poussée dentaire difficile.*

MONTRER LES DENTS ou les GENCIVES

***Méd.** Fait de découvrir involontairement certaines zones de la bouche en parlant ou en souriant.*

La personne s'identifie inconsciemment aux facettes correspondant aux dents qu'elle découvre, qui sont pour elle plus présentes ou plus fortes, ou une façon inconsciente d'intimider l'autre. Par exemple, découvrir la canine revient à montrer les crocs, manière d'avertir l'autre qu'on est prêt à défendre son territoire bec et ongle. Rire en découvrant des dents est une façon de montrer à quel point on veut être remarqué. Découvrir par un rictus des dents de rat est un avertissement : « attention, je suis très affûté dans tel domaine, vous ne gagnerez pas au jeu de l'argumentation ». Rire à gorge déployée attire l'attention sur son intimité mais peut aussi être un appel au secours (aimez-moi). Les habitudes de chacun sont révélatrices d'une tendance de fond de la personnalité, révélée par les dents.

■ D'UN CÔTÉ *RICTUS*

La personne qui découvre un seul secteur de sa bouche s'identifie avec la figure parentale qui domine le cadran ; haut droit (cadran 1) : identification à la mère éducatrice ; haut gauche (cadran 2) : au père éducateur ; bas gauche (cadran 3) : à la maman nourricière ; bas droit (cadran 4) : au papa nourricier. Par exemple, un homme qui montre uniquement les dents en haut à gauche s'identifie à son père. La dimension d'homme adulte, responsable et compétent, domine sa personnalité.
*Autres détails → **lire** Cadran.*

■ DENTS DU BAS

La personne s'exprime à travers le corps et les émotions. D'un naturel spontané et passionné, elle s'identifie à sa part enfant. Elle vit au présent, profite de la vie sans se préoccuper des conséquences ou du lendemain. Dans certaines circonstances, situations de stress ou de danger, découvrir les dents du bas revient à mettre en avant sa force physique, pour intimider un agresseur par exemple.
*Autres détails → **lire** Mâchoire du bas.*

■ DENTS DU HAUT

La personne s'identifie à son rôle et à son image sociale. Sa part adulte domine : raison, réflexion, contrôle de soi. Planifier, voir à long terme est sa préoccupation

principale. Il lui importe surtout d'être bien vue. Elle ne laisse rien passer, surveille son entourage, inquiète de ce qu'on pense d'elle.
*Autres détails → **lire** Mâchoire du haut.*

■ **GENCIVES** *SOURIRE GINGIVAL*
La personne dévoile facilement son intimité aux autres et ne craint pas de se découvrir jusqu'à se rendre vulnérable. Elle est dotée d'un fort potentiel d'énergie, à la hauteur de son besoin de tendresse, dont elle n'exprime qu'une petite part. D'emblée proche, accessible ou familière, elle appelle à un contact plus concret qu'intellectuel, plus tactile ou sensitif que verbal, car elle se sous-estime. Si de plus ses dents sont petites, elle est spontanée comme un enfant et, comme lui, dépendante du regard d'autrui, inquiète de trop briller, par peur des remontrances.

■ **NE JAMAIS LES MONTRER**
La personne veut inconsciemment garder son identité secrète et protéger son intimité. Par peur d'être blessée, elle s'exprime peu ou par énigmes et préfère vivre au ralenti que de prendre des risques. Si elle pouvait, elle s'enfoncerait sous terre.

■ **UNE DENT EN PARTICULIER**
La personne ne se sent pas à l'aise dans le domaine représenté par la dent. Elle le met en avant pour déjouer les attaques comme un animal affiche sa parure d'intimidation. La fragilité ainsi annoncée montre que la personne ne fera pas de quartier dans ce domaine : d'avoir tout à perdre, elle n'a rien à perdre. Par exemple, découvrir une incisive latérale ou dent de la communication prépare à renchérir dans l'acerbe ; découvrir une canine supérieure ou dent de la volonté traduit le besoin de ne rien lâcher, en particulier dans une négociation.
Aperçu du domaine représenté par la dent : nom symbolique page 13.

MORDRE *BESOIN ou ENVIE DE MORDRE*

■ **BESOIN DE MORDRE**
La personne manque de densité. Elle a besoin de contacter le physique et le pulsionnel en elle. Elle a l'impression que la vie, les choses et les êtres chers lui échappent. Le contact physique reste pour elle un mystère. Elle le recherche à travers la possession.

■ **ENVIE DE MORDRE**
Sous couvert de décharger sa colère, la personne a besoin de la contenir. Elle a le désir de s'approprier l'autre ou d'intégrer le problème émotionnel qu'il pose. Elle tend à faire une chose après l'autre et à s'en débarrasser (affaire classée).

MORSURE

*De la gencive du bas → **lire** Gencive irritée par une dent ■ de la joue → **lire** Joue ■ de la langue → **lire** Langue ■ de la lèvre → **lire** Lèvre ■ du palais → **lire** Papille rétro-incisive.*

MUGUET *ou CANDIDOSE BUCCALE*

***Méd.** Maladie parasitaire due au développement sur la muqueuse buccale d'un micro-organisme, le Candida albicans. Nommé ainsi en raison de sa couleur blanche, le muguet forme des plaques d'étendue variable d'un blanc crémeux et s'accompagne d'acidité de la salive.*

■ CHEZ LE BÉBÉ

Le nourrisson est confronté à un vide affectif qu'il ne peut supporter. Brutalement coupé du giron maternel, le monde lui paraît terriblement froid et inhospitalier. Il proteste contre un sevrage affectif trop précoce. Il manifeste sa frustration face à une maman qui ne lui donne pas assez de tendresse par rapport à ses besoins. Soit la maman répugne à lui donner le sein ou le touche d'une manière mécanique, soit l'enfant est confronté à une séparation trop brutale, trop longue ou trop fréquente d'avec la maman.

■ CHEZ L'ADULTE

Vide affectif. Peur et désarroi profonds face à la vie. La personne voudrait retrouver la chaleur et la douceur d'une présence maternelle sécurisante.

→ ***voir** aussi Bouche, Salive acide.*

MULTIBAGUES

Appareillage multibagues → ***lire** Orthodontie.*

MYLOLYSE *ou ÉROSION EN COUP D'ONGLE*

***Méd.** Entaille à angles vifs qui sape la couronne à la base et finit par atteindre le nerf. Ses causes restent obscures, brosse à dents trop dure, microchocs répétés, grincements des dents ou autres. Un soin ralentit mais ne stoppe pas la progression de la lésion.*

Violence intérieure. La personne est animée par la volonté active de se détruire. Elle se voue une haine féroce qui la conduit à se dévaloriser et à se saborder. L'attitude impitoyable et stricte qu'elle s'impose est héritée de l'enfance, liée au regard du parent ressenti comme destructeur. La personne éprouve le besoin de se couper du domaine que représente la dent. Elle rejette méthodiquement une part d'elle-même, avec une précision chirurgicale. Elle sape avec acharnement une facette de sa personnalité, sans se laisser aucune chance.

***Auto-diagnostic :** la mylolyse est souvent peu visible et au début sans gravité. Le dentiste peut ne pas la voir ou ne pas juger bon de la signaler. Pour la détecter, passer l'ongle sur le collet (zone entre la gencive et la dent) comme pour gratter la dent à sa base. En cas de mylolyse, l'ongle raccroche (schéma page 14).*

➤ **Dent qui vous concerne page 330.** *Numéro de la dent et rôle parental page 13.*

■ QUI SE GÉNÉRALISENT À LA MÂCHOIRE DU BAS

Volonté de détruire son corps, sa dimension d'enfant, de se couper de tout ressenti (pulsions, envies, émotions).

Autres détails → ***lire** Mâchoire du bas.*

■ QUI SE GÉNÉRALISENT À LA MÂCHOIRE DU HAUT

Volonté de se couper de l'intellect ou de la raison, de détruire son image (dents de devant), sa dimension sociale ou adulte.

Autres détails → ***lire** Mâchoire du haut.*

NÉCRO

→ ***lire*** *selon le cas Dévitalisation par produit nécrosant, Fusée arsenicale.*

NÉCROSE OSSEUSE ACCIDENTELLE

■ FUITE D'ARSENIC

Due au manque d'étanchéité du pansement → ***lire*** *Fusée arsenicale.*

■ SUITE À ANESTHÉSIE

Méd. *Le vasoconstricteur de l'anesthésique détruit l'os par sidération vasculaire.*

L'incident est révélateur d'un problème préexistant. La personne se sent prise à la gorge, réduite au silence ou brutalement figée par la peur dans le domaine de sa vie qui correspond à la dent.

Aperçu *du domaine représenté par la dent: nom symbolique page 13* ■ ***analyse*** *plus fouillée: rubrique consacrée à la dent concernée (Canine, Incisive, etc.)* ■ → ***lire*** *Déchaussement d'une dent.*

NÉCROSE SPONTANÉE D'UNE DENT

Méd. *Nécrose fortuite et indolore, à la suite de chocs, microchocs, carie profonde, usure ou à la suite d'un soin (pansement trop profond, obturation en résine trop près du nerf). La nécrose produit un changement de teinte, aspect traité à la rubrique Noircissement.*

■ SUITE À SOIN ou MICROCHOCS

Renoncement lent et insidieux, capitulation silencieuse. La personne se résigne à laisser mourir une partie d'elle-même. Les émotions associées, profondément enfouies, sont tristesse, résignation ou colère froide. La personne a pris l'habitude d'ignorer une facette d'elle-même. Le retrait est progressif, la qualité représentée par la dent meurt à petit feu, s'éteint parce que la personne ne l'utilise pas.

➤ **Dent qui vous concerne page 332.** *Numéro de la dent et rôle parental page 13.*

→ ***voir*** *Dévitalisation, Noircissement.*

■ **SUITE À CHOC ACCIDENTEL** *AVEC ou SANS FRACTURE DE LA COURONNE*

La personne a accusé le coup qui lui a été porté, physique ou moral. La violence subie reste inscrite en elle, blessure narcissique qui l'ampute de la facette que la dent représente. Elle éprouve un sentiment de déchirure intérieure, se sent privée du droit de vivre, de s'exprimer ou de se montrer dans un domaine de sa vie.

→ ***lire*** *Noircissement* ■ *même si la dent n'est pas cassée, la nécrose exprime une fracture invisible* → ***lire*** *fracture.*

■ **SURINFECTION** *ou GANGRÈNE PULPAIRE*

Méd. *Surinfection de la pulpe nécrosée, caractérisée par une odeur de putréfaction.*

La personne s'empoisonne par des pensées noires qu'elle ne laisse pas voir et qui la minent. Reniement total d'une facette de soi, réduite à l'état de cadavre.

NÉCROSE VOLONTAIRE D'UNE DENT PAR ARSÉNIEUX

→ ***lire*** *Dévitalisation par produit nécrosant.*

NERF DE LA DENT

→ ***lire*** *Pulpe.*

NETTOYAGE DIFFICILE ou IMPOSSSIBLE

Entre deux dents → ***lire*** *Bourrage alimentaire, Point de contact – excès* ■ *d'une racine* → ***lire*** *selon le cas Pâte d'obturation qui manque, Racine coudée, Racine dédoublée.*

NÉVRALGIE

→ ***lire*** *selon le cas Douleur fantôme, Douleur sans cause physique.*

NOIRCISSEMENT

[dent de lait : lire Lait – dent noircie]

■ **D'UNE DENT DE DEVANT**

Méd. *Incisive, canine, éventuellement prémolaire qui devient plus sombre.*

La personne est en deuil de son image, a honte de se montrer. Elle refuse de briller par sa beauté, son intelligence, son élocution, etc. Elle porte le deuil de son éclat, de son rayonnement, de son charisme, dévalorise une facette de sa personnalité qu'elle voudrait cacher, laisser dans l'ombre.

➤ **Dent qui vous concerne page 334.** *Numéro de la dent et rôle parental page 13.*

→ ***lire*** *Dévitalisation* ■ *après un choc* → ***lire*** *Nécrose spontanée suite à un choc* ■ *après réparation* → ***lire*** *Nécrose spontanée suite à soin.*

■ **DÛ AU PLOMBAGE**

Méd. *Dent qui devient noire au contact du plombage.*

La personne est en deuil de la facette d'elle-même que représente la dent. Elle cherche à ensevelir une part dont elle a honte ou qu'elle juge inconvenante, inacceptable, etc. Elle veut occulter un domaine de sa vie. Elle dévalorise une capacité et voudrait l'escamoter pour l'oublier.

➤ **Dent qui vous concerne page 334.** *Numéro de la dent et rôle parental page 13.*

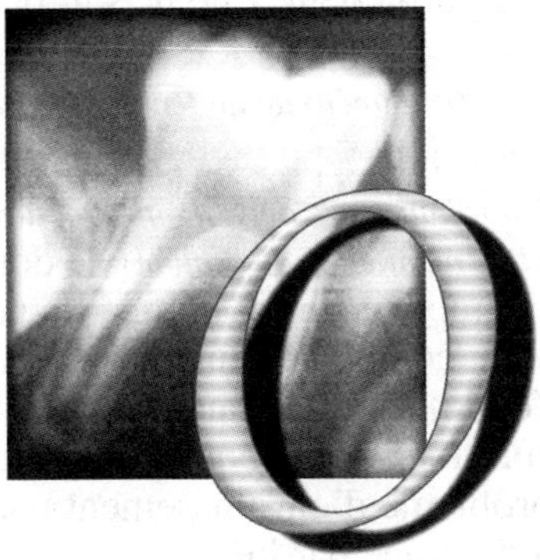

OBTURATION *ou RESTAURATION D'UNE DENT, PLOMBAGE*

__Méd.__ Pansement définitif placé dans une dent pour la réparer. Les obturations sont de nature diverses, métalliques (« plombages », or) ou non métalliques (résines composites, céramique).

Un problème d'obturation quel qu'il soit montre que la souffrance ou le manque révélé par la lésion initiale n'est pas réglé. Le problème pour lequel la dent a été soignée reste d'actualité.

*→ **lire** Plombage ■ type de matériau employé → **lire** Prothèse.*

■ D'UNE DENT DE LAIT

*→ **lire** Lait – obturation.*

■ DE RACINE

*→ **lire** Pâte d'obturation.*

■ INSUFFISANTE

La personne peut se demander pourquoi sa route a croisé celle d'un praticien négligent.

● ***au collet*** *(__Méd.__ face côté joue ou vestibulaire.) :* Manque d'estime de soi non résolu. La personne n'ose pas prendre position face à autrui.

➤ **Dent qui vous concerne page 295.** *Numéro de la dent et rôle parental page 13.*

● ***en hauteur*** *→ **lire** ci-après Obturation qui gêne (trop basse).*

● ***entre deux dents*** *→ **lire** ci-après Obturation qui gêne (manque de point de contact).*

■ PROVISOIRE

*→ **lire** Pansement.*

■ QUI DÉBORDE

__Méd.__ L'obturation irrite la gencive. Le praticien n'a pas fait son travail correctement.

La personne peut se demander pourquoi sa route a croisé celle d'un praticien négligent.

● ***au collet*** *(__Méd.__ face côté joue ou vestibulaire. L'obturation crée une irritation de la gencive qui finit par se rétracter) :* la personne n'a pas résolu son manque d'estime d'elle-même. En cherchant à le compenser, elle va trop loin pour plaire, en fait trop dans le domaine représenté par la dent. Elle ne sait pas s'arrêter à temps et se fragilise.

➤ **Dent qui vous concerne page 295.** *Numéro de la dent et rôle parental page 13.*
Si la gencive est rétractée → ***lire*** *page 325.*

● ***entre deux dents*** *(**Méd.** en débordant entre deux dents, l'obturation crée une irritation de la gencive et, à terme une lésion de l'os ou atteinte du septum):* le domaine que la dent représente envahit la personnalité et empiète sur les autres. La personne y consacre trop de temps ou d'importance pour compenser un manque toujours présent. Après avoir refusé de s'y investir (carie), elle en fait trop. Cela crée un problème de priorité. Cas particulier: obturation qui déborde sur une première molaire; la personne n'a pas résolu son problème d'envahissement par rapport au parent, elle continue d'être vampirisée ou dominée par lui.

➤ **Dent qui vous concerne page 275.** *Numéro de la dent et rôle parental page 13.*
En cas d'atteinte de l'os, la personne veut amalgamer deux domaines de sa vie → ***lire*** *Cloison osseuse interdentaire.*

● ***gencive enflammée:*** la personne est en colère parce qu'elle se sent obligée d'en faire trop dans le domaine qui correspond à la dent, alors qu'elle n'en a pas envie. Cas particulier des premières molaires: colère contre un parent envahissant qui outrepasse ses droits.

■ QUI FAIT MAL

→ ***lire*** *Douleur persistant après intervention.*

■ QUI GÊNE

Méd. *Obturation inadaptée. Le praticien n'a pas fait son travail correctement.*

La personne peut se demander pourquoi sa route a croisé celle d'un praticien négligent (selon le cas ci-dessous).

● ***manque de point de contact*** *(**Méd.** obturation qui n'est pas au contact de la dent voisine. Les aliments se coincent entre les dents):* le manque ou problème, révélé par la carie, reste actuel. Deux domaines de la vie sont inconciliables. La personne hésite, sans se résoudre à donner priorité à l'un ou à l'autre. Signe avertisseur d'un conflit important qu'on se donne la chance de comprendre avant qu'il ne s'aggrave.

➤ **Dent qui vous concerne page 267** *(déterminer préalablement les numéros de la dent obturée et de celle voisine de l'obturation). Numéro de la dent et rôle parental page 13.*

● ***trop basse, sous-pression*** *(**Méd.** dent insuffisamment remplie, en sous-occlusion):* la personne croit qu'elle ne peut avoir confiance en l'une de ses qualités ou capacités. Un domaine de sa vie n'est pas à la hauteur de ses espérances. Exemple d'une première molaire trop basse, la personne croit que le parent (éducateur en haut, nourricier en bas) n'est pas à la hauteur de ses devoirs ou obligations envers elle. Le manque ou problème révélé par la carie n'est pas résolu.

➤ **Dent qui vous concerne page 275.** *Numéro de la dent et rôle parental page 13.*
→ ***lire*** *Occlusion – défauts (sous-occlusion).*

● ***trop haute, surpression*** *(**Méd.** dent trop remplie qui cause gêne ou inconfort et empêche de fermer la bouche correctement):* la personne tente de combler un vide intérieur. C'est une réaction de surcompensation au manque ou problème initial: elle passe d'un vide à un trop-plein. Par exemple: « j'ai tellement souffert du manque d'affection de papa (première molaire en bas à droite) que je vais m'arranger pour rencontrer un dentiste qui va remplir ma dent plus que nécessaire, ainsi j'aurai l'impression d'être comblée ». Ou encore le sentiment d'écrasement de la personnalité perdure : « j'ai été écrasée par ma mère (première molaire en haut à droite) et je continue de l'être ». Dans tous les cas, la personne essaie d'enterrer le problème toujours présent et de se convaincre que la qualité représentée par la dent est un appui fiable.

➤ **Dent qui vous concerne page 275.** *Numéro de la dent et rôle parental page 13.*

■ QUI SE COLORE

Méd. *Les obturations à base de résine, initialement de même teinte que la dent, se colorent avec le temps (café, tabac, colorants alimentaires). Un liseré sombre apparaît à la jonction dent-obturation, qui demande alors à être refaite.*

La personne est confrontée à un problème de dévalorisation qu'elle pensait l'avoir réglé mais qui se manifeste à nouveau dans le domaine correspondant à la dent. Faire remplacer la résine est l'occasion de restaurer consciemment la facette de soi négligée. Par exemple, restaurer l'image de soi (incisive centrale supérieure), restaurer la communication et la qualité des échanges avec autrui (incisive latérale supérieure).

Aperçu *du domaine représenté par la dent : nom symbolique page 13* ■ ***analyse*** *plus fouillée : rubrique consacrée à la dent concernée (Canine, Incisive, etc.)* ■ → ***voir*** *Carie, Colorations.*

■ QUI SE DÉCOLLE

Méd. *L'obturation se décolle sans raison particulière ou à cause de la carie qui reprend en dessous. Remarque : un chewing-gum, un caramel ou la mastication ne peuvent être responsables d'un décollement de plombage. Ils le révèlent juste.*

● ***après un soin*** (***Méd.*** *l'obturation se décolle dans les jours qui suivent le soin*) : la personne rejette la facette d'elle-même que la dent représente. Problématique en phase active que la personne résiste à voir ou à résoudre. Un temps d'apaisement *(pose d'un pansement provisoire)* est nécessaire.

→ ***lire*** *Carie.*

● ***avec récidive de carie*** → ***lire*** *Récidive de carie.*

● ***sans récidive de carie :*** la personne est prête à prendre conscience du problème qui a généré la carie pour laquelle la dent a été soignée. La problématique affleure à sa conscience. La personne a l'opportunité de la régler. Il est conseillé de le faire en même temps qu'on fait soigner la dent.

→ ***lire*** *Carie.*

■ QUI SE FRACTURE

Méd. *L'obturation se fracture sans raison apparente ou à cause de la carie qui reprend dessous.*

● ***après un soin*** (***Méd.*** *l'obturation se fracture dans les jours qui suivent le soin*) : la personne rejette avec violence la facette d'elle-même que la dent représente. Elle se heurte à sa propre résistance à se reconstruire en raison d'une problématique particulièrement souffrante et présente. Un temps d'apaisement *(pose d'un pansement provisoire)* est nécessaire.

→ ***lire*** *Carie, Fracture de dent – due à la mastication.*

● ***avec récidive de carie*** → ***lire*** *Récidive de carie, Fracture d'une dent.*

● ***sans récidive de carie :*** l'attention de la personne est attirée sur une problématique non résolue et dont il est urgent qu'elle prenne conscience. La fracture de l'obturation est en quelque sorte un rappel à l'ordre, elle représente une dernière chance de guérison avant aggravation.

→ *lire* *Carie* ■ → *voir* *Fracture de dent due à la mastication.*

OCCLUSALE – CARIE

→ *lire* *Carie localisée à un endroit d'une dent.*

OCCLUSION

Méd. L'occlusion ou articulé dentaire est l'engrènement des dents du haut avec celles du bas. À tout âge, elle joue un rôle fondamental de stabilisation des mâchoires. Stabilité qui fait cruellement défaut à l'enfant aux dents qui ont poussé de travers comme au vieillard édenté ou à l'adulte à qui des dents manquent. Les atteintes de l'occlusion occasionnent des problèmes importants à l'ATM (articulation temporo-mandibulaire), à la boîte crânienne, aux yeux, à la colonne vertébrale et aux pieds. La bonne santé de l'ATM dépend d'une occlusion équilibrée.

L'engrènement des dents traduit les rapports que l'on entretient avec soi-même et quelle attitude on adopte face au monde. Il montre comment se rencontre et se complète le couple intérieur, comment la réflexion (mâchoire du haut) s'articule avec l'action (mâchoire du bas). D'un point de vue dynamique, au cours du développement de l'enfant ou du temps qui passe, l'occlusion révèle l'équilibre entre la part spontanée (bas) et la part raisonnable (haut), équilibre en phase de s'acquérir ou de se détériorer. Aussi, le suivi de l'occlusion chez l'enfant revêt une grande importance, de même que la réhabilitation de l'occlusion chez l'adolescent ou l'adulte.

■ CHEZ L'ADOLESCENT *DENTURE PERMANENTE*

Le déséquilibre intérieur reflété par le déséquilibre extérieur est en passe de se cristalliser dans la personnalité. Sans prise de conscience, la tendance perdure même si la malocclusion est corrigée par un traitement d'orthodontie.

■ CHEZ L'ENFANT

• ***denture de lait*** (*Méd. l'occlusion permet la croissance harmonieuse des os de la face et du crâne. L'émail des dents de lait, plus fragile, s'use et s'abîme rapidement. Pour cette raison il est impératif de soigner les dents de lait. Certains problèmes, articulé inversé notamment, sont détectables à ce stade*)*:* l'enfant dont l'occlusion est perturbée perd toute référence. Il reçoit de la part des parents des messages contradictoires qui le plongent dans la confusion. Il confond autorité et affection. Le désordre occlusal révèle et accroît le désordre intérieur. Profondément instable, en état de peur et de stress permanent, l'enfant ne peut se développer harmonieusement. Même si entre-temps le problème psychique est réglé, il risque d'en subir les conséquences toute sa vie (problèmes de dos, d'yeux, maux de tête, fatigue, etc.). C'est un handicap sérieux pour la suite de son développement. L'instabilité caractérielle de l'enfant favorise le déséquilibre occlusal qui renforce en retour le manque de concentration. C'est un cercle vicieux.

• ***denture mixte, 6-12 ans:*** l'enfant vit une période instable au plan psychique. En cas de malocclusion, attention ! Selon l'attitude et la prise de conscience des parents, les désordres peuvent s'aggraver ou s'atténuer.

■ DÉCALAGES INTER-ARCADES *DYSMORPHOSES ou MALOCCLUSIONS*

*→ **lire** selon le cas Articulé inversé, Articulé transversal exagéré, Béance, Bout à bout – dents en, Déviation des milieux inter-incisifs, Recouvrement ou supraclusion, Surplomb incisif.*

■ DÉFAUTS À UNE ou QUELQUES DENTS

Déséquilibre psychique qui s'exprime dans le domaine de la personnalité représenté par la dent concernée. Dans un domaine donné, le couple intérieur (adulte/enfant) ne s'entend pas, s'oppose ou est perturbé dans son équilibre.

***Aperçu** du domaine représenté par la dent à problème : nom symbolique page 13 ■ **analyse** plus fouillée : rubrique consacrée à la dent concernée (Canine, Incisive, etc.).*

● ***articulé inversé sur une dent*** *(**Méd.** la dent du bas passe devant celle du haut) :* dans le domaine représenté par la dent, l'instinct ou l'enfant en soi domine. La personne ne se contrôle pas. Par exemple, l'articulé inversé de l'incisive latérale montre que la personne communique d'une manière instinctive ou infantile.

● ***défaut de guidage.*** **Guidage excessif :** la personne agit et s'exprime difficilement, freinée par le contrôle excessif qu'elle s'impose. Sa créativité est bridée *→ **lire** Recouvrement.* **Guidage insuffisant :** la personne agit et s'exprime de manière impulsive, tous azimuts. Il lui manque une ligne de conduite *→ **lire** selon le cas Articulé inversé, Béance, Bout à bout – dents en.*

● ***défaut lié au mouvement :*** *Problème pour avancer la mandibule → **lire** Propulsion. Problème pour déplacer la mandibule de droite et de gauche → **lire** Latéralité.*

● ***dysfonction*** *(**Méd.** la dent qui travaille dans un axe non physiologique reçoit des contacts parasites) :* la personne emploie de manière déviée une qualité ou une capacité. Elle manifeste une facette de sa personnalité d'une façon qui n'est pas en harmonie avec sa vérité profonde. Elle adopte une attitude faussée et passe d'un excès à l'autre, en fait trop ou pas assez dans le domaine représenté par la dent.

● ***sous-occlusion*** *(**Méd.** sous-pression : la dent est privée de contacts, soit parce que l'antagoniste manque, soit parce que la dent est trop courte ou mal implantée – couronne ou obturation trop basse. Privée de contacts occlusaux, elle tend à s'égresser – poussée continue – et à se déchausser) :* la personne perd ses références, ne sait plus où elle en est dans le domaine représenté par la dent. Elle sous-emploie une qualité ou un don. La dent est une ressource à laquelle elle n'a pas ou plus accès. La personne tourne à vide, sans limite ni référence dans le domaine correspondant à la dent. Perdue, elle recherche en vain un repère pour retrouver son chemin.

*→ **lire** selon le cas Égression, Obturation qui gêne (trop basse).*

● ***sur-occlusion*** *(**Méd.** la dent reçoit trop de pression) :* la personne surinvestit la facette d'elle-même que représente la dent. Elle y met toute la pression comme si elle devait sa survie à cette seule part d'elle-même. Elle sollicite une capacité ou une qualité de manière excessive.

*→ **lire** selon le cas Obturation qui gêne (trop haute).*

■ OCCLUSION INSTABLE *ou PROBLÈME D'ENSEMBLE*

***Méd.** La personne ne sait comment serrer les dents.*

La personne ne sait pas où est sa place. Le mental et le corps sont en équilibre précaire et changeant. La personne peut déraper et perdre le contrôle d'elle-même à tout moment. C'est le signe d'un stress profond et majeur qui affecte tous les domaines de la vie. En l'absence de problèmes mécaniques avérés, l'occlusion peut se stabiliser d'elle-même, une fois le problème psychique résolu.

• ***innée:*** les repères élémentaires donnés par les parents (premières molaires) manquent. Indique aussi un problème d'entente et d'harmonie dans le couple parental, déséquilibre que la personne reproduit dans sa propre vie.

• ***acquise*** *(**Méd.** instabilité qui survient suite à des travaux importants – dents extraites ou reconstruites d'une manière inadéquate):* la personne ne sait plus où elle en est ni dans sa bouche ni dans sa vie. Privée de repères matériels, affectifs et moraux, elle ne sait plus où elle habite, au propre comme au figuré. Elle traverse une période floue ou chaotique et souffre d'un profond sentiment d'insécurité. Elle a besoin de retrouver ses marques intérieures et extérieures.

■ RÉHABILITATION DE L'OCCLUSION

Méd. *La réhabilitation occlusale est la reconstruction de l'occlusion en cas de travaux importants (reconstruction prothétique après édentation par exemple), rôle de l'occlusodontiste, en collaboration éventuelle avec l'orthodontiste. L'occlusion conditionne la pérennité de tout travail prothétique.*

L'occlusion est étroitement liée au psychisme et au bien-être d'une personne. Avant de fixer l'occlusion de manière définitive par une reconstruction quelle qu'elle soit, il serait judicieux de faire un travail sur le couple intérieur : masculin-féminin, père-mère, papa-maman, adulte-enfant. La personne qui traverse une période éprouvante ou un stress évitera d'effectuer des travaux importants. Avant tout, c'est au patient de sentir d'une part s'il est prêt, et d'autre part si l'occlusion lui convient, et non au dentiste de décider pour lui. Plus une personne a conscience de la problématique qui sous-tend l'occlusion, plus elle peut participer activement à sa réhabilitation. L'occlusion est un phénomène subtil, susceptible de fluctuer en fonction du vécu et de l'état intérieur. Praticien et patient devraient se donner le temps et les moyens de trouver la bonne façon de serrer les dents, sachant qu'en cas de travaux importants on ne peut procéder que par tâtonnements.

• ***occlusodontie*** *(**Méd.** spécialité dont le but est de réharmoniser l'occlusion. L'occlusion a un impact sur le dos et la posture. Dans ces domaines en particulier, l'occlusodontie obtient des succès):* le diagnostic qui a conduit au traitement d'occlusodontie permet d'établir la liste des rubriques à lire dans le dictionnaire pour compléter le traitement par un travail de prise de conscience.

• ***orthodontie*** *(**Méd.** dans l'idéal l'orthodontie a pour but de rétablir une occlusion équilibrée, but qui doit primer sur l'esthétique):* un orthodontiste qui axe son traitement dans ce sens est digne de confiance.

→ ***lire*** *Orthodontie.*

ODONTOCIE

Méd. *Décalcification des dents, symptôme d'une décalcification globale.*

La personne veut se dissoudre, s'anéantir, disparaître sans laisser de traces. Elle refuse la pesanteur du corps, la dureté de la réalité qui la broie ou l'enferme.

→ ***lire*** *Caries multiples.*

ODONTOÏDE MÉDIAN

→ **lire** *Mésiodens.*

ŒDEME POST-OPÉRATOIRE

→ **lire** *Extraction difficile, Joue enflée.*

OLIGODONTIE

→ **lire** *Hypodontie.*

ONYCHOPHAGIE

→ **lire** *Ronger ses ongles.*

OR *COURONNE ou OBTURATION*

→ **lire** *Prothèse.*

ORDRE D'ÉRUPTION

Les dents de lait et les dents permanentes font leur éruption suivant un ordre chronologique précis témoin des stades psychologiques traversés par l'enfant. Dents de lait → **lire** *Lait – dents* ■ *dents permanentes* → **lire** *Éruption.*

ORIGINES – DENT DES

→ **lire** *Canine inférieure.*

ORNEMENT DENTAIRE

Strass collé sur une dent → **lire** *Bijou dentaire* ■ *Pierre enchâssée* → **lire** *Dentisme.*

ORTHODONTIE

Méd. *L'orthodontie regroupe l'ensemble des techniques destinées à placer les dents dans un alignement et une occlusion harmonieuse. En théorie, l'orthodontie a pour but de rétablir la fonction (mastication, phonation, respiration, déglutition) autant, voire plus, que l'esthétique.*

Les résultats d'un traitement d'orthodontie bien mené sont spectaculaires, mais attention à ne pas en abuser, à en faire une sorte de passage obligé dans le but d'obtenir un sourire parfait. Redresser les dents tend à devenir une mode, c'est pourtant un traitement lourd. Ses conséquences sur le psychisme de l'adolescent sont sérieuses, voire désastreuses si le traitement n'est pas maîtrisé. Il est essentiel d'obtenir son accord motivé et de remettre en cause ses pratiques éducatives en tant que parent. Note : on choisira le praticien avec autant d'attention qu'on le ferait pour un chirurgien. Compétence, état d'esprit également : mieux vaut un orthodontiste centré sur la fonction que sur l'esthétique… afin que le sourire parfait ne se solde pas en désastre intérieur parfait.

→ **lire** *Syndrome Tanguy.*

■ CARIES EN COURS DE TRAITEMENT

→ **lire** *Caries spécifiques d'une phase de la vie – traitements d'orthodontie.*

■ **CAUSES RÉELLES DU PROBLÈME**

Il n'est pas mécanique mais psychique → **lire** *Mâchoire trop petite* ■ *pour comprendre son enfant* → **lire** *Arcades, Forme des dents, Implantation, Taille d'une dent* ■ → **voir** *liste des dysmorphoses à la rubrique Malocclusion.*

■ **ENFANT AVANT 12 ANS**

Méd. *La période est la plus favorable pour intervenir. Au moment du pic de croissance prépubertaire, les traitements d'interception (appareillages amovibles) favorisent l'expansion de l'os. Ils évitent des extractions de dents saines... mais ils demandent la coopération de l'enfant et l'implication des parents.*

L'enfant n'est que peu ou pas conscient. C'est aux parents de s'impliquer et de se remettre en question afin d'accompagner le traitement. Par exemple, en cas de mâchoires étroites, laisser à l'enfant plus d'autonomie, le laisser respirer et prendre sa place ; dans le cas d'incisives en avant, le valoriser ; si les incisives sont implantées vers l'arrière, l'aider à s'ouvrir sur le monde, etc. En comprenant le mal-être ou les besoins que la bouche de leur enfant révèle, ils peuvent adapter l'éducation qu'ils lui donnent.

■ **PUBERTÉ ET ADOLESCENCE**

Méd. *Les appareillages multibagues solidarisent les dents entre elles et exercent des forces mécaniques afin de les déplacer. La pratique courante veut qu'on intervienne en majorité après 12 ans, après le pic de croissance.*

Déplacer les dents bouleverse le fragile équilibre intérieur qui caractérise l'adolescence. En alignant les dents, expressions de la personnalité, sans tenir compte du psychisme, on fait violence à l'adolescent. On lui pose des verrous, on le bague, on l'emprisonne. Même si c'est pour la bonne cause, les contraintes sont réelles, à un âge où elles sont nombreuses et où il ne les supporte guère. Quant à la quête d'identité et d'image, les appareillages métalliques ne les facilitent pas. Ils sont un handicap aux premiers flirts et aux expériences amoureuses. L'adolescent au sourire bagué risque de garder une image dévalorisée de lui-même, même après que son sourire soit devenu parfait.

■ **RÉCIDIVE**

Méd. *Par contraintes mécaniques, on force les dents à prendre un alignement qu'elles gardent rarement : soixante-dix pour cent de récidives.*

Les récidives sont une réaction normale aux contraintes imposées de l'extérieur. Les dents reprennent leur position initiale comme un ressort comprimé reprend son volume de départ dès qu'on cesse d'appuyer dessus. Les fils de contention fixés à l'arrière des dents éludent le problème au prix de contraintes permanentes, physiques et psychologiques.

■ **RÉFLÉCHIR AVANT D'AGIR**

Méd. *L'orthodontie est un recours efficace. Y renoncer est impensable en cas de malocclusion ou dysmorphose.*

La question du renoncement au traitement se pose en cas de malposition qui ne perturbe pas la fonction mais seulement l'esthétique. Les parents peuvent se demander si le bénéfice espéré compense les préjudices occasionnés, en cas d'extraction de dents saines notamment. Aucun traitement ne doit être entrepris sans l'accord de l'enfant ou de l'adolescent. C'est à lui de décider, en sachant qu'un traitement tardif reste toujours possible. Les parents qui veulent absolument agir « pour le bien » de leur enfant, quitte à le forcer, peuvent se demander dans quelle

mesure ils ne souhaitent pas museler ou contrôler un enfant qui à cet âge n'est déjà plus le leur. Avant d'entreprendre un traitement, il est nécessaire de s'interroger sur le sens de la malposition dentaire, le trait de caractère ou la difficulté qu'elle exprime. La réflexion des parents, l'accompagnement psychologique de l'adolescent (une aide extérieure est la bienvenue) permettent aux transformations intérieures d'accompagner les changements extérieurs et de les intégrer.
*Signification de la malocclusion → **lire** Arcades, Implantation, Mâchoire trop petite, Occlusion → **lire** selon le cas Extraction de dents saines, Germectomie ■ → **lire** Syndrome Tanguy.*

■ RHIZALYSE APRÈS TRAITEMENT

*→ **lire** Rhizalyse après traitement d'orthodontie.*

OS ALVÉOLAIRE

***Méd.** Os de soutien de la dent, il présente la particularité de croître lorsqu'elle pousse et de se résorber après une extraction.*

L'os représente la stabilité, la cohésion et la structure fondamentale. La personne dont l'os est atteint n'est ni stable ni ferme sur ses positions. En état d'insécurité, minée par la peur, elle vacille sur ses bases devenues mouvantes, ou part à la dérive.
*→ **lire** Parodonte ■ lésions de l'os → **lire** Cloison osseuse interdentaire, Déchaussement, Gencive – abcès.*

■ EXCÈS ou MANQUE DE CROISSANCE

*Excès → **lire** Acromégalie ■ manque → **lire** Mâchoire trop petite, Rétrognathie.*

■ EXCROISSANCE

*→ **lire** Exostose.*

■ GREFFE QUI NE PREND PAS

***Méd.** L'os greffé, naturel ou synthétique, est rejeté.*

La souffrance qui a conduit à la perte de la dent est toujours présente et active dans l'inconscient. La personne n'est pas prête à combler sa plaie ni à guérir son manque intérieur. Elle ne veut pas qu'on touche à une part trop souffrante de son histoire. Elle rejette toute aide et toute possibilité de se reconstruire à ce niveau. L'emplacement de la greffe indique à quel parent la problématique est liée.
*→ **lire** Cadran ou page 13 ■ → **lire** la rubrique consacrée à la cause ayant conduit à la perte de la dent : Carie, Déchaussement, Fracture, etc. ■ éventuellement → **lire** la rubrique consacrée à la dent extraite (Canine, Incisive, etc.).*

■ OS NON REFORMÉ APRÈS EXTRACTION

***Méd.** La plaie est refermée en surface mais en profondeur, l'os ne se régénère pas. À la radio, les contours de l'alvéole restent visibles longtemps après l'extraction (des années).*

La personne n'a pas fait le deuil de la partie d'elle-même représentée par la dent. Dans son inconscient, la plaie reste béante et à vif. Le temps s'est arrêté. Dans ce domaine de sa vie la personne est restée bloquée au moment de l'extraction, figée dans sa souffrance. La mémoire douloureuse associée à la dent est toujours présente. Par exemple, dans le cas d'une seconde molaire en bas ou dent de l'union, la personne est toujours habitée par le souvenir du couple ou du conjoint qu'elle a perdu.
*→ **lire** Extraction ■ → **lire** selon le cas Extraction difficile ■ **aperçu** du domaine représenté par la dent : nom symbolique page 13 ■ **analyse** plus fouillée : rubrique consacrée à la dent concernée (Canine, Incisive, etc.).*

OSTÉITE

***Méd.** Infection de l'os de la mâchoire qui survient en complication d'un abcès ou d'un acte chirurgical : extraction, pose d'un implant, etc.*

Colère profondément ancrée dans l'inconscient. La personne ne parvient pas à extirper sa souffrance. Totalement identifiée à ses émotions négatives, la personne s'y débat avec le sentiment qu'elle ne s'en sortira jamais. Elle est rongée jusqu'au tréfonds d'elle-même par une souffrance ou par une rancune tenace. Les fondations de la personnalité sont minées et parasitées. Un travail de libération émotionnelle (psychothérapie) est conseillé pour nettoyer les mémoires douloureuses et éliminer la colère enfouie.

→ ***lire** selon le cas Abcès, Extraction, Extraction difficile, Gencive – abcès, Germectomie, Greffe osseuse, Implant.*

■ MÂCHOIRE DU BAS

Colère contre le principe maternel ou nourricier ; bas gauche (cadran 3) : maman ; bas droit (cadran 4) : papa.

*Autres détails → **lire** Mâchoire du bas.*

■ MÂCHOIRE DU HAUT

Colère contre l'autorité ou principe paternel ; haut droit (cadran 1) : mère éducatrice ; haut gauche (cadran 2) : père éducateur.

*Autres détails → **lire** Mâchoire du haut.*

OUVERTURE LIMITÉE DE LA BOUCHE

→ ***lire** Bouche – ouverture limitée, Mâchoire serrée, Trismus.*

OUVERTURE – TRAJET DÉVIÉ

→ ***lire** ATM.*

PALAIS

Méd. Le palais est la voûte qui forme le toit de la cavité buccale. L'arrière de la bouche est fermé par le voile du palais, ou palais mou, qui comprend la luette. La vibration du voile, la nuit, est la cause des ronflements.

Le palais représente l'autorité et la loi. Il incarne le principe paternel, lié à la justice et à l'ordre. Toute atteinte du palais, aphte, irritation, y compris le coup de fraise malencontreux du dentiste, montre un problème avec l'autorité ou la hiérarchie et traduit un sentiment d'injustice.

■ ATTEINTE DE LA LUETTE

Méd. Partie médiane et charnue du bord du voile du palais.

La personne confond ses fantasmes avec la réalité. L'invitation à accepter sa part de fantasme est expresse sous peine de passer à l'acte sans s'en rendre compte, voire de commettre l'irréparable. Le fantasme n'est monstrueux que parce qu'il occupe un espace monstrueux dans l'esprit.

■ ATTEINTE DU VOILE DU PALAIS

Méd. Le voile du palais ferme la cavité buccale en arrière des dents de sagesse.

La personne n'ose pas ouvrir les yeux sur sa véritable nature. Elle refuse d'avoir été touchée au plus profond alors qu'elle n'était pas prête à aller aussi loin ou à en montrer tant. Elle s'irrite d'être dévoilée malgré elle, par exemple que ses intentions les plus secrètes soient percées à jour.

■ BRÛLURE ou IRRITATION

En révolte contre l'autorité, la personne se sent écrasée par l'emprise morale ou le poids des attentes du parent éducateur (père à gauche, mère à droite) ou de la société. Allergique à toute forme de contrôle, elle est en rébellion contre la hiérarchie qui l'opprime (supérieur, représentant de l'ordre, de la justice ou de la loi) ou contre les lois sociales. Elle réagit avec violence à toute contrainte. Elle se sent attaquée à tort ou traitée de manière injuste sans pouvoir se manifester ni se défendre. Cas particulier d'une brûlure étendue à tout le palais : colère contre le père.

Inflammation de la gencive à l'arrière des incisives → ***lire*** *Papille rétro-incisive.*

■ **CANCER ou TUMEUR DU PALAIS**

→ ***lire*** *Cancer de la mâchoire du haut.*

■ **FENTE CONGÉNITALE, DIVISION PALATINE**

→ ***lire*** *Bec-de-lièvre.*

■ **FORME DE LA VOÛTE**

→ ***lire*** *Arcades.*

■ **MORSURE**

→ ***lire*** *Papille rétro-incisive.*

■ **PALAIS CREUX** *ou ARCADE ÉTROITE*

→ ***lire*** *Arcades.*

■ **PALAIS MOU**

→ ***lire*** *Palais – atteinte du voile.*

■ **PALAIS PLAT** *ou ARCADE LARGE*

→ ***lire*** *Arcades.*

■ **PERSONNE QUI RONFLE**

Méd. *Les ronflements nocturnes sont produits par les vibrations du voile du palais.*

La frontière avec l'inconscient est floue. Les pulsions, refoulées durant le jour, refluent la nuit quand le contrôle mental est suspendu et s'expriment bruyamment. Par exemple, la colère ou les paroles violentes que la personne s'est retenue de prononcer durant la journée ressortent sous forme de ronflements nocturnes. Il peut aussi s'agir de pulsions liées à la sexualité.

PANSEMENT

Méd. *Un pansement est placé dans la dent pour la soigner ou dans l'attente de soins plus importants, ou pour les préparer.*

■ **À BASE D'ARSENIC** *ou NÉCROSANT*

Pansement tue-nerf → ***lire*** *Dévitalisation par produit nécrosant.*

■ **DÉFINITIF**

→ ***lire*** *Obturation, Plombage* ■ *matériau employé* → ***lire*** *Prothèse.*

■ **PROVISOIRE**

Méd. *Pansement calmant ou désinfectant posé dans la dent pour permettre la cicatrisation.*

La personne bénéficie d'un peu de temps pour prendre conscience du problème et le régler. C'est l'occasion de se donner les moyens de comprendre et de libérer la souffrance liée à la dent.

→ ***lire*** *Carie* ■ → ***lire*** *selon le cas Douleur persistant après intervention.*

• ***qui dure:*** la personne ne va pas au bout des choses. Elle a entrevu le problème ou la souffrance lié à la dent mais refuse d'aller plus loin. Elle décide de fermer les yeux en essayant de l'oublier. Le corps la rattrapera tôt ou tard sous forme de rage de dent, nécrose, abcès, fracture, etc.

→ ***lire*** *Carie.*

• ***qui tombe ou qui casse:*** rappel à l'ordre que la personne s'adresse à elle-même. Il est urgent de comprendre le problème, de libérer la souffrance avant de passer à la reconstruction définitive de la dent. C'est une dernière chance que la personne se donne avant d'enterrer le problème sous une obturation ou une couronne.

→ ***lire*** *selon le cas Carie, Dévitalisation, Fracture.*

PAPA / MAMAN – DENT DE

→ ***lire*** *Première molaire inférieure.*

PAPILLE GINGIVALE – INFLAMMATION

→ ***lire*** *selon le cas Bourrage alimentaire, Gencive irritée entre deux dents.*

PAPILLE RÉTRO-INCISIVE *ou PAPILLE BUNOÏDE*

Méd. *Relief muqueux situé en arrière des incisives centrales supérieures.*

■ INFLAMMATION

Méd. *L'inflammation s'accompagne d'un léger gonflement accompagné de douleur ou d'une sensation de brûlure.*

La personne se sent impuissante à montrer qui elle est. Elle vit une période de confusion quant à son identité profonde. Elle hésite entre révéler au grand jour sa vraie nature et la cacher par peur de déplaire. Elle ressent de la colère contre elle-même et contre les autres. Elle leur reproche de l'empêcher d'être pleinement elle-même ou de ne pas la reconnaître à sa juste valeur.

■ IRRITÉE PAR MORSURE

Méd. *Le bord tranchant des incisives inférieures blesse la papille.*

Profonde rébellion contre l'autorité. Colère viscérale ou haine contre le père en tant que référence et représentant de la loi. La personne se défend de lui ressembler. Elle se révolte contre une oppression vécue durant l'enfance. Masochiste, elle se punit parce qu'elle pense qu'elle ne vaut rien, se critique et se dévalorise. Elle a appris à craindre et détester les adultes qui l'ont blessée. Elle continue de se tourmenter sans respecter ni faire confiance à l'adulte qu'elle est.

→ ***lire*** *Recouvrement.*

PARENTS – DENTS DES

→ ***lire*** *Premières molaires.*

PARODONTE *PARODONTITE PARODONTOSE*

Méd. *Le parodonte est formé par l'os, la gencive, le ligament ou desmodonte qui relie la racine à l'os, et le cément qui recouvre la racine. L'ensemble attache solidement les dents aux mâchoires. L'atteinte du parodonte peut être aiguë, d'évolution rapide (parodontite), ou chronique, d'évolution lente (parodontose). Des phases aiguës peuvent alterner avec des phases chroniques. La denture s'affaisse. Les dents perdent leur verticalité, subissent des déplacements qui ne leur permettent plus de fonctionner dans un axe physiologique.*

Le parodonte représente la sécurité de base essentielle à toute manifestation : « je m'ancre dans un sol stable ». Toute lésion des tissus de soutien de la dent est une remise en question du territoire et de la sécurité de l'individu qui perd sa légitimité : « je ne suis plus dans mon droit ». Il voit sa vie sombrer dans le chaos.

→ ***voir*** *Cloison osseuse interdentaire, Déchaussement, Gencive – abcès, Os alvéolaire.*

■ ATTEINTE PRÉFÉRENTIELLE DU PARODONTE

Méd. *Absence de caries. La personne ne souffre que du parodonte.*

Angoisse profonde due à un sentiment de dépendance. La personne est de nature passive, émotionnelle. Elle se sent impuissante : « je n'y arrive pas, je n'ai rien à quoi me raccrocher, cela ne dépend pas de moi ». Sa force lui échappe, elle en gratifie autrui : « les autres sont plus forts que moi ». Elle se considère comme une victime qui ne peut rien dire ou faire pour se défendre. Elle attribue à des causes extérieures l'origine de ses ennuis et de sa souffrance : « c'est la faute des autres, on ne me soutient pas ». Il s'agit d'une problématique avec le principe féminin ou maternel, en rapport avec un sevrage difficile car prématuré. La croyance en l'incapacité à se nourrir par soi-même est enregistrée dans l'inconscient : « je suis incapable de me nourrir et de me défendre ».

→ ***lire*** *selon le cas Déchaussement, Gencive.*

■ PARODONTITE

Méd. *La parodontite est caractérisée par une destruction osseuse rapide. Des cavités ou poches se forment sous la gencive, le long de la racine de la dent. Les phénomènes inflammatoires dominent.*

La personne vit un événement qui la déstabilise au plus profond d'elle-même et sur lequel elle n'a aucune prise. Il peut s'agir d'un passage difficile (crise existentielle) pendant lequel le contrôle de sa vie lui échappe, ou du contrecoup d'un choc : divorce, chômage, problèmes financiers, dépression avec perte totale de repères, etc. La personne perd son assise et sa sécurité. Les valeurs stables sur lesquelles elle s'appuyait s'effondrent brutalement (valeurs matérielles, affectives ou intellectuelles). Elle se sent vulnérable, dans un état de rage impuissante, envahie par la peur, dans l'incapacité de subvenir à ses besoins. Une fois le stress extérieur ou le moment critique dépassé, les dents peuvent retrouver leur assise de manière rapide et spectaculaire.

Autres détails → ***lire*** *Déchaussement* ■ → ***lire*** *selon le cas Parodontite juvénile localisée.*

■ PARODONTITE JUVÉNILE LOCALISÉE

Méd. *Parodontite de la personne jeune ou de l'adolescent, voire de l'enfant, localisée aux dents antérieures et aux premières molaires.*

L'adolescent subit une situation, choc, événement dramatique ou crise, qui génère en lui un sentiment d'impuissance et de peur panique : « je suis en insécurité et je ne peux rien faire ». **Atteinte des molaires :** l'adolescent se sent trahi par ses parents. Par exemple, parents qui divorcent ou qui meurent, éloignement forcé, mise en pension. **Atteinte des incisives :** crise d'identité.

→ ***lire*** *Déchaussement d'une dent et la rubrique consacrée à la dent concernée : Incisives centrales, Incisives latérales, Premières molaires.*

■ PARODONTOSE

Méd. *Résorption de l'os et de la gencive, régulière et continue. Les dents se déchaussent, leur racine devient apparente. Au stade ultime, une mobilité apparaît. Au stade précoce, les dents bougent peu ou pas du tout. La maladie est souvent découverte tardivement.*

La personne mène une existence qui ne lui correspond pas. Elle s'adapte à un environnement nocif que, par manque de conscience ou de volonté, elle ne peut changer. Deux facteurs favorisent la démission. La maladie parodontale évolue à bas bruit, au début sans symptômes, et elle touche des personnes de nature passive qui attendent que les autres les prennent en charge : « je ne parviens pas à trouver d'assise, ma vie n'a pas de sens. Je ne me reconnais pas dans ce que je manifeste, tout est faux, décalé. Mais tant pis, je démissionne, je me résigne à subir ce que je ne peux changer ». La passivité et le renoncement sont des moyens d'accepter l'inacceptable et de supporter l'insupportable. Si elle est légitime en fin de vie (aspirer à un repos bien mérité), une telle attitude l'est moins chez une personne dans la force de l'âge (cinquante ans, quarante ans, parfois moins). Tant que le stress lié au contexte de vie n'est pas identifié, la parodontose s'aggrave sans qu'il soit possible de stopper le processus. La tendance à rejeter la responsabilité sur les autres, le sentiment d'impuissance profondément ancré dans l'inconscient ne favorisent guère les changements de vie qui pourraient conduire à la guérison. Remarque : le stress n'est pas toujours où on l'attend. Certains vivent comme un stress insupportable l'inactivité, le repos forcé ou la mise à la retraite prématurée, voire… le mariage de leurs enfants ou un changement de région.

→ ***lire*** *Déchaussement étendu, Déchaussement spécifique d'une période de la vie* ■ → ***lire*** *selon le cas Cloison osseuse interdentaire, Gencive – abcès.*

PÂTE D'OBTURATION

Méd. *La pâte d'obturation est un produit antiseptique placé dans les racines d'une dent dévitalisée, visible à la radio sous l'aspect de traits blancs. Son manque ou son débordement peut créer de graves problèmes.*

Le patient malchanceux peut accabler son dentiste ou se demander pourquoi sa route a croisé celle d'un praticien qui commet une maladresse ou une négligence.

→ ***lire*** *Dentiste.*

■ QUI DÉBORDE ou qui FUSE *SURINSTRUMENTATION*

Méd. *Pâte d'obturation qui va trop loin et fuse dans l'os au lieu de s'arrêter à l'extrémité de la racine. On parle de dépassement de pâte ou de surinstrumentation. Parfois, un fragment d'instrument dépasse de la racine. Lorsque la pâte déborde dans le sinus, elle peut provoquer une infection appelée aspergillose.*

La limite a été dépassée dans le domaine représenté par la dent. La personne subit une effraction physique, émotionnelle ou psychique, une torture permanente. Elle vit avec colère et douleur l'impuissance face au non-respect de son territoire. Un verrou bloque l'accès à la qualité que représente la dent et empêche d'agir dans ce domaine. L'envahissement, dont l'origine se situe à l'adolescence, l'enfance ou la petite enfance, peut se manifester des années plus tard à l'occasion du soin dentaire. L'intervention du praticien joue le rôle d'un simple révélateur. L'abus était déjà présent dans l'inconscient. La personne est prête à le voir. La réalité, certes douloureuse et pénible, est l'occasion de mettre un terme à un abus que la personne continuait, sans le savoir, de s'infliger à elle-même.

➤ **Dent qui vous concerne page 336.** *Numéro de la dent et rôle parental page 13.*

→ ***lire*** *selon le cas Aspergillose* ■ *instrument qui casse dans une racine coudée* → ***lire*** *Racine coudée.*

■ **QUI MANQUE** *SOUS-INSTRUMENTATION*

Méd. *Pâte d'obturation qui ne va pas jusqu'à l'extrémité de la racine ou bien un canal a été oublié. Parfois, le praticien essaie de traiter la dent jusqu'au bout, mais pour une raison connue (canal calcifié, rétréci, racine coudée) ou inconnue, n'y parvient pas.*

Refus inconscient de la personne de clarifier ou de voir le problème, d'aller jusqu'au bout des choses. « C'est trop souffrant, je refuse d'aller voir à la source ce qui se passe en moi » décide-t-elle dans son inconscient. Il y a un blanc, événement ou souvenir occulté, ou une période trouble, en rapport avec un tabou ou une honte, dont la personne ne veut pas se rappeler. Il peut aussi s'agir d'un secret que la personne détient à son insu ou qu'elle a enfoui pour l'oublier. Elle a préféré s'isoler carrément de l'énergie que représente la dent. Le praticien qui ne traite pas la racine de manière complète n'est qu'un révélateur. L'origine du problème se situe à l'adolescence, l'enfance ou la petite enfance.

➤ **Dent qui vous concerne page 339.** *Numéro de la dent et rôle parental page 13.*

Canal calcifié → ***lire*** *Pulpe rétrécie ■ canal coudé →* ***lire*** *Racine coudée ■ canal dédoublé →* ***lire*** *Racine dédoublée.*

■ **REPRISE DE TRAITEMENT**

Méd. *La racine mal soignée doit être traitée à nouveau.*

La personne est prête à prendre conscience du problème qu'elle ne voulait pas voir. La reprise du traitement lui offre l'occasion de le régler. **Abcès latent qui se réveille à ce moment** ou réaction douloureuse : la personne a besoin de libérer de la colère ou des émotions en rapport avec le problème (secret, tabou, événement trouble ou autre) qu'elle refusait de voir.

➤ **Abcès qui vous concerne page 260.** *Numéro de la dent et rôle parental page 13.*

PERCÉE DENTAIRE

→ ***lire*** *Éruption, Poussée dentaire difficile.*

PÈRE/MÈRE – DENT DE

→ ***lire*** *Première molaire supérieure.*

PERFORATION DE LA RACINE

Par un pivot → ***lire*** *Pivot qui perfore une racine ■ par un instrument →* ***lire*** *Faux canal.*

PERLÈCHE

Ulcération de la commissure des lèvres → ***lire*** *Bouche – commissure.*

PERMUTATION *INVERSION DES GERMES*

Méd. *On parle aussi de transposition. Deux dents voisines sur l'arcade ont inversé leurs places. Exemples : incisive latérale et canine, canine et première prémolaire.*

Une facette de la personnalité s'exprime à la place d'une autre. En échangeant leurs places, les dents ont échangé leurs rôles. Par exemple, en haut, la canine (dent de la volonté) permutée avec l'incisive latérale (dent de la communication), montre que la personne communique avec force et détermination, sans tenir compte de l'autre, et que sa volonté est fragile, dépendante d'autrui et des circonstances extérieures. En haut, la canine (dent de la volonté) permutée avec la première prémolaire (dent de l'audace) montre que la volonté est ambivalente, s'exprimant par à-coups, tandis que l'audace s'exprime dans un excès de contrôle ou d'entêtement.

Aperçu *des domaines représentés par les dents permutées : noms symboliques page 13*
Analyse *plus fouillée : rubrique consacrée aux dents concernées (Canine, Incisive, etc.).*

PERSISTANCE D'UNE DENT DE LAIT CHEZ L'ADULTE

Méd. *Une dent de lait persiste sur l'arcade à l'âge adulte lorsque la dent permanente sous-jacente ne sort pas ou n'existe pas.*

La personne n'est pas complètement sortie de l'enfance. Dans le domaine représenté par la dent adulte manquante, la personne conserve un comportement immature. La qualité encore en germe *(dent incluse)* demande à être développée, ou à être construite *(agénésie)*. Dans l'exemple d'une canine de lait qui occupe la place d'une incisive latérale permanente, la personne communique à la manière d'un enfant. Elle cherche à imposer sa volonté à l'autre par l'intimidation ou en tapant du pied comme le ferait un enfant colérique, se montre exigeante ou brutale. Elle a pourtant peu de chances de parvenir à ses fins car l'énergie dont elle dispose dans le domaine relationnel est celle d'un enfant. Elle a besoin d'apprendre à échanger sur un mode adulte. Le moment où la dent finit par tomber marque une transformation intérieure. C'est l'occasion de faire le deuil de l'enfance pour devenir complètement adulte.

→ ***lire*** *la rubrique correspondant à la dent manquante (Canine, Incisive ou Prémolaire) ■ si la dent n'existe pas →* ***lire*** *Agénésie de dent permanente ■ ne sort pas →* ***lire*** *Incluse – dent.*

PERTE D'OS LOCALISÉE

Ou poche parodontale → ***lire*** *Cloison osseuse interdentaire, Déchaussement, Gencive – abcès.*

PERTE D'UNE DENT ou de PLUSIEURS DENTS

Pete d'une dent → ***lire*** *la rubrique correspondant à la cause de la perte : Déchaussement, Dévitalisation, Extraction, Fracture, Luxation ■ de plusieurs →* ***lire*** *Édentation ■ d'une dent de lait →* ***lire*** *Rhizalyse.*

PHOBIE DE LA ROULETTE

→ ***lire*** *Dentiste, Hypersensibilité aux soins.*

PIERCING

De la langue → ***lire*** *Langue – piercing ■ de la joue →* ***lire*** *Joue – piercing ■ de la lèvre →* ***lire*** *Lèvre – piercing.*

PIVOT – DENT SUR

→ ***lire*** *Couronne, Fracture de racine due à un pivot, Pivot, tenon ou vis qui perfore une racine.*

PIVOT, TENON OU VIS QUI PERFORE UNE RACINE

Méd. *Tige en métal fixée dans la racine pour renforcer une obturation ou une couronne.*

Abus physique, émotionnel ou psychique. La personne n'est pas respectée dans son territoire. Vissée, elle subit, ou s'impose à elle-même, une contrainte intolérable qui l'empêche de s'exprimer dans le domaine représenté par la dent. Sous l'effet de la contrainte mentale, la personne finit par craquer.

➤ **Dent qui vous concerne: type de contrainte page 313 ■ type d'abus page 336.** *Numéro de la dent et rôle parental page 13.*

PLACE – PROBLÈMES DE

→ ***lire*** *selon le cas Bouche trop petite, Implantation, Mâchoire trop petite, Taille d'une dent – dents larges qui se chevauchent.*

PLANCHER DE LA BOUCHE

→ ***lire*** *Bouche.*

PLAQUE DENTAIRE

→ ***lire*** *Tartre, Brossage* ■ *pour son effet de jaunissement* → ***lire*** *Colorations* ■ *pour son effet cariogène* → ***lire*** *Carie.*

PHLUGG – GOUTTES DE

→ ***lire*** *Postillonner page suivante.*

PLOMBAGE

Méd. *Le terme plombage désigne dans le langage familier les obturations dentaires métalliques à base de mercure et d'argent, appelées amalgames. Leur aspect grisâtre les a fait surnommer plombages. Ni leur toxicité ni leurs effets sur la santé ne sont abordés ici. L'éclairage proposé est symbolique.*

Le plombage placé dans la dent lui redonne la densité dont elle manque. L'expression « ne pas avoir de plomb dans la cervelle » signifie être léger, inconséquent, étourdi. En comblant le vide creusé par la carie, le plombage donne à la personne, symboliquement bien sûr, l'ancrage et l'assise qui lui font défaut. Mais plomber une porte, un colis, c'est fermer hermétiquement. Le plombage scelle les émotions enfouies. Il isole la personne d'un vécu trop souffrant qu'elle n'est pas prête à gérer. Le plombage peut être vu comme une étape à dépasser en conscience, un matériau un temps nécessaire, à déposer le moment venu. Les plombages ont eu leur utilité et l'ont encore chez certains. Leur dépose ne doit pas être systématique ni s'effectuer dans la précipitation. Fait en conscience, leur remplacement est un acte symbolique de transmutation du plomb en or, qui consiste à reconnaître la partie de soi négligée et à prendre la décision de l'habiter à nouveau, à accepter la souffrance enterrée et à la libérer. Sans prise de conscience, le changement de matériau risque de n'être qu'un leurre et d'engendrer d'autres problèmes: dégradation de la dent, réactivation d'un problème, reprise de carie, déplacement de symptômes.

→ ***lire*** *introduction* ■ *choix du matériau* → ***lire*** *Prothèse* ■ *plombage mal fait ou problèmes* → ***lire*** *Obturation* ■ *pour connaître la problématique qui a conduit au plombage* → ***lire*** *Carie* ■ *sensation d'électricité* → ***lire*** *Électricité.*

POCHE PARODONTALE

*Perte d'os localisée → **lire** Cloison osseuse interdentaire, Déchaussement, Gencive – abcès.*

POINT DE CONTACT

***Méd.** Contact entre deux dents, trop serré ou trop lâche après restauration. La responsabilité en incombe au dentiste.*

La personne a intérêt à se demander pourquoi il lui arrive une telle mésaventure.

■ EXCÈS

***Méd.** Dents trop serrées après la pose d'une couronne ou d'une obturation. Nettoyage impossible entre deux dents. Un aliment ou un fragment de fil dentaire peuvent produire temporairement la même impression.*

Excès de tensions. Stressée, pressée, la personne est coincée par des priorités, deux urgences qui se télescopent et entre lesquelles elle ne peut choisir.

➤ **Dent qui vous concerne page 267.** *Numéro de la dent et rôle parental page 13.*

■ MANQUE

***Méd.** Espace entre deux dents créé par une couronne ou une obturation mal réalisée. Les aliments se coincent entre les dents.*

Deux domaines de la vie sont inconciliables. La personne hésite, sans se résoudre à donner priorité à l'un ou à l'autre. Signe avertisseur d'un conflit important qu'on se donne la chance de comprendre avant qu'il ne s'aggrave.

➤ **Dent qui vous concerne page 267.** *Numéro de la dent et rôle parental page 13.*

*Espace congénital → **lire** Espacées – dents.*

POINTE USÉE

*→ **lire** Usure.*

POLYCARIES

*→ **lire** Caries multiples.*

POSTILLONNER

***Méd.** Les postillons sont appelés gouttes de Phlugg.*

La personne cherche à marquer autrui par ses propos. Elle veut inconsciemment marquer son territoire social ou relationnel. Elle veut impressionner ou toucher autrui, elle souhaite en quelque sorte que ses paroles fassent mouche. Elle veut faire participer son interlocuteur à ses émotions dont la forte pression la submerge. Elle est la proie d'une colère inconsciente qu'elle ne peut mettre en mots et qui s'exprime malgré elle, les gouttelettes de salive frappant autrui comme des projectiles.

POUCE – SUCCION

*→ **lire** Succion du pouce.*

POUSSÉE CONTINUE

*→ **lire** selon le cas Égression provoquée par une extraction, Égression spontanée.*

POUSSÉE DENTAIRE

→ ***lire** Éruption.*

POUSSÉE DENTAIRE DIFFICILE *ÉRUPTION DIFFICILE ou TARDIVE*

***Méd.** On parle de poussée dentaire difficile quand l'éruption s'accompagne de symptômes locaux (rougeurs, inflammations, douleurs, gonflement de la gencive), voire généraux (fièvre, perte de poids), ou quand l'éruption se fait plus tard que la normale.*

■ DENTS DE LAIT

L'enfant ne parvient pas à sortir de la relation fusionnelle avec la maman. Trop présente, elle l'étouffe, il ne peut couper le cordon. Absent ou lointain, le père ne joue pas son rôle. Ou bien à l'opposé, un climat d'insécurité, maman absente, trop peu disponible, ou encore séparation brutale ou précoce, ne permet pas à l'enfant de grandir et d'acquérir l'autonomie suffisante à son développement.

■ DENTS ADULTES

Les facettes de la personnalité adulte ne peuvent émerger pour prendre leur place. L'enfant reste bloqué au stade infantile. Il ne peut grandir en raison d'un parent trop possessif ou étouffant ou bien refuse de grandir car il trouve des bénéfices secondaires à rester enfant : être choyé, protégé, avoir un statut de petit, etc. Il refuse de sortir du rêve et de la petite enfance, il craint de se confronter à la réalité. Il retarde son entrée dans le monde des adultes. La dent qui sort difficilement est une facette de la personnalité adulte qui ne peut s'épanouir, une qualité ou une capacité étouffée, un domaine où l'enfant ne grandit pas et trouve difficilement sa place.

→ ***lire** la rubrique consacrée à la dent concernée (Canine, Incisive, etc.)* → ***lire** selon le cas Incluse – dent.*

■ DENTS DE SAGESSE

→ ***lire** Accident d'éruption de la dent de sagesse.*

POUSSÉE DENTAIRE PRECOCE

→ ***lire** Éruption précoce.*

PRATIQUES ou MANIES LIÉES AUX DENTS

Il existe de nombreux gestes liés aux dents, pratiqués de manière plus ou moins consciente → ***lire** Se curer les dents, Toucher ses dents.*

PREMIÈRES MOLAIRES ADULTES [46-36] et [16-26]

DENTS DES PARENTS : PAPA/MAMAN et PÈRE/MÈRE

[premières molaires de lait : lire Lait – dents]

***Méd.** Premières dents adultes à sortir vers l'âge de 6 ans, elles poussent en arrière des molaires de lait. Elles ne remplacent pas de dents de lait.*

Les premières molaires permanentes ou dents de six ans incarnent les fondations de la personnalité adulte construites grâce aux parents. Les quatre molaires correspondent aux quatre rôles parentaux. Papa et maman, les parents nourriciers sont en bas ; père et mère, les parents éducateurs, en haut. Les premières molaires portent la mémoire des six premières années. Elles représentent l'intégralité de ce que les parents ont transmis à l'enfant entre 0 et 6 ans : dans le domaine affectif et matériel (molaires du bas ou parents nourriciers), dans le domaine éducatif (molaires du haut ou parents éducateurs). Leur état montre comment la personne a intégré les apports des parents. **Atteintes :** précoce ou tardive, l'atteinte des molaires est une tentative de détruire l'héritage parental. « Je n'ai rien reçu » ou « je n'ai pas reçu ce que j'attendais » ou « je ne veux pas de ce que m'ont transmis mes parents » est le message de la lésion des premières molaires. L'atteinte des quatre premières molaires indique une carence profonde. Elle peut révéler un événement dramatique survenu vers l'âge de 6 ans : abandon par les parents, déracinement total.

■ PREMIÈRE MOLAIRE INFÉRIEURE [46-36]
ou DENT DE PAPA/MAMAN

Les premières molaires inférieures incarnent les parents nourriciers. Papa et maman, qui peuvent ou non être les parents biologiques, subviennent aux besoins matériels et affectifs de l'enfant. Chez l'adulte, papa et maman sont représentés par l'homme ou par la femme qui incarne des qualités maternelles ou nourricières (douceur, écoute) et qui offre un soutien matériel ou financier. Les dents de papa/maman incarnent le rapport au corps, l'ancrage matériel.

• ***atteintes :*** la lésion des dents de papa/maman révèle un problème fondamental de sécurité au plan matériel ou affectif. Détruire la molaire qui représente le parent empêche de ressentir le manque (carence affective ou matérielle) ou la souffrance (abandon, parent possessif). La gravité de l'atteinte de la dent est proportionnelle à l'intensité de la souffrance ressentie. La carie des premières molaires inférieures s'installe sur un terrain fragilisé durant l'enfance : parents peu présents en raison de leur travail, d'enfants trop nombreux, ou encore affection mal dosée, inadaptée aux besoins de l'enfant (manque ou excès), etc. En cas d'adoption, la gravité de l'atteinte dépend du degré de souffrance de l'enfant séparé des parents biologiques. La lésion de la dent de papa/maman peut être causée par un événement dramatique survenu vers l'âge de 6 ans : décès du parent nourricier, déménagement mal vécu.

• ***droite [46] :*** le papa nourricier. Lésion : la personne rejette l'homme (papa, partenaire de cœur, ami, partenaire financier) censé lui apporter un soutien affectif ou matériel, ou exprime un manque par rapport à lui. Plus généralement, refus d'accorder sa confiance à toute personne dont les traits de caractère rappellent inconsciemment le papa.

• ***gauche [36] :*** la maman nourricière. Lésion : la personne rejette la femme (maman nourricière, partenaire de cœur, amie, partenaire financière) censée lui apporter un soutien affectif ou matériel, ou exprime un manque par rapport à elle. Plus généralement, refus d'accorder sa confiance à toute personne dont les traits de caractère rappellent inconsciemment la maman.

■ PREMIÈRE MOLAIRE SUPÉRIEURE [16-26]
ou DENT DE PÈRE/MÈRE

Les premières molaires supérieures incarnent les parents éducateurs. Père et mère exercent la fonction d'autorité, ils enseignent à l'enfant les lois, forment son intellect, lui fixent des limites, le sanctionnent. Il peut s'agir des parents biologiques de l'enfant ou de tuteurs ayant en charge son éducation. Plus tard, père et mère sont représentés par les détenteurs de l'autorité : éducateur, professeur, directeur ; puis supérieur hiérarchique (PDG, chef, responsable), représentant de l'ordre ou de la loi (policier, juge, avocat, etc.). Les dents de père/mère représentent le rapport à la hiérarchie, la loi, les principes.

• ***atteintes:*** la lésion des dents de père/mère révèle un problème fondamental avec l'autorité. La personne est en rébellion manifeste ou larvée contre toute personne exerçant un pouvoir sur elle. Détruire la molaire qui représente le parent empêche de ressentir l'écrasement (autorité pesante) ou le manque (autorité inexistante) ; et souvent les deux : par exemple, dent droite détruite par excès du pouvoir de la mère, dent gauche détruite par manque du père. La gravité de l'atteinte est proportionnelle à l'intensité de la souffrance ressentie. La lésion des premières molaires supérieures s'installe sur un terrain fragilisé durant l'enfance : parents trop autoritaires ou au contraire laxistes. La lésion de la dent peut être causée par un événement dramatique survenu vers l'âge de 6 ans : décès du parent éducateur, déracinement social, etc.

• ***droite [16]:*** la mère éducatrice. Lésion : la personne refuse l'autorité détenue par la femme (mère, supérieure hiérarchique, femme d'influence). « Je refuse de recevoir des conseils ou des ordres de cette femme, je refuse de lui obéir ». Plus généralement : refus de l'autorité émanant de toute personne dont les traits de caractère rappellent inconsciemment la mère.

• ***gauche [26]:*** le père éducateur. Lésion : la personne refuse l'autorité détenue par l'homme : père, supérieur hiérarchique, homme d'influence. « Je refuse de recevoir des conseils ou des ordres de cet homme, de lui obéir ». Plus généralement : refus de l'autorité émanant de toute personne qui rappelle inconsciemment le père.

PREMIÈRES PRÉMOLAIRES ADULTES [44-34] et [14-24]

DENTS DE LA MÉTAMORPHOSE et de l'AUDACE

[note : les prémolaires de lait n'existent pas, ce sont des molaires]

Méd. *La prémolaire est une dent de taille intermédiaire placée avant la molaire. La denture adulte compte 8 prémolaires, 2 par moitié d'arcade : la première et la seconde prémolaire.*

La première prémolaire, qui fait son éruption entre l'âge de 10 et de 12 ans, est la dent de la puberté dont elle symbolise les transformations. Elle est liée aux phases de mutation de la vie. Son atteinte témoigne de l'incapacité à initier ou à accepter le changement : « je ne peux pas me transformer » (plan émotionnel).

■ PREMIÈRE PRÉMOLAIRE INFÉRIEURE [44-34]

ou DENT DE LA MÉTAMORPHOSE

La dent de la métamorphose représente les transformations du corps à la puberté, puis tout au long de la vie : grossesse, maladie, opération chirurgicale, bouleversements hormonaux de la ménopause, etc. La dent représente le plaisir sous toutes ses formes, l'épanouissement du corps, la sensualité qui s'exprime à travers la féminité ou la masculinité. La dent de la métamorphose incarne les réactions émotionnelles brutales et incontrôlables : émois, explosions de colère, de joie ou de chagrin, pulsions, envies. Par exemple : coup de foudre, passion qui enflamme les sens, sautes d'humeur ou éclats violents sans suite ou sans raison. Elle représente les émotions extrêmes : jalousie, colère, désespoir, poussés à leur paroxysme mais qui ne durent pas. Elle représente la capacité à profiter de la vie de manière intense, le goût pour les sensations fortes.

• ***atteintes:*** la personne refuse un cap important matérialisé par des transformations de son corps, puberté, grossesse, ménopause, vieillissement. Elle est blessée dans sa dimension d'homme (masculinité) ou de femme (féminité). Sa sensualité est atteinte. La personne refuse sa libido, bloque ses pulsions. Par honte ou par peur d'être submergée, elle ne se laisse pas aller au plaisir, à la passion, se contrôle à l'excès. Elle réprime ses envies ou ses émotions, se retient d'exploser. Elle se coupe du plaisir, des joies du corps.

• ***droite [44]:*** les chamboulements physiques et émotionnels de l'adolescence vécus par rapport au papa nourricier. Lésion : problématique (croyances, attitude, etc.) par rapport au papa et au masculin. Par exemple, refuser de grandir par peur de perdre l'amour du papa. Plus généralement : problème lié à la sexualité ou aux émotions en rapport avec quelqu'un qui rappelle inconsciemment le papa.

• ***gauche [34]:*** les chamboulements physiques et émotionnels de l'adolescence vécus par rapport à la maman nourricière. Lésion : problématique par rapport à la maman et au féminin. Par exemple, refuser de grandir par peur de perdre l'amour de la maman. Plus généralement : problème lié à la sexualité ou aux émotions en rapport avec quelqu'un qui rappelle inconsciemment la maman.

■ PREMIÈRE PRÉMOLAIRE SUPÉRIEURE [14-24]

ou DENT DE L'AUDACE

La dent de l'audace incarne l'action, la capacité d'aller de l'avant, de vaincre ses inhibitions pour se jeter à corps perdu dans l'aventure. La dent de l'audace représente le fait de sauter dans le vide, l'attrait pour la nouveauté et le risque. La dent incarne la confrontation, le conflit, tant extérieur qu'intérieur, les contradictions. Contradiction entre l'impulsion première qui pousse à agir et la raison qui reprend le dessus et rompt l'élan : « je suis fou, que suis-je en train de faire ? ». Tête et cœur, raison et passion, la dent incarne la coexistence des polarités dont la tension réciproque est le moteur de toute action. Elle représente la dualité et l'ambivalence présentes en chacun. La dent représente le courage qui pousse à dépasser l'obstacle et à exorciser ses peurs. Elle incarne la combativité et la capacité de relever des défis. Dans son aspect négatif, elle représente la lutte et les conflits stériles.

• ***atteintes:*** la personne refuse d'initier des transformations dans sa vie. Elle balance entre écouter l'envie qui la pousse à se lancer dans de nouvelles expériences et son intellect qui l'incite à rester dans un système connu. La lésion de la dent de l'audace exprime l'état de souffrance lié à un conflit que la personne ne peut gérer. Tête et cœur s'opposent : la personne vit un état de guerre intérieure qui peut se manifester par un conflit extérieur. En proie à des désirs contradictoires, elle ne peut choisir entre « j'aime » et « je dois », entre l'envie et la raison, entre l'enfant et l'adulte en elle. Obéir à sa tête (principes, devoir) ou écouter son cœur (passion, envies) : tel est le dilemme. Face à une situation sans issue, détruire la dent, symbole du conflit, permet de ne plus sentir la tension intérieure provoquée par l'état de division.

• ***droite [14]:*** les élans de l'adolescence vécus par rapport à la mère éducatrice. Lésion : problématique (croyances, freins ou peurs) liée à la mère éducatrice et à la femme. Plus généralement : conflit par rapport à quelqu'un dont les traits de caractère rappellent inconsciemment la mère.

• ***gauche [24]:*** les élans de l'adolescence vécus par rapport au père éducateur. Lésion : problématique (croyances, freins ou peurs) liée au père éducateur et à l'homme. Plus généralement : conflit par rapport à quelqu'un dont les traits de caractère rappellent inconsciemment le père.

PRÉMOLAIRES

→ ***lire*** *Premières prémolaires, Secondes prémolaires.*

PRÉVENTION

Au-delà du brossage, du fluor ou de l'alimentation, la véritable prévention consiste à prendre conscience de la problématique associée à la lésion. Une récidive quelle qu'elle soit (fracture, reprise de carie, etc.) est un message envoyé par l'inconscient. Ce dernier continue d'adresser ses signes aussi longtemps que la personne ne les reçoit pas. Et il criera de plus en plus fort. La prévention appliquée à soi-même, par la compréhension de ses propres problèmes, améliore les résultats de la prévention médicale, heureuse tendance actuelle : administration de fluor, tests salivaires pour dépister la prédisposition aux caries, scellements des sillons de dents saines, etc. Une exception notoire cependant : le début de plus en plus tardif des traitements d'orthodontie (12 ans ou plus), encouragé par le report de 13 à 16 ans du remboursement des soins. De nombreuses dysmorphoses sont pourtant détectables dès 3 ans. Les malocclusions apparaissent pour la plupart à partir de 6 ans, au moment de l'éruption des premières dents permanentes. Elles ne seront traitées que six ans plus tard ! La déglutition atypique *(défaut de positionnement de la langue)*, responsable du manque de croissance osseuse des maxillaires, est également repérable dès 3 ans. Or, aucun dépistage systématique n'est entrepris, aucune rééducation proposée. L'enfant se développe avec des fonctions orales perturbées qu'il va garder des années, parfois toute sa vie. L'orthodontie intervient quand les dégâts sont consommés : mâchoires atrophiées, dents mal alignées. Agir tardivement (après 12 ans) revient à attendre qu'une dent soit complètement gâtée par la carie pour la soigner, ou qu'une personne soit au stade terminal de sa maladie pour commencer à la traiter. Une aberration qui va à l'encontre de la politique de prévention et qui se solde par l'extraction de dents saines. Curieusement, la Sécurité Sociale rembourse l'extraction de dents indemnes mais pas la prothèse destinée à remplacer une dent extraite (inter de bridge, implant, appareil de moins de 5 dents).

PROBLÈMES...

À une dent → ***lire*** *la rubrique consacrée à la dent (canine, incisive, etc.) ou au problème (carie, déchaussement, etc.)* ■ *on peut aussi consulter* ***DENT*** *(liste de renvois page 249)* ■ *problèmes avec son dentiste* → ***lire*** *Dentiste* ■ *d'anesthésie* → ***lire*** *Anesthésie* ■ *d'éruption* → ***lire*** *Poussée dentaire difficile* ■ *d'éruption de dent de sagesse* → ***lire*** *Accident d'éruption de la dent de sagesse* ■ *de dévitalisation* → ***lire*** *Dévitalisation qui ne prend pas* ■ → ***voir*** *selon le cas Bouche, Langue, Lèvre, Palais, Salive.*

PROFIL D'OISEAU

*Micrognathie → **lire** Ankylose de l'ATM – enfant.*

PRO-ALVÉOLIE

*Dents inclinées vers l'avant → **lire** Implantation – dents vers l'avant.*

PROGNATHIE

*Hyperdéveloppement de la mâchoire inférieure → **lire** Articulé inversé.*

PROPULSION – MOUVEMENT DE

***Méd.** Mouvement d'avancée de la mâchoire inférieure.*

Problème lié au fait d'avancer, de mobiliser ses forces dans le sens d'une réalisation concrète. Difficulté à entrer en contact avec autrui : ambivalence attraction/répulsion instinctive.

PROTHÈSE *MATÉRIAU DE PROTHÈSE ou d'OBTURATION*

***Méd.** Il existe un large éventail de matériaux destinés à reconstruire les dents. Or, acier, amalgame (ou plombage), céramique, composite ou résine sont les plus fréquents.*

La personne cherche inconsciemment à s'approprier la qualité du matériau qu'elle intègre à sa structure. Le choix du matériau est révélateur de la valeur que la personne s'accorde. Celui qui investit le minimum et à l'opposé celui qui engloutit des fortunes dans sa bouche sans jamais être satisfait ont la même problématique liée à la valeur de soi. On n'emploie pas du béton armé ou de la tôle ondulée pour restaurer une cathédrale. De même, pour refaire une dent, mieux vaut privilégier des matériaux nobles qui présentent un mimétisme avec sa structure, comme la céramique par exemple. En tant que construction intérieure, la denture est le temple, la demeure où chacun habite vingt-quatre heures sur vingt-quatre. Posé en ces termes, le choix du matériau prend une autre dimension et s'impose de lui-même, à condition bien sûr d'avoir ou de pouvoir se donner les moyens financiers du choix (souvent une question de priorité plus que de moyens, même chez des personnes au pouvoir d'achat faible).

*Pour le type de prothèse ou de reconstruction → **lire** Bridge, Couronne, Implant, Obturation.*

■ ACIER

***Méd.** Alliage nickel-chrome.*

Besoin de s'endurcir. Sur une première prémolaire en haut : besoin de renforcer sa combativité, de se montrer dur, impitoyable et froid. Sur une première prémolaire en bas : besoin de calmer et contrôler sa libido. Sur une seconde prémolaire en bas : besoin de se séparer, de trancher des liens, d'afficher une personnalité lisse et parfaite. Sur une seconde prémolaire en haut : besoin de briller intellectuellement, de décider sans s'encombrer de sentiments inutiles. Sur les molaires : besoin de s'assurer des fondations solides, stables, inaltérables, à toute épreuve.

■ **AMALGAME** *ou « PLOMBAGE »*
Désir inconscient de se densifier, d'être plus présent ou ancré dans le domaine que représente la dent. Besoin de peser plus lourd, tout en ignorant la souffrance liée à la dent.
→ ***lire*** *Plombage.*

■ **CÉRAMIQUE**

• ***céramique totale sans métal:*** besoin d'authenticité, de délicatesse, désir d'assumer sa fragilité en acceptant les risques que cela comporte.

• ***céramique sur armature acier:*** désir de se montrer naturel, d'afficher sa beauté et sa délicatesse, de donner le change, de se blinder et de se protéger sous des apparences de fragilité. Sur incisives et canines: besoin de se blinder par rapport aux agressions extérieures, d'acquérir un caractère bien trempé.

• ***céramique sur armature or:*** besoin de rayonner à la fois par l'apparence (« je suis beau ») et par sa valeur (« je suis quelqu'un de bien »).

■ **OR**
Haute estime de soi ou besoin d'accroître la valeur qu'on s'accorde, de réhabiliter une facette de soi, d'acquérir chaleur, rayonnement ou incorruptibilité.

• ***or jaune:*** besoin de redorer son blason, de donner de l'éclat à sa personnalité ou à ses paroles.

• ***or blanc:*** désir d'acquérir la sagesse, la pondération, le sens de la justice, de briller par ses qualités intellectuelles.

■ **RÉSINE**
Besoin de donner priorité à la tendresse, d'acquérir souplesse et adaptabilité, d'acquérir la capacité de vivre le présent avec une certaine insouciance.

■ **TITANE**
Méd. *Implant ou couronne.*
Besoin de s'approprier force et invincibilité, désir de disposer d'une énergie inépuisable et d'un contrôle absolu dans le secteur de sa vie représenté par la dent.

PROXIMALE – CARIE

→ ***lire*** *Carie localisée à un endroit de la dent.*

PULPAIRE – CHAMBRE

→ ***lire*** *Pulpe rétrécie* ■ *pulpe volumineuse* → ***lire*** *Taurodontisme.*

PULPE *ou NERF*

Méd. *Constituée de vaisseaux sanguins, lymphatiques et de filaments nerveux, la pulpe ou « nerf » occupe une cavité centrale, la chambre pulpaire. C'est la partie qui donne à la dent sa vitalité et sa sensibilité (au chaud, au froid, au sucre, etc.).*

La pulpe représente la fluidité des émotions ou des pensées qui alimentent le psychisme: « je suis vivant, je suis conscient ». En cas d'atteinte, la personne laisse mourir la facette représentée par la dent, elle occulte les messages que lui adresse cette partie d'elle-même. Elle refuse d'être nourrie par une qualité et d'évoluer dans un domaine donné.

→ ***lire*** *Dévitalisation.*

■ ENFLAMMÉE *ou PULPITE*

→ ***lire*** *Rage de dent.*

■ HYPERPLASIE

Méd. *Lésion inflammatoire de la pulpe dont les cellules prolifèrent suite à une carie profonde. La masse pulpaire déborde dans la cavité de carie. Lésion peu douloureuse, voire indolore.*

La personne anesthésie sa souffrance et contient sa rage en la figeant. Elle ne veut pas voir la facette d'elle-même qui souffre. Elle se protège grâce à une émotion écran : elle amplifie une émotion qui ne lui pose pas problème pour ne pas voir sa souffrance réelle. Par exemple, elle se focalise sur la tristesse qu'elle amplifie pour ne pas sentir la colère qui la mine. À l'inverse, une personne à l'aise avec la colère l'amplifie pour éviter de voir sa tristesse, plus profonde et plus problématique. La libération émotionnelle demande de traverser l'émotion écran, pour retrouver la souffrance véritable que la personne tentait d'occulter.

➤ **Dent qui vous concerne page 306 (dévitalisation).** *Numéro de la dent et rôle parental page 13.*

■ NÉCROSÉE ou GANGRENÉE

La personne laisse pourrir dans l'ombre une partie d'elle-même. Elle préfère laisser une partie de sa personnalité à l'état de cadavre que de voir sa souffrance.

→ ***lire*** *Nécrose ou directement :*

➤ **Dent qui vous concerne page 332.** *Numéro de la dent et rôle parental page 13.*

→ ***lire*** *selon le cas Noircissement.*

■ RÉTRÉCIE ou CALCIFIÉE *PULPOLITHES*

Méd. *Avec l'âge, rétrécissement de la cavité pulpaire et parfois fermeture du ou des canaux de la dent, à cause d'un phénomène de minéralisation du nerf.*

Diminution normale du potentiel vital si elle est due au vieillissement. Sinon, la personne refuse d'être consciente de la part d'elle-même que représente la dent. Elle refuse de sentir, de laisser passer une émotion (dent du bas) ou une pensée (dent du haut). Elle s'auto-anesthésie. C'est la réaction d'une personne de nature mentale qui se ferme aux émotions pour se protéger d'un vœu trop pénible associé à la dent. Elle se pétrifie, cristallise sa souffrance sans pouvoir s'en détacher. Par peur d'évoluer, de l'impermanence des choses ou du temps qui passe, la personne anticipe son vieillissement. Elle se momifie. Son besoin de contrôle la conduit à figer tout mouvement : flux des émotions, cours du temps (sclérose de la pensée ou de l'émotion). Elle restreint son champ de conscience, s'engonce dans ses habitudes, se limite de plus en plus dans le domaine représenté par la dent.

L'interprétation est à nuancer en proportion du nombre de dents atteintes → ***lire*** *la rubrique consacrée à la dent atteinte : Canine, Incisive, etc.*

■ VOLUMINEUSE *ou TAURODONTISME*

Défaut de formation d'une dent caractérisé par une cavité pulpaire large et des racines courtes

→ ***lire*** *Taurodontisme.*

PULPECTOMIE

Ablation de la pulpe → ***lire*** *Dévitalisation.*

PULPITE *INFLAMMATION DE LA PULPE*

→ ***lire*** *Rage de dent.*

PULPITE *A RETRO*

Méd. *Inflammation de la pulpe causée par le déchaussement.*

Colère violente générée par l'impuissance face à une perte irrémédiable dans le domaine représenté par la dent. Ultime tentative de sursaut et de révolte avant la capitulation définitive. La personne est en rage d'être dépossédée, envahie jusque dans son territoire le plus intime et secret.

→ ***lire*** *Déchaussement.*

PULPOLITHES

→ ***lire*** *Pulpe rétrécie ou calcifiée.*

PULPOTOMIE

→ ***lire*** *Lait – dévitalisation.*

PULSION LINGUALE

Méd. *Problématique qui se greffe sur une déglutition infantile.*

Demande impérieuse que l'autre satisfasse ses besoins. La personne ne supporte pas qu'on lui dise non. Besoin vital d'être un centre d'attention.

→ ***lire*** *Déglutition atypique.*

RACINE

Méd. *Partie de la dent enfouie dans l'os et la gencive et recouverte d'une substance appelée cément.*

Un problème affectant la racine est profond, difficilement accessible à la compréhension. Il touche le fondement de la personnalité. Il s'enracine dans l'enfance. Il traduit un malaise insidieux, une souffrance inscrite dans les profondeurs de l'inconscient, dont la guérison demande un travail assidu d'introspection.

→ ***voir*** *Déchaussement, Pâte d'obturation, Rhizalyse.*

■ ABCÈS

→ ***lire*** *Abcès.*

■ AMPUTATION

Méd. *Acte chirurgical qui consiste à retirer la racine infectée ou lésée d'une molaire.*

La personne est privée d'une ressource profonde, d'une partie de son assise.

➤ **Dent qui vous concerne page 260.** *Numéro de la dent et rôle parental page 13.*

■ ANKYLOSÉE *ou en BÂTON DE CLOCHE*

→ ***lire*** *Ankylose de la racine.*

■ APPARENTE ou DÉNUDÉE

→ ***lire*** *Déchaussement, Gencive rétractée.*

■ CARIE

Méd. *Carie qui se greffe sur un déchaussement (racine à nu).*

La personne est parasitée de manière insidieuse par une peur viscérale qui l'épuise. Elle se ronge d'angoisse. Elle est dans un état de faiblesse extrême dans le domaine représenté par la dent.

➤ **Dent qui vous concerne page 275.** *Numéro de la dent et rôle parental page 13.*

• ***mâchoire du bas:*** les forces physiques de la personne sont amoindries, les proches abusent de sa faiblesse et la déstabilisent.

• ***mâchoire du haut:*** les ressources morales de la personne sont profondément minées, elle se laisse entamer par autrui et vider de son énergie. Elle est déstabilisée par les échanges sociaux.

• ***personne âgée*** *(**Méd.** carie invasive de la racine):* la personne laisse mourir la partie d'elle-même que représente la dent. Cette petite mort n'est pas anodine, c'est une sorte de répétition avant la mort attendue, voire espérée. Caries multiples de la racine : refus de continuer à vivre.

→ ***lire*** *Déchaussement et la rubrique consacrée à la dent atteinte (Canine, Incisive, etc.).*

■ COUDÉE ou en CROCHET

Méd. *Racine qui présente une pliure nette, accentuation ou inversion de la courbure naturelle.*

La personne a vécu dans l'enfance ou à l'adolescence une contrainte extrêmement forte dans le domaine que représente la dent. Un barrage, inconscient mais puissant, empêche l'accès direct à ce domaine ou à cette qualité. **Mâchoire du bas:** la personne s'est fermée pour se protéger du parent nourricier (papa ou maman) ou d'un proche. Rejet ou répulsion : « je ne veux plus recevoir cette énergie ou être en contact avec cette personne ». **Mâchoire du haut:** l'autorité excessive exercée sur la personne l'a obligée à courber l'échine devant le parent éducateur ou une figure d'autorité (professeur). La pression psychique l'a fait plier comme une pression continue tord une barre de fer.

➤ **Dent qui vous concerne page 342** *(clé de lecture : si la courbure naturelle est accentuée, la personne a subi une contrainte insidieuse mais permanente ; si la courbure est une franche pliure, la personne a vécu un traumatisme ponctuel mais marquant). Numéro de la dent et rôle parental page 13.*

• ***dévitalisation*** *(**Méd.** le coude rend impossible ou difficile l'accès à une partie de la racine):* la personne occulte une période de l'enfance ou de l'adolescence trop souffrante : « je refuse de retourner voir jusque-là ».

→ ***lire*** *Pâte d'obturation.*

• ***fracture lors de l'extraction*** *(**Méd.** fracture de la zone en crochet des « dents barrées »):* la personne ne peut extirper d'elle-même les souffrances (contraintes, honte, etc.) liées à l'enfance. Elle y est confrontée brutalement.

→ ***lire*** *Extraction difficile.*

■ COURTE ou PEU DÉVELOPPÉE

→ ***lire*** *Taurodontisme.*

■ DÉDOUBLÉE

Méd. *Racine divisée sur une partie de son trajet (deux racines au lieu d'une). Ou, dans une même racine, canal dédoublé. Ou encore canal divisé à son extrémité.*

Ambivalence très profonde qui touche la racine de la personnalité dans le domaine que représente la dent. Dans un domaine de sa vie, la personne est double, sans l'assumer ni sans s'en rendre compte. Exemples : double identité (incisive centrale supérieure ou dent du rayonnement) ; double relation, double façon d'aimer (incisive latérale inférieure ou dent de la relation) ; ambivalence sexuelle (première prémolaire inférieure ou dent de la métamorphose).

Aperçu *du domaine double : nom symbolique page 13* ■ ***analyse*** *plus fouillée : rubrique consacrée à la dent concernée (Canine, Incisive, etc.).*

■ **DÉNUDÉE**
→ ***lire*** *Déchaussement, Gencive rétractée.*

■ **DISSOLUTION**
→ ***lire*** *Rhizalyse.*

■ **FRACTURE ENTRE LES RACINES**
→ ***lire*** *Fracture des racines qui se séparent.*

■ **FRACTURE ou FÊLURE**
→ ***lire*** *Fracture de racine.*

■ **FRAGMENT QUI RESTE DANS L'OS**
→ ***lire*** *Extraction difficile.*

■ **PERFORÉE**
→ ***lire*** *selon le cas Faux canal, Pivot, tenon ou vis qui perfore une racine.*

■ **RACINES EMMÊLÉES DES DENTS DE SAGESSE**
La progression vers l'autonomie a été difficile : entrée dans l'âge adulte pénible ou tourmentée. Goût ou attachement marqué pour l'originalité.
→ ***lire*** *Sagesse – dents barrées.*

■ **RACINES FUSIONNÉES ou RESSERRÉES**
L'ancrage est faible, la stabilité difficile à trouver dans un secteur de la vie. La personne ne se sent pas à sa place ou éprouve des difficultés pour la trouver dans le domaine que la dent représente. Tendance à se sentir ou à rester seul, tout en ne se croyant pas de taille à affronter la solitude.
➤ **Dent qui vous concerne page 345.** *Numéro de la dent et rôle parental page 13.*

■ **RÉSORPTION**
→ ***lire*** *Rhizalyse.*

■ **SÉPARATION DES RACINES**
Acte chirurgical → ***lire*** *Fracture des racines qui se séparent.*

■ **TENON OU VIS QUI PERFORE UNE RACINE**
→ ***lire*** *Pivot, tenon ou vis qui perfore une racine.*

RAGE DE DENT *ou PULPITE*

Méd. *Inflammation de la pulpe, conséquence directe d'une carie profonde qui irrite le nerf.*

La personne qui a accumulé colère et souffrances bouillonne comme un volcan en éruption. Émotions ou pulsions intenses (colère, violence) affluent et la submergent. Furieuse, ne sachant comment les libérer, elle tourne en rond comme un animal en cage. Les douleurs aiguës de la rage de dent sont comme les hurlements stridents d'une sirène d'alarme. C'est l'appel au secours d'une facette de soi qui hurle sa souffrance, d'autant plus fort que la personne fait la sourde oreille. En parallèle avec le soin dentaire, il est conseillé d'identifier et d'exprimer sa colère : verbalisation, écriture, défoulement dans un cadre choisi, etc. Sans prise de conscience, la lésion risque de devenir chronique. Les émotions

refoulées et accumulées peuvent créer un abcès latent et indolore, dont le caractère insidieux rend la prise de conscience plus difficile.
Connaître la raison de la rage → ***lire*** *Carie* ■ *ses conséquences* → ***lire*** *Dévitalisation.*

RAPPORTS INTERMAXILLAIRES

→ ***lire*** *Occlusion.*

RAYONNEMENT – DENT DU

→ ***lire*** *Incisive centrale supérieure.*

RÉCIDIVE DE CARIE

Méd. *La carie reprend sous une obturation (résine, plombage) quelques mois ou années après avoir été soignée. À différencier de la reprise de carie qui se situe sur la même dent mais pas au même endroit.*

La personne revit les mêmes souffrances dans des conditions identiques ou similaires à celles qui ont généré la carie la première fois. La problématique associée à la dent n'a pas été comprise. La personne a l'opportunité d'en prendre conscience pour se libérer et guérir cette fois de manière définitive. Sans quoi, le problème risque de s'aggraver.
→ ***lire*** *Carie d'une dent ou directement :*
➤ **Dent qui vous concerne page 275.** *Numéro de la dent et rôle parental page 13.*

RECOUVREMENT *ou SUPRACLUSION*

Méd. *Décalage inter-arcades ou dysmorphose : recouvrement excessif des dents du bas par les dents du haut.*

Puissant, le mental exerce une forte emprise sur la personnalité. La raison impose un contrôle excessif sur le corps. La personne bride ses instincts et ses émotions. Elle ne s'exprime pas assez et se protège trop car elle redoute par-dessus tout l'intrusion. Elle croit qu'elle doit cacher sa fragilité et ses besoins, prendre sur elle pour offrir une image lisse et parfaite. Blindée comme un coffre-fort, enfermée dans sa cage mentale faite de repères, de normes et d'interdits, elle ne laisse rien entrer ni sortir d'elle. Son sens de la morale et du devoir est exacerbé. Les « je dois, il faut, etc. » dirigent sa vie. L'expression du corps est limitée, l'action freinée par la volonté inconsciente de tout maîtriser. La personne compense sa peur d'aller de l'avant par un contrôle surdéveloppé. La spontanéité est d'autant plus limitée que le recouvrement est important. Les secteurs où il est plus marqué montrent les domaines où la personnalité est sous contrôle. L'enfant ou l'adolescent a besoin de s'ouvrir. Il serait néfaste de lui mettre la pression dans la recherche de performances intellectuelles ou de perfection. **Canines et prémolaires :** contrôle de de la sexualité et de la créativité. **Incisives :** contrôle des besoins, de l'intimité, de la relation à l'autre ; lire l'addendum page 231. **Molaires :** encadrement excessif de la part des parents, éducation trop normative, ligne de conduite stricte que la personne a intégrée et continue de suivre malgré elle. Interdiction de faire un pas de côté.
Si le recouvrement est responsable d'une irritation de la gencive en bas → ***lire*** *Gencive irritée par recouvrement* ■ *d'une irritation du palais* → ***lire*** *Papille rétro-incisive.*

REFAIRE SES DENTS

→ ***lire** Se faire refaire les dents.*

REFLUX GASTRIQUE – ACIDITE DUE À

→ ***lire** Collet – usure, Érosion dentaire, Salive acide.*

RÉIMPLANTATION

*Dent réimplantée ou replacée dans son alvéole après une luxation (choc violent qui expulse la dent). Acte différent du fait de poser un implant → **lire** Luxation d'une dent, Rhizalyse ■ réimplantation dans le but de remplacer une autre dent → **lire** Auto-transplantation.*

RELATION – DENT DE LA

→ ***lire** Incisive latérale inférieure.*

REMINÉRALISATION

→ ***lire** Arrêtée – carie sèche.*

REMPLACER...

*Une dent qui manque → **lire** Bridge, Implant ■ une couronne → **lire** Couronne ne convenant plus ■ un plombage ou une obturation → **lire** Obturation, Prothèse ■ un plombage par un autre matériau → **lire** Plombage.*

RENVOIS ACIDES

→ ***lire** Collet – usure, Érosion dentaire, Salive acide.*

RÉPARER UNE DENT

→ ***lire** Obturation, Pansement, Plombage.*

REPRISE DE CARIE

***Méd.** Carie qui reprend sur la même dent sans que l'obturation initiale soit touchée. La reprise concerne une autre face ou la même face à un endroit différent de l'atteinte initiale. Cas différent de la récidive de carie.*

La problématique initiale a été comprise et guérie à un certain niveau. Elle se manifeste sous un aspect différent qui invite la personne à aborder le problème sous un angle nouveau, à une prise de conscience autre, même si c'est toujours la même dent qui est concernée.

→ ***lire** Carie ou directement :*

➤ **Dent qui vous concerne page 275.** *Numéro de la dent et rôle parental page 13.*

RÉSECTION APICALE

→ ***lire** Abcès – intervention.*

RÉSIDUS ALIMENTAIRES

→ **lire** *Bourrage alimentaire, Gingivite.*

RÉSINE *COURONNE ou OBTURATION*

→ **lire** *Prothèse.*

RÉSISTANCE À L'ANESTHÉSIE

→ **lire** *Anesthésie – résistance.*

RÉSORPTION DE LA RACINE

→ **lire** *Rhizalyse.*

RESPIRATION BUCCALE

Méd. *Mode respiratoire permanent de l'enfant ou de l'adulte détecté par un dentiste ou un orthodontiste.*

(Enfant: lire l'addendum page 214). La personne, adulte ou enfant, n'existe qu'à travers ses émotions. Sensitive, elle perçoit le monde de manière instinctive. Elle n'accède pas à un mode d'expression et de conscience adulte, représenté par les voies aériennes dites supérieures (respiration nasale). Bloquée dans l'enfance, envahie par ses émotions, elle manque de recul et de discernement par rapport aux événements, qu'elle vit au premier degré. Les dents constamment entrouvertes ne jouent pas leur rôle de barrière et de filtre naturel. L'espace vital de l'enfant qui respire par la bouche est constamment habité par la présence de sa mère. Elle entretient avec lui une relation fusionnelle, favorisée par un père absent physiquement ou émotionnellement. L'adulte qui respire par la bouche continue de se laisser envahir par les autres de manière passive. Un lien viscéral perdure avec la mère.

→ **lire** *selon le cas Déglutition atypique (respiration buccale et déglutition atypique sont souvent associées), Langue atone, Langue basse.*

RESTAURATION PROTHÉTIQUE

→ **lire** *Bridge, Couronne, Dentier, Occlusion – réhabilitation, Prothèse, Se faire refaire les dents.*

RETARD D'ÉRUPTION

→ **lire** *Poussée dentaire difficile.*

RETARD DE RHIZALYSE DES DENTS DE LAIT

→ **lire** *Rhizalyse des dents de lait – retard.*

RÉTRACTION DE LA GENCIVE

→ **lire** *Gencive rétractée.*

RÉTRO-ALVÉOLIE

Dents inclinées vers l'arrière → ***lire** Implantation – dents vers l'arrière.*

RÉTROGNATHIE *TENDANCE À LA*

***Méd.** Hypodéveloppement et rétraction de la mâchoire inférieure.*

L'intellect et la raison sont surdéveloppés. La tendance à cogiter domine, tandis que le corps et les instincts restent peu développés. L'intellect envahit la personnalité. Tendance à l'abstraction, à se désincarner. Le rapport à la réalité tend à devenir virtuel, par écran d'ordinateur interposé. L'humain devient une tête pensante dont le corps nié ou négligé n'est qu'un support passif du cerveau. Le type rétrognathe avec étroitesse des arcades et voûte palatine creuse est le produit d'une adaptation aux conditions de vie imposées par nos sociétés modernes, au prix d'un déséquilibre de l'occlusion et d'une perte de la verticalité. Les mâchoires s'atrophient tandis que le crâne s'hyperdéveloppe. Au plan symbolique, l'humain moderne supporte le poids de son mental qui, trop lourd, entraîne sa tête vers l'avant. Depuis deux générations, l'équilibre des mâchoires, inscrit dans la verticalité et issu de milliers d'années d'évolution, tend à se perdre. Le fait mérite réflexion.

→ ***lire** Surplomb incisif exagéré, Mâchoire trop petite.*

RETRO-INCISIVE – INFLAMMATION DE LA PAPILLE

→ ***lire** Papille rétro-incisive.*

RÊVER DE DENTS

La bouche est la porte qui s'ouvre sur les profondeurs de l'inconscient. Rêver qu'on perd une ou plusieurs dents traduit une transformation importante. Le rêve exprime le besoin d'un retour à soi-même. Les dents que l'on perd symbolisent le passé qu'on élimine pour faire peau neuve. Si l'impression laissée par le rêve est désagréable, la personne résiste au changement, en particulier si elle rêve qu'on lui arrache les dents. Elle subit alors la mutation, qui devient mutilation, au lieu d'y participer. À l'inverse, les dents qui tombent peuvent représenter des qualités ou opportunités que la personne n'utilise pas et qui sont de ce fait perdues. Elles traduisent alors la passivité excessive du rêveur qui laisse sa vie lui échapper. Le rêve invite la personne à renouer avec sa puissance créatrice.

■ ÉLÉMENTS DU RÊVE

Consultez la rubrique qui correspond à chaque élément du rêve. Si vous rêvez que l'on vous arrache des dents, voyez la rubrique Extraction ; que vous les perdez, voyez Déchaussement ; qu'elles ont du mal à percer, Poussée dentaire difficile ; etc. Si une dent en particulier (Canine, Incisive, etc.) apparaît dans votre rêve, consultez la rubrique consacrée à la dent.

■ MÂCHOIRE DU BAS

La personne vit un problème avec sa propre mère mais aussi avec la sécurité et le plan matériel. Difficultés liées au corps et aux pulsions.

→ ***lire** Mâchoire du bas.*

■ MÂCHOIRE DU HAUT

La personne vit un problème avec le père, la loi ou l'autorité. Cela peut aussi indiquer qu'elle perd le contrôle sur sa vie.

→ ***lire** Mâchoire du haut.*

RHIZALYSE DE DENT ADULTE

***Méd.** Phénomène anormal de résorption de la racine d'une dent adulte. Il peut se produire suite à une ankylose, une luxation, un traitement d'orthodontie ou être causé par une dent incluse qui fait pression sur la racine.*

En réaction à un vécu difficile, la personne rejette sa dimension d'adulte dans le domaine que représente la dent. Elle veut inverser le cours du temps et redevenir enfant. Elle refuse de s'enraciner dans une réalité trop dure à supporter. Elle se réfugie dans ses rêves, voudrait rejoindre le monde de l'invisible plutôt que de continuer à vivre dans le monde réel. Le problème est sérieux, la personne veut se détruire, manifeste son refus de vivre. Vie, passé, famille : elle veut tout effacer. Plus profondément, rejet du principe nourricier ou maternel dont l'origine se situe aux racines même de la vie, la vie fœtale. **Mâchoire du bas :** la personne refuse de grandir physiquement, elle rejette les contraintes et les limitations liées au corps. Rejet affectif. Bas gauche (cadran 3) : problème lié à la maman nourricière ; bas droit (cadran 4) : au papa nourricier. **Mâchoire du haut :** la personne refuse de raisonner et de penser comme un adulte, elle rejette les contraintes sociales et les limites imposées par l'éducation. Rejet de l'autorité. Haut droit (cadran 1) : problème lié à la mère éducatrice ; haut gauche (cadran 2) : au père éducateur.

■ APRÈS LUXATION

***Méd.** Rhizalyse après réimplantation d'une dent expulsée par un choc violent.*

Rejet violent d'une facette de la personnalité dont la cause profonde n'a pas été identifiée. Il se manifeste à nouveau de manière insidieuse.

→ ***lire** Luxation d'une dent.*

■ APRÈS TRAITEMENT D'ORTHODONTIE

***Méd.** La rhizalyse se produit quand les forces appliquées sur la ou les dents sont excessives ou si le traitement a été trop rapide.*

La personne n'a pas accepté le traitement qu'elle a vécu comme une contrainte insupportable. Elle est animée d'un sentiment de révolte profond et tenace contre ceux qui le lui ont imposé : dentiste, parents, système social. La personne ne supporte pas d'être entravée physiquement (rhizalyse à la mâchoire du bas) ou limitée par des dogmes, des croyances ou une morale (rhizalyse à la mâchoire du haut). Indépendante par nature, la liberté fait partie de ses valeurs personnelles les plus fondamentales. Elle préfère se laisser mourir plutôt que de la sacrifier. Les dents atteintes indiquent le domaine de sa personnalité où l'individu a été le plus contraint. Par exemple, la résorption de la racine de la canine supérieure (dent de la volonté) montre que sa volonté a été brisée et son intégrité morale atteinte.

→ ***lire** la rubrique consacrée aux dents atteintes : Canine, Incisive, etc.* ■ → ***lire** Orthodontie.*

■ CAUSÉE PAR UNE DENT INCLUSE

Une qualité de la personnalité adulte ne peut s'exprimer. Dans un domaine, l'individu est bloqué, il ne peut grandir. Il étouffe mais lutte pour s'en sortir. Il bute sur un obstacle contre lequel il s'entête avec rage. Mal dirigée, sa force intérieure se retourne contre lui et le détruit. Une aide extérieure (psychothérapie) est salutaire pour l'aider à retrouver son chemin.

→ ***lire*** *Incluse – dent.*

■ CAUSÉE PAR UNE DENT DE SAGESSE

> ***Méd.*** *La dent de sagesse incluse appuie sur les racines de la deuxième molaire et cause sa rhizalyse.*

La personne n'arrive pas à accéder à l'autonomie. Elle lutte pour sortir de l'état de dépendance où elle se trouve. Une aide extérieure est salutaire pour l'aider à retrouver son chemin (psychothérapie). **Mâchoire du bas:** la personne croit que l'autre est un obstacle à sa liberté et cherche à détruire la possibilité d'un couple ou d'une collaboration. **Mâchoire du haut:** la personne est en révolte contre les normes sociales. Elle veut les détruire car elle croit qu'elles l'empêchent d'être elle-même.

→ ***lire*** *Sagesse — dent incluse.*

RHIZALYSE DES DENTS DE LAIT

> ***Méd.*** *La rhizalyse des dents de lait est la résorption physiologique des racines sous la poussée des dents permanentes sous-jacentes.*

L'enfant élimine l'héritage biologique reçu des parents (processus normal). Il meurt progressivement à l'enfance, dit adieu au « petit » qu'il a été pour renaître en tant qu'adulte, en tant que « grand ».

■ AVANCE

> ***Méd.*** *La dent de lait tombe, la dent permanente pousse aussitôt ou non.*

• ***dent adulte prête à faire son éruption:*** l'enfant est en avance sur son âge. Précoce et débrouillard, il est prêt à s'émanciper. Il veut brûler les étapes, il veut être « grand » avant l'heure.

→ ***lire*** *Éruption précoce.*

• ***dent adulte loin de faire son éruption:*** l'enfant répond à la pression excessive ou inconsciente des parents qui voudraient qu'il grandisse ou font peser sur lui de trop lourdes responsabilités. Lui-même n'est pas prêt à les assumer ou n'a pas envie de grandir. L'enfant rejette son statut de « petit », sa dépendance aux parents, sans pour autant être capable de se situer en tant que « grand ». Prisonnier d'une sorte de flou et d'hésitation, il ne sait plus où est sa place ni s'il a le droit d'exister.

■ RETARD

> ***Méd.*** *La rhizalyse est retardée lorsque la dent sous-jacente n'existe pas. La dent de lait persiste alors un certain temps sur l'arcade. La rhizalyse est également retardée lorsque la poussée des dents permanentes tarde à se produire.*

L'enfant désire rester « petit » plus longtemps. Il s'accroche à l'enfance. L'impulsion à grandir est freinée. L'enfant ne peut ou ne veut pas devenir adulte. Les raisons sont multiples: insécurité, manque affectif, parents absents ou au contraire surprotecteurs, etc. L'enfant trouve un bénéfice secondaire à rester bébé: être le chouchou de la famille, retarder le moment où il devra se prendre en charge, etc. Si le retard est important, les parents n'infantiliseront pas l'enfant mais au contraire doivent le responsabiliser à la mesure de ses capacités et le traiter en adulte pour l'inciter à grandir.

→ ***voir*** *Poussée dentaire difficile* ■ *si la dent sous-jacente n'existe pas* → ***lire*** *Agénésie* ■ *si la dent de lait persiste* → ***lire*** *Persistance d'une dent de lait* ■ *retard causé par l'ankylose de la dent de lait* → ***lire*** *Ankylose de racine sur dent de lait.*

RICTUS

Les rictus sont des spasmes qui donnent un sourire forcé ou une expression figée. Ils amènent à montrer certaines dents → ***lire*** *Montrer les dents.*

RONFLEMENT

→ ***lire*** *Palais – personne qui ronfle.*

RONGER SES ONGLES

Voracité, faim de tendresse, d'affection mais aussi d'estime et de reconnaissance. Pulsions agressives non exprimées vis-à-vis de la mère nourricière. Besoin de posséder la figure maternelle, de se l'approprier, et en même temps rejet, désir de la détruire. Expression de pulsion agressive. Qui avez-vous envie de « bouffer » ?

ROSE – DENT DE COULEUR

> ***Méd.*** *Teinte caractéristique rose ou rougeâtre qui survient sur une dent dévitalisée par produit nécrosant. Les produits à base d'arsenic provoquent l'éclatement des vaisseaux de la pulpe. Le sang colore la dentine qui paraît rose par transparence. La coloration est indélébile.*

La personne s'est débattue avant de laisser mourir la facette d'elle-même représentée par la dent et garde en elle beaucoup de colère et de souffrance. Dans ce domaine de sa vie, elle réagit presque systématiquement par l'emportement. Les émotions liées à la dent sont encore très présentes. Il serait judicieux de faire un travail particulier pour les libérer avant de choisir de les oublier en recouvrant la teinte disgracieuse par une couronne.

➤ **Dent qui vous concerne page 309.** *Numéro de la dent et rôle parental page 13.*

→ ***lire*** *Dévitalisation par produit nécrosant.*

ADDENDUM (respiration buccale page 210)

L'enfant qui respire par la bouche n'est en quelque sorte pas né. La posture bouche ouverte et le nez envahi par l'eau pérennisent la vie *in utero*. L'enfant reste bloqué dans une fusion physique avec la maman : « mon souffle est ton souffle, je suis suspendu à toi et ma vie ne tient qu'au fil que tu représentes ». L'enfant est littéralement étouffé par une mère possessive à l'excès ou elle-même submergée par ses angoisses. Il vit la tête sous l'eau, noyé dans les émotions maternelles, baignant dans la matrice dont il n'est pas sorti.

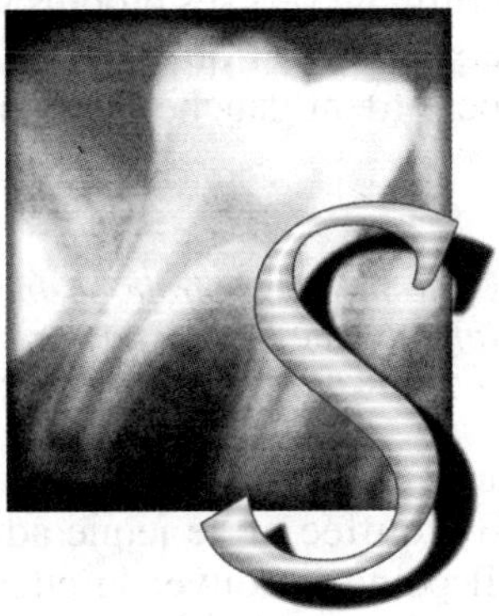

SAGESSE *PROBLÈMES AUX DENTS DE SAGESSE*

[symbolique : lire Dents de sagesse]

■ ACCIDENT D'ÉRUPTION

→ ***lire*** *Accident d'éruption de la dent de sagesse.*

■ AGÉNÉSIE

Méd. *Dent inexistante. Absence de formation de la dent au stade embryonnaire. Elle ne poussera jamais.*

Interdiction inconsciente d'exister pour et par soi-même. La personne a intégré précocement la croyance qu'être hors-norme, en marge ou solitaire menace sa survie. Elle ne va pas au bout de ses convictions personnelles par peur d'aller trop loin et d'être exclue du groupe familial ou social. Elle croit qu'elle doit rester dépendante des autres, qu'elle n'a ni la capacité d'être pleinement adulte et autonome ni qu'il soit souhaitable de l'être. Elle peut néanmoins y parvenir mais au prix d'un effort particulier. Son processus de croissance s'est arrêté avant terme. Il lui est interdit d'accéder à la maturité. Elle a peur de finir, d'aller au bout des choses (projet, relation, entreprise, etc.) par peur qu'il n'y ait rien après : peur du néant, de la mort. Désir de rester un éternel adolescent par crainte de vieillir. Peur d'arriver au terme de sa vie, d'un projet. Peur et fascination pour l'au-delà, le paranormal.

➤ **Dent qui vous concerne page 265**, *agénésie en bas* → ***lire*** *[38-48], en haut [18-28]. Numéro de la dent et rôle parental page 13* ■ *autres détails* → ***lire*** *Agénésie.*

■ DENT BARRÉE

Méd. *Racines emmêlées ou coudées.*

Contraintes exercées par le parent ou la société. La personne a accédé difficilement à l'autonomie. Son chemin personnel a été jalonné d'embûches. Devenir adulte a exigé d'elle un renoncement (racines coudées), ou bien elle croit qu'il est compliqué de vivre pour ou par soi-même (racines emmêlées).

• ***mâchoire du bas :*** la personne est attachée viscéralement au parent nourricier ou à l'enfance. Autonomie matérielle ou affective difficile. Emprise excessive du papa (dent droite), de la maman (dent gauche).

• ***mâchoire du haut:*** cheminement difficile vers ses propres valeurs, fait d'hésitations et de remises en questions. La personne croit qu'il est difficile d'écouter sa voix intérieure. Emprise excessive du père (dent gauche), de la mère (dent droite).
*→ **lire** Racine coudée.*

■ EXTRACTION CHIRURGICALE

***Méd.** Extraction chirurgicale sous anesthésie générale ou locale de la dent incluse ou partiellement sortie. Intervention différente de l'extraction préventive du germe (germectomie), ou encore de l'extraction de la dent en place sur l'arcade mais abîmée (carie, déchaussement, etc.).*

La personne accède difficilement à l'âge adulte. L'envie qui la pousse à prendre son autonomie est là mais elle est étouffée ou le jeune adulte ne se donne pas le droit de la vivre jusqu'au bout. Il peine à trouver le chemin de l'indépendance matérielle et affective, il a besoin qu'on l'aide à s'extraire du cocon familial.

*Dent en position couchée → **lire** Sagesse – incluse ou couchée ■ poussées douloureuses ayant motivé l'extraction → **lire** Accident d'éruption de la dent de sagesse ■ dent de sagesse en place extraite pour une autre raison (carie, abcès, déchaussement, etc.) → **lire** Extraction ■ → **lire** Dents de sagesse ■ extraction des germes → **lire** Germectomie ■ complications → **lire** Sagesse – extraction (suites).*

• ***se préparer:*** abordée avec conscience, l'intervention est l'occasion de naître à une nouvelle vie, une vie adulte, affranchi de la dépendance parentale. Dans ce cas, le scalpel du chirurgien, en plus d'ouvrir pour dégager la dent, tranche également un lien, ouvre l'accès à une nouvelle liberté. Accepter et vivre l'opération comme une naissance permet en outre de réduire, voire de supprimer les suites opératoires douloureuses ou invalidantes, qui risqueraient sinon de ressembler cruellement aux symptômes qui ont mené à l'extraction. Aborder l'intervention comme un passage permet de minorer ces réactions (ci-dessous). Remarque: observer la manière dont la dent est positionnée dans la mâchoire permet de lâcher le comportement ou le désir inconscient qu'elle révèle.
*→ **lire** Sagesse – incluse.*

• ***suites ou complications mineures** (**Méd.** douleurs, inflammation, œdème, surinfection, trismus):* résistance inconsciente du jeune adulte qui, tout en se reprochant de ne pas réussir à franchir le cap, se ferme à la possibilité d'une nouvelle vie. Le sujet est pour lui souffrant.
*→ **lire** selon le cas Joue enflée, Ostéite, Trismus.*

• ***suites ou complications sévères** (**Méd.** lors de l'extraction, des fibres nerveuses peuvent être sectionnées ou lésées si les racines sont proches du nerf dentaire inférieur. Peuvent survenir une anesthésie temporaire ou définitive, ou encore une para-esthésie – sensations de picotements ou de fourmillements – de la lèvre inférieure du côté correspondant. En haut, la tubérosité maxillaire peut être fracturée):* la personne a ressenti l'opération comme une mutilation, un arrachement vécu dans l'impuissance, dont elle ne se remet pas. L'amputation l'a privée de la sensation d'être en contact avec sa vérité, ses ressources les plus profondes et personnelles. En acceptant qu'on lui retire sa faculté d'autonomie, elle s'est laissée régresser au stade de nourrisson ou de vieillard qui bave (anesthésie de la lèvre). La personne vit une insécurité profonde, s'estime inapte à prendre sa vie en main, s'en remet aux autres car elle se croit incapable de sentir ce qui est bon pour elle. Elle doit commencer par se pardonner de croire si peu en ses capacités au point de s'être laissée amputer. Accepter sa vulnérabilité et sa dépendance vis-à-vis du parent nourricier (en bas) ou éducateur (en haut) peut lui permettre de reconstruire sa sécurité intérieure et d'accéder à une autonomie véritable.

*Le côté de l'extraction indique à quel parent ou type de personnes le problème est lié → **lire** Cadran ou page 13 ■ → **lire** Extraction, Hémorragie, Joue enflée, Ostéite, Trismus ■ → **lire** selon le cas ATM – luxation.*

■ GERMECTOMIE

*→ **lire** Germectomie des dents de sagesse.*

■ INCLUSE ou COUCHÉE

***Méd.** Dent entièrement recouverte par l'os ou la gencive.*

L'autonomie est étouffée. La capacité à se prendre en charge est en sommeil. L'individu ne mobilise pas ses ressources personnelles, pourtant présentes. Il ne parvient pas à accéder à la dimension d'adulte pleinement accompli. Il croit devoir cacher qui il est vraiment pour plaire à ses parents ou aux autres. En cas d'extraction, observer la manière dont la dent se présente (couronne vers l'avant, l'arrière, etc.) est l'occasion de lâcher le comportement ou le désir inconscient associé :

• ***couronne vers l'avant*** *(**Méd.** contre seconde molaire)*: la personne se sent prisonnière, elle bute sur un obstacle inconscient qui l'empêche d'accéder à l'autonomie et d'être pleinement elle-même. **Mâchoire du bas:** le couple est vécu comme un obstacle à la liberté. **Mâchoire du haut:** les normes, les conventions sociales, la loi, les principes éducatifs sont un obstacle à la liberté de penser.

• ***couronne vers l'arrière:*** désir viscéral de revenir en arrière, dans le passé ou l'enfance, voire dans le ventre de maman. La personne veut fuir la réalité pour se réfugier dans le rêve, dans son monde intérieur.

• ***couronne vers l'extérieur*** *(**Méd.** vers la joue)*: la personne cherche l'indépendance d'une manière faussée. Égarée, elle ne sait comment s'y prendre, tâtonne. **Mâchoire du bas:** elle confond indépendance matérielle, éloignement physique avec autonomie véritable. **Mâchoire du haut:** elle confond la rébellion ou l'opposition systématique avec l'autonomie de pensée ; ou bien cherche des modèles sur lesquels calquer sa vérité.

• ***couronne vers l'intérieur*** *(**Méd.** vers la langue ou le palais)*: la personne répugne à partir du foyer. Elle éprouve un besoin fondamental de protection. **Mâchoire du bas:** la personne recherche inconsciemment l'aile protectrice d'un papa ou d'une maman. L'éloignement physique lui est difficile. **Mâchoire du haut:** la personne ne parvient pas à se dégager de l'influence du parent éducateur, père ou mère.

*Côté et rôle parental correspondant → **lire** Cadran ou page 13.*

■ PARTIELLEMENT SORTIE

***Méd.** Dent recouverte en partie par l'os ou par la gencive et qui manque de place pour sortir complètement.*

Le désir d'être autonome est présent mais ne peut s'exprimer totalement. La peur inconsciente de s'assumer, d'être seul ou encore d'être en marge empêche de prendre complètement sa place dans le monde adulte. La personne est bloquée dans un entre-deux inconfortable et angoissant, entre dépendance et autonomie, entre adolescence et maturité.

*En cas de poussée inflammatoire → **lire** Accident d'éruption ■ position de la dent dans la mâchoire → **lire** paragraphe précédent.*

■ **PROBLÈMES DIVERS**

Poussée inflammatoire ou irritation de la gencive → **lire** *Accident d'éruption de la dent de sagesse* ■ → **lire** *selon le cas Sagesse – agénésie, Sagesse – dent barrée, Sagesse – incluse ou couchée, Sagesse – surnuméraire.*

■ **SURNUMÉRAIRE**

L'autonomie est cruciale pour la personne qui cherche à compenser un manque hérité du parent en ce domaine. Il existe chez le parent lui-même ou dans son ascendance un problème lié à la dépendance (surnuméraire en bas) ou au manque d'affirmation de ses valeurs (surnuméraire en haut). La personne a besoin inconsciemment de se rassurer face à l'énigme de la mort. Non, tout ne s'arrête pas ; oui, il y a bien une vie après la mort. Besoin de rendre l'au-delà tangible, l'invisible palpable. Besoin de voir pour croire.

Le côté où se situe l'anomalie indique à quel parent la croyance est liée → **lire** *Cadran ou voir page 13* ■ *autres détails* → **lire** *Surnuméraire – dent en plus.*

• ***dédoublée*:** la personne a hérité du parent la croyance qu'il faut coûte que coûte parvenir à se débrouiller seul. L'accès à l'autonomie se fait par la lutte. Les choix et les remises en question sont inévitables. La personne est habitée par une ambivalence fondamentale qui rend conflictuel ou hésitant son accès à la maturité. **Mâchoire du bas :** la personne est partagée entre son envie de solitude et son envie d'être avec l'autre. **Mâchoire du haut :** la personne a des difficultés à réaliser la synthèse des valeurs parentales et sociales pour trouver sa propre vérité.

• ***en grain de riz*** *(**Méd.** une dent en forme de grain de riz sort au-dessus de la dent de sagesse normale) :* la personne accède à l'autonomie en deux étapes. Elle a besoin de passer par une phase intermédiaire avant d'accéder à la maturité, et d'éliminer des fardeaux pesants liés à son passé. La perte ou l'extraction de la dent en grain de riz matérialise une transformation profonde, un tournant décisif dans l'évolution de la personnalité. **Mâchoire du haut :** la dent en grain de riz est une première étape vers la vérité intérieure. **Mâchoire du bas :** la dent en grain de riz est une première étape vers l'autonomie matérielle et affective.

SALIVATION – SALIVE

Méd. *La salive est en rapport direct avec les émotions. Sa qualité fluctue au cours du temps.*

■ **SALIVATION EXCESSIVE**

Expression d'un désir intense qui submerge la personne. Elle fantasme sur des plaisirs supposés, en salive d'avance. Elle a les yeux plus grands que le ventre, voudrait tout dévorer ou incorporer, sans faire la part des choses entre envie véritable et pur fantasme. Frustration de se retrouver « bec dans l'eau », faute de parvenir à posséder ce qu'on convoite : nourriture, partenaire, savoir, etc. La personne vit dans le rêve, en décalage avec la réalité, fixée sur ses attentes et portée par l'espoir d'un futur supposé meilleur. Elle croit que les satisfactions, le plaisir et la joie se méritent. Son corps l'invite à goûter et à profiter des joies accessibles ici et maintenant.

→ **lire** *Baver.*

■ **SALIVATION INSUFFISANTE**

→ **lire** *Bouche sèche.*

■ **SALIVE ACIDE EN PERMANENCE**

Méd. *Les acides issus de la dégradation du sucre par les bactéries s'ajoutent à l'acidité naturelle de la personne. Les systèmes tampons de la salive, chargés de maintenir un pH neutre, sont saturés. L'excès d'acide détruit les dents, favorise aphtes, mycoses, déchaussement.*

La personne n'exprime pas son agressivité ou sa colère. Elle garde trop de rancœur ou d'aigreur notamment vis-à-vis de ceux, parent ou partenaire, qui l'ont mal aimée ou faite souffrir. Elle réprime sa nature dynamique, active ou expansive. Son mordant se retourne contre elle-même et la détruit. En consommant des aliments sucrés qui renforcent son acidité naturelle, elle compense la frustration liée à l'impossibilité de s'exprimer ou d'agir. Elle tente d'atténuer son aigreur intérieure par la douceur du sucre.

■ **SALIVE COLLANTE QUI FAIT DES FILS**

Personne possessive qui cherche à retenir les autres par un chantage affectif. Elle les séduit et les charme pour se servir d'eux. Comme l'araignée, elle tisse une toile de belles paroles où ils viennent se prendre. La personne croit que sa survie passe par l'autre. Peur viscérale de la solitude.

■ **SALIVE ÉPAISSE**

La personne n'exprime pas ses émotions qui stagnent et l'encombrent. Elle reste attachée à son passé. **Avec tartre:** désir inconscient de figer les choses, de s'abriter derrière une routine rassurante par peur de se laisser aller. La personne s'accroche à son passé pour se rassurer face à l'incertitude de l'avenir.

→ ***lire*** *Tartre.*

■ **SALIVE TROP LIQUIDE**

La personne laisse filer les choses (argent, opportunités, etc.). Ses émotions lui échappent sans qu'elle puisse les contrôler. Sa vitalité également. La personne donne trop et ne retient rien. Elle dépense son énergie sans compter pour les autres. Elle perd en quelque sorte sa salive en s'échinant en pure perte. Elle doit apprendre à s'économiser et à se recentrer sur elle-même.

SCORBUT

Méd. *Carence en vitamine C responsable du déchaussement et de la perte des dents.*

La personne est fatiguée de lutter. Profondément lasse, elle rend les armes. Elle n'a plus la force de se battre pour défendre sa vie.

→ ***lire*** *Déchaussement étendu.*

SE CURER LES DENTS

La personne est dans l'indécision. Elle s'encombre l'esprit de considérations inutiles qui l'empêchent de faire des choix. Elle se demande si elle a le droit d'agir ou de ressentir. **En haut:** elle a besoin de s'éclaircir les idées, de trouver les mots justes. Elle se demande comment exprimer quelque chose d'important qu'elle a toujours différé; peut-être ne sait-elle pas elle-même ce qu'elle aimerait dire. **En bas:** elle a besoin de couper des liens affectifs, de se sentir moins dépendante. En même temps, elle a peur d'avouer ses sentiments, persuadée qu'elle serait rejetée. **Cure-dent qu'on place toujours au même endroit:** la personne s'acharne à séparer deux domaines de sa vie, qu'elle ne sait comment utiliser en synergie.

Elle aurait besoin d'une ressource supplémentaire, d'un guide sur la manière d'harmoniser les qualités représentées par les dents concernées.

***Aperçu** du domaine représenté par les deux dents où on place le cure-dent : nom symbolique page 13 ■ **analyse** plus fouillée : rubrique consacrée aux dents concernées (Canine, Incisive, etc.).*

SECONDES MOLAIRES ADULTES [47-37] et [17-27]

DENTS DE L'UNION et de la TRANSGRESSION

[secondes molaires de lait : lire Lait – dents]

Les secondes molaires ou dents de douze ans marquent l'entrée dans l'adolescence. Elles représentent les appuis sociaux, la capacité de se nourrir par les échanges affectifs (mariage, amitiés) et professionnels (reconnaissance sociale, satisfactions liées à la carrière). Leur atteinte témoigne du sentiment de ne pas pouvoir compter sur d'autres que les parents et de ne pas pouvoir prendre sa place en dehors d'eux.

■ SECONDE MOLAIRE INFÉRIEURE [47-37]

ou DENT DE L'UNION

La dent de l'union symbolise le foyer ou le couple que la personne bâtit avec son partenaire de vie et les amitiés qu'elle construit selon ses affinités. Elle représente la capacité de faire confiance à l'autre, conjoint ou ami, le fait de s'investir avec lui pour construire sa propre vie affective, en dehors des parents. La dent représente le fait d'accéder au statut d'homme ou de femme marié, au moins symboliquement, de prendre la place du parent en devenant papa ou maman à son tour. La dent de l'union représente le fait de compter affectivement et matériellement sur l'ami ou le partenaire.

• ***atteintes :*** le couple ou les amitiés solides sont sources de souffrance ou de déception. Accorder sa confiance à l'autre, conjoint ou ami, est problématique. La personne trouve difficilement un soutien affectif ou matériel en dehors du parent nourricier. Elle refuse l'appui de l'autre ou se sent trahie par lui. Elle est persuadée que personne ne saura l'aimer, la consoler, la soutenir aussi bien que le parent nourricier. L'attachement au parent ou la culpabilité de l'abandonner l'empêche de le quitter pour bâtir son propre foyer. La personne désire inconsciemment détruire le couple par fidélité envers le parent. Ou encore, le couple est vécu comme un frein à l'évolution personnelle. La personne est plus attachée à sa liberté individuelle qu'au couple. Elle croit qu'elle doit compter sur elle-même plutôt que sur le partenaire. La dent atteinte, droite ou gauche, montre de quel parent lui vient cette croyance.

• ***droite [47] :*** compter sur quelqu'un d'autre que le papa nourricier. Chez une femme, la dent 47 représente le couple. Lésion : « je refuse d'être soutenu(e) par une autre personne que papa ». La croyance de ne pas pouvoir compter sur le partenaire vient du papa. La lésion peut aussi être liée à un problème avec un conjoint qui rappelle inconsciemment le papa.

• ***gauche [37] :*** compter sur quelqu'un d'autre que la mère nourricière. Chez un homme, la dent 37 représente le couple. Lésion : « je refuse d'être soutenu par une autre personne que maman ». La croyance de ne pas pouvoir compter sur le partenaire vient de la maman. La lésion peut aussi être liée à un problème avec un conjoint qui rappelle inconsciemment la maman.

■ SECONDE MOLAIRE SUPÉRIEURE [17-27]

ou DENT DE LA TRANSGRESSION

La dent incarne les appuis sociaux (amis influents, conseillers, protecteurs) que l'individu trouve en dehors des parents. Elle représente le fait de prendre sa place en s'intégrant à la société, la réputation ou le nom qu'on bâtit par son travail, l'assise professionnelle ; également, le fait de prendre symboliquement la place du parent en devenant père ou mère à son tour, ou en assumant un rôle social. La dent de la transgression incarne le fait de s'émanciper de la tutelle parentale, de dépasser les limites fixées par le parent éducateur, de s'affranchir des interdits, d'élargir son horizon limité jusque-là aux parents pour s'intégrer à un réseau social plus vaste.

• ***atteintes :*** la personne perd stabilité et sécurité dans le domaine professionnel. Son statut social est remis en cause : problème au travail, contexte socio-professionnel insatisfaisant, etc. Elle refuse inconsciemment de s'émanciper de la tutelle parentale pour prendre la place sociale qui lui revient. Elle refuse de dépasser ou trahir le parent éducateur. Elle croit que rien de fiable n'existe en dehors du parent, que lui seul est digne de confiance. Elle a peur de le décevoir en agissant contre son avis ou en suivant les conseils de personnes étrangères à la famille. Ou encore, la position sociale, les conditions de travail sont vécues comme un frein à l'évolution ou incompatibles avec l'éthique personnelle. La personne est plus attachée à ses propres valeurs qu'aux normes sociales qu'elle rejette. La dent atteinte, droite ou gauche, montre à quel parent éducateur l'attitude est liée.

• ***droite [17] :*** se réaliser socialement en s'affranchissant de la mère éducatrice. Lésion : refus de la trahir. Attitude de rejet des normes sociales liée à la mère. La lésion peut aussi montrer un problème au travail lié à quelqu'un (chef, collègue) qui rappelle inconsciemment la mère.

• ***gauche [27] :*** se réaliser socialement en s'affranchissant du père éducateur. Lésion : refus de le trahir. Attitude de rejet des normes sociales liée au père. La lésion peut aussi montrer un problème au travail, lié à quelqu'un (chef, collègue) qui rappelle inconsciemment le père.

SECONDES PREMOLAIRES ADULTES [45-35] et [15-25]

DENTS DE L'AFFIRMATION et du DISCERNEMENT

[note : les prémolaires de lait n'existent pas ; ce sont des molaires]

Méd. *La prémolaire est une dent de taille intermédiaire placée avant la molaire. La denture adulte compte 8 prémolaires. Il y a 2 prémolaires par moitié d'arcade : la première et la seconde prémolaire.*

La seconde prémolaire, qui fait son éruption entre l'âge de 10 et de 12 ans, est annonciatrice de l'adolescence dont elle symbolise les crises. Elle est liée aux phases de remises en question de la vie. Elle représente la capacité de reconnaître son territoire. Son atteinte témoigne de l'incapacité à poser une limite : « je ne peux pas me démarquer » (plan émotionnel).

■ SECONDE PRÉMOLAIRE INFÉRIEURE [45-35]
ou DENT DE L'AFFIRMATION

La dent de l'affirmation incarne la prise de distance physique et émotionnelle qui, à l'adolescence, permet de couper le cordon avec le parent nourricier. La dent matérialise une frontière nécessaire. Elle représente le fait de se distinguer, de manifester une personnalité différente du parent : « je ne veux pas te ressembler ; je suis moi, et moi ce n'est pas toi ». Son éruption coïncide avec la fameuse crise par laquelle l'adolescent cherche à se démarquer (apposer sa marque) par tous moyens, attitude, langage, vêtements, marques sur la peau, goûts, amis, etc. La dent de l'affirmation est la borne qui sépare la femme ou l'homme en devenir du parent nourricier. La dent matérialise l'espace où l'individu peut construire une personnalité distincte et originale.

• ***atteintes:*** la personne ne parvient pas à poser une limite nette et se laisse envahir physiquement ou affectivement par le parent nourricier. Sa personnalité est étouffée. L'individu s'empêche d'affirmer sa différence : goûts vestimentaires, préférences, etc. Pour ne pas vexer, faire de peine au parent, ou par peur du rejet, il renonce à exprimer sa personnalité : « si je m'affirme, il (elle) va penser que je le (la) rejette ». Ou bien, s'il est de nature rebelle, il cache son incapacité à se séparer derrière une affirmation outrancière ou un rejet excessif. Il n'ose pas mettre une distance avec le parent nourricier ou un proche qui le rappelle inconsciemment. La lésion indique une peur de la séparation physique ou émotionnelle. Elle peut être le contrecoup d'un éloignement subi : divorce, changement de région vécu comme un exil, etc. La personne se refuse à dire non, à poser les balises nécessaires à toute relation.

• ***droite [45]:*** se séparer du papa nourricier. Lésion : refus de se détacher du papa. Plus généralement : refus de se séparer de quelqu'un dont les traits de caractère rappellent inconsciemment le papa.

• ***gauche [35]:*** se séparer de la maman nourricière. Lésion : refus de se détacher de la maman. Plus généralement : refus de se séparer de quelqu'un dont les traits de caractère rappellent inconsciemment la maman.

■ SECONDE PRÉMOLAIRE SUPÉRIEURE [15-25]
ou DENT DU DISCERNEMENT

La dent du discernement incarne la capacité de se séparer du parent sur le plan intellectuel en prenant du recul par rapport à son autorité. La dent représente le fait de se démarquer de l'emprise éducative des parents, professeurs, éducateurs ou autres. Elle représente la réflexion personnelle, l'aptitude à peser le pour et le contre qui permet de choisir. Elle représente la capacité d'apprendre par soi-même en tirant les leçons de ses expériences, de remettre en question et d'opérer un tri parmi les croyances reçues des parents et des enseignants. La dent représente l'aptitude à porter un jugement, y compris sur ses parents. Elle incarne l'harmonie entre les dualités intérieures : raison et sentiment, tête et cœur qui s'équilibrent comme les deux plateaux d'une balance. À l'opposé, l'aspect négatif conduit à se perdre dans des hésitations sans fin.

• ***atteintes:*** refus de penser par soi-même. La personne reste bloquée dans un système de croyances qui ne lui appartient pas pour ne pas déplaire au parent éducateur ou à une figure d'autorité (professeur) qui lui rappelle inconsciemment le parent. Elle n'ose pas prendre ses distances et mûrir ses décisions par elle-même. Au lieu de se fier à son propre jugement, elle compte trop sur les conseils du parent ou de la figure d'autorité qui le représente. Ou bien, si elle est de nature rebelle, la personne adopte systématiquement un avis opposé à celui du parent. Dans les deux cas, elle ne parvient pas à se libérer de son emprise intellectuelle ou morale : paresse, peur de choquer, de décevoir, ou au contraire désir de provoquer, etc. Elle refuse de remettre en question son infaillibilité pour le voir tel qu'il est. Elle éprouve des difficultés à poser une limite, à dire non au parent éducateur, à ses conseils ou à son influence.

- ***droite [15]:*** la prise de recul par rapport à la mère en tant qu'éducatrice et figure d'autorité. Lésion : refus de penser différemment de la mère. Plus généralement : refus de se séparer de quelqu'un dont les traits de caractère rappellent inconsciemment la mère.
- ***gauche [25]:*** la prise de recul par rapport au père en tant qu'éducateur et figure d'autorité. Lésion : refus de penser différemment du père. Plus généralement, refus de se séparer de quelqu'un dont les traits de caractère rappellent inconsciemment le père.

SENSATION DE DENT SERRÉE

*→ **lire** Couronne mal réalisée – volume inadapté.*

SENSATION DE DENT TROP HAUTE

*Dent momentanément trop haute → **lire** Ligament – inflammation ■ dent en permanence trop haute → **lire** Obturation qui gêne (trop haute), Occlusion – défauts (surocclusion).*

SE FAIRE REFAIRE LES DENTS

***Méd.** À l'heure de la chirurgie-minute et indolore et du sourire parfait, se faire refaire les dents peut sembler être un acte banal. Même le prix n'effraie plus (certains pays sont spécialisés dans le tourisme médical).*

Qu'il s'agisse de refaire une ou plusieurs dents, que ce soit pour de bonnes ou de mauvaises raisons, l'acte est loin d'être anodin.

*Pour s'en convaincre → **lire** Anesthésie, Orthodontie, Sourire parfait ■ pour chaque dent à remplacer → **lire** Couronne, Dévitalisation, Extraction ■ → **voir** selon le cas Bridge, Dentier, Implant.*

SENSIBILITÉ

*Au chaud, au froid, à l'acide, au sucre, etc. → **lire** Hypersensibilité non due à carie ■ hyposensibilité → **lire** Douleur ■ hypersensibilité → **lire** Hypersensibilité aux soins.*

SEPTUM INTERDENTAIRE

*Cloison osseuse qui sépare les dents entre elles → **lire** Cloison osseuse interdentaire.*

SEPTUM INTER-RADICULAIRE

*Cloison osseuse (ou furcation) qui sépare les racines de chaque molaire → **lire** Déchaussement entre les racines d'une dent.*

SERRÉE *SENSATION DE DENT SERRÉE*

→ ***lire*** *Couronne mal réalisée – volume.*

SERRÉES – DENTS

→ ***lire*** *Implantation, Taille d'une dent – dents larges, Taille d'une dent – dents petites et serrées.*

SERRER LES DENTS

Méd. *Problème chronique (bruxisme statique) ou acte momentané.*

■ BRUXIME STATIQUE

Méd. *La personne serre les dents sans mouvement de la mâchoire, la nuit ou dans des moments de stress intense. Les dents ne s'usent pas mais l'excès de pression peut produire : contractures douloureuses des muscles masticateurs et du dos, douleurs ou lésions de l'articulation temporo-mandibulaire (ATM), irritation du ligament qui relie la dent à l'os (desmodontite), déchaussement, ankylose de la racine, exostose.*

La personne s'impose des contraintes énormes. Elle reste confinée en elle-même comme dans une forteresse à l'intérieur de laquelle rien ne pénètre. Elle se blinde face à l'extérieur, protège son espace par peur de l'intrusion. Elle contient ses émotions. Elle s'écrase devant autrui, ravale sa colère et sa rancœur, se retient d'exploser. Plaintes, sanglots, cris : elle garde tout à l'intérieur d'elle-même. Sous pression comme une cocotte-minute, elle a été élevée à la dure ou sans égard pour son vécu personnel, rabaissé au rang de détail. On lui a répété « serre les dents » lors de situations de stress ou de difficultés, ou ses plaintes n'ont trouvé aucun écho. Serrer les dents est devenu un réflexe, une réponse naturelle aux problèmes qu'elle rencontre, une survie face à l'indifférence. Elle s'oblige à prendre sur elle, à ravaler les sanglots, la peine ou la douleur qu'elle voudrait hurler. Elle refuse d'entendre ses propres gémissements, cherche à anesthésier sa souffrance. Elle subit une pression permanente. Pour se défendre, elle tente de s'endurcir sans voir qu'en se contractant elle augmente la pression qu'elle s'impose.

Selon les symptômes associés → ***lire*** *Ankylose, ATM, Déchaussement, Exostose, Ligament.*

■ SERRER LES DENTS PONCTUELLEMENT

Méd. *Serrement temporaire lié à une intense concentration ou à un stress passager.*

La personne a besoin de trouver des appuis solides en elle, qu'il s'agisse de stabilité, (molaires), de force (canines), d'acuité (incisives). Serrer les dents dans le sens de « serrer les fesses » est un moyen de rassembler toutes ses énergies en même temps qu'une façon de ne pas laisser la peur envahir et paralyser. Il permet de mobiliser sa puissance physique, ses ressources combatives.

SILLON

→ ***lire*** *Carie localisée à un endroit de la dent (carie occlusale).*

SINUSITE D'ORIGINE DENTAIRE

Méd. *Infection du sinus dont le point de départ est un abcès dentaire.*

La personne réprime une forte colère parce qu'elle se sent étouffée, empêchée d'exprimer sa personnalité adulte. La colère est dirigée contre le parent éducateur ou contre une figure d'autorité : professeur, personnalité influente. La personne se sent confinée dans un rôle d'enfant. Sa pensée est envahie par la présence tyrannique du parent. Elle n'est pas libre d'être elle-même. Périodiquement, la colère lui monte au nez (phase aiguë).

*→ **lire** Abcès ■ → **lire** la rubrique consacrée à la dent concernée (Molaire, Prémolaire) ■ en cas de dépassement de pâte → **lire** Aspergillose, Pâte d'obturation qui déborde.*

SOIN DENTAIRE

***Méd.** Terme générique qui recouvre les interventions du dentiste ou de spécialistes, et qui comprend la chirurgie.*

Comme son nom l'indique, le soin n'est pas la guérison. Le dentiste est là pour soigner les problèmes afin d'éviter qu'ils ne dégénèrent, mais c'est au patient de se guérir. Sans prise de conscience, sans guérison intérieure, le soin n'est qu'un palliatif.

*→ **lire** l'introduction et l'avertissement de l'ouvrage ■ → **lire** Chirurgie, Dentiste, Énergie. → **lire** les introductions des grands types de problèmes : Abcès, Carie, Couronne, Dévitalisation, Déchaussement, Obturation, Extraction ■ → **lire** éventuellement les soins plus lourds : Occlusion, Orthodontie ■ pour les conséquences des soins → **lire** Douleur persistant après intervention, Infection transmise par le dentiste, Suites opératoires.*

SOURIRE GINGIVAL

*→ **lire** Montrer les dents.*

SOURIRE PARFAIT

Notre société centrée sur l'apparence incite un nombre croissant de personnes à se faire refaire les dents dans l'espoir d'obtenir le sourire en touches de piano d'une star d'Hollywood. Nos dents avec leurs défauts (teinte, implantation) sont le reflet de notre nature profonde. Les faire refaire ne rend pas parfait et se résume à une opération de camouflage si la problématique sous-jacente n'est pas identifiée. Au contraire, la restauration de la bouche peut matérialiser une profonde transformation intérieure à condition d'être abordée en conscience, dans l'amour et le respect de soi et non pour masquer des imperfections qui font honte. Auquel cas, la prothèse revient simplement à porter un masque.

*→ **lire** selon le cas Bridge, Couronne, Dentier, Implantation, Orthodontie, Prothèse, Teinte.*

SOUS-GINGIVAL

*Carie sous-gingivale → **lire** Collet, Racine – carie ■ poche sous-gingivale → **lire** Déchaussement d'une dent ■ → **lire** selon le cas Tartre.*

SOUS-INSTRUMENTATION

*→ **lire** Pâte d'obturation qui manque.*

SOUS-OCCLUSION

*→ **lire** Obturation qui gêne (trop basse), Occlusion – défauts (sous-occlusion).*

STRESS

*Décharger le stress → **lire** Grincer des dents, Joue – morsure, Lèvre – morsure, Mâchoire serrée, Serrer les dents, Succion du pouce ■ effets nocifs du stress → **lire** ATM, Ankylose de la racine, Carie, Déchaussement, Exostose, Gencive, Gingivite, Parodonte, Trismus, Usure.*

SUCER UN OBJET ou un CRAYON

*→ **lire** Bouche, Toucher ses dents.*

SUCETTE

*→ **lire** Succion du pouce ci-dessous ■ → **lire** selon le cas Sucre – attirance.*

SUCCION DU POUCE ou d'un OBJET

***Méd.** L'arrêt de la succion du pouce a normalement lieu, au plus tard, vers l'âge de 6 ans, lorsque les dents permanentes commencent à faire leur éruption.*

L'enfant (éventuellement l'adulte) cherche à combler un vide, à se rassurer ou s'apaiser. Sucer est un réflexe qui se manifeste bien avant la naissance, il connecte l'enfant avec les sensations très profondes de la vie intra-utérine. C'est un réflexe de survie, un palliatif à l'angoisse, normal durant les trois premières années. Sucer son pouce, ses doigts ou un objet exprime le désir inconscient de retrouver la protection et la quiétude du ventre maternel. Au-delà de l'âge de 3 ans, la succion du pouce exprime la peur de grandir. L'enfant se replie sur lui-même, il a peur d'affronter un monde trop vaste ou trop effrayant. L'enfant qui place son pouce contre le palais derrière les incisives tente de combler le manque de présence du père et cherche surtout à être protégé. S'il place ses doigts derrière les incisives du bas, c'est pour combler le manque maternel ; il cherche surtout à être nourri d'affection et de tendresse. La tétine placée systématiquement dans la bouche de l'enfant pour le calmer revient à le bâillonner pour étouffer ses cris. Si l'acte est automatique, il habitue l'enfant à être dépendant d'un substitut extérieur pour s'apaiser. Plus tard, les sucreries, la nourriture, l'alcool ou la cigarette risquent de jouer ce rôle. **Arrêter:** contraindre un enfant à arrêter de sucer son pouce ne sert à rien et peut même s'avérer nocif en le privant de la possibilité de s'adapter à un stress. Il cesse de lui-même dès qu'il n'en a plus besoin. C'est pourquoi il est important d'agir sur la cause. Si c'est un manque de sécurité ou un manque affectif, rassurer l'enfant, être plus présent, peut lui permettre d'abandonner son tic. À travers la succion, l'enfant adresse à ses parents le message qu'il ne peut pas grandir parce qu'il a trop peur, qu'il est surprotégé, ou qu'il est trop attaché à son statut de bébé. Il appartient aux parents de conforter l'enfant sans l'étouffer. En premier lieu, éviter de lui faire honte en le traitant de bébé. Ensuite, lui faire valoir tous les bénéfices que grandir apporte. Enfin, le traiter en grand dès l'éruption des premières dents permanentes l'incite à abandonner la succion du pouce.

SUCCION DE LA LÈVRE INFÉRIEURE

***Méd.** Tic qui s'installe chez des enfants qui présentent un décalage important entre la mâchoire du haut, en avant, et la mâchoire du bas, en retrait. La lèvre se place dans l'espace laissé vide.*

Le corps est bridé, tandis que l'intellect est surdéveloppé. L'enfant refoule ses instincts et ses pulsions dont il a honte. Il cherche inconsciemment à se les réapproprier tout en les cachant.
→ ***lire** Surplomb incisif exagéré.*

SUCRE

■ ATTIRANCE

L'attirance pour le sucre est profondément ancrée en chacun. À la naissance, l'enfant identifie parfaitement les différentes saveurs (salé, acide, etc.) et manifeste dès ce stade une nette préférence pour le goût sucré. À travers le sucre, une personne cherche à satisfaire son besoin de plénitude. Le sucre lui procure une sensation d'apaisement et d'expansion intérieure. Le goût sucré est particulièrement recherché par les personnes qui ont des difficultés à se sentir bien dans leur corps et qui souffrent d'un sentiment de vide intérieur. Les douceurs sont un palliatif à la douceur de l'amour. Le sucre n'est pas la cause première des caries mais un simple révélateur. Le consommateur de sucre tente de combler ses manques (carences affectives, difficultés existentielles), il cherche à mettre un baume sur ses plaies intérieures. En retour, le sucre concrétise le vide intérieur par la carie, vide extérieur. L'étude de ses propres caries permet de comprendre quels manques on a besoin de combler. Et peut-être de trouver un autre moyen que le sucre ? Dans le même esprit, les parents peuvent s'interroger sur les carences affectives de leur enfant avide de sucreries. Ils peuvent aussi aider l'adolescent qui se « shoote » aux sodas ou au chocolat ; s'il accepte une telle démarche, ce qui est hélas peu probable.
→ ***lire** Carie.*

■ GOÛT SUCRÉ DANS LA BOUCHE

→ ***lire** Bouche pâteuse.*

■ SENSIBILITÉ AU SUCRE

→ ***lire** selon le cas Carie, Hypersensibilité non due à carie.*

SUITES OPÉRATOIRES

→ ***lire** Anesthésie, Douleur persistant après intervention, Extraction, Sagesse – extraction (suites ou complications).*

SUPRACLUSION

→ ***lire** Recouvrement.*

SUPRAGINGIVAL

*Au-dessus de la gencive → **lire** Collet – carie, Tartre.*

SUPPURATION

→ ***lire** selon le cas Abcès, Accident d'éruption de la dent de sagesse, Fistule, Gencive – abcès.*

SURINFECTION

→ **lire** *selon le cas Abcès, Accident d'éruption de la dent de sagesse, Alvéolite suppurée, Extraction difficile, Kyste, Ostéite, Sagesse – extraction (suites ou complications).*

SURINSTRUMENTATION

→ **lire** *Pâte d'obturation qui déborde.*

SURNUMÉRAIRE *ou DENT EN PLUS*

Méd. *Une dent surnuméraire est une dent supplémentaire qui s'est formée au moment du développement embryonnaire.*

L'anomalie reflète des croyances profondes voire ancestrales. La personne compense une faiblesse ou un manque hérité de l'un des deux parents. Le poids du manque se manifeste sous la forme de la dent en surnombre dont la présence encombre. La personne s'est donnée pour mission de le combler ou de le réparer. Elle est investie au niveau familial d'un rôle spécifique en rapport avec la qualité que représente la dent. Par exemple, une incisive latérale surnuméraire (dent de la communication) révèle le besoin inconscient de réparer un manque lié à la parole : exprimer à sa place les non-dits du parent. Si la dent est cachée, il s'agit de délivrer un secret. Rôle de médiateur. Une incisive centrale surnuméraire (dent du rayonnement) comble un manque lié à l'identité et à l'estime de soi ; rôle lié au fait de briller socialement, de se montrer pour compenser l'image absente ou effacée du parent. Une canine surnuméraire (dent de la volonté) compense un manque de force ; rôle de défenseur. **Côté de la mâchoire** : le côté de la mâchoire où se trouve la dent en surnombre indique par rapport à quel parent s'exerce le rôle inconscient de compensation. Haut droit (cadran 1) : mère éducatrice ; haut gauche (cadran 2) : père éducateur ; bas gauche (cadran 3) : maman nourricière ; bas droit (cadran 4) : papa nourricier. Cas particulier de deux dents surnuméraires à droite et à gauche : croyance liée au père (en haut), à la mère (en bas).

■ DÉDOUBLÉE *ou GÉMINÉE*

Méd. *La dent d'origine, dédoublée, est présente en deux exemplaires identiques sur l'arcade. Il peut s'agit d'une dent de lait, d'une dent permanente ou des deux.*

Une qualité ou facette de la personnalité est représentée deux fois. La personne a intégré la croyance, en rapport avec le vécu prénatal, que pour survivre il faut sur-développer l'expression d'une qualité ou d'une aptitude. Par exemple, se montrer deux fois plus fort et déterminé (dédoublement de la canine). En réalité, la dent présente en double exemplaire cache une peur ; dans le cas d'une canine double, la peur d'être incapable de se défendre. La dent dédoublée révèle une faiblesse car la dualité rend la personne plus hésitante dans ce domaine de sa vie (ambivalence). Prédisposition à vivre le domaine concerné de manière conflictuelle. Par exemple, une incisive latérale dédoublée en haut à gauche prédispose à une communication conflictuelle avec le père ou l'homme. Remarque : si la dent de lait n'est pas dédoublée, la croyance ne concerne que la personnalité adulte. L'individu ne croit qu'au moment où il grandit devoir surdévelopper une qualité.

■ DÉDOUBLÉE DE LAIT

• ***avec dédoublement de la dent adulte*** → **lire** *ci-dessus Surnuméraire dédoublée.*

• ***sans dédoublement de la dent adulte:*** l'enfant reflète une croyance du parent. L'anomalie ne le concerne pas. Il l'évacue au moment de la perte des dents de lait. Par exemple, une incisive latérale de lait dédoublée à la mâchoire du bas est liée à une relation affective double de la mère pendant la grossesse. Qu'il y ait eu ou non passage à l'acte, la pensée ou le vécu de la mère a été assez fort pour marquer l'enfant. Ou alors, la dent de lait en double est l'empreinte d'un deuil non fait d'une relation passée: amour perdu, être cher ou enfant disparu. Dédoublement en haut: reflet d'une problématique du père; en bas: de la mère.

*→ **lire** la rubrique consacrée à la dent permanente (et non pas de lait, puisque la problématique est à lire chez le parent). Par exemple, si la dent surnuméraire est une canine en haut, lire Canine supérieure.*

■ DE LOCALISATION ATYPIQUE

***Méd.** Dent en surnombre qui pousse dans le palais ou en dehors de l'arcade. La dent peut aussi rester incluse.*

La personne a une double vie ou un comportement double dans le domaine représenté par la dent: double caractère, double manière de communiquer, double relation, etc. Une facette est visible, l'autre, cachée, est la face trouble ou obscure. Le contraste entre la lumière et l'ombre est accentué dans ce domaine de la personnalité (Dr. Jekill et Mr. Hyde). Si la dent est sortie, deux façons d'être, parfois contradictoires, s'expriment en alternance. Si la dent est incluse, la facette obscure présente en chacun est ici plus importante et surtout, s'exprime seulement dans certaines circonstances, sans que l'individu en ait conscience. L'ombre d'un souvenir lié au passé de l'un des parents hante la personne.

***Aperçu** du domaine double ou de la facette obscure: nom symbolique page 13 ■ → **lire** la rubrique consacrée à la dent. Par exemple, si la dent surnuméraire est une canine, lire Canine supérieure ■ dent surnuméraire dans la cloison nasale: problématique analogue au mésiodens → **lire** Mésiodens ■ dans le corps → **lire** Ectopie ■ → **lire** selon le cas Sagesse – surnuméraire.*

■ DENT DE SAGESSE

*→ **lire** Sagesse – surnuméraire.*

■ EXTRACTION

***Méd.** Si la dent surnuméraire pose problème, elle doit être retirée, éventuellement par germectomie.*

S'il est en âge de comprendre, on expliquera à l'enfant qu'en lui retirant la dent surnuméraire, on lui ôte un poids, un élément qui ne lui appartient pas et qui risque de représenter un handicap.

■ MÉSIODENS

*Dent présente entre les incisives centrales supérieures → **lire** Mésiodens.*

SUR-OCCLUSION

*→ **lire** Occlusion – défauts (surocclusion) ■ → **lire** selon le cas Obturation qui gêne (trop haute).*

SURPLOMB INCISIF EXAGÉRÉ

***Méd.** Décalage inter-arcades ou dysmorphose: incisives du haut décalées, en avant de celles du bas.*

L'intellect est surdéveloppé par rapport au corps. La personne se projette dans le futur mais n'agit pas ou peu. Elle vit dans un monde virtuel ou abstrait en décalage avec la réalité concrète. Elle est déconnectée du physique. Ses idées prennent difficilement forme car il lui manque les moyens de les mettre en actes. Elle ne sait que faire pour avancer dans la vie. Extravertie dans le domaine social, elle fait preuve d'une retenue exagérée dans l'intimité. Le corps a besoin de s'épanouir sans entrave ni tabou (activité physique). Besoin d'être plus au contact de ses sensations et de ses émotions. L'enfant a besoin qu'on relâche l'emprise affective et qu'on lui donne des repères éducatifs tout en le valorisant.
→ ***lire*** *Rétrognathie.*

SYNDROME TANGUY *ET TRAITEMENT D'ORTHODONTIE*

Méd. *Tanguy est l'archétype de l'adolescent attardé, dépendant de ses parents, qui ne parvient pas à les quitter. Éternel adolescent, Tanguy ne peut ou ne veut devenir adulte. Les traitements d'orthodontie tels que menés dans la majorité des cas, créent ou accentuent ce syndrome chez les adolescents. L'orthodontie classique ne considère que la résultante mécanique sans voir les causes qui sous-tendent le manque de place.*

■ LE PROBLÈME DE FOND

Méd. *Causes des malpositions dentaires, les mâchoires trop étroites sont la conséquence des fonctions orales perturbées. Respiration buccale et déglutition atypique sont associées à un positionnement incorrect de la langue qui ne stimule pas la croissance osseuse des maxillaires.*

Les fonctions orales perturbées sont le reflet d'une immaturité psycho-affective qui attache puissamment l'enfant à sa mère dans un lien inconscient de dépendance.

■ LES CONSÉQUENCES DU TRAITEMENT

Méd. *Les traitements d'orthodontie aggravent la dépendance. Se contenter d'extraire des dents saines pour « faire de la place » cristallise les dysfonctions sans régler le problème.*

• ***bouche qui reste trop petite*** (***Méd.*** *confinée dans un volume buccal réduit, la langue ne peut se positionner correctement. Elle conserve la tendance à déborder entre les arcades, que ce soit au repos ou lors de la déglutition*) : l'adolescent ne peut investir son espace intérieur. Trop à l'étroit chez lui, il est en quelque sorte condamné à envahir l'espace d'autrui. Il doit habiter chez les autres, faute de pouvoir s'habiter pleinement lui-même.

• ***extractions des prémolaires*** (***Méd.*** *les secondes prémolaires sont extraites pour faire de la place*) : les secondes prémolaires représentent la capacité de se séparer des parents, de mettre une limite, de s'affirmer différent d'eux au plan moral et intellectuel (prémolaires du haut), aussi bien qu'au plan matériel et affectif (prémolaires du bas). Les arracher sans conscience à l'adolescent revient à l'empêcher de s'éloigner des parents et de couper le cordon avec eux. Privé de frontière intérieure avec les parents, l'adolescent éprouve en réaction le besoin de matérialiser ses limites par des marques visibles au niveau des cheveux (teintures, coiffures extravagantes) ou de la peau (tatouages et piercing en tout genre). Frontière extérieure, la peau supplée la qualité manquante représentée par les dents arrachées.
→ ***lire*** *Secondes prémolaires.*

• ***extraction des dents de sagesse*** (***Méd.*** *en fin de traitement, les dents de sagesse sont extraites pour prévenir d'éventuelles récidives*) : l'acte finit d'inscrire la dépendance dans la personnalité. Les dents de sagesse représentent l'autonomie et c'est donc la capacité de s'assumer seul qu'on enlève au jeune adulte, parfois dans l'œuf, lorsque la dent est à l'état de germe.

→ ***lire*** *Dents de sagesse.*

• ***potentiel individuel radicalement amputé*** *(**Méd.** 4 prémolaires et 4 dents de sagesse : au total 8 dents sont extraites au cours du traitement, soit un quart du patrimoine dentaire qui compte 32 dents) :* c'est le prix à payer pour aligner ses dents. Un quart de ses potentialités créatrices, un quart de ses facultés sont enlevées à l'adolescent qui est privé du discernement (secondes prémolaires du haut), de l'affirmation (secondes prémolaires du bas), de l'autonomie (dents de sagesse).

• ***traitement qui s'achève par une contention*** *(**Méd.** fil métallique collé à l'arrière des dents et destiné à les immobiliser, parfois à vie) :* la contention encage l'individu, l'immobilisant définitivement dans un système de dépendance et d'étroitesse, matérielle, affective et intellectuelle. Quitter les parents et faire sa vie en individu libre et autonome paraît dans ces conditions difficilement envisageable.

→ ***lire*** *Bouche trop petite, Déglutition atypique, Extraction de dents saines, Germectomie, Langue – piercing, Joue – piercing, Lèvre – piercing, Mâchoire trop petite, Orthodontie, Respiration buccale.*

ADDENDUM (recouvrement incisif page 208)

Un enfant victime de supraclusion incisive est un enfant à qui on demande d'être adulte trop tôt. Son manque affectif, extrême, est ravalé derrière une façade sans faille. En apparence, il n'a besoin de rien, mais au fond il souffre, il est faible. Ses bases sont incertaines. C'est un enfant sous un masque d'adulte.

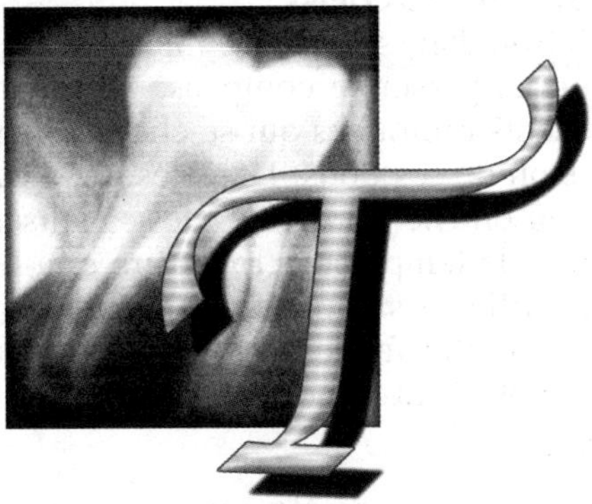

TACHES SUR L'ÉMAIL

*Tache blanche (une seule) → **lire** Émail altéré – nature de l'altération (tache claire) ■ taches blanches (plusieurs) → **lire** Fluorose ■ tache qui apparaît → **lire** Coloration(s) – tache blanche qui évolue ■ tache sombre → **lire** Émail altéré – nature de l'altération (tache sombre irrégulière) ■ barres sombres symétriques → **lire** Colorations dues aux antibiotiques.*

TAILLE D'UNE DENT *ou GRANDEUR*

La taille d'une dent révèle la nature d'une personne, l'importance qu'elle s'accorde ou qu'elle accorde à un domaine précis.

***Aperçu** du domaine représenté par la dent: nom symbolique page 13 ■ **analyse** plus fouillée → **lire** la rubrique consacrée à la dent concernée (Canine, Incisive, etc.) ■ → **voir** Arcades, Forme des dents, Mâchoire trop petite.*

■ DENT SOUS-DÉVELOPPÉE *HYPOPLASIE*

La qualité ou facette représentée par la dent est peu présente chez la personne. Par exemple, des incisives latérales supérieures dites en grain de riz ou conoïdes montrent des possibilités de communiquer restreintes. De même pour l'autonomie en ce qui concerne les dents de sagesse en grain de riz.

■ DENT SURDÉVELOPPÉE *HYPERPLASIE*

La qualité ou facette représentée par la dent, très présente, a tendance à prendre le pas sur les autres composantes de la personnalité. Par exemple en haut, une incisive centrale droite de plus grande taille indique que la facette féminine domine. La personne est identifiée à la figure maternelle, elle existe essentiellement à travers le regard des femmes.

■ DENTS LARGES ET GRANDES

Personnalité extravertie, nature rayonnante qui ne craint pas de s'exposer au grand jour. Si elle évolue intérieurement, la personne aura la possibilité de servir une cause en jouant un rôle public, de dépenser de l'énergie à cet effet.

■ **DENTS LARGES QUI SE CHEVAUCHENT**

La personne se sent à l'étroit dans son espace intérieur. Des dents qui partent vers l'extérieur indiquent que la personne compense son manque en envahissant le territoire d'autrui. Des dents rentrantes qui se chevauchent indiquent que la personne réprime l'expression de ses dons. Dans les deux cas, qualités et potentialités se bousculent sans qu'elle ne parvienne à les canaliser et à les utiliser toutes. Elle croit qu'elle manque de temps pour tout faire et a le sentiment d'être sans cesse limitée ou pressée. Elle ne sait pas faire la part des choses entre le prioritaire et l'urgent et s'embrouille facilement. La personnalité est confuse, voire chaotique en cas d'encombrement important. Tendance à l'hyperactivité.

■ **DENTS PETITES**

Nature introvertie, personnalité secrète qui s'exprime peu et cherche à en montrer le moins possible. Beaucoup d'énergie contenue pour une faible part manifestée. Par bien des aspects, la personne est restée proche de l'enfant en elle. Si elle évolue intérieurement, elle aura la possibilité d'être au service d'une cause ou d'autrui en restant dans l'ombre.

■ **DENTS PETITES ET ESPACÉES** *MICRODONTIE*

La personne n'occupe pas tout son espace. D'un naturel timide, elle répugne à occuper pleinement son territoire intérieur comme extérieur. Elle se sent petite comme un enfant, pas à la hauteur, et se dévalorise. Influençable, elle cède sa place et se laisse envahir. Elle ne peut s'investir que dans un seul domaine à la fois, ou alors elle se disperse. Tendance artistique.

■ **DENTS PETITES ET SERRÉES**

La personne balise et limite trop son territoire pour se protéger. Avare de paroles, elle s'exprime peu. Centrée sur elle-même, d'un tempérament secret et impénétrable, elle est imperméable à l'influence d'autrui. L'introversion domine.

TANGUY *SYNDROME*

→ ***lire*** *Syndrome Tanguy.*

TARTRE

> ***Méd.*** *Dépôt minéral qui se forme à la surface de certaines dents, à partir de la plaque bactérienne combinée aux minéraux de la salive. Le tartre se forme surtout derrière les incisives inférieures et sur la face au contact de la joue des molaires supérieures. Il y a deux types de dépôts : tartre supragingival superficiel, tartre sous-gingival qui s'insinue le long des racines. À long terme, le dépôt de tartre contribue à la perte des dents par déchaussement. Cependant, tartre et déchaussement ne sont pas systématiquement associés.*

Personne sensible et craintive qui cuirasse ses facettes fragiles. Se fabriquer une muraille est le seul moyen de défense qu'elle connaisse. Susceptible, facilement blessée, elle se protège en s'isolant sous une carapace. Elle croit qu'elle doit se blinder pour survivre. Plus le temps passe, plus elle se ferme, plus la carapace doit s'épaissir pour remplir sa fonction. **À l'arrière des dents :** attachement au passé ; la personne s'accroche à la tradition en général ou à son histoire en particulier pour se rassurer, elle croit ainsi s'appuyer sur du solide alors qu'elle se fragilise. Elle a peur d'être prise en traître ou en défaut, elle a besoin de se justifier. **À l'avant des dents:** la personne a peur des agressions extérieures, elle tente d'ériger un mur entre elle et le monde. **Localisé aux incisives inférieures:** la personne se sent particulièrement vulnérable, elle pense que son enfant intérieur est à la merci des autres.

■ AVEC DÉCHAUSSEMENT

La personne se cache à elle-même sa peur, sa fragilité et son manque d'assise. Elle nie sa faiblesse ou son sentiment d'impuissance en faisant comme si tout allait bien. Elle s'appuie sur des béquilles pour pallier un manque intérieur fondamental. Elle s'abrite derrière des faux-semblants, par exemple un mur d'indifférence. Mais l'enfant en elle tremble de peur.

→ ***lire*** *Déchaussement.*

■ PEUR DU DÉTARTRAGE

La personne refuse de retirer son armure ou de quitter sa béquille pour voir la réalité souffrante qui se cache derrière. C'est d'autant plus compréhensible si le dentiste rappelle inconsciemment le parent ou l'adulte dont elle cherche justement à se protéger.

→ ***lire*** *Dentiste.*

■ TARTRE SOUS-GINGIVAL

Peur profonde de la vie, de soi, de son corps, de ses émotions. Personne élevée dans la honte ou le déni du corps et qui cherche inconsciemment à s'isoler de ses pulsions et à rejeter ses instincts.

Associé au déchaussement, révèle une problématique plus fondamentale → ***lire*** *Déchaussement.*

■ TARTRE SUPRAGINGIVAL

Peur des autres, de l'autorité en particulier. La personne a souffert d'une sévérité excessive de la part d'éducateurs (parents, tuteurs, professeurs). Elle veut protéger l'enfant en elle de toute agression venant de plus fort ou de plus puissant qu'elle, et se mettre à l'abri pour éviter de souffrir à nouveau.

TAURODONTISME

> ***Méd.*** *Malformation dentaire caractérisée par une couronne et une pulpe de volumes disproportionnés par rapport à la taille réduite des racines.*

La personne refuse d'être présente dans son corps. Depuis la naissance et probablement la gestation, sa conscience survole en quelque sorte la réalité sans vouloir y descendre. Elle veut rester dans son monde imaginaire et refuse de s'ancrer dans le réel. La matière et ses limites l'effraient: peur du noir, claustrophobie, « je refuse de me laisser enfermer dans un corps ». Sensible à l'extrême, la personne maintient une vigilance exacerbée dans le domaine que représente la dent, par peur d'un danger potentiel. Elle refuse de grandir, de mûrir ou de vieillir, c'est à peine si elle se cache à elle-même son désir de rester éternellement jeune ou petite. Interprétation à nuancer en proportion du nombre de dents.

→ ***lire*** *la rubrique consacrée à la dent atteinte: Canine, Incisive, etc.*

TEINTE *ou COULEUR NATURELLE*

Méd. *Si la teinte dominante de la dent est le blanc, sa teinte réelle est un subtil mélange de trois nuances de base : gris, jaune et brun.*

La teinte des dents révèle des croyances ou un comportement profondément ancré dont il est donné à la personne de prendre conscience.

Anomalies → ***lire*** *Coloration(s), Émail altéré, Fluorose, Noircissement, Rose – dent de couleur* ■ *autres détails →* ***lire*** *Blancheur, Sourire parfait.*

■ DENTS BLANCHES

Forte estime de soi, tendance spontanée à briller et à se mettre en valeur. La personne est à l'aise avec son image et la place qu'elle occupe.

■ DENTS BRUN ROUGEÂTRE

Personne plutôt statique, dotée d'un esprit pratique. Tendance à accorder peu d'importance au paraître et aux contingences sociales.

■ DENTS GRISES

Personnalité dominée par la tristesse ou la mélancolie, nature plutôt réservée et timide qui n'ose pas se mettre en avant. Nature mentale, goût plus marqué pour l'abstraction que pour le concret. Plus la teinte de la dent tire vers le gris, moins la personne a envie de se montrer.

■ DENTS JAUNES

Tempérament énergique d'une personne bien ancrée dans la matière et attirée par l'activité physique.

■ DENTS TRANSLUCIDES

Personne sensible, peu sûre d'elle, qui a l'envie inconsciente d'être transparente, invisible mais également éthérée et subtile.

TEMPÉRAMENT ET FORME DES DENTS

→ ***lire*** *Forme des dents.*

TEMPÉRAMENT ET TYPES D'ATTEINTES DES DENTS

La bouche exprime nos réactions et nos souffrances intimes. La diversité des atteintes montre que chacun réagit à sa manière, selon sa nature et son tempérament. Face à un stress donné, deux personnes ne développent pas les mêmes lésions. Chaque type d'atteinte traduit une tonalité particulière dans la manière de vivre la souffrance psychique.

■ TENDANCE AUX ABCÈS

Habitude de refouler ses émotions. La personne enterre les problèmes le plus profondément possible en espérant qu'ils passeront d'eux-mêmes.

■ TENDANCE AUX CARIES

Personne qui se laisse ronger par le remords, voire se torture. Volonté de se punir en se faisant mal. La personne croit que l'amour est un poison destructeur.

■ TENDANCE AU DÉCHAUSSEMENT

La personne ne montre pas ses réactions dont elle se croit détachée. Elle se mine, sa souffrance reste larvée, souterraine, diffuse. Fataliste, elle baisse les bras. Peur et impuissance face à la vie.

■ TENDANCE AUX FRACTURES ou aux DENTS ÉBRÉCHÉES

Personne rigide, au tempérament entier, encline au tout ou rien, qui rompt mais ne plie pas devant l'obstacle. Tendance à surestimer ses possibilités.

■ TENDANCE À USURE, ÉROSION, EXOSTOSE

Personne dure avec elle-même, résistante et coriace. Opiniâtre, elle se bat contre elle-même jusqu'à l'épuisement. Elle va jusqu'au bout de ses forces sans démordre. Lésion privilégiée du « dur à cuire ».

TENON ou VIS QUI PERFORE UNE RACINE

→ ***lire*** *Pivot, tenon ou vis qui perfore une racine.*

TÉTER SA LANGUE

→ ***lire*** *Langue – téter.*

TÉTINE

→ ***lire*** *Succion du pouce.*

TICS ou MANIES LIÉS AUX DENTS

→ ***lire*** *Toucher ses dents ci-dessous* ■ *éventuellement* → ***lire*** *Grincer des dents, Lèvres – mordiller, Se curer les dents, Serrer les dents, Succion de la lèvre inférieure.*

TOUCHER SES DENTS

Méd. *Il existe de nombreux gestes liés aux dents, pratiqués plus ou moins consciemment.*

Les pratiques ou manies liées aux dents sont infinies et bien plus fréquentes qu'on imagine. La bouche informe en temps réel de notre vécu véritable. La prise de conscience de gestes répétés qui peuvent devenir des tics peut éviter qu'une lésion ne s'installe (si un éventuel problème n'est pas reconnu).

Aperçu *du domaine représenté par la dent : nom symbolique page 13* ■ ***analyse*** *plus fouillée* → ***lire*** *la rubrique consacrée à la dent concernée (Canine, Incisive, etc.).*

■ CRAYON QU'ON SUCE

Sucer, placer un objet dans sa bouche pour le mordiller, un crayon par exemple, est révélateur du besoin d'occuper son espace. La personne tente d'être plus présente à elle-même, par exemple pour se concentrer.

→ ***lire*** *Bouche.*

■ CRAYON QU'ON MORD ENTRE DEUX DENTS

Besoin de s'appuyer spécifiquement sur une facette de soi, de solliciter une qualité pour accomplir une tâche particulière.

- ***sous la canine :*** besoin de faire appel à sa volonté ou à sa concentration.

• ***sous l'incisive centrale:*** besoin de faire appel à son identité féminine (dent droite), masculine (dent gauche).

• ***sous l'incisive latérale:*** besoin de mobiliser ses capacités de dialogue et d'échange. Exemple : au cours de la rédaction d'une lettre ou d'un texte, chercher les mots qui permettront de faire passer un message au plus juste.

• ***entre ses molaires:*** besoin de faire appel à ses acquis fondamentaux, besoin de se ressourcer.

■ DENTS ENTRE ELLES

Besoin de prendre appui sur des facettes spécifiques de soi à certains moments.

• ***canines du haut et du bas en contact:*** besoin de se concentrer, de faire appel à sa détermination ou à sa créativité.

• ***avancer la mâchoire du bas pour mettre les incisives du haut et du bas en bout à bout:*** besoin de mobiliser ses ressources instinctives ou vitales en cas d'effort particulier, pour accomplir une tâche délicate, par exemple.

→ ***lire*** *Serrer les dents ponctuellement.*

■ GRATTER UNE DENT

Le fait de gratter une dent avec un ongle ou un objet aigu est un moyen d'extraire de la dent sa qualité la plus fine. Par exemple, le grattage des incisives avec l'ongle traduit le besoin de trouver le mot juste ou l'expression idoine.

■ ONGLE ou OBJET ENTRE DEUX DENTS VOISINES

Le fait de placer un objet ou un ongle entre deux dents est révélateur d'une hésitation. Perplexe face à un problème, la personne ne peut choisir entre deux solutions ou deux manières de faire.

S'il s'agit d'un cure-dents → ***lire*** *Se curer les dents.*

■ POUSSER UNE DENT VERS L'AVANT

Avec l'ongle ou un objet : moyen de projeter une facette de soi vers son interlocuteur pour être reconnu ou admiré ou, au contraire, de l'éjecter de soi parce qu'elle est ressentie comme encombrante à ce moment donné.

■ POUSSER UNE DENT VERS LE CÔTÉ

Avec l'ongle ou un objet : moyen d'écarter de soi une qualité déplacée ou inacceptable dans le contexte, ou une facette de soi qu'on ne souhaite pas exprimer à ce moment précis.

■ TAPOTER UNE DENT

Avec le doigt ou avec un crayon : moyen inconscient de se connecter à la qualité qu'incarne la dent. Tapoter la dent est une manière de réveiller ou d'interroger une partie de soi : « qu'est-ce que telle partie de moi pense de ceci ou de cela ? ».

TRACTION DE CANINE ou d'une DENT INCLUSE

→ ***lire*** *dans Incluse – dent (en germe) le paragraphe Traitement – traction de la dent incluse.*

TRAJET D'OUVERTURE DÉVIÉ

→ ***lire*** *ATM.*

TRANSGRESSION – DENT DE LA

→ ***lire*** *Seconde molaire supérieure.*

TRANSPOSITION

→ ***lire*** *Permutation.*

TRAUMATISME ACCIDENTEL

Sur dent de lait → ***lire*** *Lait – fracture, Lait – luxation* ■ *conséquence sur la future dent adulte* → ***lire*** *Dilacération corono-radiculaire* ■ *sur dent adulte* → ***lire*** *Fracture, Luxation* ■ *conséquences* → ***lire*** *Nécrose spontanée, Noircissement.*

TRISMUS *ou CONSTRICTION RÉFLEXE DES MÂCHOIRES*

Méd. *Constriction intense provoquée par la contracture réflexe des muscles masticateurs.*

La personne se ferme à la vie. Par peur de l'inconnu, elle se replie sur elle-même. Elle n'a pas confiance en ses capacités d'agir. Elle croit devoir subir une situation sans rien dire, devoir serrer les dents et souffrir en silence. Elle se ferme pour se protéger contre une intrusion ou un stress. Par peur d'exploser ou de laisser échapper une parole de trop, elle verrouille inconsciemment sa mâchoire. Se taire ou taire sa souffrance quoiqu'il en coûte est une question de survie.

La problématique est voisine de celle de la personne qui serre les dents → ***lire*** *Serrer les dents.*

■ APRÈS INTERVENTION

Méd. *Chirurgie, extraction ou autres.*

La personne n'accepte pas la transformation que la dent représente. En colère contre elle-même et contre le praticien, elle refuse de lâcher prise et de tourner une page, de faire le deuil du passé pour débuter une nouvelle vie.

→ ***lire*** *Dentiste – séance difficile et suites douloureuses, Extraction, Extraction difficile.*

■ DENT DE SAGESSE

Méd. *Trismus lors de la poussée d'une dent de sagesse ou après son extraction.*

La personne se sent impuissante à mener sa barque et à s'accomplir sans l'aide d'autrui. Elle enrage de ne pouvoir s'assumer et ravale sa colère sans oser l'exprimer. Elle refuse la dépendance vis-à-vis des parents ou d'un partenaire mais ne parvient pas à s'en libérer. Elle se débat dans ses contradictions. Ses efforts pour en sortir ne font que l'y enfermer davantage.

• ***supérieure :*** impuissance à s'affranchir de l'emprise du parent éducateur. La personne se retient d'exprimer sa rébellion contre le parent ou l'autorité en général. Elle enrage de continuer à se soumettre malgré ses efforts pour se libérer. Ou à l'inverse, l'absence de référence parentale (père notamment), non digérée, « cloue le bec à la personne ». L'extraction est mal vécue car elle enlève une capacité qui se fonde sur un vide. Dent droite : problème lié à la mère ; gauche : au père.

• ***inférieure :*** colère de la personne incapable de faire un pas concret hors du foyer parental (éventuellement conjugal) pour quitter le parent nourricier ou le partenaire. La personne étouffe, aspire à prendre son envol mais, par peur, recule le moment crucial. Dent droite : problème lié au papa ou à un homme ; gauche : à la maman ou à une femme.

TROP HAUTE *SENSATION DE DENT TROP HAUTE*

*Dent momentanément trop haute → **lire** Ligament – inflammation ■ dent en permanence trop haute → **lire** Obturation qui gêne (trop haute), Occlusion – défauts (surocclusion).*

TUBÉROSITÉ – FRACTURE

*→ **lire** Sagesse – extraction (suites ou complications sévères).*

TUE-NERF

*→ **lire** Dévitalistion par produit nécrosant ■ accident dû au tue-nerf → **lire** Fusée arsenicale.*

TUMEUR DE LA LANGUE

*→ **lire** Langue – cancer, Langue enflée.*

TUMEUR DE LA MÂCHOIRE

*→ **lire** Cancer de la mâchoire.*

TUMEUR ODONTOGÈNE

***Méd.** Tumeur se développant à partir des tissus formateurs de la dent.*

La personne a vécu un traumatisme lié à l'enfance ou à la vie prénatale dans le domaine représenté par la dent atteinte. Il peut s'agir d'un événement resté latent qui n'est réactivé qu'à l'âge adulte où à l'âge mûr, quand la personne a elle-même des enfants ou des petits enfants.

*→ **lire** la rubrique concernant la dent touchée : Canine, Incisive, etc. ■ → **lire** selon le cas Cémentome.*

ULCÉRATION DES COMMISSURES

→ ***lire*** *Bouche – commissure.*

UNION – DENT DE

→ ***lire*** *Seconde molaire inférieure.*

USURE

[dent de lait: lire Lait – usure]

Méd. *Usure anormale des dents (une abrasion modérée est physiologique).*

L'usure est une amputation sournoise, une mutilation insidieuse. Elle représente une perte irréversible dont on ne mesure l'ampleur qu'au fil du temps. Elle exprime une colère, latente mais présente, que la personne retourne contre elle-même parce qu'elle n'ose pas la manifester. Elle cherche à effacer complètement une ou plusieurs facettes de sa personnalité. L'usure est la trace d'une violence progressive, qui n'en est pas moins terrible et destructrice.

■ DU COLLET

→ ***lire*** *Collet – usure.*

■ DUE À COURONNE ANTAGONISTE

Méd. *La présence d'une couronne antagoniste en un matériau plus dur que la dent (métal ou céramique) provoque ou accélère l'usure.*

Dans un domaine précis, la personne vit un rapport de force entre sa part adulte et sa part enfant. Déséquilibre entre l'intellect et le corps, l'un dévore l'autre. La personne reproduit dans son propre couple, intérieur et extérieur, un schéma hérité de l'enfance : déséquilibre ou rapport de force entre les parents.

• ***dent usée par couronne en bas :*** emprise excessive de l'enfant en soi qui use ou mine un aspect de l'adulte. Les émotions dévorent la raison dans un secteur de la vie. Empreinte du rapport de force entre les parents : parent nourricier trop envahissant face à un parent éducateur insuffisant.

• ***dent usée par couronne en haut:*** emprise excessive de la raison dans un domaine. Attitude rigide de la personne qui use et abuse de ses forces par sens du devoir. L'intellect tyrannise le corps dans un secteur de la vie. Empreinte du rapport de force entre les parents: parent éducateur trop dur face à un parent nourricier trop faible.

➤ **Dent qui vous concerne page 346.** *Numéro de la dent et rôle parental page 13.*

■ DUE À GRINCEMENT DES DENTS

Méd. *Usure d'une majorité de dents (par bruxisme).*

Colère, voire violence à peine contenue, que l'individu retourne contre lui-même. La personne ronge son frein: « j'ai envie de mordre, mais je me contiens ». Manifestation du conflit qui oppose la raison aux envies. Lutte intérieure entre la tête et le corps dont l'intensité est proportionnelle au nombre de dents usées.

• ***usure des dents de devant:*** de nature instinctive, la personne se retient d'agir, de passer à l'acte pour dire ou manifester son agressivité, ses pulsions.

• ***usure des dents arrière:*** de nature mentale, la personne rumine sa colère. Elle tourne en boucle dans ses contradictions qu'elle alimente par la cogitation sans parvenir à sortir du conflit qui la détruit.

➤ **Dent qui vous concerne page 350.** *Numéro de la dent et rôle parental page 13.*
→ ***lire*** *Grincer des dents.*

■ USURE PARTIELLE D'UNE DENT

Méd. *Usure soit régulière soit localisée à un angle ou à une partie du bord.*

Tentative de rectifier une partie de soi, jugée inconvenante ou dérangeante, pour plaire à autrui. La personne veut atténuer un aspect d'elle-même qu'elle estime trop visible ou trop encombrant. Elle désire se conformer à un modèle, s'adapter au standard idéal des parents, du clan ou de la société, rentrer dans le moule, avoir une personnalité parfaite.

➤ **Dent qui vous concerne page 348.** *Numéro de la dent et rôle parental page 13.*

■ USURE PRONONCÉE D'UNE DENT

Méd. *Bord ou pointe usée dans son entier.*

Effacement complet et vieillissement prématuré d'une partie de soi. Dans le domaine qui correspond à la dent, la personne est diminuée. Elle a perdu une partie de ses capacités, intellectuelles (dent du haut) ou physiques (dent du bas). Elle peut avoir été victime d'une forme d'abus dont l'origine remonte à l'enfance, d'un traitement sévère ou inadapté qui l'a obligée à mûrir et qu'elle continue à s'infliger. Elle continue d'abuser de ses forces (trop travailler, trop réfléchir, etc.). La dent usée représente une part de soi trop sollicitée, sur laquelle on s'est trop appuyé. Il est temps de relâcher la pression.

• ***mâchoire du bas:*** la personne veut effacer un aspect de l'enfant en elle. Durant l'enfance, l'affection insuffisante du parent nourricier n'a pas compensé la dureté du parent éducateur. La personne continue d'être trop sévère vis-à-vis d'elle-même dans un domaine de sa vie. Dent droite: affection insuffisante du papa, dent gauche, affection insuffisante de la maman.

• ***mâchoire du haut:*** la personne veut effacer un aspect de sa personnalité adulte. Durant l'enfance, le parent éducateur a été trop faible face à un parent nourricier envahissant. La personne continue de se laisser dévorer par l'affectif ou les émotions dans un domaine de sa vie. Dent droite : faiblesse de la mère, dent gauche, faiblesse du père.

➤ **Dent qui vous concerne page 350.** *Numéro de la dent et rôle parental page 13.*

■ USURE PRONONCÉE DE PLUSIEURS DENTS

Méd. *Contexte de grincements de dents (ou bruxisme).*

La personne réprime une colère forte liée à un conflit qui la détruit. La colère est dirigée contre l'enfant en soi (mâchoire du bas) ou l'adulte en soi (mâchoire du haut) et indirectement contre le parent correspondant au cadran concerné.

➤ **Dent qui vous concerne page 350.** *Numéro de la dent et rôle parental page 13.*

Pour le parent → ***lire*** *Cadran* ■ → ***lire*** *Grincer des dents.*

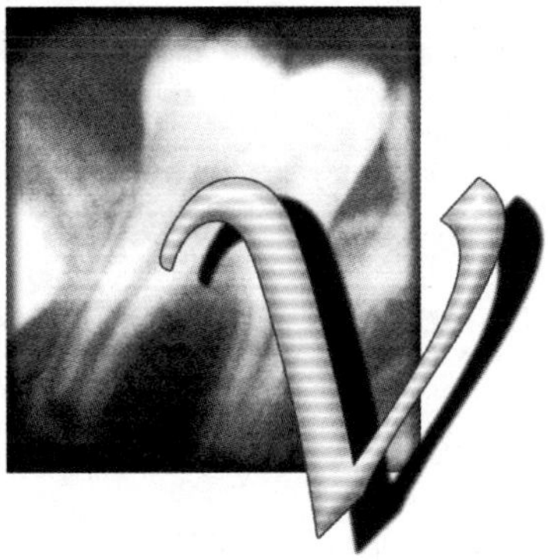

VERROU

→ ***lire*** *Orthodontie* ■ *verrou incisif* → ***lire*** *Recouvrement.*

VIEILLISSEMENT

Carie chez la personne âgée → ***lire*** *Collet – carie, Racine – carie* ■ → ***voir*** *aussi Dentier, Édentation, Déchaussement, Parodontose.*

VIS

Fixée dans la racine, elle renforce une obturation → ***lire*** *Fracture de racine due à pivot, tenon ou vis, Pivot, tenon ou vis qui perfore une racine.*

VOILE DU PALAIS

→ ***lire*** *Palais.*

VOLONTÉ – DENT DE LA

→ ***lire*** *Canine supérieure.*

VOÛTE DU PALAIS – FORME

→ ***lire*** *Arcades.*

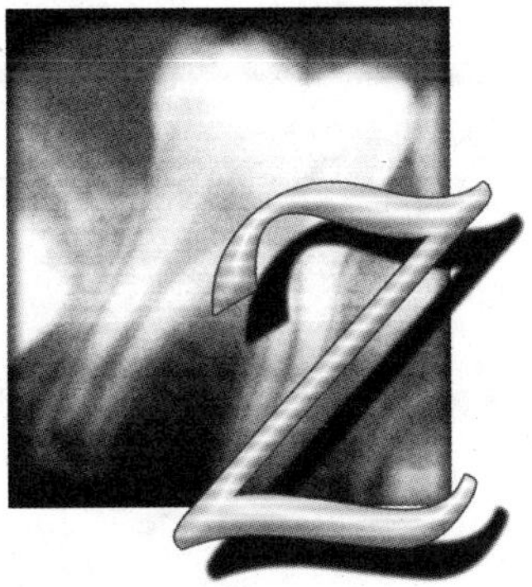

ZONE DE CONTACT *EXCÈS ou MANQUE*

***Méd.** Contact entre deux dents, trop serré ou trop lâche après restauration. La responsabilité en incombe au dentiste.*

La personne a intérêt à se demander pourquoi il lui arrive une telle mésaventure.

■ EXCÈS

***Méd.** Dents trop serrées après la pose d'une couronne ou d'une obturation. Nettoyage impossible entre deux dents. Un aliment ou un fragment de fil dentaire peuvent produire temporairement la même impression.*

Excès de tensions. Stressée, pressée, la personne est coincée par des priorités, deux urgences qui se télescopent et entre lesquelles elle ne peut choisir.

➤ **Dent qui vous concerne page 267.** *Numéro de la dent et rôle parental page 13.*

■ MANQUE

***Méd.** Espace entre deux dents créé par une couronne ou une obturation mal réalisée. Les aliments se coincent entre les dents.*

Deux domaines de la vie sont inconciliables. La personne hésite, sans se résoudre à donner priorité à l'un ou à l'autre. Signe avertisseur d'un conflit important qu'on se donne la chance de comprendre avant qu'il ne s'aggrave.

➤ **Dent qui vous concerne page 267.** *Numéro de la dent et rôle parental page 13.*

*Espace congénital → **lire** Espacées – dents.*

ZONE ENTRE LA DENT ET LA GENCIVE

*→ **lire** Collet.*

ZONE INTER-RADICULAIRE – ATTEINTE

*→ **lire** Déchaussement entre les racines d'une dent.*

DENT

LISTE DE RENVOIS

Atteintes exprimées en langage courant
par « dent… », « dent de… », « dent qui… », etc.

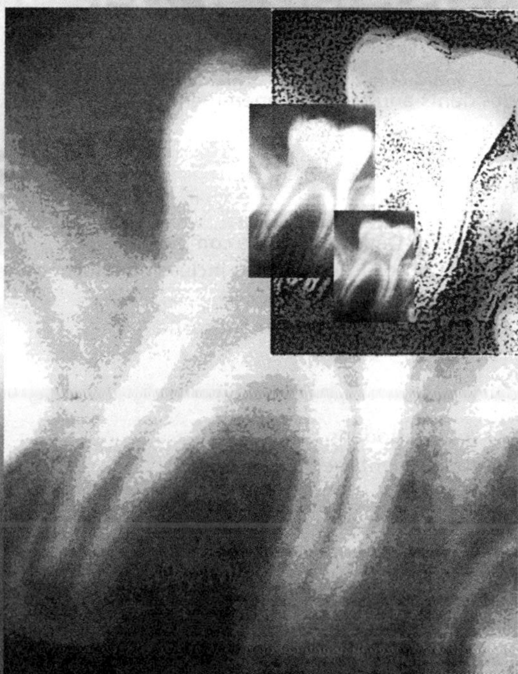

D suite

E

F

G

O

P

Q

U

V

DENT PAR DENT

VOS DENTS ONT LA RÉPONSE

Partie du dictionnaire à laquelle on accède après lecture d'une rubrique comme Carie, Déchaussement, etc., et suite au renvoi :

➤ **Dent qui vous concerne page...** *Numéro de la dent et rôle parental : page 13.*

Vous identifierez rapidement par son numéro la dent qui vous concerne.

Conseil : lire une dent à la fois et laisser mûrir

Table des matières de cette partie page suivante

ABCÈS DE LA RACINE *GRANULOME ou KYSTE*

[11-21] La personne est empoisonnée par un sentiment de dévalorisation qui touche la racine de son identité. La lésion a pour origine une souffrance liée au regard du père (dent gauche), de la mère (dent droite) ou d'une figure d'autorité qui représente le parent éducateur. La personne refoule sa honte, son dégoût pour sa propre image, rumine des pensées négatives à propos d'elle-même : « je suis moche, je ne vaux rien », etc. Déni de sa valeur, haine, colère contre soi-même, humiliations refoulées dans l'inconscient depuis l'enfance laissent leur empreinte négative à la racine de la personnalité. Négation de la dimension masculine (gauche), de la dimension féminine (droite). En parallèle avec le soin dentaire, la guérison complète passe par une prise de conscience de l'origine du blocage (retrouver les circonstances ayant conduit à la négation de soi).

[12-22] Lésion du non-dit. La personne refuse depuis longtemps de mettre des mots sur sa rancœur. Elle se retient ou en est empêchée. Elle ne peut parler au père (dent gauche), à la mère (dent droite) ou à quelqu'un qui lui rappelle inconsciemment le parent éducateur. Les paroles qu'elle ravale lui restent en travers de la gorge. Elle les ressasse au lieu de les dire. Le deuil de la relation d'adulte à adulte n'est pas fait, avec le père (gauche), avec la mère (droite) ou encore avec une personne importante (guide, mentor, père spirituel, etc.) qui représente un parent symbolique. En parallèle avec le soin dentaire, la guérison passe par se dire, parler au parent pour vider son sac, prononcer à haute et intelligible voix les mots que le silence a figé en maux.

[13-23] La personne refoule depuis longtemps sa puissance personnelle sans pouvoir ou oser l'exprimer. Elle abdique en silence devant l'autorité du père (dent gauche), de la mère (dent droite) ou d'une personne influente qui lui rappelle inconsciemment le parent éducateur. La colère ravalée se transforme en violence et en autodestruction. Le réveil de la lésion indique qu'il est temps de crever l'abcès pour libérer la colère et de défendre son territoire social (idées, opinions, projets) en manifestant sa force et sa volonté par des actes concrets. En parallèle avec le soin dentaire, il est conseillé de retrouver et d'exprimer la colère voire la violence retenue (dans un cadre adapté afin de ne pas porter atteinte à autrui).

[14-24] La personne s'empêche depuis longtemps d'aller de l'avant et d'agir pour transformer sa vie. Elle vit des désirs contradictoires. Elle est déchirée entre son cœur qui la pousse à se lancer dans l'inconnu et sa tête qui l'incite à la prudence. Elle tente de résoudre le conflit qui l'habite en réprimant ses envies ou en étouffant sa raison. Dans l'incapacité de faire un choix véritable et faute de pouvoir trouver un compromis satisfaisant avec elle-même, elle refoule l'une des deux parties en conflit (cœur ou tête). L'impossibilité d'agir génère en elle colère et frustration. Le conflit est lié au père (dent gauche), à la mère (dent droite) ou à une figure d'autorité qui représente le parent éducateur. En parallèle avec le soin dentaire, guérir demande d'accepter et de libérer les émotions (racine palatine) ou les pensées (racine vestibulaire) enfouies en soi. Tête ou cœur, il faut redonner sa place à la partie déniée dans le but de mettre un terme au conflit. **Racine vestibulaire*** : la personne dénie en elle la voix de la raison. Exemple : refus de réfléchir aux conséquences de ses actes. La personne refuse d'anticiper et renonce à contrôler ses actes. L'impulsivité domine. **Racine palatine*** : la personne bâillonne son cœur. Elle réprime ses envies qui la poussent à agir. Elle refoule impulsivité et passion. La raison domine.

**Racines confondues : les deux propositions ci-dessus coexistent.*

[15-25] La personne renonce depuis longtemps à exprimer ses opinions personnelles. Elle nie ses convictions pour se conformer à celles du parent éducateur ou d'une figure d'autorité qui le représente. Elle se contraint à penser comme son père (dent gauche), comme sa mère (dent droite). Ou alors elle prend le contre-pied des valeurs parentales, mais en secret, se condamne d'avoir des opinions différentes, est en colère contre elle-même et se juge négativement de désobéir au parent. Pensées et jugements non exprimés l'empoisonnent. Le réveil de l'abcès montre que la personne ne peut plus renoncer davantage à penser par elle-même. En parallèle avec le soin dentaire, la première étape consiste à se pardonner d'avoir obéi au parent (ou à la personne influente qui le représente) plutôt qu'à soi, à retrouver et à exprimer les jugements négatifs qu'on s'est retenu de porter contre lui, préférant les refouler en soi.

[16-26] La personne est depuis longtemps en colère contre le parent éducateur. Elle réprime sa révolte contre l'autorité incarnée par le père (dent gauche), la mère (dent droite) ou par quelqu'un qui représente le parent. Elle a le sentiment d'avoir été écrasée, bafouée par une autorité abusive ; ou au contraire livrée à elle-même. Sa colère est motivée par un sentiment d'injustice. L'abcès exprime une souffrance profonde, accumulée depuis l'enfance, voire la petite enfance. En parallèle avec le soin dentaire, une mise au clair avec le parent ou la personne qui le représente symboliquement est conseillée. **Racine palatine :** l'origine de la colère ou de la souffrance remonte à la prime enfance (avant 3 ans). La colère est dirigée contre le père ou la mère idéal(e) qu'on n'a pas eu. La souffrance est liée à l'incapacité d'accepter le parent dans sa réalité d'humain. **Racine mésio-vestibulaire :** la souffrance est liée au fait d'être critiqué dans ses choix, influencé de manière ouverte ou bien insidieuse, « pilonné » par des sarcasmes, des jugements, des remarques méchantes, voire des injures. **Racine disto-vestibulaire :** la souffrance est liée au fait d'être dominé par un parent plus fort qui abuse de sa supériorité pour empêcher l'enfant de grandir et de le dépasser. L'abus peut aller jusqu'à l'humiliation ou au contraire être si insidieux que la personne n'en a pas conscience. Colère d'avoir été annexé par le parent qui fait de l'enfant « sa » chose et l'empêche de s'éloigner et de s'émanciper au moment de l'adolescence.

[17-27] La personne refoule depuis longtemps son désir de s'émanciper par rapport au père (dent gauche), à la mère (dent droite) ou par rapport à une figure d'autorité qui représente le parent éducateur. Pour ne pas faire d'ombre au parent, elle refuse de prendre la place sociale qui lui convient (prendre de l'envergure, avoir une promotion, changer d'orientation pour exercer le métier qui lui plaît, etc.). Le désir de préserver le parent ou la personnalité influente qui le représente l'emporte sur la réalisation personnelle. Émotion refoulée liée au travail : colère, rancune contre un supérieur qui fait obstacle à la carrière, rivalité entre collègues, peur, insécurité liée à des changements professionnels, etc. La personne refoule sa rancœur qui devient un poison dirigé contre elle-même. En parallèle avec le soin dentaire, la personne a intérêt à s'offrir une explication sérieuse avec elle-même et avec le parent ou la personne influente qui le représente. **Racine mésio-vestibulaire* :** la colère rentrée est dirigée contre le parent (ou un mentor, un supérieur, un père spirituel) auquel la personne s'oblige à rester fidèle. Elle se contraint à ne pas le dépasser alors qu'elle en a les moyens (statut social moindre), à rester proche par les valeurs (complicité intellectuelle). **Racine disto-vestibulaire* :** la colère rentrée est dirigée contre soi-même, liée au sentiment d'impuissance à évoluer et à s'épanouir socialement ou professionnellement. La colère est liée aux conditions de travail contraignantes. **Racine palatine* :** la colère est liée à un sentiment d'injustice

dirigé contre tout et tout le monde, « c'est injuste, les choses sont mal faites ». La personne reporte sa colère sur la société en général (institutions, entreprise, école, etc.).
**Racines confondues : les trois propositions ci-dessus coexistent.*

[18-28] Colère rentrée contre soi-même. La personne renie ses valeurs depuis longtemps, elle refoule son authenticité et enfouit sa vérité au tréfonds d'elle-même. La souffrance est liée à l'impossibilité de s'affranchir de l'influence du parent éducateur, père (dent gauche), mère (dent droite) ou d'une figure d'autorité qui le représente. En parallèle avec le soin dentaire, un travail intérieur de pardon vis-à-vis de soi et pour (re) découvrir ses valeurs personnelles est conseillé. **Racine mésio-vestibulaire* :** colère de s'être laissé imposer par autrui des vérités toutes faites, de s'être conformé aux valeurs sociales plutôt que de chercher sa propre vérité. **Racine disto-vestibulaire* :** la personne se reproche son manque de connaissance d'elle-même, son manque d'honnêteté et de respect pour ses propres valeurs. Elle refoule sa part la plus authentique par peur de découvrir qui elle est vraiment. **Racine palatine* :** la colère est dirigée contre Dieu. Rage et impuissance de se sentir abandonné par le Père divin, la Grâce, la Providence : « Dieu n'est pas juste avec moi, le ciel m'a abandonné, je suis délaissé des dieux ».
**Racines confondues : les trois propositions ci-dessus coexistent.*

[41-31] Blocage profond de l'énergie de vie. La mémoire d'un événement traumatique empoisonne l'énergie vitale de la personne. L'épisode est à la fois marquant et précoce. Peur, colère, tristesse ou douleur du petit enfant exclu ou rejeté par le parent biologique, papa (dent droite), maman (dent gauche). Les émotions refoulées dans l'inconscient empêchent la personne d'être pleinement vivante, étouffent son énergie et sa joie de vivre. Le traumatisme est lié à la petite enfance, à la naissance ou à la période intra-utérine. L'ombre de la mort plane sur l'enfant. « Je n'ai pas le droit de vivre, je suis de trop, il faut que je disparaisse » est le sentiment enraciné dans l'inconscient. Il est recommandé d'explorer les circonstances entourant le début de la vie (naissance, gestation, voire conception). L'enfant a-t-il été désiré pour lui-même ou est-il là pour « remplacer » un autre enfant mort ou disparu ? Y-a-t-il eu une tentative d'avortement, un accident grave, une intervention touchant l'abdomen et mettant en péril la vie de l'enfant pendant la grossesse ? En parallèle avec le soin dentaire, un travail psychologique par rapport à l'enfant intérieur et au début de la vie est conseillé.

[42-32] La relation intime avec le partenaire ou l'ami est empoisonnée depuis longtemps sans que la personne ait pu ou osé l'exprimer. La personne ressasse sa rancœur contre le papa (dent droite), contre la maman (dent gauche) ou contre le partenaire qui lui rappelle inconsciemment le parent nourricier. Exemple : « mon mari, ma femme me gâche la vie ». La personne refoule ses griefs, sa déception, sa souffrance (colère, chagrin) au plus profond d'elle-même sans pouvoir ou oser se dire. La colère ou le désespoir est lié à l'abandon. La personne n'a pas fait le deuil d'un amour perdu ou d'une relation impossible. En parallèle avec le soin dentaire, guérir demande de clarifier la relation toxique entretenue avec le parent ou le proche qui le rappelle.

[43-33] Rancœur profonde contre le clan. Il existe dans la lignée paternelle (dent droite) ou maternelle (dent gauche) un secret hérité du passé qui empoisonne dans l'ombre la vie de la personne. Il s'agit d'un événement traumatique non digéré lié à la procréation ou à l'acte sexuel (exemples : chagrin lié à un avortement, deuil non fait après la perte d'un enfant, colère et souffrance non évacuées à la suite d'un viol, d'une grossesse subie ou au contraire impossible, etc.). L'énergie animale (instincts, pulsions, désir de possession) est refoulée. Contenue, elle devient violence latente. La personne se retient depuis longtemps de montrer les crocs pour défendre son territoire physique. Le comportement est lié à l'héritage du père biologique (droite), de la mère biologique (gauche). En parallèle avec le soin dentaire, un travail sur la lignée et le passé familial est conseillé.

[44-34] La personne réprime depuis longtemps des émotions fortes ou extrêmes (colère, chagrin, désespoir). Elle se retient d'exploser. L'abcès représente une accumulation de pulsions refoulées, la frustration est proportionnelle à la taille de la lésion. Il indique une problématique grave liée au déni du plaisir et de la libido. Exemples : la personne s'interdit de céder à une passion, au plaisir sous toutes ses formes (sensualité, sexualité, etc.). L'énergie pulsionnelle qui n'a pu monter et s'exprimer s'accumule et empoisonne la personne. Chez un homme : négation de sa virilité (dent droite) ou de l'attraction sexuelle pour une femme (dent gauche). Chez une femme : négation de sa féminité (gauche) ou de l'attraction sexuelle pour un homme (droite). La souffrance est liée au parent nourricier, papa (droite), maman (gauche). En parallèle avec le soin dentaire, il est conseillé d'explorer le traumatisme, dont l'origine se situe à l'adolescence, qui bloque l'expression des envies, du plaisir, de la libido.

[45-35] La personne renonce depuis longtemps à mettre une distance avec le papa (dent droite), avec la maman (dent gauche) ou avec quelqu'un qui lui rappelle inconsciemment le parent nourricier. Elle refoule au plus profond d'elle-même son besoin de se démarquer et adopte une personnalité de convenance censée plaire à l'autre mais qui n'est pas la sienne. Elle n'en peut plus de se nier, la coupe pleine déborde. Le réveil inflammatoire et la production de pus qui l'accompagne sont des tentatives du corps de se libérer du poids de l'énorme contrainte que la personne s'impose depuis l'adolescence par rapport au papa (droite) ou à la maman (gauche). En parallèle avec le soin dentaire, il est temps de s'autoriser à couper le cordon avec le parent ou la personne envahissante qui le rappelle en lui vidant son sac (à condition que les circonstances s'y prêtent).

[46-36] La personne refoule depuis longtemps des sentiments négatifs contre le parent nourricier, papa (dent droite), maman (dent gauche). Des émotions se sont accumulées dans l'inconscient : peur, tristesse d'avoir été rejeté ou abandonné par papa ou maman, colère, haine contre le parent, etc. La colère ou la rancune peut aussi être liée à une personne qui ne joue pas son rôle de soutien moral ou financier : un homme (droite), une femme (gauche). L'abcès exprime une souffrance profonde, accumulée depuis l'enfance, voire la petite enfance. En parallèle avec le soin dentaire, une mise au clair avec le parent ou la personne qui le représente est conseillée. **Racine mésiale :** la souffrance est liée à un manque fondamental vécu dans la petite enfance (0 à 3 ans) ou à des maltraitances physiques. « J'en veux à papa (droite), à maman (gauche) de n'avoir pas reçu les soins dont j'avais besoin ». Colère du petit enfant qui n'a pas été nourri (au sens large) suffisamment. Colère contre un parent nourricier envahissant qui nie ou étouffe son enfant. **Racine distale :** la souffrance est liée au vide affectif ressenti entre 3 et 6 ans. La personne est coupée de l'affection du parent nourricier : « je n'ai pas reçu d'amour ». Chez une femme, l'abcès sur la racine distale de la molaire droite (dent du papa) indique une colère contre l'homme liée à une relation œdipienne traumatique. Chez un homme, l'abcès sur la racine distale de la molaire gauche (dent de maman) indique une colère contre la femme liée à un œdipe traumatique. La personne est en colère contre le parent nourricier possessif ou jaloux qui l'empêche de s'éloigner au moment de l'adolescence.

[47-37] La personne refoule depuis longtemps une insatisfaction concernant le couple ou une amitié. Pour préserver son couple, sa famille, ses enfants, ou pour faire bonne figure vis-à-vis de ses amis ou de la société, elle a préféré se taire, refouler au plus profond d'elle-même sa rancœur et ses reproches. Un deuil n'est pas fait : amitié, conjoint disparu ou parti, échec d'un mariage. La personne n'a pu exprimer sa peine, sa déception, sa colère. La souffrance est liée au parent nourricier, papa (dent droite), maman (dent gauche). En parallèle avec le soin dentaire, il est conseillé d'avoir une explication à cœur ouvert avec le partenaire ou l'ami(e) afin de crever et de vider l'abcès psychique. **Racine mésiale* :** colère, rancune ou reproches ravalés sont dirigés contre le partenaire qui ne répond pas aux besoins de la personne (insécurité matérielle et affective), qui ne joue pas son rôle dans le couple ou dans la famille (présence physique ou affective insuffisante). **Racine distale* :** la colère est dirigée contre soi-même. La personne se reproche d'être trop soumise à l'autre, dépendante ou trop effacée dans le couple. Elle regrette de ne pas s'être séparée plus tôt, d'avoir manqué de courage et d'autonomie pour s'affirmer face à l'autre ou au contraire d'avoir donné priorité au travail et négligé le couple.

**Racines confondues : les deux propositions ci-dessus coexistent.*

[48-38] Colère rentrée contre soi-même. La personne refoule depuis longtemps son envie d'indépendance et d'autonomie. Elle s'en veut de ne pas vivre en accord avec ses propres valeurs. La souffrance est liée au parent nourricier, papa (dent droite), maman (dent gauche) dont la personne se détache difficilement. En parallèle avec le soin dentaire, un travail intérieur sur ses véritables besoins d'autonomie est conseillé. **Racine mésiale* :** il exprime la colère de s'être laissé étouffer par un partenaire ou un ami qui ne laisse pas libre de vivre sa vie. **Racine distale* :** la personne s'en veut de n'être pas plus autonome, de ne pas avoir pris sa liberté ou de ne pas être authentique dans sa façon de vivre.

**Racines confondues : les deux propositions ci-dessus coexistent.*

AGÉNÉSIE – DENT QUI N'EXISTE PAS

[11-21] La personne croit à son insu que se montrer et révéler son identité est impossible. Être vue ou reconnue, par le père ou l'homme (dent gauche), la mère ou la femme (dent droite) met la personne en danger. Si elle met au jour cette croyance, elle a l'opportunité de construire son identité en dehors de toute identification au parent.

[12-22] La personne croit à son insu que pour survivre, il faut se taire face au père ou à l'homme (dent gauche), à la mère ou à la femme (dent droite). Elle ne sait pas se positionner dans l'échange avec l'autre, surtout s'il lui rappelle inconsciemment le parent. Elle se montre influençable ou au contraire dirigiste. Le contact avec autrui se fait soit difficilement, soit d'emblée au-delà des mots. La personne croit qu'il n'est pas nécessaire de parler pour se faire comprendre. L'autre n'existe pas ou n'est pas là : elle se sent seule au monde, sans personne pour lui répondre. Si elle met au jour cette croyance, elle a l'opportunité d'apprendre à communiquer sans préjugé ni conditionnement parental et de développer un mode de communication intuitif ou empathique.

[13-23] La personne croit à son insu que pour survivre, il faut abdiquer toute volonté face au père ou à l'homme (dent gauche), à la mère ou à la femme (dent droite) et devant toute figure d'autorité. La capacité de se défendre ou de s'imposer est inexistante, selon le cas face à un homme ou à une femme. Si elle met au jour cette croyance, la personne a l'opportunité d'apprendre à exprimer sa puissance personnelle sans préjugé ni conditionnement parental et d'apprendre à se diriger en suivant son flair ou intuition.

[14-24] La personne croit à son insu que pour rester en vie, il faut renoncer à toute action ou initiative personnelle par rapport au parent éducateur, père (dent gauche), mère (dent droite). Partir à l'aventure expose la personne à un danger de mort. Toute forme de conflit, tant extérieur qu'intérieur, doit être bannie. Si elle met au jour cette croyance, elle a l'opportunité d'apprendre à exprimer l'audace et d'agir libérée de tout préjugé ou conditionnement parental.

[15-25] La personne croit à son insu que pour survivre, il faut renoncer à penser différemment du père (dent gauche), de la mère (dent droite). Il est impossible de prendre du recul ou de remettre en question ses principes. La personne ne peut qu'y adhérer ou tomber dans l'opposition systématique. Si elle met au jour cette croyance, elle a l'opportunité d'apprendre à faire ses choix sans préjugés, indépendamment de toute influence parentale.

[17-27] La personne croit à son insu que pour survivre, il faut rester l'enfant dépendant du père (dent gauche), de la mère (dent droite). Elle ne dispose d'aucune référence en dehors du parent. S'affranchir de la tutelle parentale pour se faire une place dans la société est impossible. Si elle met au jour cette croyance, elle a l'opportunité de poursuivre en conscience son processus de croissance, libre de toute influence parentale.

[18-28] La personne croit à son insu que pour survivre il faut renoncer à avoir ses propres valeurs, adopter celles du parent éducateur, père (dent gauche), mère (dent droite) ou se conformer aux normes sociales. Être solitaire, marginale parce que trop différente avec des idées trop personnelles, représente un danger. Si elle met au jour cette croyance, elle a l'opportunité d'apprendre à découvrir sa propre vérité, libre de tout conditionnement parental ou social. Elle a l'opportunité de fonder ses valeurs sur l'intuition plus que sur la raison.

[41-31] La personne croit à son insu qu'exister par soi-même est impossible. Sa survie est conditionnée par l'amour et la présence de l'autre. Montrer ses besoins, exposer sa fragilité la met en danger. Peur de naître et peur de mourir. Peur de commencer, de se mettre ou mettre quelque chose au monde (idée, projet, enfant). La croyance est liée au père biologique (dent droite), à la mère biologique (dent gauche). Si elle en prend conscience, la personne a l'opportunité d'apprendre à exprimer ses besoins véritables et sa vulnérabilité hors du conditionnement parental.

[42-32] La personne croit à son insu que pour survivre, il faut renoncer à établir une relation avec le papa ou l'homme (dent droite), la maman ou la femme (dent gauche). L'autre n'existe pas, par vide affectif ou parce que la personne est restée en fusion, indifférenciée du parent. Le partenaire n'existe pas dans sa différence, seulement en tant que miroir narcissique : « je t'aime, non parce que tu es toi, mais parce que tu es comme moi ». L'amour est basé sur l'identification à l'autre. Si elle met au jour cette croyance, la personne a l'opportunité d'apprendre à aimer l'autre pour ce qu'il est, sans préjugé ni conditionnement parental. Elle a l'opportunité de développer une relation empathique.

[43-33] La personne croit à son insu que pour survivre, il faut oublier ou effacer la lignée paternelle (dent droite), la lignée maternelle (dent gauche). Il faut renoncer à toute propriété personnelle. Procréer est interdit. Dans l'intimité, la soumission est de rigueur. Si elle met au jour cette croyance, la personne a l'opportunité de tracer son chemin, libérée de l'empreinte ancestrale. Elle peut transformer l'instinct en intuition.

[44-34] La personne croit à son insu que pour rester en vie, il faut rester un petit garçon ou une petite fille, l'enfant du parent nourricier, papa (dent droite), maman (dent gauche). Il faut renoncer à exprimer sa sexualité et sa libido. Grandir et se transformer met la personne en danger de mort. Si elle met au jour cette croyance, elle a l'opportunité de construire sa féminité ou sa masculinité en dehors de tout conditionnement parental.

[45-35] La personne croit à son insu que pour survivre, il faut renoncer à se séparer du parent nourricier, papa (dent droite), maman (dent gauche). Il est interdit de manifester une personnalité différente du parent. Il est interdit de lui dire non et de s'en éloigner. La personne n'a que la possibilité de l'imiter ou d'être tout son contraire. Si elle met au jour cette croyance, elle a l'opportunité de construire sa personnalité libre de toute référence parentale.

[47-37] La personne croit à son insu que pour survivre, il faut rester l'enfant dépendant du parent nourricier, papa (dent droite), maman (dent gauche). Elle ne dispose d'aucun appui matériel ou affectif en dehors du parent. S'éloigner de lui pour construire sa vie de couple est impossible. Si elle met au jour cette croyance, la personne a l'opportunité de poursuivre en conscience son processus de croissance.

[48-38] La personne croit à son insu que pour survivre, il faut renoncer à toute autonomie. Il est interdit de quitter le parent nourricier, papa (dent droite), maman (dent gauche). La personne croit qu'elle dépend des autres, qu'elle ne peut être pleinement adulte. Être solitaire ou marginale la met en danger. Elle peut néanmoins accéder à l'autonomie mais au prix d'un effort particulier. Elle peut même mettre un point d'honneur à ne rien devoir à personne. Mais au fond, l'attitude n'est pas spontanée et exige d'elle beaucoup d'énergie. Si elle met au jour cette croyance, la personne a l'opportunité d'apprendre à se faire confiance, à vivre pour et par elle-même, libre de tout conditionnement parental ou social.

BOURRAGE ALIMENTAIRE ENTRE DEUX DENTS
PROBLÈME D'ESPACE ENTRE DEUX DENTS

[11-12] La personne est tiraillée entre son besoin d'être authentique et son besoin de plaire aux autres. Elle s'enlise dans des compromis destinés à préserver son image ou sa popularité. Indécise, elle hésite entre s'afficher telle qu'elle est ou prendre sur elle pour maintenir le dialogue. Elle oscille entre sa personnalité réelle et le personnage qu'elle joue en société. Le comportement est lié à la mère éducatrice ou à quelqu'un qui la rappelle inconsciemment.

[11-21] La personne refuse de montrer qui elle est, de laisser émerger au grand jour sa véritable identité. Le blocage est en rapport avec l'image sociale et lié à l'éducation reçue des parents, père et mère. Indécise, la personne hésite entre s'engager à vivre ou fuir la réalité (évasion, rêverie, drogues au sens large). L'inflammation est une invitation à être plus conscient, plus présent à soi-même, à se recentrer.
*En cas d'inflammation étendue → **lire** papille rétro-incisive.*

[12-13] La personne hésite entre tenir compte de l'avis d'autrui et imposer sa manière de faire à l'autre. Elle oscille entre coopération et dirigisme. Indécise, elle est partagée entre discuter, marchander ou s'engager à fond dans une affaire importante. L'attitude est liée à la mère éducatrice ou à quelqu'un qui la rappelle inconsciemment.

[13-14] La personne hésite entre suivre un chemin balisé, une routine établie, et partir à l'aventure. Conflit entre le besoin de maîtriser les événements et l'envie d'imprévu. Indécise, face à une décision importante la personne s'interroge : « jouer la carte du risque ou celle de la voie la plus sûre ? Être audacieuce ou classique ? ». Le comportement est lié à la mère éducatrice ou à quelqu'un qui la rappelle inconsciemment.

[14-15]. La personne ne parvient pas à tirer un trait sur le passé pour commencer une nouvelle vie. Bloquée entre mort et renaissance, elle veut faire l'économie du deuil et emmener son passé avec elle. Elle s'enlise dans la tristesse, les idées noires. Indécise, elle est partagée entre se lancer, mue par l'impulsion du moment, ou prendre le temps de peser le pour et le contre. Le comportement est lié à la mère éducatrice ou à quelqu'un qui la rappelle inconsciemment.

[15-16] La personne hésite entre rester fidèle aux opinions de la mère éducatrice et s'en détacher. Elle ne parvient pas à se situer nettement par rapport aux valeurs transmises par la mère. Elle s'enlise dans des considérations sentimentales par rapport à sa mère ou à une figure d'autorité qui la représente. Indécise, elle est partagée entre faire le choix qui lui convient ou celui qui convient à sa mère.

[16-17] La personne hésite entre obéir à la ligne de conduite dictée par la mère éducatrice et s'en affranchir pour exercer le métier ou prendre l'orientation de son choix. Elle ne parvient pas à se réaliser sans tenir compte de l'opinion, exprimée ou non, de sa mère. Elle lui reste fidèle malgré elle. Indécise, elle est partagée entre se soumettre à sa mère (ou à la figure d'autorité qui la représente) et lui désobéir.

[17-18] La personne hésite entre ses valeurs individuelles et son attachement aux normes sociales. Elle balance entre « faire comme tout le monde » et rester fidèle à ses convictions quitte à passer pour marginale. Indécise, elle est partagée entre rester à la place qu'elle occupe (travail, carrière) ou tout plaquer pour faire ce qui lui plaît vraiment. L'attitude est liée à la mère éducatrice ou à quelqu'un qui la représente.

[21-11] La personne refuse de montrer qui elle est, de laisser émerger au grand jour sa véritable identité. Le blocage est en rapport avec l'image sociale et lié à l'éducation reçue des parents, père et mère. Indécise, la personne hésite entre s'engager à vivre ou fuir la réalité (évasion, rêverie, drogues au sens large). L'inflammation est une invitation à être plus conscient, plus présent à soi-même, à se recentrer.
En cas d'inflammation étendue → ***lire*** *Papille rétro-incisive.*

[21-22] La personne est tiraillée entre son besoin d'être authentique et son besoin de plaire aux autres. Elle s'enlise dans des compromis destinés à préserver son image (sa popularité). Indécise, elle hésite entre s'afficher telle qu'elle est ou prendre sur elle pour maintenir le dialogue. Elle oscille entre sa personnalité réelle et le personnage qu'elle joue en société. Le comportement est lié au père éducateur ou à quelqu'un qui le rappelle inconsciemment.

[22-23] La personne hésite entre tenir compte de l'avis d'autrui et imposer sa manière de faire à l'autre. Elle oscille entre coopération et dirigisme. Indécise, elle est partagée entre discuter, marchander ou s'engager à fond dans une affaire importante. L'attitude est liée au père éducateur ou à quelqu'un qui le rappelle inconsciemment.

[23-24] La personne hésite entre suivre un chemin bien balisé, une routine établie et partir à l'aventure. Conflit entre le besoin de maîtrise sur les événements et l'envie d'imprévu. Indécise, face à une décision importante, la personne s'interroge : « jouer la carte du risque ou celle de la voie la plus sûre ? Se montrer audacieuce ou classique ? ». Le comportement est lié au père éducateur ou à quelqu'un qui le rappelle inconsciemment.

[24-25] La personne ne parvient pas à tirer un trait sur le passé pour commencer une nouvelle vie. Bloquée entre mort et renaissance, elle veut faire l'économie du deuil et emmener son passé avec elle. Elle s'enlise dans la tristesse, les idées noires. Indécise, elle est partagée entre se lancer, mue par l'impulsion du moment, ou prendre le temps de peser le pour et le contre. Le comportement est lié au père éducateur ou à quelqu'un qui le rappelle inconsciemment.

[25-26] La personne hésite entre rester fidèle aux opinions du père éducateur et s'en détacher. Elle ne parvient pas à se situer nettement par rapport aux valeurs transmises par le père. Elle s'enlise dans des considérations sentimentales par rapport à son père ou à une figure d'autorité qui le représente. Indécise, elle est partagée entre faire le choix qui lui convient ou celui qui convient à son père.

[26-27] La personne hésite entre obéir à la ligne de conduite dictée par le père éducateur et s'en affranchir pour exercer le métier ou prendre l'orientation de son choix. Elle ne parvient pas à se réaliser sans tenir compte de l'opinion, exprimée ou non, du père éducateur. Elle lui reste fidèle malgré elle. Indécise, elle est partagée entre se soumettre à son père (ou à la figure d'autorité qui le représente) et lui désobéir.

[27-28] La personne hésite entre ses valeurs individuelles et son attachement aux normes sociales. Elle balance entre « faire comme tout le monde » et rester fidèle à ses convictions quitte à passer pour marginale. Indécise, elle est partagée entre rester à la place qu'elle occupe (travail, carrière) ou tout plaquer pour faire ce qui lui plaît vraiment. L'attitude est liée au père éducateur ou à quelqu'un qui le représente.

[31-32] La personne hésite entre donner priorité à ses propres besoins ou à ceux de l'autre (conjoint, partenaire, ami). Elle oscille entre son besoin de fusion et la nécessité de se préserver. Indécise, elle ne sait si elle a envie d'être seule ou à deux. L'attitude est liée à la maman nourricière ou à quelqu'un qui la rappelle inconsciemment.

[31-41] Les forces vitales sont bloquées et cherchent à se manifester. La personne ne parvient pas à se sentir pleinement vivante, elle est coupée de son corps. L'inflammation est un appel à vivre plus intensément, à accepter la vie donnée par les parents biologiques.

[32-33] La personne hésite entre s'abandonner à l'amour ou contrôler l'autre. Elle est tiraillée entre son besoin de faire évoluer la relation par un engagement concret (mariage, enfant, rapprochement géographique, etc.) et sa peur ou sa croyance en l'impossibilité d'un lien durable avec la personne aimée. Indécise, elle ne peut se résoudre à mettre un terme à la relation ou à s'y engager totalement. L'attitude est liée à la maman nourricière ou à quelqu'un qui la rappelle inconsciemment.

[33-34] La personne se sent tiraillée entre la tentation de satisfaire ses envies, de prendre du bon temps, et sa fidélité au partenaire, à la famille, à une ligne de conduite. Elle hésite entre rester dans le droit chemin et faire l'école buissonnière. Indécise, elle est partagée entre se conformer à la tradition ou tout bouleverser. L'attitude est liée à la maman nourricière ou à quelqu'un qui la rappelle inconsciemment.

[34-35] La personne se sent tiraillée entre son besoin d'activités, de sensations fortes (loisirs, sorties, sport), et son besoin de calme, de retrait, d'intériorisation. Indécise, elle hésite entre céder à la passion ou se protéger en prenant ses distances. L'attitude est liée à la maman nourricière ou à quelqu'un qui la rappelle inconsciemment.

[35-36] La personne s'enlise dans des compromis affectifs par rapport à la maman nourricière ou à quelqu'un qui la représente. Elle ne parvient pas à se séparer franchement d'elle. Elle est partagée entre son besoin d'éloignement et son attachement pour la figure maternelle. Indécise, elle hésite entre se laisser envahir ou affirmer ses limites.

[36-37] La personne hésite entre son attachement à la maman nourricière, et son désir de fonder un couple ou de nouer une amitié solide. Elle est partagée entre son envie de rester avec la maman et celle de s'en détourner. Indécise, elle hésite entre la ménager ou donner priorité au partenaire avec qui elle décide de s'engager. Elle hésite entre considérer le partenaire comme une maman ou comme un conjoint.

[37-38] La personne hésite entre s'appuyer sur l'autre et ne compter que sur elle-même. Elle est tiraillée entre son désir de rester liée (couple, amitié forte) et son besoin d'indépendance et de liberté. Indécise, elle est partagée entre l'envie de rester en couple et celle de partir vivre seule. L'attitude est liée à la maman nourricière ou à quelqu'un qui la rappelle inconsciemment.

[41-31] Les forces vitales sont bloquées et cherchent à se manifester. La personne ne parvient pas à se sentir pleinement vivante, elle est coupée de son corps. L'inflammation est un appel à vivre plus intensément, à accepter la vie donnée par les parents biologiques.

[41-42] La personne hésite entre donner priorité à ses propres besoins ou à ceux de l'autre (conjoint, partenaire, ami). Elle oscille entre son besoin de fusion et la nécessité de se préserver. Indécise, elle ne sait si elle a envie d'être seule ou à deux. L'attitude est liée au papa nourricier ou à quelqu'un qui le rappelle inconsciemment.

[42-43] La personne hésite entre s'abandonner à l'amour ou contrôler l'autre. Elle est tiraillée entre son besoin de faire évoluer la relation par un engagement concret (mariage, enfant, rapprochement géographique, etc.) et sa peur ou sa croyance en l'impossibilité d'un lien durable avec la personne aimée. Indécise, elle ne peut se résoudre à mettre un terme à la relation ou à s'y engager totalement. L'attitude est liée au papa nourricier ou à quelqu'un qui le rappelle inconsciemment.

[43-44] La personne se sent tiraillée entre la tentation de satisfaire ses envies, de prendre du bon temps, et sa fidélité au partenaire, à la famille, à une ligne de conduite. Elle hésite entre rester dans le droit chemin et faire l'école buissonnière. Indécise, elle est partagée entre se conformer à la tradition ou tout bouleverser. L'attitude est liée au papa nourricier ou à quelqu'un qui le rappelle inconsciemment.

[44-45] La personne se sent tiraillée entre son besoin d'activités, de sensations fortes (loisirs, sorties, sport), et son besoin de calme, de retrait, d'intériorisation. Indécise, elle hésite entre céder à la passion ou se protéger en prenant ses distances. L'attitude est liée au papa nourricier ou à quelqu'un qui le rappelle inconsciemment.

[45-46] La personne s'enlise dans des compromis affectifs par rapport au papa nourricier ou à quelqu'un qui le représente. Elle ne parvient pas à se séparer franchement de lui. Elle est partagée entre son besoin d'éloignement et son attachement pour la figure paternelle. Indécise, elle hésite entre se laisser envahir ou affirmer ses limites.

[46-47] La personne hésite entre son attachement au papa nourricier, et son désir de fonder un couple ou de nouer une amitié solide. Elle est partagée entre son envie de rester avec le papa et celle de s'en détourner. Indécise, elle hésite entre le ménager ou donner priorité au partenaire avec qui elle décide de s'engager. Elle hésite à considérer le partenaire comme un papa ou comme un conjoint.

[47-48] La personne hésite entre s'appuyer sur l'autre et ne compter que sur elle-même. Elle est tiraillée entre son désir de rester liée (couple, amitié forte) et son besoin d'indépendance et de liberté. Indécise, elle est partagée entre l'envie de rester en couple et celle de partir vivre seule. L'attitude est liée au papa nourricier ou à quelqu'un qui le rappelle inconsciemment.

BRIDGE À TROIS ÉLÉMENTS

■ MÂCHOIRE DU HAUT

Haut droit : blocage ou lien avec la mère. Haut gauche : blocage ou lien avec le père.

• ***centré sur incisive centrale*** *(appui sur incisive centrale et incisive latérale)* : le manque de confiance en soi rend dépendant de l'approbation d'autrui. Obligation inconsciente de plaire aux autres. La personne croit qu'elle n'existe qu'à travers les autres.

• ***centré sur incisive latérale*** *(appui sur incisive centrale et canine)* : le manque de communication fige l'expression personnelle. Image et pouvoir personnel dépendent d'autrui.

• ***centré sur canine*** *(appui sur incisive latérale et première prémolaire)* : le manque de capacité à savoir ce qu'on veut empêche d'agir et de coopérer. La volonté personnelle dépend des autres et des circonstances du moment.

• ***centré sur première prémolaire*** *(appui sur canine et seconde prémolaire)* : le manque d'audace paralyse la volonté et la capacité de faire des choix. La personne ne peut prendre de décisions, qu'elles soient grandes ou petites.

• ***centré sur seconde prémolaire :*** *(appui sur première prémolaire et première molaire)* : toute action ou initiative est soumise à l'approbation du parent. Prendre du recul par rapport au parent éducateur est impossible.

• ***centré sur première molaire*** *(appui sur seconde prémolaire et seconde molaire)* : la personne est bloquée par les interdits parentaux qui l'empêchent de se réaliser socialement. Remettre en question le parent éducateur ou lui désobéir est impossible. Lien de dépendance fort par rapport au parent.

• ***centré sur seconde molaire*** *(appui sur première molaire et dent de sagesse)* : la capacité à transgresser les interdits est bloquée. La personne ne peut s'affranchir des valeurs parentales pour découvrir les siennes. Ses valeurs personnelles sont conditionnées par celles du parent. Lien de dépendance fort par rapport au parent.

■ MÂCHOIRE DU BAS

Bas droit : blocage ou lien avec le papa. Bas gauche : blocage ou lien avec la maman.

• ***centré sur incisive centrale*** *(appui sur incisive centrale et incisive latérale)* : la personne croit qu'elle ne peut exister qu'à travers la relation affective. Sa survie est conditionnée par le fait de se sentir aimée. Lien fusionnel avec le partenaire.

• ***centré sur incisive latérale*** *(appui sur incisive centrale et canine)* : la personne se comporte dans l'intimité comme un enfant possessif, centré sur ses besoins. Elle croit que l'amour est un lien rigide. Comportement jaloux et dépendant.

• ***centré sur canine*** *(appui sur incisive latérale et première prémolaire)* : la personne croit qu'il faut nécessairement être amoureux et s'engager avec l'autre pour avoir des relations sexuelles. Elle croit que le plaisir est conditionné par le sérieux de la relation. Elle croit que devenir un homme ou une femme est conditionné au fait d'avoir des enfants ou au fait de reproduire les schémas parentaux.

• ***centré sur première prémolaire*** *(appui sur canine et seconde prémolaire)* : la personne ne peut sortir du conditionnement familial. Elle croit qu'elle doit reproduire les schémas liés à la tradition familiale, imiter le parent ou être son prolongement. Lien héréditaire puissant.

• ***centré sur seconde prémolaire*** *(appui sur première prémolaire et première molaire):* le manque d'affirmation personnelle fige l'évolution. La personne croit qu'elle doit rester le petit garçon ou la petite fille du parent. Toute transformation personnelle est soumise à l'approbation du parent.

• ***centré sur première molaire*** *(appui sur seconde prémolaire et seconde molaire):* la vie affective est conditionnée par le parent. La personne n'est pas séparée du parent, elle croit qu'elle doit rester proche de lui. Elle le recherche dans son conjoint.

• ***centré sur seconde molaire*** *(appui sur première molaire et dent de sagesse):* la personne n'accède pas à l'autonomie. Elle croit qu'elle dépend du parent. Lien inconscient puissant par rapport au parent.

BRIDGE À COURONNES SOUDÉES PAR DEUX

■ MÂCHOIRE DU HAUT

Haut droit : blocage ou lien avec la mère. Haut gauche : blocage ou lien avec le père.

- ***incisives centrales :*** la personne a besoin de l'approbation du père et de la mère pour exister. Elle ne peut pas se permettre de passer inaperçue, tout le monde doit la remarquer ou l'admirer. Elle a besoin de faire l'unanimité pour se sentir appréciée.
- ***incisives centrale et latérale :*** la personne n'existe qu'à travers le regard d'autrui. Elle croit qu'elle doit plaire. L'estime de soi est conditionnée par l'autre. Elle a besoin de se sentir reconnue ou admirée pour établir le dialogue.
- ***incisive latérale et canine :*** la personne a besoin de l'approbation d'autrui pour prendre une décision importante. Elle ne peut communiquer qu'avec les personnes qui vont dans son sens.
- ***canine et première prémolaire :*** initiatives bloquées. La personne n'est pas libre de se lancer, elle a besoin de savoir où elle va.
- ***première et seconde prémolaires :*** la personne n'est pas libre d'agir, elle a besoin de réfléchir, de peser longuement le pour et le contre.
- ***seconde prémolaire et première molaire :*** la personne n'est pas libre de décider par elle-même. Tout choix est soumis à l'approbation du parent. Besoin de se rassurer.
- ***première et seconde molaires :*** la personne n'est pas libre de se réaliser. Le choix de la profession est soumis à l'approbation du parent. La position sociale est conditionnée par celle du parent. Besoin de se rassurer ou de consolider sa position sociale.
- ***seconde molaire et dent de sagesse :*** la personne croit qu'elle ne peut parvenir à l'autonomie qu'en ayant un travail reconnu, en faisant carrière. Elle n'est pas libre de changer de profession ou d'orientation, d'exprimer ses valeurs indépendamment des normes sociales. Besoin de se rassurer ou de consolider sa position sociale.

■ MÂCHOIRE DU BAS

Bas droit : blocage ou lien avec le papa. Bas gauche : blocage ou lien avec la maman.

- ***incisives centrales :*** la personne croit que tous ses besoins doivent être comblés en même temps. Elle croit qu'elle est particulièrement fragile, que sa vie ne tient qu'à un fil et dépend du bon vouloir des parents.
- ***incisives centrale et latérale :*** la personne n'existe qu'à travers l'amour de l'autre (parent nourricier ou partenaire). Elle ne peut aimer que quelqu'un qui satisfait ses besoins. Lien fusionnel, « je » et « nous » sont confondus.
- ***incisive latérale et canine :*** la personne croit qu'aimer implique de s'engager. Elle a besoin de prendre l'amour de l'autre en gage. Elle croit qu'elle doit s'attacher l'autre de manière concrète. Elle confond aimer et posséder l'autre.
- ***canine et première prémolaire :*** la sexualité et le plaisir sont conditionnés au fait de procréer. La personne croit que le plaisir ne peut exister que dans un lien durable.

- ***première et seconde prémolaires:*** la personne croit qu'on ne peut affirmer sa personnalité qu'à travers la sexualité. La sexualité n'est pas vécue pour elle-même. Elle est utilisée pour se démarquer du parent.
- ***seconde prémolaire et première molaire:*** la personne ne peut se séparer du parent. Fort lien affectif, prendre ses distances et s'affirmer est impossible. Besoin de se rassurer en s'accrochant au parent ou à un proche qui joue ce rôle.
- ***première et seconde molaires:*** lien affectif puissant avec le parent. La personne n'est pas libre de le quitter. Le choix du conjoint est soumis à l'approbation du parent. Besoin de se rassurer ou de consolider le couple.
- ***seconde molaire et dent de sagesse:*** la personne croit qu'elle ne peut parvenir à l'autonomie qu'en se mariant ou en étant en couple. Elle n'est pas libre de divorcer. Besoin de se rassurer ou de consolider le couple.

CARIE D'UNE DENT ADULTE

[11-21] Manque de confiance en soi. La personne perd confiance en son identité et en sa valeur. Elle refuse de s'offrir à tous les regards, de briller en société. Elle refuse de paraître, d'être un centre d'attention, de rayonner. Son « image de marque » est en quelque sorte blessée. La personne littéralement rongée par la dévalorisation ne s'estime pas. Elle se sent exclue ou rejetée (licenciement, rupture sentimentale, etc.). Dent gauche : facette masculine touchée, liée au regard du père ou de l'homme ; dent droite : facette féminine touchée, liée au regard de la mère ou de la femme.
• Si la personne a engagé depuis quelques mois un processus de connaissance de soi, elle résiste à prendre conscience de sa valeur ou à réhabiliter son image. Elle se protège inconsciemment contre le vécu souffrant lié à la dent : complexes d'enfance liés au regard du parent, rejet par le parent ou à l'école. Dent gauche : blocage de l'énergie masculine lié au père éducateur ; dent droite : blocage de l'énergie féminine lié à la mère éducatrice ; problème lié au parent lui-même ou à quelqu'un qui le rappelle inconsciemment.
• Enfant ou adolescent : il souffre d'un manque de confiance en lui, directement lié au regard du parent, indifférent, réprobateur ou moqueur, ou à l'environnement scolaire, professeurs, camarades. Au parent de valoriser l'enfant en lui accordant suffisamment d'attention.

[12-22] Manque lié à la communication. La personne refuse d'échanger, d'établir des contacts sociaux, adopte une attitude de fermeture, de repli sur soi. Elle manque de diplomatie, d'adaptation à l'autre, de souplesse. Les relations publiques sont mises à mal. Elle se retient de parler d'un sujet important, refuse le dialogue. Plus question de discuter ou de négocier, « on ne cause plus, on tire ! ». Malheureusement c'est la dent qui en fait les frais.
• Si la personne a engagé depuis quelques mois un processus de changement dans son mode de communication, une part d'elle-même y résiste. La personne se protège inconsciemment contre le vécu souffrant lié à la dent : communication difficile avec le parent éducateur durant l'enfance, impossibilité de parler à l'école. Dent gauche : blocage de l'énergie masculine lié au père éducateur ; dent droite : blocage de l'énergie féminine lié à la mère éducatrice. Problème lié au parent lui-même ou à quelqu'un qui le rappelle inconsciemment.
• Enfant ou l'adolescent : problème de communication avec le parent ou lié à l'entourage scolaire, professeurs, camarades. Au parent de rétablir le dialogue sur un mode adulte avec son enfant, ou de l'établir si ce n'est déjà fait.

[13-23] Manque de détermination. La personne refuse de manifester sa puissance personnelle. Elle refuse au lion qui est en elle le droit de rugir, voire de donner un coup de croc pour défendre ses positions. Sa superbe et sa force sont entravées. Elle courbe l'échine, cède devant autrui, se laisse dominer ou manquer de respect, accepte que l'autre lui impose sa volonté. Elle refuse de donner forme à ses idées ; par exemple, matérialiser un projet. Elle traverse une période de flottement et d'incertitude quant à des décisions importantes qui engagent l'avenir. Elle refuse de se fixer un but ou des priorités, de se donner une ligne de conduite et de s'y tenir. Elle a perdu le nord. Elle baisse les bras devant les retards ou les aléas de la vie. Elle se sent impuissante, égarée.
• Si la personne a engagé depuis quelques mois un travail pour prendre en main le contrôle de sa vie ou exprimer sa force, une partie d'elle-même y résiste. À moins qu'elle ne soit confrontée à son propre enfant adolescent qui affirme sa volonté. La

personne se protège inconsciemment contre le vécu souffrant lié à la dent : volonté entravée ou brisée au moment de l'adolescence. Dent gauche : blocage de la puissance masculine lié au père éducateur ; dent droite : blocage de la puissance féminine lié à la mère éducatrice. Problème lié au parent lui-même ou à quelqu'un qui le rappelle inconsciemment.
• Adolescent ou jeune adulte : il souffre d'être entravé dans sa volonté, dans son orientation de vie. Au parent d'en tenir compte en le laissant décider de son avenir, en lui manifestant sa confiance.

[14-24] Manque d'audace ou d'action. La personne refuse d'initier des changements pour transformer sa vie : nouveau travail, nouveau partenaire, nouvelle manière d'agir, etc. Elle refuse de prendre des risques, d'aller de l'avant, d'écouter l'impulsion qui la pousse vers l'aventure, à la découverte de nouveaux horizons proches ou lointains. Elle refuse la bagarre et le conflit extérieur. Elle refuse d'accepter un conflit intérieur lié à des contradictions personnelles. Elle se sent déchirée entre son cœur et sa tête, partagée entre l'envie et le devoir.
• Si la personne a engagé depuis quelques mois un processus de changement dans sa vie, une part d'elle-même y résiste. À moins que ses propres enfants adolescents ne prennent des risques et qu'elle ne se ronge pour eux. Elle se protège inconsciemment contre le vécu souffrant lié à la dent : goût pour l'aventure inhibé à l'adolescence. Dent gauche : blocage de l'énergie masculine lié au père éducateur ; dent droite : blocage de l'énergie féminine lié à la mère éducatrice. Problème lié au parent lui-même ou à quelqu'un qui le rappelle inconsciemment.
• Adolescent : même sous des dehors téméraires, il a besoin d'être encouragé par le parent à se lancer.

[15-25] Manque de capacité à faire un choix personnel. La personne refuse d'exercer son jugement, de décider par elle-même ce qui lui convient, de remettre en question et de passer au crible de son discernement les valeurs transmises par l'éducation. Soit elle se conforme aveuglément aux avis parentaux, soit elle s'y oppose systématiquement et farouchement. Dans tous les cas, elle est dans l'incapacité de faire le choix qui lui correspond. Qu'elle adhère ou qu'elle s'oppose, elle reste influencée par le parent.
• Si la personne a engagé depuis quelques mois un processus de détachement et de prise de recul par rapport à son éducation, une part d'elle-même résiste à faire le deuil du parent. À moins que ses propres enfants adolescents ne s'opposent à elle et ne commencent à la juger. Elle se protège inconsciemment contre le vécu souffrant lié à la dent : remise en question difficile du parent à l'adolescence, impossibilité de dire non. Dent gauche : blocage de l'énergie masculine lié au père éducateur ; dent droite : blocage de l'énergie féminine lié à la mère éducatrice. Problème lié au parent lui-même ou à quelqu'un qui le rappelle inconsciemment.
• Adolescent : même sous des dehors rebelles, il est trop soumis à l'influence du parent et doit être incité à décider par lui-même.

[16-26] Manque de capacité à se soumettre à l'autorité ou à l'exercer soi-même. La personne refuse la loi et ses représentants, refuse de se soumettre au parent éducateur lui-même ou à une figure d'autorité qui incarne à ses yeux un père ou une mère symbolique (supérieur hiérarchique). Elle rejette le parent trop présent, à l'emprise écrasante ou au contraire inexistant ou absent.
• Si la personne a engagé depuis quelques mois un processus de détachement par rapport au parent, une part d'elle-même résiste à en faire le deuil. À moins que face à ses propres enfants, les problèmes d'autorité ne deviennent cruciaux. Elle se protège

inconsciemment contre le vécu souffrant lié à la dent : autorité inadaptée du parent éducateur durant l'enfance. Dent gauche : blocage de l'énergie masculine lié au père éducateur ; dent droite : blocage de l'énergie féminine lié à la mère éducatrice. Problème lié au parent lui-même ou à quelqu'un qui le rappelle inconsciemment.

• Enfant : il souffre d'un manque ou d'un excès d'autorité, ou alternativement des deux. Le parent doit revoir son mode d'éducation afin de l'adapter aux besoins de l'enfant.

• Adolescent : en révolte contre le parent, il n'arrive pas à s'affranchir de son emprise. Il cherche inconsciemment à éliminer l'obstacle que le parent représente. Au parent d'accepter de se mettre en retrait.

[17-27] Manque d'assise sociale. La personne vit une remise en question de son statut social, éprouve des difficultés à faire sa place. Elle rejette inconsciemment son travail qui ne lui convient plus, ou bien vit des difficultés ou des changements professionnels qu'elle n'accepte pas. Elle a le sentiment d'être écrasée ou broyée par une hiérarchie ou des responsabilités trop pesantes. Reclassement, licenciement ou au contraire promotion, la personne est à un tournant de sa carrière difficile à négocier.

• Si la personne a engagé depuis quelques mois un processus de remise en question par rapport à son travail ou à son statut social, une part d'elle-même y résiste par fidélité inconsciente au parent éducateur qu'elle ne veut pas dépasser ou décevoir. À moins que ses propres enfants adolescents, en âge de s'éloigner, ne transgressent les interdits. Elle se protège inconsciemment contre le vécu souffrant lié à la dent : émancipation difficile par rapport au parent à l'adolescence. Dent gauche : blocage de l'énergie masculine lié au père éducateur ; dent droite : blocage de l'énergie féminine lié à la mère éducatrice. Problème lié au parent lui-même ou à quelqu'un qui le rappelle inconsciemment.

• Adolescent : il n'arrive pas à transgresser l'autorité parentale pour trouver sa place parmi les autres. Le parent ne peut l'y aider qu'en acceptant de relâcher son emprise et en le laissant s'éloigner.

[18-28] Manque d'assise personnelle. La personne refuse sa sagesse innée, autrement dit sa part la plus authentique ou la plus spirituelle. Elle refuse d'écouter la petite voix qui lui souffle à l'oreille ce qui est bon ou juste, en conformité avec sa morale ou son éthique personnelle. Elle a tendance à se fier aux conseils d'autrui, parents ou amis, plutôt qu'à sa propre vérité. Il lui est difficile de se dégager de l'influence parentale ou sociale pour ne se fier qu'à elle-même, obéir à sa propre loi. Père ou mère, elle recherche un guide extérieur en négligeant son guide intérieur.

• Si la personne a engagé depuis quelques mois un processus de détachement par rapport aux valeurs extérieures pour se rapprocher d'elle-même, elle résiste à se trouver. Elle se protège inconsciemment contre le vécu souffrant lié à la dent : accès difficile à l'indépendance intellectuelle à l'adolescence. Dent gauche : blocage de l'énergie masculine, lié au père éducateur ; dent droite : blocage de l'énergie féminine, lié à la mère éducatrice. Problème lié au parent lui-même ou bien à quelqu'un qui le rappelle inconsciemment.

• Jeune adulte : il s'affranchit difficilement de l'emprise morale du parent. Celui-ci ne peut l'aider qu'en le laissant se débrouiller seul. Une aide serait même néfaste.

[41-31] Manque d'écoute de soi. La personne refuse sa part la plus vulnérable. Elle refuse à l'enfant en elle le droit d'exister, d'avoir des besoins ou de se manifester, par exemple par le jeu et la spontanéité. Une blessure l'a touchée au cœur de son intimité.

La personne bloque son énergie vitale, nie le corps, ses limites et ses besoins. Le tout petit enfant en soi souffre ou dépérit, en manque d'attention, de soins ou d'amour.
• Si la personne a engagé depuis quelques mois un processus de retour à soi, elle résiste à retrouver l'enfant en elle. Elle se protège inconsciemment contre le vécu souffrant lié à la dent: mémoire prénatale douloureuse, naissance ou petite enfance difficile. Dent droite: blocage de l'énergie masculine, lié au papa, père biologique ou éventuellement nourricier en cas d'adoption; dent gauche: blocage de l'énergie féminine, lié à la maman, mère biologique ou éventuellement nourricière en cas d'adoption. Problème lié au parent lui-même ou à quelqu'un qui le rappelle inconsciemment.
• Enfant ou adolescent: problème grave lié à la perte de l'envie de vivre (dépression larvée), associée à un sentiment de rejet ou d'exclusion.

[42-32] Manque lié à la relation affective. La personne refuse l'amour, bloque l'expression de ses sentiments, amoureux ou amicaux. Elle cherche inconsciemment à détruire la relation intime ou se sent coupable de le faire. Elle est littéralement rongée par le manque d'amour, lié par exemple à l'abandon, ou par la souffrance liée à une relation affective difficile ou insatisfaisante.
• Si la personne a engagé depuis quelques mois un processus de changement dans sa relation à l'autre, une part d'elle-même y résiste. Inconsciemment, elle se protège contre le vécu souffrant lié à la dent: la relation affective difficile avec le parent nourricier. Dent droite: blocage de l'énergie masculine, lié à la relation avec le papa nourricier; dent gauche: blocage de l'énergie féminine, lié à la relation avec la maman nourricière. Problème lié au parent lui-même ou à quelqu'un qui le rappelle inconsciemment.
• Enfant ou adolescent: problème relationnel sérieux avec le parent. L'enfant ne se sent pas aimé. Au parent de prendre l'initiative de rétablir l'échange affectif.

[43-33] Manque d'expression de sa force. La personne refuse ses instincts. Elle refuse au loup qui sommeille en elle le droit de s'exprimer et de mordre pour défendre son territoire, ses enfants, ses biens, etc. Elle retient ses pulsions les plus primitives par peur de ressentir la force, voire la violence présente en elle. Elle muselle la bête sauvage tapie, prête à bondir, par peur que celle-ci n'échappe à son contrôle. Elle refuse la lignée ancestrale et l'hérédité transmise par le parent, son héritage tant biologique que comportemental. Elle rejette inconsciemment l'histoire familiale pour ne pas reproduire un scénario souffrant. Elle résiste à transmettre la vie en refusant la procréation. Elle refuse de s'inscrire comme maillon d'une lignée et refuse de la perpétuer.
• Si la personne a engagé depuis quelques mois un processus de réconciliation avec la lignée, la procréation ou l'animalité, une partie d'elle-même y résiste. Elle se protège inconsciemment contre le vécu souffrant lié à la dent: mémoire familiale douloureuse, souvenir pénible lié à la procréation ou à l'acte sexuel. Dent droite: blocage de l'énergie masculine lié à la lignée paternelle; dent gauche: blocage de l'énergie féminine lié à la lignée maternelle. Problème relationnel lié au parent lui-même ou à quelqu'un qui le rappelle inconsciemment.
• Adolescent ou jeune adulte: problème sérieux. L'adolescent rejette l'acte sexuel pour des raisons qu'il est important d'élucider: traumatisme physique ou psychologique. Ou il rejette inconsciemment un secret de famille. Si le parent a connaissance d'un tel secret dans la lignée, il est urgent d'en parler.

[44-34] Manque lié à l'expression du corps et des pulsions. La personne refuse l'évolution du corps: transformation physiologique, puberté, grossesse, ménopause, ou maladie, opération, accident, etc. Elle réprime de fortes réactions émotionnelles, bride sa sexualité, refuse d'écouter ses sens ou de succomber à la passion. Elle bloque le tumulte et le volcan qui grondent en elle par crainte d'une éruption incontrôlée.

• Si la personne a engagé depuis quelques mois un processus de transformation, physique ou émotionnelle (changer de look, débuter ou mettre fin à une relation passionnelle), une part d'elle-même résiste au changement. À moins que ses propres enfants ne soient en pleine puberté ou « âge ingrat ». Elle se protège inconsciemment contre le vécu souffrant lié à la dent, une puberté difficile. Dent droite : blocage de l'énergie sexuelle, masculine ou en rapport avec l'homme, lié au papa nourricier ; dent gauche : blocage de l'énergie sexuelle, féminine ou en rapport avec la femme, lié à la maman nourricière. Problème lié au parent lui-même ou à quelqu'un qui le rappelle inconsciemment.

• Adolescent : malaise par rapport à la sexualité et aux changements de la puberté. Il a besoin d'être encouragé à grandir par le parent.

[45-35] Manque de capacité à poser ses limites. La personne refuse une séparation, affective ou physique. Elle refuse l'éloignement, avec le parent nourricier lui-même ou avec un proche. Elle préfère se ronger plutôt que de lui dire non. Elle refuse d'affirmer sa différence ou ses préférences, se laisse envahir, se prête à des compromis affectifs qui la minent. À l'opposé, la personne peut chercher à se démarquer de manière outrancière du parent et donner l'image de quelqu'un qui s'affirme. Dans tous les cas, le lien inconscient n'est pas coupé et a besoin de l'être.

• Si la personne a engagé depuis quelques mois un processus de détachement (deuil affectif), une part d'elle-même y résiste. À moins qu'elle ne doive faire face à la séparation avec ses propres enfants en âge de s'éloigner. Elle se protège inconsciemment contre le vécu souffrant lié à la dent : détachement difficile d'avec le parent nourricier à l'adolescence. Dent droite : blocage de l'énergie masculine lié au papa nourricier ; dent gauche : blocage de l'énergie féminine lié à la maman nourricière. Problème lié au parent lui-même ou à quelqu'un qui le rappelle inconsciemment.

• Adolescent : même sous des apparences rebelles, il est trop proche ou trop dépendant du parent. Il doit être incité à couper le cordon.

[46-36] Manque de sécurité matérielle ou affective. La personne perd ses repères concrets. Elle se sent privée du soutien du parent nourricier lui-même ou de quelqu'un qui représente à ses yeux un papa ou une maman. La personne se sent lâchée par le parent réel ou symbolique, ou bien le rejette parce qu'il est trop envahissant.

• Si la personne a engagé depuis quelques mois un processus de détachement par rapport au parent nourricier, une part d'elle-même résiste à en faire le deuil. À moins qu'elle ne vive un épisode nostalgique, une période de retour à l'enfance. Ou encore que ses propres enfants soient jeunes (jusqu'à 8-10 ans) et la renvoient à ses propres manques. Elle se protège inconsciemment contre le vécu souffrant lié à la dent : manque précoce lié au parent nourricier. Dent droite : blocage de l'énergie nourricière masculine, incarnée par le papa ; dent gauche : blocage de l'énergie nourricière féminine, incarnée par la maman. Problème lié au parent lui-même ou à quelqu'un qui le rappelle inconsciemment.

• Enfant : il souffre d'insécurité due au manque de présence affective ou physique du parent. Le parent doit revoir son rôle nourricier afin de s'adapter aux besoins affectifs de l'enfant.

• Adolescent : en colère contre le parent, il croit que celui-ci l'empêche de bâtir une vie affective. Il cherche inconsciemment à éliminer l'obstacle que le parent représente. Au parent d'accepter de s'effacer.

[47-37] Manque de confiance en l'appui que représente l'autre, partenaire ou ami. La personne refuse le couple, ou éventuellement l'amitié. Soit elle est déçue par l'union et cherche inconsciemment à la détruire, soit elle rejette l'éventualité de construire ou de reconstruire un couple. Un élément perturbateur, familial ou professionnel, mine la bonne santé du couple.

• Si la personne a engagé depuis quelques mois un processus de transformation dans sa manière de vivre ou concevoir l'union, une part d'elle-même y résiste. À moins que ses propres enfants ne se marient, surtout si elle estime qu'ils ont mal choisi et courent à la catastrophe : elle se mine pour eux. Ou encore, les enfants partis, le couple revient au premier plan des préoccupations. Au lieu d'être un soutien, le couple est ressenti comme une entrave. La personne se protège inconsciemment contre le vécu souffrant lié à la dent : déceptions amoureuses ou amicales à l'adolescence. Dent droite : blocage de l'énergie masculine lié au papa nourricier ; dent gauche : blocage de l'énergie féminine lié à la maman nourricière. Problème lié au parent lui-même ou à quelqu'un qui le rappelle inconsciemment.

• Adolescent : trop dépendant du parent, il se sent coupable d'abandonner celui-ci pour se lier d'amour ou d'amitié. Au parent de l'encourager à s'éloigner en s'abstenant de toute forme de chantage affectif.

[48-38] Manque fondamental d'assise et de confiance en ses ressources personnelles. La personne refuse l'autonomie matérielle et affective. Elle refuse de prendre sa liberté, de s'assumer seule sans rien demander ni devoir à personne. Elle s'empêche de manifester ses propres références, de vivre selon sa loi, en solitaire qui ne compte que sur elle-même. Elle nie ses capacités de se reposer sur elle-même et de se poser en tant qu'être unique. Elle a trop tendance à se faire aider par les autres, parents ou amis, plutôt qu'à se débrouiller seule.

• Si la personne a engagé depuis quelques mois un processus de détachement par rapport aux parents ou vis-à-vis du conjoint, une partie d'elle-même y résiste. Ou bien la personne se retrouve seule, conjoint ou enfants partis, etc., sans l'accepter ou l'assumer. Elle se protège inconsciemment contre le vécu souffrant lié à la dent : accès à l'autonomie difficile à la fin de l'adolescence, peur de la solitude ou de l'exclusion. Dent droite : blocage de l'énergie masculine lié au papa nourricier ; dent gauche : blocage de l'énergie féminine lié à la maman nourricière. Problème lié au parent lui-même ou à quelqu'un qui le rappelle inconsciemment.

• Jeune adulte : sortie difficile du cocon parental. On ne peut l'aider qu'en le laissant se débrouiller seul. Une aide serait même néfaste.

CLOISON OSSEUSE INTERDENTAIRE

[11-12] La personne désire inconsciemment n'exister que par l'échange avec l'autre. Sa peur du regard des autres la conduit à vouloir renforcer et protéger son image. Par peur du rejet, elle éprouve le besoin viscéral de se rapprocher d'autrui : « seule, je ne suis rien ». Elle désire paraître plus brillante et plus assurée en société. La problématique est liée à la mère éducatrice.

[11-21] Par un réflexe inconscient de fermeture vis-à-vis d'autrui, la personne tente de rapprocher sa facette masculine de sa facette féminine pour se protéger. Elle essaie de construire un mur infranchissable entre elle et le monde pour pallier un fort manque de confiance en soi. Elle se sent rejetée ou agressée : « les autres m'en veulent, me regardent de travers ». La problématique est liée aux parents éducateurs : père et mère.

[12-13] La personne a peur que les autres ne la prennent pas au sérieux. Son désir inconscient est de s'imposer davantage, que ses propos aient plus de poids, plus d'impact. Par peur de l'échange, elle désire faire le poids face à autrui, être plus percutante dans ses relations au travail ou en société. Ou au contraire, elle désire atténuer son côté carnassier en paraissant plus avenante et plus souple. Problématique liée à la mère éducatrice.

[13-14] La personne désire avoir plus de courage pour se lancer, voudrait être plus décidée, plus efficace dans l'action. Par peur de l'imprévu, elle désire avoir plus de contrôle et de maîtrise sur les événements. Elle souhaite avoir plus de force et de constance dans l'action. Elle veut unir la force à l'audace, faire preuve de plus de fougue pour diriger sa vie. Problématique liée à la mère éducatrice.

[14-15] La personne a peur de se jeter tête baissée dans l'action. Elle désire se montrer audacieuse et réfléchie à la fois. Elle a peur de ne pas réussir à transformer sa vie. La personne a envie de renouveau sans pour autant lâcher l'ancien. Elle désire emmener son passé dans son futur. Elle désire inconsciemment avoir l'audace de s'opposer à la mère éducatrice par peur de ne pas arriver à se détacher de son influence. Elle souhaite faire bloc contre les valeurs transmises par la mère.

[15-16] La personne désire inconsciemment maintenir ou retrouver la fusion intellectuelle avec la mère éducatrice (complicité intellectuelle, opinions identiques, être sur la même longueur d'ondes). Elle a peur de se démarquer en affichant des opinions différentes. La mère ou la figure d'autorité qui la représente reste la seule référence possible. La personne se sent perdue sans ses conseils.

[16-17] Par fidélité excessive à la mère éducatrice, la personne refuse de s'émanciper pour rester proche d'elle. Elle a peur de construire sa propre carrière, de décevoir ou de trahir sa mère. Peu sûre d'elle-même dans le domaine social, elle a besoin de l'approbation ou de l'appui maternel pour se réaliser professionnellement. La personne désire suivre les traces de la mère ou de la figure d'autorité qui la représente, prendre sa suite ou poursuivre son œuvre. « Ma place est auprès d'elle ».

[17-18] La personne désire s'identifier avec son rôle social, voudrait n'exister qu'à travers la profession, la carrière ou la réputation. Elle se sent isolée. Par peur de la marginalité, elle désire s'intégrer davantage à la société. Elle n'envisage pas d'être à part. Elle désire concilier valeurs personnelles et normes sociales. Le sentiment d'insécurité dans le travail l'incite à vouloir consolider ses appuis sociaux. La problématique est liée à la mère éducatrice.

[18-Arrière de la dent] L'atteinte de l'os en arrière de la dent de sagesse est le signe d'un manque d'assise fondamental, d'une peur viscérale d'être seul face à soi-même. La personne manque de confiance dans ses ressources personnelles, dans ses forces intuitives ou cachées. Elle a peur de s'écrouler : « je suis incapable de me débrouiller seule ». La problématique est liée à la mère éducatrice.

[21-11] Par un réflexe inconscient de fermeture vis-à-vis d'autrui, la personne tente de rapprocher sa facette masculine de sa facette féminine pour se protéger. Elle essaie de construire un mur infranchissable entre elle et le monde pour pallier un fort manque de confiance en soi. Elle se sent rejetée ou agressée : « les autres m'en veulent, me regardent de travers ». La problématique est liée aux parents éducateurs : père et mère.

[21-22] La personne désire inconsciemment n'exister que par l'échange avec l'autre. Sa peur du regard des autres la conduit à vouloir renforcer et protéger son image. Par peur du rejet, elle éprouve le besoin viscéral de se rapprocher d'autrui : « seule, je ne suis rien ». Elle désire paraître plus brillante et plus assurée en société. La problématique est liée au père éducateur.

[22-23] La personne a peur que les autres ne la prennent pas au sérieux. Son désir inconscient est de s'imposer davantage, que ses propos aient plus de poids, plus d'impact. Par peur de l'échange, elle désire faire le poids face à autrui, être plus percutante dans ses relations au travail ou en société. Ou au contraire, elle désire atténuer son côté carnassier en paraissant plus avenante et plus souple. Problématique liée au père éducateur.

[23-24] La personne désire avoir plus de courage pour se lancer, voudrait être plus décidée, plus efficace dans l'action. Par peur de l'imprévu, elle désire avoir plus de contrôle et de maîtrise sur les événements. Elle souhaite avoir plus de force et de constance dans l'action. Elle veut unir la force à l'audace, faire preuve de plus de fougue pour diriger sa vie. Problématique liée au père éducateur.

[24-25] La personne a peur de se jeter tête baissée dans l'action. Elle désire se montrer audacieuse et réfléchie à la fois. Elle a peur de ne pas réussir à transformer sa vie. Elle a envie de renouveau sans pour autant lâcher l'ancien. Elle désire emmener son passé dans son futur. Elle désire inconsciemment avoir l'audace de s'opposer au père éducateur par peur de ne pas arriver à se détacher de son influence. Elle souhaite faire bloc contre les valeurs transmises par le père.

[25-26] La personne désire inconsciemment maintenir ou retrouver la fusion intellectuelle avec le père éducateur (complicité intellectuelle, opinions identiques, être sur la même longueur d'ondes). Elle a peur de se démarquer en affichant des opinions différentes. Le père ou la figure d'autorité qui le représente reste la seule référence possible. La personne se sent perdue sans ses conseils.

[26-27] Par fidélité excessive au père éducateur, la personne refuse de s'émanciper pour rester proche de lui. Elle a peur de construire sa propre carrière, de décevoir ou de trahir son père. Peu sûre d'elle-même dans le domaine social, elle a besoin de l'approbation ou de l'appui paternel pour se réaliser professionnellement. Elle désire suivre les traces du père ou de la figure d'autorité qui le représente, prendre sa suite ou poursuivre son œuvre. « Ma place est auprès de lui ».

[27-28] La personne désire s'identifier avec son rôle social, voudrait n'exister qu'à travers la profession, la carrière ou la réputation. Elle se sent isolée. Par peur de la marginalité, elle désire s'intégrer davantage à la société. Elle n'envisage pas d'être à part. Elle désire concilier valeurs personnelles et normes sociales. Le sentiment d'insécurité dans le travail l'incite à vouloir consolider ses appuis sociaux. La problématique est liée au père éducateur.

[28-Arrière de la dent] L'atteinte de l'os en arrière de la dent de sagesse est le signe d'un manque d'assise fondamental, d'une peur viscérale d'être seul face à soi-même. La personne manque de confiance dans ses ressources personnelles, dans ses forces intuitives ou cachées. Elle a peur de s'écrouler : « je suis incapable de me débrouiller seule ». La problématique est liée au père éducateur.

[31-32] Par peur de la solitude, la personne ressent le besoin d'une intimité plus grande avec l'autre. Elle désire se rapprocher d'un partenaire ou d'un ami trop distant, avoir un rapport fusionnel dans la relation amicale ou amoureuse. Elle voudrait n'exister qu'à travers l'autre. La problématique est liée au manque relationnel avec la maman nourricière.

[31-41] La personne ressent une insécurité fondamentale, une peur de la mort dont l'origine remonte à la naissance ou à la petite enfance, voire à la gestation. Elle se sent exposée à un danger, réel ou imaginaire : « les autres veulent me tuer ». Elle refuse inconsciemment la vie. La problématique est liée aux parents biologiques.

[32-33] La personne compense une relation intime insatisfaisante par son amour pour ses enfants ou pour sa famille. Elle désire rendre plus concrète la relation amoureuse, par un mariage ou un enfant. Elle souhaite renforcer le lien affectif, intensifier l'amour ou mettre du romantisme dans l'animalité. Par peur d'ouvrir son cœur ou par peur de ne pas pouvoir contrôler ses sentiments, elle désire être plus forte face à l'amour, s'imposer dans la relation, contrôler l'autre. La problématique est liée au manque relationnel avec la maman nourricière.

[33-34] La personne désire une sexualité plus forte, plus animale. Elle veut renforcer une passion, la faire durer dans le temps. Elle désire réunir plaisir et procréation, pour mettre toute son énergie au service de l'un ou de l'autre. Elle souhaite intensifier le plaisir et le contrôler en même temps par peur d'être emportée. Par crainte des changements, elle désire maîtriser les transformations de son corps. La problématique est liée à la maman nourricière.

[34-35] La personne désire s'affirmer par les transformations du corps (régime, look, sport). Elle croit qu'être plus spontanée et plus passionnée va lui permettre de s'affirmer. La problématique est liée à la maman nourricière. Par crainte de ne pas parvenir à se séparer de la maman ou d'une personne qui lui rappelle inconsciemment la mère nourricière, la personne souhaite se démarquer ou au moyen d'une transformation radicale de sa personnalité.

[35-36] La personne éprouve le besoin fondamental d'abolir toute séparation entre elle et la maman nourricière. Elle a besoin de se rapprocher de la maman dans une période difficile ou d'insécurité matérielle ou affective. Elle désire conserver ou retrouver un lien affectif fusionnel avec la maman (angoisse de séparation).

[36-37] La personne désire rester en fusion avec la maman nourricière qui est la seule ressource matérielle ou affective possible. Elle désire inconsciemment faire couple avec la maman. « Ma place est auprès d'elle ». Elle désire concilier son amour pour le partenaire avec son amour pour la maman. Elle voudrait être en couple sans quitter maman. Ou bien, elle désire retrouver une maman à travers son conjoint.

[37-38] La personne investit sans compter son énergie personnelle dans le couple. Elle a besoin de se rassurer sur la solidité du couple ou de l'amitié. La peur de la marginalité l'incite à se rapprocher de l'autre (conjoint, associé ou ami). Elle désire inconsciemment faire un avec l'autre, mais en réalité c'est avec elle-même qu'elle veut faire couple. Elle utilise l'union pour renforcer ses appuis personnels chancelants. Elle n'envisage pas de se passer de l'autre. La problématique est liée à la maman nourricière.

[38-Arrière de la dent] L'atteinte de l'os en arrière de la dent de sagesse révèle un manque d'assise fondamentale, une peur viscérale de la solitude. La personne croit inconsciemment qu'elle ne peut tenir debout par ses propres moyens : « je suis incapable de subvenir seule à mes besoins ». Elle a peur de se retrouver seule face à elle-même, si elle assumait son autonomie. La problématique est liée à la maman nourricière.

[41-31] La personne ressent une insécurité fondamentale, une peur de la mort dont l'origine remonte à la naissance ou à la petite enfance, voire à la gestation. Elle se sent exposée à un danger, réel ou imaginaire : « les autres veulent me tuer ». Elle refuse inconsciemment la vie. La problématique est liée aux parents biologiques.

[41-42] Par peur de la solitude, la personne ressent le besoin d'une intimité plus grande avec l'autre. Elle désire se rapprocher d'un partenaire ou d'un ami trop distant, avoir un rapport fusionnel dans la relation amicale ou amoureuse. Elle voudrait n'exister qu'à travers l'autre. La problématique est liée au manque relationnel avec le papa nourricier.

[42-43] La personne compense une relation intime insatisfaisante par son amour pour ses enfants ou pour sa famille. Elle désire rendre plus concrète la relation amoureuse, par un mariage ou un enfant. Elle souhaite renforcer le lien affectif, intensifier l'amour ou mettre du romantisme dans l'animalité. Par peur d'ouvrir son cœur ou par peur de ne pas pouvoir contrôler ses sentiments, elle désire être plus forte face à l'amour, s'imposer dans la relation, contrôler l'autre. La problématique est liée au manque relationnel avec le papa nourricier.

[43-44] La personne désire une sexualité plus forte, plus animale. Elle veut renforcer une passion, la faire durer dans le temps. Elle désire réunir plaisir et procréation, pour mettre toute son énergie au service de l'un ou de l'autre. Elle souhaite intensifier le plaisir et le contrôler en même temps par peur d'être emportée. Par crainte des changements, elle désire maîtriser les transformations de son corps. La problématique est liée au papa nourricier.

[44-45] La personne désire s'affirmer par les transformations du corps (régime, look, sport). Elle croit qu'être plus spontanée et plus passionnée va lui permettre de s'affirmer. La problématique est liée au papa nourricier. Par peur de ne pas parvenir à se séparer du papa ou d'une personne qui lui rappelle inconsciemment le papa, la personne souhaite se démarquer par une transformation radicale de sa personnalité.

[45-46] La personne éprouve le besoin fondamental d'abolir toute séparation entre elle et le papa nourricier. Elle a besoin de se rapprocher du papa dans une période difficile ou d'insécurité matérielle ou affective. Elle désire conserver ou retrouver un lien affectif fusionnel avec le papa (angoisse de séparation).

[46-47] La personne désire rester en fusion avec le papa nourricier qui est la seule ressource matérielle ou affective possible. Elle désire inconsciemment faire couple avec le papa. « Ma place est auprès de lui ». Elle désire concilier son amour pour le partenaire avec son amour pour le papa. Elle voudrait être en couple sans quitter papa. Ou bien, elle désire retrouver un papa à travers son conjoint.

[47-48] La personne investit sans compter son énergie personnelle dans le couple. Elle a besoin de se rassurer sur la solidité du couple ou de l'amitié. La peur de la marginalité l'incite à se rapprocher de l'autre (conjoint, associé ou ami). Elle désire inconsciemment faire un avec l'autre, mais en réalité c'est avec elle-même qu'elle veut faire couple. Elle utilise l'union pour renforcer ses appuis personnels chancelants. Elle n'envisage pas de se passer de l'autre. La problématique est liée au papa nourricier.

[48-Arrrière de la dent] L'atteinte de l'os en arrière de la dent de sagesse révèle un manque d'assise fondamentale, une peur viscérale de la solitude. La personne croit inconsciemment qu'elle ne peut tenir debout par ses propres moyens : « je suis incapable de subvenir seule à mes besoins ». Elle a peur de se retrouver seule face à elle-même, si elle assumait son autonomie. La problématique est liée au papa nourricier.

COURONNE À POSER ou déjà POSÉE SANS PRISE DE CONSCIENCE

[11-21] La personne enterre les souffrances du passé liées au fait de s'être sentie dévalorisée par le parent éducateur, père (dent gauche), mère (dent droite). Elle dissimule son manque de confiance en elle, la honte de sa valeur et de son image sous une assurance factice. Elle donne l'illusion d'une personnalité brillante et sûre d'elle, porte un masque pour se protéger du regard d'autrui.

[12-22] La personne enterre la souffrance liée au manque d'échanges avec le parent éducateur, père (dent gauche), mère (dent droite). Elle dissimule sous une aisance factice ses difficultés à communiquer. Elle fait semblant d'être à l'aise en société, d'être un orateur brillant, un médiateur habile.

[13-23] La personne enterre les souffrances liées au fait d'avoir été contrainte à plier devant le parent éducateur, père (dent gauche), mère (dent droite). Elle dissimule sa faiblesse et son manque d'assurance sous une détermination apparente. Elle se donne l'illusion d'être maître de sa vie, de savoir se diriger et se conduire en chef.

[14-24] La personne enterre les souffrances de l'adolescence liées à l'attitude du parent éducateur, père (dent gauche), mère (dent droite) : impossibilité de prendre des risques, de partir à l'aventure. Elle masque son manque d'audace sous une témérité apparente. Elle donne l'image de quelqu'un d'actif, d'énergique et d'entreprenant. Elle dissimule ses contradictions et sa peur du conflit.

[15-25] La personne enterre les souffrances de la crise d'adolescence (remise en question de l'autorité parentale), liées au parent éducateur, père (dent gauche), mère (dent droite). Elle donne l'image d'une personne capable de penser par elle-même. Elle dissimule ses hésitations et ses difficultés à choisir. Elle se protège de l'influence du parent ou d'autrui derrière une fausse barrière : « non » systématique, idées qui tranchent, etc.

[16-26] La personne enterre les souffrances liées au fait d'avoir manqué d'un parent qui joue son rôle d'éducateur ou d'avoir souffert de son autorité, père (dent gauche), mère (dent droite). Elle se donne l'illusion d'une assise et d'une autorité intérieure solides.

[17-27] La personne enterre les souffrances de l'adolescence liées au parent éducateur, père (dent gauche), mère (dent droite) : désobéissance, transgression des interdits. Elle se donne l'illusion d'avoir une assise sociale, un travail stable, une réputation solide. Elle masque le fait qu'elle ne se sent pas à sa place.

[18-28] La personne enterre les souffrances liées à l'incapacité de se libérer de l'influence du parent éducateur, père (dent gauche), mère (dent droite). Elle se donne l'illusion d'avoir un système de valeurs personnel. Elle enfouit son intuition sous une chape de fausses croyances. Elle se cache à elle-même qui elle est vraiment.

[41-31] La personne enterre les souffrances de la petite enfance liées au fait de s'être sentie rejetée par le père biologique (dent droite), par la mère biologique (dent gauche). Elle dissimule sa fragilité, sa faiblesse, son manque de goût pour la vie. Elle masque la tristesse de l'enfant en elle.

[42-32] La personne enterre les souffrances liées à la relation avec le parent nourricier, papa (dent droite), maman (dent gauche). Elle fait semblant d'être en relation, elle montre des sentiments factices. Elle dissimule derrière une attitude convenue son incapacité à aimer ou à établir une relation sincère.

[43-33] La personne dissimule un secret, un héritage souffrant lié à la lignée paternelle (dent droite), maternelle (dent gauche). Elle enterre les souffrances liées à un traumatisme sexuel ou à l'enfantement (avortement, perte d'un enfant). Elle donne l'illusion de la vigueur, fait semblant d'être forte, d'être capable de se défendre.

[44-34] La personne enterre les souffrances liées à l'attitude du parent nourricier, papa (dent droite), maman (dent gauche) à propos des transformations de la puberté. Elle masque son manque de confiance en sa féminité, sa masculinité. Elle dissimule son manque d'entrain derrière l'image de quelqu'un qui s'amuse, qui « prend son pied » avec facilité.

[45-35] La personne enterre les souffrances de la crise d'adolescence liées au parent nourricier, papa (dent droite), maman (dent gauche) à propos de l'affirmation de soi et du détachement vis-à-vis du parent. Elle dissimule sa dépendance affective sous une assurance factice. Elle se protège de l'envahissement du parent ou des proches derrière une fausse barrière (« non » systématique, attitude distante, etc.).

[46-36] La personne enterre les souffrances liées au fait d'avoir manqué d'un parent nourricier qui joue son rôle de soutien et de consolateur, papa (dent droite), maman (dent gauche). Elle se donne l'illusion d'une sécurité matérielle et affective, d'appuis stables et solides.

[47-37] La personne enterre les souffrances de la période de l'adolescence liées à l'attitude du parent nourricier, papa (dent droite), maman (dent gauche), concernant des déceptions amicales ou amoureuses. Elle se donne l'illusion d'avoir un couple ou une amitié solide et stable.

[48-38] La personne enterre les souffrances liées à l'impossibilité de quitter le parent nourricier, papa (dent droite), maman (dent gauche). Elle se cache à elle-même sa dépendance affective ou financière. Elle se donne l'illusion d'être solide, autonome et stable, capable de tenir debout par ses propres moyens. Elle masque sa peur de la solitude.

COURONNE À POSER EN CONSCIENCE *RECONSTRUIRE EN CONSCIENCE*

[11-21] Opportunité de restaurer l'estime de soi, de se réapproprier son image, d'honorer et de restaurer sa facette masculine (dent gauche), féminine (dent droite). Retrouver son charisme et son éclat naturel, sans être influencé par le regard du parent éducateur, père (gauche), mère (droite).

[12-22] Opportunité de retrouver la facilité de l'échange et de la prise de parole en public. Restaurer son sens de l'écoute et du dialogue avec le parent éducateur ou toute personne qui rappelle le père (dent gauche), la mère (dent droite). Se rendre la capacité de se dire en trouvant les mots justes.

[13-23] Opportunité de restaurer sa dignité, sa puissance, la capacité de se faire respecter. Redonner un sens à sa vie, retrouver un but, la force de réaliser ses projets, sans se laisser influencer par le parent, père (dent gauche), mère (dent droite).

[14-24] Opportunité de retrouver l'enthousiasme, le goût de l'aventure, l'esprit d'entreprise. Se réapproprier la capacité d'agir efficacement pour transformer sa vie. Retrouver l'énergie de se battre pour avancer, sans se laisser influencer par le parent éducateur, père (dent gauche), mère (dent droite).

[15-25] Opportunité de devenir capable de faire le choix juste en sachant faire la part des choses. Se détacher de l'influence du parent éducateur, père (dent gauche), mère (dent droite). Retrouver l'équilibre entre la tête et le cœur.

[16-26] Opportunité de consolider ou reconstruire ses appuis en devenant son propre parent. Pardonner au parent éducateur, père (dent gauche), mère (dent droite). Rétablir un rapport sain avec l'autorité. Retrouver la stabilité à l'intérieur de soi, le sentiment d'être posé.

[17-27] Opportunité de restaurer sa capacité à s'épanouir socialement, à s'accomplir dans son travail et dans la carrière de son choix, libre de toute influence ou de tout interdit de la part du parent éducateur, père (dent gauche), mère (dent droite). Couronner de succès son travail, sa réputation, sa carrière.

[18-28] Opportunité de faire la paix avec soi-même, de restaurer sa dimension la plus authentique et la plus sacrée. Retrouver ses capacités intuitives, sa sagesse innée. Reconstruire son système de valeurs, libre de l'influence du parent éducateur, père (dent gauche), mère (dent droite).

[41-31] Opportunité de libérer son envie de vivre, de retrouver fraîcheur, spontanéité, gaieté, vitalité, sans être influencé par les difficultés d'enfance liées au papa (dent droite), à la maman (dent gauche).

[42-32] Opportunité de restaurer son sens du partage, de la relation, du dialogue sur le plan affectif ou intime. Retrouver la capacité d'aimer sans calculer, de vibrer au diapason avec l'autre, sans être influencé par les difficultés relationnelles vécues avec le parent nourricier, papa (dent droite), maman (dent gauche).

[43-33] Opportunité de se donner le droit de défendre son territoire, de recouvrer sa puissance physique. Se réapproprier l'héritage familial, la capacité de transmettre la vie reçue du parent biologique, papa (dent droite), maman (dent gauche).

[44-34] Opportunité de restaurer son rapport au plaisir, de retrouver le goût de la passion, de la sensualité, de la fête. Se réapproprier sa sexualité et sa libido, sans être influencé par les difficultés de la puberté liées au parent nourricier, papa (dent droite), maman (dent gauche).

[45-35] Opportunité de mettre en œuvre sa capacité de dire non et de s'affirmer. Retrouver en soi les moyens de poser des limites afin de ne pas se laisser envahir. Mettre la distance juste vis-à-vis du parent nourricier, se séparer du papa (dent droite), de la maman (dent gauche) ou d'un proche qui le rappelle.

[46-36] Opportunité de consolider ou reconstruire ses appuis affectifs en devenant son propre parent. Pardonner au parent nourricier, papa (dent droite), maman (dent gauche). Rétablir un rapport de confiance avec le monde matériel. Retrouver une assise intérieure, le sentiment d'être ancré.

[47-37] Opportunité de restaurer sa capacité à faire confiance à l'autre, sans être influencé par la culpabilité de s'éloigner du parent nourricier, papa (dent droite), maman (dent gauche). Consécration du couple ou de l'amitié.

[48-38] Opportunité de découvrir sa vraie capacité d'autonomie, de consolider ou dc reconstruire ses fondations personnelles. Retrouver une assise et une confiance qui ne dépendent que de soi, en étant détaché du parent nourricier, papa (dent droite), maman (dent gauche).

COURONNE DÉJÀ POSÉE À REMPLACER, ou CASSÉE À REMPLACER ou QUI SE DÉCOLLE ET QU'IL FAUT REFAIRE

[11-21] La personne a besoin de changer d'image, désire se montrer différente aux yeux d'autrui. Elle rejette une ancienne image d'elle-même qui ne lui correspond plus. Besoin d'être plus authentique, de se montrer sous un jour nouveau. Changer la couronne est l'occasion de se réapproprier sa facette masculine construite à travers le regard du père éducateur (dent gauche), sa facette féminine construite à travers le regard de la mère éducatrice (dent droite), en la rendant plus conforme à qui on est vraiment.

[12-22] La personne a besoin de transformer son mode de communication en le rendant plus clair, plus adulte, plus franc, etc. Le changement de couronne représente l'opportunité de restaurer l'échange verbal avec le père (dent gauche), la mère (dent droite) et aussi avec toute personne qui rappelle inconsciemment le parent éducateur.

[13-23] Il est temps de changer de cap. La voie que la personne suivait jusque-là ne lui convient plus. Le moment est venu de choisir une nouvelle orientation, de donner un nouveau sens à sa vie. La pose d'une nouvelle couronne est l'occasion d'épanouir sa puissance personnelle, de s'imposer avec plus de force face à toute personne qui rappelle inconsciemment le parent éducateur, père (dent gauche), mère (dent droite), ou face au parent lui-même.

[14-24] Un conflit ancien est réactivé. Sa résolution suppose de faire des choix et des deuils, que concrétise la perte de l'ancienne couronne, pour aller vers un renouveau. La pose d'une nouvelle couronne matérialise la prise d'un nouveau départ. La personne a besoin de trouver une nouvelle impulsion, une nouvelle façon d'aller de l'avant. Le changement de couronne est l'occasion d'inaugurer une manière d'agir libérée de l'influence du parent éducateur, père (dent gauche), mère (dent droite).

[15-25] La personne a besoin de renouveler sa manière de penser. Il est temps de se débarrasser d'un système de croyances qui ne lui convient plus. L'ancienne couronne symbolise des croyances, une manière de juger ou d'apprécier les situations qui n'est plus d'actualité. Il est temps de mûrir, d'acquérir un mode de pensée (encore) plus personnel et adulte. Le changement de couronne est l'occasion d'inaugurer une nouvelle façon d'exercer son discernement libre de l'influence du parent éducateur, père (dent gauche), mère (dent droite).

[16-26] La personne a besoin de transformer son rapport à l'autorité, de faire le deuil du parent éducateur, père (dent gauche), mère (dent droite). Elle rejette un système ancien de soumission parent/enfant dans lequel elle n'entre plus. Elle refuse de se laisser « chapeauter » par le parent ou toute figure d'autorité qui le rappelle inconsciemment. Faire poser une nouvelle dent avec l'intention d'être son propre maître et de n'obéir qu'à son autorité intérieure permet de se créer de nouveaux appuis et d'engager un processus menant à plus d'autonomie. C'est l'occasion de rétablir des rapports plus sains avec l'autorité et avec toute personne qui rappelle inconsciemment le parent éducateur.

[17-27] La personne a besoin d'acquérir un nouveau statut social (nouvelles responsabilités, nouveau travail) ou d'envisager différemment sa carrière. Le changement de couronne est l'occasion de prendre la place qui correspond à ses aspirations sans se laisser limiter par l'avis ou les interdits du parent éducateur, père (dent gauche), mère (dent droite).

[18-28] La personne a besoin de renouveler ses valeurs personnelles. Elle a besoin d'actualiser son système de valeurs, de (re)trouver une assise intérieure solide qui lui permette d'être sa propre référence. Le changement de couronne est l'occasion de se fier davantage à son intuition et moins aux avis de son père (dent gauche), de sa mère (dent droite) ou de quelqu'un d'influent qui représente le parent éducateur.

[41-31] La personne a besoin d'être plus authentique, de retrouver l'enfant en elle, de vivre une intimité plus riche et plus vraie avec elle-même, de renouveler son rapport au corps, en étant par exemple plus à l'écoute de ses besoins. Elle a besoin de libérer l'énergie vitale reçue du père biologique (dent droite) par le mouvement ou le sport, l'énergie reçue de la mère biologique (dent gauche) en accordant plus de place aux sensations et aux soins du corps.

[42-32] La personne désire inconsciemment une relation affective plus authentique et plus valorisante. Elle a besoin d'un mode relationnel amoureux ou amical plus satisfaisant, plus proche de ses aspirations véritables. Le changement de couronne représente l'opportunité de restaurer la relation avec le papa (dent droite), la maman (dent gauche), ou avec le partenaire (ou ami) qui lui rappelle inconsciemment le parent nourricier.

[43-33] La personne a besoin de se réconcilier avec son passé, sa famille, la lignée paternelle (dent droite), maternelle (dent gauche). C'est le moment d'envisager une nouvelle façon de transmettre, non plus seulement la vie, mais aussi son savoir, son expérience, ses connaissances (écrire un livre, ses mémoires). Il est temps de léguer ou de déléguer. La personne a besoin de se reconnecter avec ses forces animales et de les exprimer davantage (exemple : mieux défendre son territoire).

[44-34] La personne a besoin de renouveler son rapport au plaisir, de donner un coup de jeune à sa libido. Elle a besoin de réveiller les ardeurs du corps en s'autorisant par exemple des changements dans sa manière d'aborder le plaisir. La personne vit une phase de mutation importante, elle se trouve à une période charnière (renouveau après un divorce ou une période difficile par exemple). Elle a besoin d'opérer une transformation radicale dans son corps. Opérer le remplacement de la couronne en conscience est l'occasion de se donner le droit d'être homme ou femme en se libérant des interdits parentaux en matière de sexualité. Interdits liés au parent nourricier, papa (dent droite), maman (dent gauche).

[45-35] La personne a besoin de respirer, de mettre de l'espace entre elle et le parent nourricier, papa (dent droite), maman (dent gauche), ou de prendre ses distances avec quelqu'un qui lui rappelle le parent. Elle a besoin de trouver une nouvelle manière de s'affirmer, de définir de nouvelles limites, de changer les règles au sein de la relation (avec le parent ou le partenaire, l'ami qui le rappelle inconsciemment), de redéfinir un mode de vie moins fusionnel avec davantage de temps et d'espace pour soi.

[46-36] La personne a besoin de renouveler ses appuis affectifs ou matériels. Elle rejette un système de dépendance où elle était par trop infantilisée par le parent nourricier, papa (dent droite), maman (dent gauche) ou quelqu'un jouant ce rôle. Faire réaliser une nouvelle couronne en prenant la décision de s'appuyer sur ses propres ressources, et non plus sur le parent, permet de se créer de nouveaux appuis et d'engager un processus menant à plus d'autonomie. C'est l'occasion de rétablir des rapports de confiance avec toute personne qui représente un papa ou une maman.

[47-37] La personne a besoin d'un renouveau dans le couple ou dans le domaine amical. Le couple ou l'amitié sous son ancienne forme ne lui convient plus. Elle a besoin de reconstruire un couple neuf avec le même partenaire ou avec un autre. Le changement de couronne est l'occasion de le faire concrètement ou de restaurer sa conception du couple en se libérant de l'emprise affective du parent nourricier, papa (dent droite), maman (dent gauche).

[48-38] La personne a besoin de reconsidérer sa manière de vivre l'autonomie. Elle a besoin de vivre d'une façon plus adulte et plus personnelle en augmentant sa confiance dans ses propres ressources. Le changement de couronne est l'occasion de compter davantage sur soi et moins sur le papa (dent droite), la maman (dent gauche) ou sur quelqu'un qui représente un parent nourricier.

COURONNE DESCELLÉE À RECOLLER

[11-21] La personne est confrontée à un problème d'identité et d'estime de soi. Elle refuse de se montrer car elle traverse une période de manque de confiance en elle, et rejette sa facette masculine construite à travers le regard du père éducateur (dent gauche), féminine construite à travers le regard de la mère éducatrice (dent droite).

[12-22] La personne est confrontée à une situation dans laquelle elle ne parvient pas à communiquer avec quelqu'un qui lui rappelle inconsciemment le parent éducateur, père (dent gauche), mère (dent droite). Parler, écouter, comprendre autrui ou le parent lui-même, se faire entendre est problématique.

[13-23] La personne est confrontée à une période de flottement ou de perte de puissance. Elle est actuellement incapable de diriger sa vie. Son propre pouvoir lui échappe, elle ne parvient ni à s'imposer ni à manifester sa volonté face aux personnes qui lui rappellent inconsciemment son père (dent gauche), sa mère (dent droite) ou face au parent éducateur lui-même.

[14-24] La personne est confrontée à un conflit actuel, à une contradiction impossible à résoudre. Elle se débat entre son attachement au passé et son envie d'un renouveau. Elle désire du neuf sans pouvoir l'accepter. La couronne ne peut tenir tant que le conflit reste actif. C'est l'occasion d'observer comment on reste bloqué dans le passé en rejetant le neuf qui pourrait s'installer. La problématique est liée à l'attitude du parent éducateur en matière d'audace ou de prise d'initiative, père (dent gauche), mère (dent droite). Ou bien, la personne vit un conflit avec quelqu'un qui lui rappelle inconsciemment le parent.

[15-25] La personne est actuellement trop proche, par ses croyances et sa manière de penser, du père (dent gauche), de la mère (dent droite) ou de quelqu'un d'influent qui lui rappelle inconsciemment le parent éducateur. Il est urgent de prendre du recul et de se faire ses propres opinions au lieu de suivre aveuglément celles du parent ou de la personne qui le représente (ou de s'y opposer systématiquement).

[16-26] La personne est confrontée à son rejet de l'autorité, incarnée par le père (dent gauche), par la mère (dent droite) ou par quelqu'un qui lui rappelle inconsciemment le parent éducateur. Elle cherche à esquiver un conflit avec un supérieur ou la hiérarchie, refuse de voir à quel point la révolte gronde en elle. Si la couronne vient d'être posée, la relation thérapeutique avec le dentiste peut réactiver dans l'inconscient du patient un conflit latent à l'autorité (lire Dentiste page 83).

[17-27] La personne est confrontée sur le plan de l'évolution sociale ou professionnelle à une limite qu'elle ne parvient pas à dépasser. Elle rejette un travail ou une situation sociale qui ne lui convient pas. Elle reste en deçà de ses possibilités véritables, elle réprime ses facultés d'évolution pour ne pas dépasser le parent éducateur, père (dent gauche), mère (dent droite). Elle résiste à la pression intérieure qui la pousse à se réaliser.

[18-28] La personne est confrontée actuellement au fait de vivre en accord avec ses valeurs. Elle vit une situation où elle ne se respecte pas, agit à l'encontre de son éthique et de sa morale personnelles. La personne rejette ses propres valeurs et se fie trop à celles de son père (dent gauche), de sa mère (dent droite) ou de quelqu'un d'influent qui représente le parent éducateur.

[41-31] La personne est confrontée dans le présent à son rejet du corps et de ses besoins, de l'enfant intérieur et de la sphère intime. Problème lié au parent nourricier, papa (dent droite), à la maman (dent gauche). Elle bloque le mouvement, sport ou jeu (droite), le ressenti (gauche).

[42-32] La personne est confrontée à la difficulté d'établir une relation intime dans le présent. Elle vit un problème affectif, amoureux ou amical, avec quelqu'un qui lui rappelle inconsciemment le parent nourricier, papa (dent droite), maman (dent gauche). Ou bien elle vit un problème relationnel avec le parent lui-même.

[43-33] La personne est confrontée à une situation où elle cherche à esquiver un conflit de territoire avec le parent nourricier ou quelqu'un qui lui rappelle inconsciemment le papa (dent droite), la maman (dent gauche). Ou bien, elle est confrontée à un problème familial (héritage, secret, etc.) lié à la lignée paternelle (droite), maternelle (gauche). Elle rejette la lignée pour ne pas voir le problème.

[44-34] La personne refuse d'accepter dans le présent une transformation (opération, pose de prothèse, etc.), subie au lieu d'être intégrée. Exemple : refus d'accepter de recourir à l'artifice prothétique que représente la couronne elle-même, signe de vieillissement. Ou encore : « je n'accepte pas d'être dans cet état, d'être diminué(e), mon nouveau visage, d'avoir grossi, maigri, etc. ». La personne rejette son attirance pour quelqu'un. La problématique est liée à l'attitude du parent nourricier par rapport au corps et à la sexualité. Attitude du papa (dent droite), de la maman (dent gauche).

[45-35] La personne est confrontée à la difficulté de s'éloigner ou de se détacher du parent nourricier ou d'un proche qui le lui rappelle inconsciemment. Invitation à prendre ses distances et à sortir de la fusion avec le papa (dent droite), avec la maman (dent gauche) ou avec un proche.

[46-36] La personne est confrontée dans le présent au fait de ne plus dépendre du parent ou d'une personne qui représente un papa (dent droite), une maman (dent gauche). Elle rejette l'appui ou l'aide du parent (réel ou symbolique). Mais elle a des difficultés à faire le deuil du papa (droite), de la maman (gauche), ou à se libérer d'un parent nourricier trop possessif (ou de quelqu'un jouant ce rôle) avec lequel elle entretient une relation de dépendance.

[47-37] La personne est confrontée dans sa vie à un problème de couple ou à un problème amical. Le couple ou l'amitié ne lui donne pas satisfaction. Elle le rejette inconsciemment parce qu'elle n'y trouve pas son compte ou bien par fidélité au parent nourricier, papa (dent droite), maman (dent gauche), qu'elle craint d'abandonner. Appel à accepter l'union ou à être plus lucide dans ce domaine.

[48-38] La personne est confrontée à une situation qui l'oblige à se prendre en charge. Il lui est difficile de ne compter que sur elle-même. La personne n'a pas confiance dans sa capacité d'être autonome et compte trop sur le papa (dent droite), la maman (dent gauche) ou sur quelqu'un qui représente un parent nourricier à ses yeux.

COURONNE MAL RÉALISÉE – DÉFAUT D'AJUSTEMENT À LA GENCIVE ou OBTURATION MAL ADAPTÉE AU COLLET

[11-21] La personne éprouve une colère larvée car elle ne se définit pas assez clairement face à son père (dent gauche), sa mère (dent droite) ou face à ceux qui lui rappellent inconsciemment le parent éducateur. L'image sociale qu'elle montre n'est pas conforme à la personne qu'elle est. Jusqu'où aller pour plaire aux autres ou attirer les regards masculins (gauche), féminins (droite) ?

[12-22] La personne éprouve une colère latente car elle ne se positionne pas assez clairement dans le dialogue avec son père (dent gauche), sa mère (dent droite) ou dans les échanges sociaux avec ceux qui lui rappellent inconsciemment le parent éducateur. Où finit l'amabilité et où commence la faiblesse ? Jusqu'où se montrer diplomate et faire des concessions ?

[13-23] La personne éprouve une colère latente car elle ne définit pas assez clairement ce qu'elle veut et ne veut pas. Elle ne définit pas assez clairement son territoire social ou ses prérogatives face à son père (dent gauche), sa mère (dent droite) ou face à ceux qui lui rappellent inconsciemment le parent éducateur. Jusqu'où est-elle prête à aller pour faire aboutir ses projets ? Où finit la maîtrise de soi ? Où commencent contrôle, manipulation, intimidation ou au contraire faiblesse ?

[14-24] La personne éprouve une colère latente liée à ses contradictions intérieures. La place du risque et du besoin de sécurité n'est pas définie assez clairement dans sa vie. Jusqu'où est-elle prête à aller, en dépit de ses peurs, pour satisfaire ses envies d'aventure ? Où finit l'action, où commence la lutte ? La problématique est liée à l'attitude du parent éducateur face à l'audace et au risque, père (dent gauche), mère (dent droite). Ou bien la personne ne prend pas clairement position dans un conflit qui l'oppose au parent ou à quelqu'un qui le lui rappelle.

[15-25] La personne éprouve une colère larvée contre elle-même car elle ne se démarque pas assez clairement au plan des idées de son père (dent gauche), de sa mère (dent droite), ou de quelqu'un qui lui rappelle inconsciemment le parent éducateur. Elle a des difficultés à penser par elle-même sans se laisser influencer ni s'opposer au parent. Où commencent les croyances personnelles et où finissent celles du parent ?

[16-26] La personne éprouve une colère larvée contre l'autorité. Elle est irritée parce qu'elle se sent chapeautée. Elle ne se positionne pas assez clairement face à son père (dent gauche), sa mère (dent droite) ou face à quelqu'un qui lui rappelle inconsciemment le parent éducateur. Elle ne définit pas nettement l'importance du parent dans sa vie, ni son degré de dépendance intellectuelle par rapport à lui. Où s'arrête le pouvoir du parent et où commence celui de la personne ?

[17-27] La personne éprouve une colère larvée à propos du travail ou de la carrière. Elle est irritée contre un supérieur hiérarchique qui la « chapeaute » ou un collègue ambitieux qui la « coiffe au poteau », collègue qui lui rappelle inconsciemment son père (gauche), sa mère (droite). Elle ne définit pas assez clairement la place et l'importance de la réalisation professionnelle dans sa vie. Jusqu'où s'y investir sans se laisser happer ? La problématique trouve ses racines dans les exigences et les interdits liés au parent éducateur, père (dent gauche), mère (dent droite).

[18-28] La personne éprouve une colère latente contre elle-même. Elle ne définit pas assez clairement ses valeurs face à son père (dent gauche), sa mère (dent droite) ou face à quelqu'un qui lui rappelle inconsciemment le parent éducateur. Jusqu'où est-elle prête à faire confiance à sa petite voix ? Où finit l'intuition et où commence le mental, l'illusion, voire la folie ?

[41-31] La personne ressent une colère larvée car elle n'identifie pas assez clairement ses besoins vitaux. Elle ne se définit pas dans l'intimité face à son papa (dent droite), sa maman (dent gauche), ou face à un partenaire ou un ami qui lui rappelle inconsciemment le parent nourricier. L'image qu'elle donne d'elle-même au plan intime n'est pas conforme à qui elle est. Où s'arrêtent les besoins légitimes et où commencent la plainte et au contraire la négation de soi ?

[42-32] La personne ressent une colère latente car elle ne se positionne pas assez clairement dans la relation affective face à un partenaire ou un ami qui lui rappelle inconsciemment son papa (dent droite), sa maman (dent gauche) ou face au parent nourricier. Où s'arrête l'amour et où commencent les compromis ? Jusqu'où aller pour préserver la relation et se faire aimer de l'autre ?

[43-33] La personne éprouve une colère latente car elle ne définit pas assez clairement son territoire intime face à son papa (dent droite), sa maman (dent gauche), ou face à quelqu'un qui lui rappelle inconsciemment le parent nourricier. Jusqu'où aller pour défendre ses biens ? Où finit le sens légitime de la propriété ? Où commencent la possessivité maladive et la jalousie ou au contraire la démission et la faiblesse ?

[44-34] La personne ressent une colère latente liée à la frustration. Elle ne définit pas assez clairement la place de l'amusement et des loisirs dans sa vie. Jusqu'où se passionner, s'enflammer pour quelqu'un ? Où finit le plaisir qui rassasie, où commence celui qui épuise ? La problématique est liée à l'attitude du parent nourricier face à la sexualité et au corps, papa (dent droite), maman (dent gauche).

[45-35] La personne est irritée contre elle-même. Elle ne se démarque pas assez clairement au plan affectif de son papa (dent droite), de sa maman (dent gauche), ou de quelqu'un qui lui rappelle inconsciemment le parent nourricier. Elle trouve difficilement l'éloignement juste par rapport au parent. Jusqu'où être proche sans se laisser envahir ? Jusqu'où dire oui sans se laisser happer ?

[46-36] La personne éprouve une colère larvée contre le parent nourricier. Elle ne se positionne pas assez clairement dans l'échange affectif face à son papa (dent droite), sa maman (dent gauche), ou face à quelqu'un qui lui rappelle inconsciemment le parent nourricier. Elle ne définit pas nettement l'importance du parent dans sa vie, ni son degré de dépendance affective ou matérielle par rapport à lui. Où s'arrête le territoire du parent et où commence celui de la personne ?

[47-37] La personne est irritée à propos du couple ou d'une amitié. Elle ne définit pas assez clairement la place et l'importance du couple dans sa vie. Jusqu'où s'y investir sans perdre son individualité ? La problématique trouve ses racines dans les rapports avec le parent nourricier, papa (dent droite), maman (dent gauche).

[48-38] La personne est irritée contre elle-même. Elle ne définit pas assez clairement son espace de liberté individuelle face à son papa (dent droite), sa maman (dent gauche) ou face à quelqu'un qui lui rappelle inconsciemment le parent nourricier. Où finit le besoin légitime d'être libre, où commencent l'exclusion et la marginalité ? Difficulté à se situer entre autonomie farouche et dépendance.

DÉCHAUSSEMENT DE DENT AVEC ABCÈS PARODONTAL

[11-21] La personne rejette avec rage son image et son identité. Elle désire disparaître, effacer radicalement qui elle est afin d'oublier que l'image qu'elle donne ne correspond pas à qui elle est. Elle veut effacer une blessure narcissique insupportable. Problématique liée au parent éducateur, père (dent gauche), mère (dent droite).

[12-22] La personne rejette avec rage la parole et la communication. Mutisme, repli sur soi, comportement asocial, voire autiste : « échanger ou dialoguer m'est étranger ». Problématique liée au parent éducateur, père (dent gauche), mère (dent droite).

[13-23] Rejet de sa puissance. La personne a le sentiment que sa propre force lui est étrangère, inaccessible. Elle élimine avec colère tout souvenir du prédateur qu'elle est ou a été. Problématique liée au parent éducateur, père (dent gauche), mère (dent droite).

[14-24] La personne rejette avec rage la combativité, l'action, l'audace. Elle veut éliminer radicalement tout conflit ou contradiction qu'elle est impuissante à résoudre. Problématique liée au parent éducateur, père (dent gauche), mère (dent droite).

[15-25] La personne veut éliminer avec rage toute trace d'une pensée adulte et autonome. Blocage profond qui répond à la conviction que penser par soi-même est nuisible. Il faut extirper de soi toute velléité de juger ou de remettre en question l'autorité du parent éducateur, père (dent gauche), mère (dent droite). Il se peut aussi que la personne refuse de se détacher de son rôle de parent.

[16-26] Rejet viscéral de l'autorité ou de l'injustice. La personne rejette profondément et totalement le parent éducateur qu'elle a eu ou qu'elle est elle-même devenue. Elle est en rage contre lui et veut en effacer toute trace : « la pression qu'il exerce sur moi ou au contraire son manque de présence est à ce point intolérable que je préférerais qu'il disparaisse ». Rejet du père (dent gauche), de la mère (dent droite). La personne ignore ce qu'est un père ou une mère. Elle a le sentiment que le parent est un étranger qui ne fait pas partie d'elle.

*En cas d'atteinte de l'os entre les racines → **lire** Déchaussement entre les racines.*

[17-27] La personne rejette avec rage son travail qui lui est devenu étranger : « mon travail ne me convient plus, je ne le supporte plus ». Rejet de la norme et des conventions sociales. La personne renonce à toute valorisation sociale pour rester proche du parent éducateur, père (dent gauche), mère (dent droite).

*En cas d'atteinte de l'os entre les racines → **lire** Déchaussement entre les racines.*

[18-28] La personne rejette avec rage toute idée de valeurs personnelles et d'autonomie. Être sa propre source d'inspiration lui est une notion étrangère. Elle renie ses convictions les plus authentiques. Problématique liée au parent éducateur, père (dent gauche), mère (dent droite).

*En cas d'atteinte de l'os entre les racines → **lire** Déchaussement entre les racines.*

[41-31] La personne rejette avec rage sa part enfant, elle désire éliminer radicalement toute trace de fragilité et de vulnérabilité. Elle rejette le corps et ses besoins ressentis comme étrangers. Problématique liée au parent biologique, papa (dent droite), maman (dent gauche).

[42-32] La personne expulse avec rage toute relation amoureuse ou affective de sa vie : « l'intimité est un domaine trop douloureux ou dangereux, je n'en veux plus. L'amour m'est étranger ». Elle rejette le partenaire à qui elle attribue l'échec de la relation. Problématique liée au parent nourricier, papa (dent droite), maman (dent gauche).

[43-33] La personne veut effacer radicalement tout souvenir du passé, oublier d'où elle vient. Elle expulse avec rage un secret ou un passé lourd. Elle rejette la lignée : « c'est à cause de ce qu'ils m'ont légué que j'en suis là ». Elle se sent étrangère au clan. Elle rejette sa force animale : « la brutalité m'est étrangère ». Problématique liée au parent biologique, papa (dent droite), maman (dent gauche).

[44-34] La personne rejette avec rage sa libido, le corps et ses sensations. Le plaisir lui est une notion étrangère. Exemple : « la sensualité n'est plus de mon âge ». Problématique liée au parent nourricier, papa (dent droite), maman (dent gauche).

[45-35] Rejet de l'affirmation : la personne veut extraire d'elle-même toute idée de séparation. La perspective de s'éloigner du parent nourricier ou d'un proche qui le rappelle lui est insupportable. En même temps, elle enrage de ne pas parvenir à se séparer du papa (dent droite), de la maman (dent gauche). Il se peut aussi que la personne refuse de se détacher de son rôle de parent.

[46-36] Rejet profond et total du parent nourricier qu'on a ou qu'on est soi-même devenu. La personne expulse avec rage le papa (dent droite), la maman (dent gauche) : « je ne veux pas de ce papa qui ne me soutient pas, je ne veux pas de cette maman qui ne prend pas soin de moi ». La personne ignore ce qu'est un papa ou une maman. Elle a le sentiment que le parent est un étranger qui ne fait pas partie d'elle.
*En cas d'atteinte de l'os entre les racines → **lire** Déchaussement entre les racines.*

[47-37] Rejet du couple ou de l'amitié. La personne expulse avec rage l'amitié ou l'amour. Elle rejette la possibilité de créer (ou de recréer) son propre foyer. Après un divorce, par exemple : « j'ai trop souffert, je ne veux plus jamais construire de couple ». Le couple est ressenti comme étranger : « le couple ne me concerne pas ». Problématique liée au parent nourricier, papa (dent droite), maman (dent gauche).
*En cas d'atteinte de l'os entre les racines → **lire** Déchaussement entre les racines.*

[48-38] La personne rejette avec rage toute idée d'indépendance et d'autonomie. La perspective de prendre en charge ses besoins affectifs et physiques lui est intolérable. La notion d'indépendance est étrangère à la personne : « m'assumer ne fait pas partie de mes capacités ». Problématique liée au parent nourricier, papa (dent droite), maman (dent gauche).
*En cas d'atteinte de l'os entre les racines → **lire** Déchaussement entre les racines.*

DÉCHAUSSEMENT DE DENT AVEC MOBILITÉ

[11-21] Impuissance à se révéler sous son vrai jour : « les autres m'empêchent de montrer qui je suis ». La personne est effrayée de ne pas avoir de prise sur la manière dont les autres la voient. Elle a peur de se montrer, manque fondamentalement de confiance en elle-même. Problématique liée au parent éducateur, père (dent gauche), mère (dent droite).

[12-22] Impuissance à communiquer. La personne a le sentiment d'être incomprise, elle se réfugie en pensées dans son monde. « Les autres m'empêchent de parler ». Elle a peur que des paroles malencontreuses ne lui échappent. Problématique liée au parent éducateur, père (dent gauche), mère (dent droite).

[13-23] La personne se sent impuissante, dépossédée de sa force : « les autres m'empêchent de m'imposer ». Elle dépose les armes, renonce à se défendre. Manifester sa force lui fait peur. Elle croit qu'exprimer sa puissance est dangereux, inconvenant, etc. « Je dois me débarrasser de cette dent de carnivore afin de ressembler à un mouton ». Problématique liée au parent éducateur, père (dent gauche), mère (dent droite).

[14-24] La personne se sent impuissante à agir : « les autres m'empêchent de me lancer ». Elle a peur d'entreprendre, de se bagarrer. Elle craint viscéralement le conflit ou la contradiction, tant extérieur qu'intérieur. Problématique liée au parent éducateur, père (dent gauche), mère (dent droite).

[15-25] La personne se sent impuissante à exercer son libre arbitre : « on m'empêche de faire mes choix ». Elle craint de prendre ses décisions par elle-même et de penser différemment du parent éducateur. Elle a peur de lui désobéir. Problématique liée au parent éducateur, père (dent gauche), mère (dent droite).

[16-26] La personne se sent abandonnée, elle souffre de ne pouvoir recevoir ni appui moral ni conseils : « personne ne m'aide ». Elle ressent une forte insécurité par manque de repères et de références. Elle se sent impuissante face à une autorité qui l'opprime et la dépasse. Elle a peur de perdre le parent éducateur, père (dent gauche), mère (dent droite). La personne a peur de lâcher les valeurs transmises par le parent et en même temps les rejette car elle les ressent fausses.

En cas d'atteinte de l'os entre les racines → ***lire*** *Déchaussement entre les racines.*

[17-27] La personne se sent impuissante par rapport à son travail et à sa carrière. Elle a le sentiment de ne plus rien contrôler, de dépendre du bon vouloir d'un supérieur, du contexte socio-économique, etc. Elle a peur de perdre son emploi, son statut social, se sent en insécurité dans son travail. En même temps elle le rejette car elle ne s'y sent pas à sa place. Problématique liée au parent éducateur, père (dent gauche), mère (dent droite).

En cas d'atteinte de l'os entre les racines → ***lire*** *Déchaussement entre les racines.*

[18-28] La personne se sent incapable de ne se référer qu'à elle-même. Elle croit que les autres l'empêchent d'accéder à sa vérité. Elle a peur de la marginalité, de l'exclusion ou de la folie. Les valeurs personnelles sont chancelantes. Problématique liée au parent éducateur, père (dent gauche), mère (dent droite).

En cas d'atteinte de l'os entre les racines → ***lire*** *Déchaussement entre les racines.*

[41-31] La personne se sent impuissante à exister, à satisfaire ses besoins. Elle vit une situation de contrainte et de dépendance par rapport à l'extérieur. Son droit à la vie est remis en question. Elle croit que les autres l'empêchent de vivre ou que sa survie dépend d'eux. Peur viscérale de se montrer dans l'intimité. Exemples : peur de sa propre nudité, de ses pulsions ou émotions les plus intimes. Terreur du tout petit enfant, nu et sans défense, sans rien ni personne pour le soutenir. Insécurité profonde et solitude. Problématique liée au parent biologique, papa (dent droite), maman (dent gauche).

[42-32] La personne se sent impuissante à aimer, à établir une relation intime. Elle se sent incapable de retenir l'autre. Elle craint de perdre son amour. Elle a peur de la relation, peur d'aimer par peur d'être abandonnée. Problématique liée au parent nourricier, papa (dent droite), maman (dent gauche).

[43-33] La personne se sent impuissante à se défendre et à défendre ses biens. Elle dépose les armes, abdique sa puissance, devient mouton : « les gens qui m'entourent sont trop forts, je ne peux pas me défendre ». Elle a peur d'exprimer sa nature pulsionnelle et animale. Problématique liée au parent biologique, papa (dent droite), maman (dent gauche).

[44-34] La personne croit que le plaisir lui échappe car il dépend de l'autre : « mon partenaire ne me donne pas de plaisir ». Expression d'une frustration : « le plaisir m'est retiré ». Peur de ses envies et de ses pulsions : « si je me laissais aller au plaisir, Dieu sait où cela me conduirait. Je préfère éliminer cette énergie trop gênante de ma vie ». Problématique liée au parent nourricier, papa (dent droite), maman (dent gauche).

[45-35] La personne se sent impuissante à dire non, à mettre une limite : « les autres m'empêchent de m'affirmer. Je suis obligée de me laisser envahir ». Elle éprouve une peur phobique du détachement, une angoisse de séparation par rapport au parent nourricier, papa (dent droite), maman (dent gauche).

[46-36] La personne se sent abandonnée, elle souffre de ne pouvoir recevoir ni aide matérielle ni soutient affectif : « je ne peux compter sur personne ». Elle vit une forte insécurité affective ou matérielle. Elle a peur de perdre le parent nourricier, papa (dent droite), maman (dent gauche). En même temps elle le rejette ou rejette la dimension du parent à l'intérieur d'elle-même.

*En cas d'atteinte de l'os entre les racines → **lire** Déchaussement entre les racines.*

[47-37] La personne a la sensation que le couple ou l'amitié lui échappe : « je n'ai rien pu faire pour sauver mon couple ». Elle rejette le couple car elle a peur de construire avec l'autre ou de perdre le couple. Problématique liée au parent nourricier, papa (dent droite), maman (dent gauche).

*En cas d'atteinte de l'os entre les racines → **lire** Déchaussement entre les racines.*

[48-38] Impuissance à se prendre en charge que la personne reporte sur autrui : « les autres m'empêchent d'être autonome. Mes parents m'infantilisent, mon (ma) partenaire me rend dépendant(e), etc. ». Forte peur de la solitude ou de la marginalité. La confiance en soi est vacillante. Problématique liée au parent nourricier, papa (dent droite), maman (dent gauche).

*En cas d'atteinte de l'os entre les racines → **lire** Déchaussement entre les racines.*

DÉCHAUSSEMENT DE DENT SANS SYMPTÔMES

[11-21] L'image de soi sonne faux, la personne fait semblant, joue un personnage face aux autres. Elle mise tout sur le paraître, s'impose des contraintes dans le but de contrôler son image. Elle s'épuise à vouloir plaire à tout le monde. Problématique liée au parent éducateur, père (dent gauche), mère (dent droite).

[12-22] La parole sonne faux, manque d'authenticité. La personne ne dit pas ce qu'elle pense, se force à être aimable, etc., se contraint à prendre sur elle pour préserver l'échange. Elle gaspille sa salive. Parler à tort et à travers la fatigue. Problématique liée au parent éducateur, père (dent gauche), mère (dent droite).

[13-23] La personne utilise mal sa force. Par exemple, elle la gaspille en de vaines querelles, en voulant contrôler autrui, forcer les choses par un entêtement inutile, etc. La volonté et la force intérieure faiblissent. Problématique liée au parent éducateur, père (dent gauche), mère (dent droite).

[14-24] La personne fait mauvaise usage de sa combativité. Exemple : elle gaspille son énergie en de vaines prouesses et des prises de risques inutiles. La lutte intérieure et extérieure l'épuise. Elle fait semblant d'être active, audacieuse. En réalité, elle a peur de se lancer. Problématique liée au parent éducateur, père (dent gauche), mère (dent droite).

[15-25] Utilisation erronée du libre arbitre. La personne tente de se démarquer à tout prix, en s'opposant systématiquement au parent ou en adhérant à des courants de pensée radicaux ou extrêmes. Elle fait semblant d'être détachée du parent. Elle s'épuise à prouver que sa pensée est originale. Problématique liée au parent éducateur, père (dent gauche), mère (dent droite).

[16-26] La personne réagit inconsciemment à l'empreinte parentale trop forte. Soit elle compte trop sur les conseils ou l'appui moral du parent, soit elle reproduit le schéma parental en se montrant trop exigeante envers elle-même. Ses bases s'affaiblissent. Elle rejette les valeurs parentales qu'elle ressent fausses, ou bien le fait d'être parent elle-même, ou d'exercer son autorité, l'épuise. Problématique liée au parent éducateur, père (dent gauche), mère (dent droite).

*En cas d'atteinte de l'os entre les racines → **lire** Déchaussement entre les racines.*

[17-27] La personne s'impose une pression excessive dans le domaine du travail. Par exemple, elle mise tout sur sa carrière, s'investit exagérément dans le domaine professionnel. Le stress lié au travail l'épuise. Problématique liée au parent éducateur, père (dent gauche), mère (dent droite).

*En cas d'atteinte de l'os entre les racines → **lire** Déchaussement entre les racines.*

[18-28] La personne compte trop sur ses propres ressources intellectuelles ou morales. Elle fait semblant de n'avoir besoin des conseils de personne, s'épuise à refuser tout conseil ou appui moral extérieur. Elle est lasse de ne compter que sur elle-même. Problématique liée au parent éducateur, père (dent gauche), mère (dent droite).

*En cas d'atteinte de l'os entre les racines → **lire** Déchaussement entre les racines.*

[41-31] Stress physique ou nerveux qui affaiblit le corps. Exemple : manque de repos, non-respect des besoins fondamentaux (rythme veille/sommeil, nourriture). Fatigue qui s'installe : « je n'en peux plus ». Avec l'âge : baisse des réserves d'énergie vitale. Exiger trop d'efforts de soi sans tenir compte des limites du corps. Gaspiller ou épuiser ses réserves (contexte de déchaussement global des incisives et canines inférieures). Problématique liée au parent nourricier, papa (dent droite), maman (dent gauche).

[42-32] Expression d'une relation faussée, basée sur le mensonge ou les faux-semblants. La personne aime avec excès ou d'une manière qui l'épuise sans la nourrir. L'amour faiblit, les sentiments se tarissent. Problématique liée au parent nourricier, papa (dent droite), maman (dent gauche).

[43-33] La vitalité physique faiblit, la résistance s'amoindrit. La personne dilapide ses forces. Par exemple, elle gaspille sa puissance sexuelle, ou bien donne sans compter de sa personne aux enfants ou à la famille, force trop (sport, travail, etc.). Problématique liée au parent nourricier, papa (dent droite), maman (dent gauche).

[44-34] La personne satisfait ses envies d'une manière qui l'épuise sans la nourrir. Elle fait semblant de s'amuser, dissimule sa frustration sous une satisfaction apparente. Faiblissement de la passion qui se tarit. Ou bien la personne gaspille ses forces dans une quête effrénée de plaisirs ou de sensations fortes. Problématique liée au parent nourricier, papa (dent droite), maman (dent gauche).

[45-35] La personne utilise mal l'affirmation de soi. Par exemple, elle se démarque par des moyens outranciers, fait semblant en forçant le trait (style, maquillage, coiffure, etc.). Elle s'épuise à vouloir se séparer du parent ou d'un proche qui le rappelle sans y arriver. Problématique liée au parent nourricier, papa (dent droite), maman (dent gauche).

[46-36] La personne réagit inconsciemment à l'empreinte parentale trop forte. Soit elle est trop dépendante affectivement ou matériellement du parent, soit elle reproduit le schéma parental en donnant trop aux autres ou à ses enfants et en oubliant de se donner à elle-même. Jouer le rôle de parent nourricier l'épuise. La personne épuise ses ressources matérielles et affectives, ses bases s'affaiblissent. Problématique liée au parent nourrricier, papa (dent droite), maman (dent gauche).

En cas d'atteinte de l'os entre les racines → ***lire*** *Déchaussement entre les racines.*

[47-37] La personne mise tout sur le couple, exige trop de l'amitié. Le couple s'affaiblit. Les attentes sont disproportionnées par rapport aux ressources que l'union peut offrir. Ou bien la personne donne trop à l'autre, s'investit trop dans le couple ou dans l'amitié. Problématique liée au parent nourrricier, papa (dent droite), maman (dent gauche).

En cas d'atteinte de l'os entre les racines → ***lire*** *Déchaussement entre les racines.*

[48-38] La personne s'affaiblit en voulant s'en sortir seule, en refusant l'aide des autres. Elle manifeste son autonomie de manière exagérée ou inappropriée. Par exemple, elle se coupe des autres, vit trop repliée sur elle-même ou en marge de la société. Elle fait semblant de n'avoir besoin de personne. Elle est lasse de s'assumer seule. Problématique liée au parent nourrricier, papa (dent droite), maman (dent gauche).

En cas d'atteinte de l'os entre les racines → ***lire*** *Déchaussement entre les racines.*

DÉCHAUSSEMENT ENTRE LES RACINES D'UNE DENT

[16-26] La personne vit une insécurité profonde car ses bases, ses repères existentiels, reposent sur du vide. Peur viscérale de l'autorité ou de la loi liée au parent éducateur qui n'a pas joué son rôle de guide dans les premières années. La personne redoute d'être jugée ou condamnée par les instances supérieures. Elle se sent viscéralement traitée de manière injuste. Elle est dépitée de ne pas recevoir l'aide et les bienveillants conseils qu'elle attendait d'un père (dent gauche), d'une mère (dent droite). Déçue, elle finit par rejeter le parent.

[17-27] La personne vit une insécurité profonde liée à son travail. Sa légitimité sociale, son assise professionnelle, sa réputation reposent sur du vide. Insatisfaction liée à la carrière, sentiment de n'être pas comblé par son travail. La personne a faim de reconnaissance sociale, de distinction honorifique. Elle est dépitée de n'être pas rétribuée à la hauteur de son mérite. Déçue, elle finit par rejeter son travail. Problématique liée au parent éducateur, père (dent gauche), mère (dent droite).

[18-28] La personne éprouve un sentiment de vide et de stérilité intérieure car elle est déconnectée de son intuition, de ses valeurs les plus sacrées et les plus authentiques. Elle a faim d'absolu. Elle est dépitée de ne pas parvenir à savoir qui elle est au plus profond d'elle-même. Déçue, elle finit par rejeter sa dimension la plus essentielle. Problématique liée au parent éducateur, père (dent gauche), mère (dent droite).

[46-36] La personne vit une insécurité profonde car ses bases matérielles et affectives reposent sur du vide. Peur viscérale de l'abandon et du manque lié au parent nourricier qui n'a pas joué son rôle de soutien dans les premières années. La personne a faim de douceur et d'amour. Elle est en attente de réconfort. Elle est frustrée de ne pas recevoir l'aide qu'elle attendait d'un papa (dent droite), d'une maman (dent gauche). Déçue, elle finit par rejeter le parent.

[47-37] La personne désire se rapprocher du partenaire, de vivre une amitié ou un couple fusionnel. Elle vit une insécurité profonde car elle sent que l'union, amicale ou conjugale, repose sur du vide. La personne a faim de la présence et du soutien de l'autre. Le partenaire ne lui donne pas assez. Frustration liée au couple, sentiment de n'être pas contenté par le couple. La personne désire inconsciemment retrouver à travers le conjoint ou l'ami un parent nourricier. Déçue, elle finit par rejeter le couple ou l'amitié. Problématique liée au papa (dent droite), à la maman (dent gauche).

[48-38] La personne éprouve une peur viscérale de la solitude car ses appuis personnels reposent sur du vide. Elle a le sentiment de ne pas se suffire à elle-même, éprouve dépit et frustration face à sa faiblesse et à son insuffisance. Elle tente en vain de rassembler ses forces pour parvenir à s'assumer. Déçue, elle finit par rejeter toute possibilité d'être autonome. Problématique liée au parent nourricier, papa (dent droite), maman (dent gauche).

DÉPLACEMENT DE COMPENSATION VERS L'AVANT

[12-22] qui prend la place de [11-21] *Incisive latérale qui remplace incisive centrale supérieure.* L'individu n'existe pas en lui-même mais à travers les autres. L'image de soi est conditionnée par l'échange avec le père (dent gauche), la mère (dent droite) ou les personnes qui rappellent inconsciemment le parent éducateur. Le rayonnement personnel est instable et hésitant, l'image de soi est floue, dépendante à l'excès des interactions avec autrui.

[13-23] qui prend la place de [12-22] *Canine qui remplace incisive latérale supérieure.* La force remplace la diplomatie. La personne communique par la force avec le père (dent gauche), la mère (dent droite) et tout adulte qui lui rappelle inconsciemment le parent éducateur. La parole possède un impact puissant. Manquent la souplesse et la diplomatie remplacées par la détermination. Le contrôle sur l'autre prend la place du dialogue qui est en réalité un monologue.

[14-24] qui prend la place de [13-23] *Première prémolaire qui remplace canine supérieure.* L'audace remplace la ténacité. La personne dirige sa vie avec fougue et de manière impulsive. Elle ne se tient pas longtemps à un projet, change souvent d'orientation car lui manquent la puissance et la détermination. Menaces en l'air, coup d'éclat aussitôt oublié pour défendre ses idées face au père (dent gauche), à la mère (dent droite) ou face à quelqu'un qui rappelle inconsciemment le parent éducateur. Inconstance dans l'effort.

[15-25] qui prend la place de [14-24] *Seconde prémolaire qui remplace première prémolaire supérieure.* La pondération prend la place de l'audace. L'action est considérablement freinée par le doute et la remise en question. La placidité remplace la combativité. Manque d'élan, l'indifférence se substitue à l'enthousiasme. Comportement lié au parent éducateur, père (dent gauche), mère (dent droite).

[16-26] qui prend la place de [15-25] *Première molaire qui remplace seconde prémolaire supérieure.* Le parent éducateur prend une place exagérée dans la vie de la personne. Influence excessive du père (dent gauche), de la mère (dent droite). Le parent étouffe le discernement de la personne qui calque ses croyances et ses décisions sur celles du parent ou d'un adulte qui joue ce rôle.

[17-27] qui prend la place de [16-26] *Seconde molaire qui remplace première molaire supérieure.* La carrière, la position sociale remplacent le parent absent. La personne trouve à travers son travail un père (dent gauche), une mère (dent droite) de substitution. Les normes sociales remplacent les valeurs parentales déficientes.

[18-28] qui prend la place de [17-27] *Dent de sagesse qui remplace seconde molaire supérieure.* Les valeurs personnelles se substituent aux normes sociales. La personne ne tient aucun compte des valeurs et des lois sociales : « la loi, c'est moi ». Elle renonce à faire carrière ou à se réaliser pour se rapprocher du parent éducateur, du père (dent gauche), de la mère (dent droite).

[42-32] qui prend la place de [41-31] *Incisive latérale qui remplace incisive centrale inférieure.* La personne a le sentiment de n'exister qu'à travers la relation avec le papa (dent droite), la maman (dent gauche) ou un proche (partenaire ou ami) représentant le parent nourricier. Croyance que le droit d'exister est conditionné à l'amour de l'autre : « je ne peux vivre que si l'autre m'aime ».

[43-33] qui prend la place de [42-32] *Canine qui remplace incisive latérale inférieure.* La relation intime est vécue dans le contrôle, la possessivité, l'exclusivité, la jalousie. La personne impose ses besoins sans tenir compte de ceux du partenaire. Les instincts et la procréation prennent la place des sentiments. La fidélité pour la lignée paternelle (dent droite), maternelle (dent gauche) remplace l'amour.

[44-34] qui prend la place de [43-33] *Première prémolaire qui remplace canine inférieure.* Accentuation de l'instabilité du caractère : sautes d'humeurs, accès de colère brefs et violents, coups de cafard, crises brèves de jalousie, etc. Comportement contradictoire et sans suite : attachement suivi de rejet pour les traditions familiales et la lignée maternelle (dent gauche), paternelle (dent droite). « Coup de gueule » suivi de désintérêt pour la défense du territoire face au parent ou à quelqu'un qui rappelle inconsciemment le papa (droite), la maman (gauche).

[45-35] qui prend la place de [44-34] *Seconde prémolaire qui remplace première prémolaire inférieure.* Le détachement et le retrait se substituent à la passion, à l'ébullition des sens. La personne vit le plaisir en se limitant et en se protégeant trop. Elle ne se laisse pas envahir par les sensations. Comportement lié au parent nourricier, papa (dent droite), maman (dent gauche).

[46-36] qui prend la place de [45-35] *Première molaire qui remplace seconde prémolaire inférieure.* Le parent nourricier prend une place exagérée dans la vie de la personne. Envahissement par le papa (dent droite), par la maman (dent gauche). Le parent étouffe la personnalité qui ne peut s'exprimer dans son originalité mais seulement comme une imitation du parent ou du proche qui joue ce rôle.

[47-37] qui prend la place de [46-36] *Seconde molaire qui remplace première molaire inférieure.* Le couple ou l'amitié remplace le parent nourricier absent. Le partenaire ou l'ami prend la place et assume le rôle du papa (dent droite), de la maman (dent gauche). Si la personne vit seule, elle cherche inconsciemment à faire couple avec le parent.

[48-38] qui prend la place de [47-37] *Dent de sagesse qui remplace seconde molaire inférieure.* Les appuis personnels remplacent le couple. La personne fait couple avec elle-même. Elle se considère comme seule à l'intérieur du couple, elle ne compte pas sur le partenaire mais sur elle-même (comportement lié au parent). Ou bien elle rejette le couple pour rester proche du parent nourricier, papa (dent droite), maman (dent gauche).

DÉVITALISATION

[11-21] La personne est coupée de son identité. Elle n'est plus consciente de qui elle est vraiment. Elle est coupée de sa facette masculine (dent gauche), féminine (dent droite). Figée, son image n'évolue plus. Elle n'est plus nourrie par le regard des autres. Elle occulte la souffrance due au sentiment d'avoir été ignorée, regardée de travers, voire humiliée par le parent éducateur, père (gauche), mère (droite). Dévitaliser la dent en conscience offre l'opportunité de cesser de s'identifier au père (gauche), à la mère (droite), de se connecter aux racines de son identité, de rouvrir le canal de la conscience de soi et du rayonnement.

[12-22] La personne est coupée de sa capacité d'échanger et de s'adapter aux autres. Sa parole n'est plus vivante mais figée dans un discours convenu. Échanger avec autrui ne la nourrit plus. Elle occulte la souffrance liée au manque de communication avec le parent éducateur, père (dent gauche), mère (dent droite). Dévitaliser la dent en conscience offre l'opportunité d'en finir avec le verbiage ou au contraire le mutisme et les non-dits, de rendre la parole fluide, de rouvrir le canal du dialogue.

[13-23] La personne est coupée de sa puissance personnelle. Elle n'a plus accès à une partie de sa force et de sa volonté. Elle est privée de son pouvoir et de sa maîtrise sur sa vie. Elle occulte la souffrance liée au fait d'avoir été entravée dans sa volonté par le parent éducateur, père (dent gauche), mère (dent droite). Dévitaliser la dent en conscience offre l'opportunité d'en finir avec la soumission ou au contraire la volonté de contrôler les autres, de rouvrir le canal de la puissance personnelle.

[14-24] La personne est coupée de sa capacité d'agir et de sa combativité. Elle occulte la souffrance provoquée par l'état de déchirement intérieur entre ses désirs et ses peurs. Elle occulte la souffrance liée au fait d'avoir été coupée dans ses élans par le parent éducateur, père (dent gauche), mère (dent droite). Elle reste figée dans la peur de l'inconnu ou au contraire la témérité. L'audace et l'esprit d'aventure sont morts. Dévitaliser la dent en conscience offre l'opportunité d'en finir avec ses contradictions, les conflits, la lutte, de lever les obstacles imaginaires qui empêchent d'aller de l'avant, de rouvrir le canal de l'enthousiasme.

[15-25] La personne est privée de la capacité de décider par elle-même au quotidien ce qui est bon pour elle. Le libre arbitre est mort. Elle occulte la souffrance liée au fait de n'avoir pu remettre en question les valeurs transmises par le parent éducateur, père (dent gauche), mère (dent droite). Dévitaliser la dent en conscience offre l'opportunité d'en finir avec les illusions qu'on entretenait à propos du parent, de se libérer de son influence en pensant par soi-même, de rouvrir le canal de la pondération et de l'équilibre entre la raison et les émotions.

[16-26] La personne est coupée de la ressource morale que représente le parent éducateur, père (dent gauche), mère (dent droite). Elle ne peut plus bénéficier de son aide et de ses conseils ni de celles personnes qui représentent l'autorité. Elle occulte la souffrance liée à l'injustice ressentie durant les six premières années de sa vie. Le rapport avec l'autorité est figé dans une attitude de rébellion ou de fuite. La dévitalisation représente la mort symbolique du père (gauche) ou de la mère (droite). Dévitaliser la dent en conscience offre l'opportunité de se libérer de l'emprise du parent pour devenir son propre guide, de rouvrir le canal des ressources intellectuelles (appuis et conseils).

[17-27] La personne n'est pas nourrie par son travail qui ne la satisfait plus. Elle ne peut pas faire évoluer sa carrière. Elle occulte la souffrance liée au sentiment de ne pas exercer, par fidélité au parent éducateur, le métier de son choix. Elle occulte la culpabilité de transgresser les interdits liés au père (dent gauche), à la mère (dent droite). La dévitalisation représente la mort symbolique de la position sociale. Dévitaliser la dent en conscience offre l'opportunité de cesser d'être dépendant de son statut social, de donner un nouvel élan à sa carrière, de rouvrir l'accès aux ressources qu'offre la société (promotion, carrière, progression sociale) et d'y prendre sa véritable place.

[18-28] La personne n'a pas accès à son intuition. Elle est coupée de ses ressources intérieures. Elle occulte la souffrance liée au fait de ne pouvoir se détacher complètement de l'emprise du parent éducateur, père (dent gauche), mère (dent droite) ou de l'emprise sociale. La dévitalisation représente la mort symbolique des valeurs personnelles. Dévitaliser la dent en conscience offre l'opportunité d'en finir avec les illusions sur soi-même, de se connecter à sa vérité, de rouvrir le canal de l'intuition.

[41-31] La personne est coupée de sa partie vulnérable et spontanée. Elle n'a plus accès à sa partie enfant. Elle occulte la souffrance liée au sentiment d'avoir été rejetée par le parent biologique, papa (dent droite), maman (dent gauche). La pulsion de vie est coupée. La dévitalisation représente la mort symbolique de l'enfance. Dévitaliser la dent en conscience offre l'opportunité d'en finir avec l'attitude de plainte, de lever les obstacles intérieurs qui empêchent de vivre (tristesse ou peur), de rouvrir le canal de l'énergie vitale.

[42-32] La personne est privée de la capacité d'établir une relation intime. La dévitalisation représente la coupure de la relation avec le papa (dent droite), avec la maman (dent gauche) ou avec un partenaire qui rappelle inconsciemment le parent nourricier. Les sentiments amoureux sont morts. La personne n'est plus nourrie par la relation. Elle occulte la souffrance liée à l'abandon par le parent nourricier. Dévitaliser la dent en conscience offre l'opportunité d'en finir avec la dépendance affective, de rendre la relation fluide, de rouvrir le canal de l'amour.

[43-33] La personne est coupée de sa force vitale. Elle n'est plus nourrie par l'énergie ancestrale de la lignée paternelle (dent droite), de la lignée maternelle (dent gauche). Elle occulte la souffrance liée au passé familial ou à la procréation. La dévitalisation représente la mort symbolique des pulsions animales. Dévitaliser la dent en conscience offre l'opportunité d'en finir avec un conditionnement hérité de la lignée paternelle ou maternelle, d'en finir avec la possessivité, la jalousie, de rouvrir le canal de la transmission de la vie.

[44-34] La personne est coupée de la sensualité et des joies du corps. Elle n'a plus accès à sa féminité ou à sa masculinité. Elle occulte la souffrance de ne pas oser grandir pour rester le petit garçon ou la petite fille du parent nourricier, papa (dent droite), maman (dent gauche). La dévitalisation représente la mort de la libido. Dévitaliser la dent en conscience offre l'opportunité de transformer son rapport au plaisir, de retrouver une sexualité plus ardente, de laisser jaillir la passion et les émotions fortes, de rouvrir le canal du désir.

[45-35] La personne est coupée de sa capacité à se séparer du parent nourricier, papa (dent droite), maman (dent gauche). Elle occulte la souffrance liée au fait de n'avoir pu affirmer sa personnalité face au parent nourricier, de n'avoir pu se détacher de lui ou d'y avoir été contrainte. La dévitalisation représente la mort de l'affirmation de sa différence. Dévitaliser la dent en conscience offre l'opportunité d'en finir avec la peur de la séparation, de trouver la limite juste qui permet de ne pas se laisser envahir, de rouvrir le canal de l'expression de soi.

[46-36] La personne est coupée de la ressource affective que représente le papa (dent droite), la maman (dent gauche). Elle ne peut plus bénéficier de l'aide du parent nourricier ou des personnes qui jouent ce rôle. Elle occulte la souffrance liée au manque affectif des six premières années de sa vie. Le rapport avec le plan affectif et matériel est figé dans une attitude de méfiance ou de déception. La dévitalisation représente la mort symbolique du parent. Dévitaliser la dent en conscience offre l'opportunité de se libérer de la dépendance vis-à-vis du parent pour s'autopaterner ou s'automaterner, de rouvrir le canal des ressources matérielles et affectives.

[47-37] La personne est coupée de la ressource affective que représente le couple ou l'amitié qui reste au mieux un appui matériel. Elle n'est plus nourrie par l'union. La représentation du couple est figée dans un sentiment d'échec. Elle occulte la souffrance (déception, échec) en rapport avec les expériences amoureuses ou amicales de l'adolescence. Elle occulte la culpabilité d'abandonner le parent nourricier, papa (dent droite), maman (dent gauche) pour faire sa vie. La dévitalisation représente la mort symbolique du couple ou d'une amitié. Dévitaliser la dent en conscience offre l'opportunité de cesser d'être dépendant de l'autre, de changer sa vision du couple ou de l'amitié, de rouvrir l'accès aux ressources qu'offre l'alliance avec l'autre.

[48-38] La personne est coupée de sa capacité d'être autonome. Elle n'arrive pas à se nourrir elle-même. Elle occulte la souffrance liée au fait de n'avoir pu quitter totalement le parent nourricier, papa (dent droite), maman (dent gauche). La dévitalisation représente la mort symbolique de l'indépendance telle que vécue auparavant, dans l'insuffisance ou dans l'excès. Dévitaliser la dent offre l'opportunité d'en finir avec l'isolement, la peur de la solitude, de libérer l'accès à ses ressources personnelles, de rouvrir le canal de la liberté individuelle.

DÉVITALISATION QUI NE PREND PAS, ou DÉVITALISATION PAR ARSENIC ou SUITE À CARIE DOULOUREUSE OU PROFONDE

[11-21] La personne lutte pour ne pas laisser s'éteindre son rayonnement, ne pas laisser mourir sa facette masculine liée au père éducateur (dent gauche), sa facette féminine liée à la mère éducatrice (dent droite).

[12-22] La personne lutte pour ne pas laisser mourir la capacité de parler, pour ne pas laisser s'éteindre l'échange avec le parent éducateur, père (dent gauche), mère (dent droite) ou avec un guide, un mentor qui représente un père ou une mère symbolique.

[13-23] La personne refuse de laisser mourir sa puissance personnelle. Colère liée au parent éducateur, père (dent gauche), mère (dent droite) ou à quelqu'un qui rappelle inconsciemment le parent.

[14-24] La personne ne veut pas laisser mourir sa combativité, sa capacité d'agir. Lutte intérieure à la vie à la mort. Colère liée au parent éducateur, père (dent gauche), mère (dent droite).

[15-25] La personne ne veut pas laisser mourir sa capacité de juger et de penser par elle-même. Elle lutte pour s'affranchir des principes éducatifs du père (dent gauche), de la mère (dent droite).

[16-26] La personne ne veut pas laisser mourir à l'intérieur d'elle-même le parent éducateur, père (dent gauche), mère (dent droite). Elle s'accroche à lui et à ses principes éducatifs. Elle n'est pas prête à faire le deuil du parent réel ou du parent idéal.

[17-27] La personne ne veut pas laisser mourir son ambition sociale. Elle lutte pour dépasser les interdits imposés par le parent éducateur, père (dent gauche), mère (dent droite) et trouver sa place.

[18-28] La personne refuse de laisser mourir ses valeurs, d'abandonner son intuition ou ses vérités. Elle lutte pour se libérer de toute influence sociale ou parentale du parent éducateur, père (dent gauche), mère (dent droite). Colère contre soi-même.

[41-31] La personne ne veut pas laisser mourir sa part la plus vulnérable ou enfant intérieur. Fort désir de s'accrocher à la vie. Colère liée au parent géniteur, papa (dent droite), maman (dent gauche) ou à un proche qui rappelle inconsciemment le parent.

[42-32] La personne ne veut pas laisser mourir l'amour. Elle lutte pour garder vivante la relation avec le parent nourricier, papa (dent droite), maman (dent gauche) ou avec un partenaire (ou ami) qui le lui rappelle inconsciemment.

[43-33] La personne ne veut pas laisser mourir l'héritage lié à la lignée paternelle (dent droite), maternelle (dent gauche). Elle ne veut pas renoncer à la capacité de se défendre. Elle se bat pour garder vivantes ses forces instinctives. Grande force vitale.

[44-34] La personne ne veut pas laisser mourir sa sensualité ou une passion. Elle ne veut pas renoncer à sa féminité, sa masculinité. Colère liée au parent nourricier, papa (dent droite), maman (dent gauche).

[45-35] La personne ne veut pas laisser mourir son originalité. Elle lutte pour se séparer du parent nourricier, papa (dent droite), maman (dent gauche) ou d'un proche qui le lui rappelle inconsciemment.

[46-36] La personne ne veut pas laisser mourir le parent nourricier, papa (dent droite), maman (dent gauche) à l'intérieur d'elle-même. Elle n'est pas prête à faire le deuil du parent réel ou du parent idéal.

[47-37] La personne ne veut pas laisser mourir le couple ou l'amitié. Elle est attachée à l'autre. Elle lutte pour mettre une distance affective avec le parent nourricier, papa (dent droite), maman (dent gauche), et s'investir dans le couple.

[48-38] La personne ne veut pas laisser mourir sa liberté et son autonomie. Elle lutte pour conserver son indépendance, quitter le parent nourricier, papa (dent droite), maman (dent gauche), ou quelqu'un, partenaire ou ami, qui le représente.

EXTRACTION DE DENT ADULTE

[11-21] La personne a besoin de se libérer de complexes liés à une dévalorisation profonde de l'image de soi, et d'éliminer la souffrance de n'avoir pas été reconnue par le parent éducateur, père (dent gauche), mère (dent droite). Elle a l'opportunité de cesser d'imiter des modèles extérieurs, de se comparer aux autres, de donner une fausse image d'elle-même. C'est l'occasion de se détacher du besoin d'être admiré à tout prix pour renaître à l'estime soi.

[12-22] La personne a besoin de se libérer des souffrances liées à l'absence d'échanges avec le parent éducateur, père (dent gauche), mère (dent droite). Elle a l'opportunité de se défaire de la croyance qu'il est impossible de se faire entendre. C'est l'occasion d'abandonner un comportement bavard ou au contraire taciturne pour renaître à la joie de parler librement.

[13-23] La personne a besoin de se libérer des souffrances liées à la négation de sa puissance personnelle, en particulier au moment de l'adolescence, et d'éliminer les souffrances liées aux contraintes exercées par le parent éducateur, père (dent gauche), mère (dent droite). Elle a l'opportunité d'abandonner la volonté de toute-puissance et de contrôle sur les autres. Ou au contraire, c'est l'occasion de cesser de subir l'emprise d'autrui pour renaître à la pleine maîtrise de soi et de sa vie.

[14-24] La personne a besoin de se libérer des freins à l'action imposés au moment de l'adolescence par le parent éducateur, père (dent gauche), mère (dent droite). Elle a l'opportunité de lâcher prise par rapport à l'inconnu, d'abandonner la croyance qu'il faut lutter pour s'en sortir. C'est l'occasion de lâcher un comportement téméraire ou au contraire timoré, d'accepter que l'existence soit faite de contradictions, pour retrouver le goût d'entreprendre et donner un nouvel élan à sa vie.

[15-25] La personne a besoin de se libérer des souffrances générées à l'adolescence par l'emprise intellectuelle et morale excessive du parent éducateur, père (dent gauche), mère (dent droite). Elle a l'opportunité de se détacher de l'habitude d'adhérer aux opinions du parent ou d'autrui sans se poser de questions. C'est l'occasion de lâcher l'habitude de douter et d'hésiter longuement avant de choisir pour renaître à la liberté de faire ses propres choix.

[16-26] La personne a besoin de se libérer des souffrances liées aux six premières années de sa vie, causées par le manque ou l'excès d'autorité du parent éducateur, père (dent gauche), mère (dent droite). Elle a l'opportunité de lâcher un comportement de rébellion ou de fuite par rapport aux règles et aux lois, de pardonner au parent pour faire la paix avec l'autorité.

[17-27] La personne a besoin de se libérer des souffrances de l'adolescence, liées à l'impossibilité de dépasser les limites imposées par le parent éducateur, père (dent gauche), mère (dent droite). Elle a l'opportunité de se détacher des interdits parentaux, des scrupules et des croyances qui empêchent de s'accomplir socialement, et de rebâtir une carrière sur des bases personnelles.

[18-28] La personne a besoin de se libérer des souffrances liées à l'impossibilité de s'affranchir, à la fin de l'adolescence, de l'emprise morale du parent éducateur, père (dent gauche), mère (dent droite), ou d'un système éducatif (école) trop pesant. Elle a l'opportunité de lâcher ses doutes sur sa valeur fondamentale. C'est l'occasion de cesser de se fier à autrui plutôt qu'à soi-même pour enfin écouter son intuition, l'occasion de renaître à une nouvelle vision de la vie.

[41-31] La personne a besoin de se libérer des souffrances liées à la période intra-utérine, à la naissance et aux premiers mois de la vie, de se libérer des souffrances dues au rejet par le parent biologique, papa (dent droite), maman (dent gauche). Elle a l'opportunité de se défaire d'une attitude qui consiste à ignorer ses besoins ou à les satisfaire de manière inadaptée. C'est l'occasion de renaître à la vie.

[42-32] La personne a besoin de se libérer des souffrances liées l'abandon ou à une relation affective traumatisante avec le parent nourricier, papa (dent droite), maman (dent gauche). Elle a l'opportunité de lâcher le besoin compulsif d'avoir des preuves de l'affection de l'autre. C'est l'occasion d'abandonner la croyance qu'aimer est impossible ou source de souffrances, de renaître à l'amour.

[43-33] La personne a besoin de se libérer des souffrances transmises depuis plusieurs générations et d'en soulager la lignée, paternelle (dent droite), maternelle (dent gauche). Elle a l'opportunité de se défaire de comportements violents liés aux pulsions ou à l'animalité (colère, jalousie) ou au contraire d'abandonner la tendance à se laisser marcher sur les pieds. C'est l'occasion de lâcher prise par rapport au besoin de posséder, l'occasion de se réapproprier sa puissance instinctive.

[44-34] La personne a besoin de se libérer des souffrances de l'adolescence, causées par le refus des premiers émois sensuels et des transformations du corps, souffrances liées à l'attitude du parent nourricier, papa (dent droite), maman (dent gauche). Elle a l'opportunité de se détacher d'un comportement d'autocensure et de frustration par rapport au plaisir. C'est l'occasion de renaître à la sensualité.

[45-35] La personne a besoin de se libérer des souffrances générées à l'adolescence par l'emprise affective excessive du parent nourricier, papa (dent droite), maman (dent gauche). Elle a l'opportunité de lâcher les compromis affectifs destinés à masquer la peur de se séparer. C'est l'occasion d'abandonner l'habitude de se laisser envahir, de couper le cordon avec le parent nourricier pour renaître à une nouvelle manière d'affirmer sa personnalité.

[46-36] La personne a besoin de se libérer des souffrances liées au manque du parent nourricier durant les six premières années de sa vie, papa (dent droite), maman (dent gauche). Elle a l'opportunité d'abandonner des comportements destinés à combler le manque: boulimie de nourriture, d'affection, de travail, accumulation d'argent ou d'objets. C'est l'occasion de pardonner au parent nourricier et de renaître à la sécurité intérieure.

[47-37] La personne a besoin de se libérer des souffrances liées à l'échec ou à l'impossibilité du couple ou d'une amitié, d'éliminer les souffrances liées aux expériences amoureuses de l'adolescence et à la culpabilité de se détourner du parent nourricier, papa (dent droite), maman (dent gauche). Elle a l'opportunité de lâcher sa méfiance, sa rancœur ou ses attentes exagérées par rapport au couple. C'est l'occasion de faire le deuil d'une union passée pour reconstruire un couple sur de nouvelles bases.

[48-38] La personne a besoin de se libérer des souffrances liées à l'impossibilité de quitter le parent nourricier à la fin de l'adolescence, papa (dent droite), maman (dent gauche). Elle a l'opportunité de lâcher sa peur de la solitude, d'abandonner ses doutes sur ses capacités à s'assumer. C'est l'occasion de lâcher prise par rapport à sa peur d'une nouvelle phase de son existence, de renaître à une nouvelle vie, plus mûre et plus autonome.

FRACTURE DE RACINE DUE À PIVOT

[11-21] La personne exige d'elle-même une intelligence parfaite, se force à donner une image irréprochable. Elle affiche en toutes circonstances une personnalité lisse et impeccable. Elle contrôle son image en permanence. Elle est trahie par sa véritable identité. Attitude liée à l'éducation reçue du parent, père (dent gauche), mère (dent droite).

[12-22] La personne exige d'elle-même une adaptation parfaite en toutes circonstances. Elle veut se montrer un médiateur parfait, un orateur et un communicateur excellent et se force à maintenir l'échange en prenant sur elle, en se forçant à concilier les personnes et les situations. Ses paroles et ses sentiments véritables la trahissent. Attitude liée à l'éducation reçue du parent, père (dent gauche), mère (dent droite).

[13-23] La personne s'imposc unc détermination et une volonté sans faille. Elle se force à tout maîtriser sans se donner droit à l'erreur. Elle se comporte comme un bourreau de travail, fait preuve d'acharnement. Elle est trahie par ses forces psychiques. Attitude liée à l'éducation reçue du parent, père (dent gauche), mère (dent droite).

[14-24] La personne s'oblige à agir, se force à accomplir des prouesses. Elle se contraint à lutter, à se montrer conquérante. Elle se force à aller de l'avant malgré ses peurs ou ses contradictions. Elle veut changer sans tenir compte de ses résistances. Son audace ou sa témérité la trahit. Attitude liée à l'éducation reçue du parent, père (dent gauche), mère (dent droite).

[15-25] La personne s'impose un mode de pensée rigide et artificiel pour paraître détachée de l'éducation reçue du parent éducateur, père (dent gauche), mère (dent droite). Elle s'oblige à mettre une limite, à dire non au parent ou à quelqu'un qui le rappelle inconsciemment. Elle se contraint à faire un choix avant d'y être prête, se force la main à elle-même. Son jugement la trahit.

[16-26] La personne a subi une éducation sévère, elle a le sentiment d'être « vissée » par le parent éducateur, père (dent gauche), mère (dent droite). Elle éclate, écrasée par le poids de l'autorité (parent, supérieur hiérarchique) ou des contraintes qu'elle s'impose. Elle cède sous le poids des attentes du parent. Elle se sent trahie par le parent éducateur.

[17-27] La personne subit ou s'impose des exigences inhumaines dans son travail, elle craque sous la pression du stress ou de la charge de travail. Elle est écrasée par le poids des responsabilités ou de la hiérarchie. Elle se sent trahie par sa position sociale ou professionnelle. Attitude liée à l'éducation reçue du parent, père (dent gauche), mère (dent droite).

[18-28] La personne exige d'elle-même d'être géniale, intuitive, hors normes et de ce fait passe à côté de sa petite voix. Elle s'oblige à avoir des valeurs originales mais qui ne correspondent pas à sa vérité. Elle met un point d'honneur à ne solliciter les conseils de personne, se force à trouver l'inspiration exclusivement en elle-même. Elle est trahie par son intuition, son inspiration. Attitude liée à l'éducation reçue du parent, père (dent gauche), mère (dent droite).

[41-31] La personne se contraint sans tenir compte des limites et des besoins de son corps. Dure au mal, elle ne s'écoute pas, ne se plaint pas. Elle est trahie par sa propre fragilité. Attitude liée au modèle transmis par le parent nourricier, papa (dent droite), maman (dent gauche).

[42-32] La personne veut que la relation affective avec le partenaire ou l'ami soit parfaite. Elle prend sur elle, contrôle ses sentiments et ses réactions vis-à-vis de l'autre, se force à maintenir la relation au prix de contraintes et de sacrifices excessifs. Elle est trahie par ses sentiments. Attitude liée au modèle transmis par le parent nourricier, papa (dent droite), maman (dent gauche).

[43-33] La personne s'impose des efforts physiques surhumains, se force à être endurante. Elle se démène sans relâche pour contrôler son petit monde (conjoint, enfants), se dévoue aux siens au-delà du supportable. Elle est trahie par ses forces ou par le clan (trahison familiale). Attitude liée aux croyances véhiculées par la lignée du père biologique (dent droite), de la mère biologique (dent gauche).

[44-34] La personne se contraint au lieu de se laisser aller à la sensualité. Elle s'impose des limites rigides dans le domaine du plaisir. Elle prend sur elle pour donner l'impression de quelqu'un qui s'amuse, qui « prend son pied ». Elle n'en peut plus de feindre ou de s'imposer des restrictions. Ses sens la trahissent. Attitude liée au modèle transmis par le parent nourricier, papa (dent droite), maman (dent gauche).

[45-35] La personne se force à s'éloigner du parent nourricier, papa (dent droite), maman (dent gauche), alors qu'elle n'est pas prête à le faire. Elle prend sur elle pour donner l'image de quelqu'un de détaché. Elle se force à mettre une limite ou à dire non au parent ou à quelqu'un qui le rappelle inconsciemment. Elle se contraint au détachement qui, excessif ou prématuré, devient un arrachement. Elle est trahie par son manque de force à s'affirmer.

[46-36] La personne subit les demandes affectives exigeantes du parent nourricier. Elle se contraint à supporter le papa (dent droite), la maman (dent gauche) ou quelqu'un qui lui rappelle inconsciemment le parent. Elle se force à le soutenir par devoir, se sent écrasée par le poids que l'effort représente. Elle se sent trahie par le parent nourricier.

[47-37] La personne se contraint à maintenir artificiellement la cohésion du couple. Elle porte le couple sur ses épaules, est écrasée ou étouffée par le partenaire. Elle prend sur elle pour donner l'image d'une union parfaite et heureuse. Elle se sent trahie par rapport à ses attentes du couple. Attitude liée au modèle transmis par le parent nourricier, papa (dent droite), maman (dent gauche).

[48-38] La personne veut se montrer libre et indépendante sans avoir les capacités de s'assumer seule. Elle se contraint à tout faire par elle-même. Elle prend sur elle pour ne demander l'aide de personne. Elle se fait violence pour quitter le parent nourricier, papa (dent droite), maman (dent gauche), ou quelqu'un qui joue ce rôle ou encore un système rassurant. Elle se sent trahie par ses propres appuis.

FRACTURE PARTIELLE DE LA COURONNE DE DENT ADULTE

[11-21] Fracture due à choc extérieur: l'estime de soi est amoindrie, la personne est privée en partie de sa valeur et du droit de se montrer. Elle se sent petite, en infériorité. Exemple, personne à qui on assène: « tu es juste bonne à garder les vaches ». Les qualités intellectuelles sont dévalorisées: « tu es bête comme tes pieds, on ne fera jamais rien de bon avec toi ». L'apparence physique est touchée: « quel dommage que tu sois grosse. Ce n'est pas comme ta sœur qui est si jolie ! ». Traumatisme en rapport avec le parent éducateur, père (dent gauche), mère (dent droite) ou quelqu'un qui le rappelle. **Fracture à la mastication:** la personne censure son image, résiste à se montrer ou exige d'elle-même une perfection qu'elle ne peut atteindre. Invitation expresse à retrouver confiance en son image. Problématique liée au regard du parent éducateur, père (dent gauche), mère (dent droite)

[12-22] Fracture due à choc extérieur: le dialogue est rompu de manière abrupte et prématurée, le temps de parole écourté: « on m'a coupé la parole, mes paroles se sont heurtées à un mur ». La personne est privée de la capacité de se dire, elle ne peut plus parler qu'à demi-mot ou à mi-voix. L'élan vers autrui est brisé, la parole coupée net: « je n'ai rien pu dire, il m'a cloué le bec ». Elle a entendu des paroles cassantes ou cinglantes, critiquant sa façon de communiquer: « tu ferais mieux de te taire, tu ne sais pas parler ». Elle désire rompre sans le dire un accord, un contrat, un engagement moral ou écrit. Traumatisme en rapport avec le parent éducateur, père (dent gauche), mère (dent droite) ou quelqu'un qui le rappelle inconsciemment. **Fracture à la mastication:** la personne résiste à parler franchement, elle s'autocensure par remords d'en avoir trop dit ou se réduit elle-même au mutisme par crainte de trop en dire. Ou bien elle se montre trop abrupte dans ses propos. Invitation à se rendre la capacité de se dire face aux autres. Problématique liée au parent éducateur, père (dent gauche), mère (dent droite).

[13-23] Fracture due à choc extérieur: la détermination de la personne est amenuisée. Un choc la plonge dans la confusion et l'irrésolution. Sa volonté se heurte à plus puissant ou plus entêté qu'elle. L'événement est lié au parent éducateur, père (dent gauche), mère (dent droite) ou à quelqu'un qui le rappelle inconsciemment. **Fracture à la mastication:** la personne se fait violence, s'entête dans une voie qui ne lui convient pas. Elle résiste à faire usage de son pouvoir. Elle censure sa capacité à se faire respecter. Invitation expresse à asseoir sa puissance personnelle. Problématique liée au parent éducateur, père (dent gauche), mère (dent droite).

[14-24] Fracture due à choc extérieur: la capacité d'entreprendre est amoindrie, l'élan est rompu. La personne a les ailes coupées. L'événement est lié au parent éducateur, père (dent gauche), mère (dent droite) ou à quelqu'un qui le rappelle inconsciemment. **Fracture à la mastication:** la personne est en proie à des tensions intérieures insupportables, tiraillée entre sa part impulsive et sa part raisonnable. Elle éclate sous la pression du conflit intérieur qui la divise. Fracture de la pointe côté palais: la personne rejette ses impulsions pour n'écouter que sa raison. Fracture de la pointe côté joue: la personne rejette la raison pour n'écouter que ses envies et se faire plaisir. Le conflit est lié au parent éducateur, père (dent gauche), mère (dent droite) ou à quelqu'un qui le rappelle inconsciemment. Invitation à accepter le conflit tant extérieur qu'intérieur.

[15-25] Fracture due à choc extérieur: la capacité de juger par soi-même est mise à mal. La personne est amputée d'une partie de son discernement. L'événement est lié au parent éducateur, père (dent gauche), mère (dent droite) ou à quelqu'un qui le rappelle inconsciemment. **Fracture à la mastication:** la personne censure sa capacité de juger, se prive de la capacité d'émettre une opinion différente du parent éducateur, père (dent gauche), mère (dent droite). Elle est déchirée entre ses propres croyances et celles transmises par le parent. Confrontée à l'impossibilité de faire un choix, la personne se met une pression excessive. Elle se fait violence sans se donner le droit à l'erreur. Elle soulage la tension intérieure qui l'habite en mettant de côté sa tête (fracture de la pointe côté joue) ou ses envies (fracture de la pointe côté palais). Invitation à faire confiance à son jugement personnel.

[16-26] Fracture due à choc extérieur: la personne subit un traumatisme qui la déstabilise profondément, la prive en partie de ses références morales. L'événement est lié au parent éducateur, père (dent gauche), mère (dent droite) ou à quelqu'un qui le rappelle inconsciemment. **Fracture à la mastication:** les bases fondamentales de la personne ne sont pas stables. C'est un signe avertisseur d'une fragilité héritée de l'enfance, du parent éducateur, père (dent gauche), mère (dent droite). Invitation à consolider ses bases, à se prendre davantage en charge en devenant son propre parent et guide.

[17-27] Fracture due à choc extérieur: la personne subit un traumatisme qui ébranle ses bases et remet en cause sa position sociale. L'événement est lié au parent éducateur, père (dent gauche), mère (dent droite) ou à quelqu'un qui le rappelle inconsciemment. **Fracture à la mastication:** les tensions sont trop fortes au travail. La personne craque sous le poids des responsabilités. Elle rejette un supérieur hiérarchique qui l'écrase, prend sur ses épaules une charge excessive de travail, veut tout contrôler ou accumule les contrariétés. Les nerfs sont mis à rude épreuve. Signe avertisseur que le travail doit être réparti plus équitablement. Attitudes liées à l'éducation reçue du parent éducateur, père (dent gauche), mère (dent droite). Invitation à prendre le temps de consolider sa position sociale, de lever les obstacles à la carrière liés au parent éducateur (interdits, culpabilité, etc.).

[18-28] Fracture due à choc extérieur: la personne subit un traumatisme qui ébranle ses bases et remet en cause ses références les plus fondamentales. L'événement est lié au parent éducateur, père (dent gauche), mère (dent droite) ou à quelqu'un qui le rappelle inconsciemment. **Fracture à la mastication:** les bases personnelles sont fragiles. La personne est peu sûre de ses valeurs. Elle surestime ses capacités d'assumer seule toutes les responsabilités, ne reconnaît pas qu'elle a encore besoin de conseils ou de soutien moral. Attitude liée à l'éducation reçue du parent éducateur, père (dent gauche), mère (dent droite). La personne doit apprendre à être plus sûre d'elle, à faire confiance à ses capacités intuitives. Invitation à consolider son propre système de valeurs.

[41-31] Fracture due à choc extérieur: la personne est touchée de plein fouet dans son intimité, elle accuse le coup en plein ventre. L'enfant intérieur est diminué. La personne est atteinte dans son droit légitime à la vie, dans sa joie de vivre ou dans l'image qu'elle donne à l'autre dans l'intimité. Traumatisme lié au parent nourricier, papa (dent droite), maman (dent gauche) ou à quelqu'un qui le rappelle. **Fracture à la mastication:** la personne se montre trop cassante envers elle-même. Elle résiste à donner libre court à l'enfant en elle. Elle rompt toute manifestation de spontanéité ou de fragilité. Invitation expresse à réhabiliter l'enfant en soi. Problématique liée au parent nourricier, papa (dent droite), maman (dent gauche).

[42-32] Fracture due à choc extérieur: la personne vit un traumatisme qui tronque sa capacité d'aimer, au plan physique ou au plan de l'échange affectif. L'élan affectif vers l'autre est rompu. Traumatisme en rapport avec le parent nourricier, papa (dent droite), maman (dent gauche) ou avec une personne qui le rappelle inconsciemment. **Fracture à la mastication:** La personne résiste à aimer. Elle s'interdit la relation affective ou s'impose trop d'exigences dans ce domaine. Elle se sabote sur le plan amoureux par désir inavoué de rompre. Invitation à soigner la relation qu'on a eue avec le parent pour retrouver la capacité d'aimer pleinement. Problématique liée au parent nourricier, papa (dent droite), maman (dent gauche).

[43-33] Fracture due à choc extérieur: un traumatisme amenuise les forces et le mordant de la personne. Elle est privée en partie de la capacité à se défendre face au parent nourricier, papa (dent droite), maman (dent gauche), ou à quelqu'un qui le rappelle inconsciemment. **Fracture à la mastication:** la personne résiste à faire usage de la force pour défendre son territoire. Elle réprime ses pulsions, censure son animalité. Signal d'alarme qui l'avertit qu'elle est en train de se castrer. Invitation expresse à renouer avec sa puissance instinctive. Problématique liée au parent nourricier, papa (dent droite), maman (dent gauche).

[44-34] Fracture due à choc extérieur: un traumatisme ampute la personne d'une partie de sa sensualité, de sa libido. Événement lié au parent nourricier, papa (dent droite), maman (dent gauche). **Fracture à la mastication:** la personne craque sous la pression des émotions et des pulsions qu'elle retient. Elle a grand besoin de se libérer d'un carcan de croyances et de comportements restrictifs qui étouffent sa nature passionnée. L'attitude est liée au parent nourricier, papa (dent droite), maman (dent gauche). La fracture révèle le besoin d'éclater et aussi de « s'éclater ». Elle avertit qu'il est temps de s'autoriser à prendre du plaisir, de se réapproprier sa sexualité et sa libido.

[45-35] Fracture due à choc extérieur: un traumatisme prive la personne de sa capacité à s'affirmer et à se séparer du parent nourricier. Événement lié au papa (dent droite), à la maman (dent gauche). **Fracture à la mastication:** l'affirmation de soi est fragile. La personne hésite à se séparer, à dire non au parent nourricier, papa (dent droite), maman (dent gauche), ou à quelqu'un qui le rappelle inconsciemment. Ou bien elle va trop vite, cherche à brûler les étapes car elle résiste à s'en séparer vraiment. Invitation à apprendre à mettre ses limites, à s'affirmer.

[46-36] Fracture due à choc extérieur: la personne subit un traumatisme qui la déstabilise profondément, la prive en partie de ses repères matériels et affectifs. Événement lié au parent nourricier, papa (dent droite),maman (dent gauche). **Fracture à la mastication:** les bases fondamentales de la personne ne sont pas stables. C'est un signe avertisseur d'une fragilité héritée de l'enfance, liée au parent nourricier, papa (dent droite), maman (dent gauche). Signe avertisseur qui invite la personne à consolider ses bases, à se prendre davantage en charge en devenant son propre parent, en apprenant à s'autopaterner ou à s'automaterner.

[47-37] Fracture due à choc extérieur: la personne subit un traumatisme qui ébranle ses bases et remet en question le couple ou l'amitié. Événement lié au parent nourricier, papa (dent droite), maman (dent gauche). **Fracture à la mastication:** les tensions sont trop fortes au sein du couple. La personne rejette inconsciemment le partenaire dont la présence lui pèse ou craque sous le poids des contraintes liées à la vie commune. Les réactions ou attitudes sont liées au modèle transmis par le parent nourricier, papa (dent droite), maman (dent gauche). Signe avertisseur: il est urgent de rétablir l'équilibre des forces au sein du couple ou de l'amitié. Invitation à réhabiliter le couple en apprenant progressivement à faire confiance à l'autre.

[48-38] Fracture due à choc extérieur: la personne subit un traumatisme qui ébranle ses bases et remet en question sa capacité d'autonomie. Événement lié au parent nourricier, papa (dent droite), maman (dent gauche). **Fracture à la mastication**: les bases personnelles sont fragiles. La personne n'est pas prête à s'assumer seule. Elle surestime ses capacités de résistance, ne reconnaît pas qu'elle a encore besoin d'une aide matérielle ou d'un soutien affectif. L'attitude est liée au parent nourricier, papa (dent droite), maman (dent gauche). La personne doit apprendre à se prendre progressivement en charge.

FRACTURE TOTALE DE LA COURONNE DE DENT ADULTE

[11-21] Fracture due à choc extérieur: l'image de soi vole en éclats sous l'effet de critiques, d'un regard qui foudroie. L'estime de soi est mise en pièces, anéantie. La personne a perdu la face. Elle tente désespérément d'attirer l'attention en réaction à un sentiment de rejet ou d'exclusion: « au secours! Mon image est réduite à néant, je n'existe pas, personne ne me voit! ». Elle réagit à la critique dure ou à l'absence totale de reconnaissance de la part du parent éducateur, père (dent gauche), mère (dent droite). Elle se heurte au sentiment d'être invisible. Elle rejette brutalement sa facette masculine et refuse de ressembler au père (dent gauche), sa facette féminine par répulsion pour la mère (dent droite). **Fracture à la mastication:** l'image de soi, déjà fragilisée et mise à mal, s'effondre brusquement. La personne est confrontée à son refus de se montrer. Elle traverse une phase de remise en question et de perte de son identité. Problématique liée au regard du parent éducateur, père (dent gauche), mère (dent droite).

[12-22] Fracture due à choc extérieur: la personne rejette la communication avec le parent éducateur, père (dent gauche), mère (dent droite) ou avec quelqu'un qui le rappelle inconsciemment. Elle tente désespérément d'attirer l'attention sur l'absence totale d'échanges: « au secours, je ne suis pas entendue, je parle dans le vide! ». Elle se heurte au sentiment de ne pas être comprise. La faculté de parler est anéantie. La personne a voulu dire quelque chose qui lui tenait à cœur, mais on lui a brutalement intimé de se taire ou on ne l'a ni écoutée ni comprise. Ou bien, la fracture est le moyen de se réduire soi-même au silence (autocensure). **Fracture à la mastication:** la personne est confrontée avec brutalité à son refus de communiquer ou aux interdits qu'elle s'impose en matière d'échanges. Elle traverse une phase au cours de laquelle parler et se faire entendre est problématique. Problématique liée au parent éducateur, père (dent gauche), mère (dent droite).

[13-23] Fracture due à choc extérieur: la personne se heurte au sentiment d'être faible et démunie face à plus puissant qu'elle. Sa force intérieure est anéantie. Son intégrité morale est détruite. La personne n'a plus ni direction ni énergie pour s'exprimer ou se manifester. Impuissante à défendre ses idées, elle est dans un état (passager) de grande fragilité, à la merci du premier prédateur venu. Sa volonté est brisée par le parent éducateur, père (dent gauche), mère (dent droite), ou par quelqu'un qui le rappelle inconsciemment. **Fracture à la mastication:** la personne est confrontée à sa fragilité, à son refus de se défendre, de s'imposer ou de faire reconnaître ses droits. Elle traverse une phase de remise en question de son pouvoir personnel. Problématique liée au parent éducateur, père (dent gauche), mère (dent droite).

[14-24] Fracture due à choc extérieur: la personne est amputée de la capacité d'agir, d'entreprendre et d'aller de l'avant. Événement lié au parent éducateur, père (dent gauche), mère (dent droite). **Fracture à la mastication:** la personne est confrontée à son refus de prendre des initiatives pour transformer sa vie. Elle se trouve confrontée à son rejet de l'action et des contradictions qui l'amènent à nier toute forme de combat et de conflit, tant extérieur qu'intérieur. Réaction liée au parent éducateur, père (dent gauche), mère (dent droite), ou à quelqu'un qui le rappelle inconsciemment.

[15-25] Fracture due à choc extérieur: la personne est privée de la capacité de discerner, de juger par elle-même. Problématique liée au parent éducateur, père (dent gauche), mère (dent droite). **Fracture à la mastication :** la personne est confrontée à son refus de prendre une décision. Elle censure son libre arbitre. Elle est confrontée à son manque total de confiance en son propre jugement. Elle rejette en bloc toute possibilité de faire un choix personnel, indépendamment de l'avis du parent éducateur, père (dent gauche), mère (dent droite) ou d'une personne influente qui le rappelle inconsciemment.

[16-26] Fracture due à choc extérieur : la personne subit un traumatisme qui la déstabilise profondément, la prive de tout repère intellectuel ou moral. Événement lié au parent éducateur, père (dent gauche), mère (dent droite). **Fracture à la mastication :** la personne est confrontée brutalement à la fragilité de ses bases. Elle est déçue de manière brutale et inattendue par le parent éducateur, père (dent gauche), mère (dent droite), ou par quelqu'un qui représente à ses yeux un parent. Le soutien parental s'effondre, la personne perd ses repères. Elle se sent brusquement lâchée par l'homme ou la femme chargé de la guider et de la protéger. Elle a le sentiment d'être abandonnée et trahie ; « je croyais pouvoir compter sur ses conseils, sur sa bienveillance et sa protection et voilà qu'il se désintéresse de moi. Pire, il me fait une crasse que je ne méritais pas. Je suis désorientée et perdue, sans personne pour me guider ».

[17-27] Fracture due à choc extérieur : déstabilisation profonde. La personne vit un traumatisme qui la prive de son assise sociale. Événement lié au parent éducateur, père (dent gauche), mère (dent droite). **Fracture à la mastication :** la personne est confrontée à sa fragilité dans le domaine professionnel. Carrière, position sociale ou réputation s'effondrent. La personne vit un séisme dans son travail. Les appuis sociaux sont brutalement remis en question. Une figure influente du réseau social (patron, mentor), représentant un père symbolique (dent gauche), une mère symbolique (dent droite), sur qui la personne croyait pouvoir compter, se dérobe ou la déçoit. Soit elle revient s'appuyer sur le parent éducateur, considéré comme la seule référence fiable (tendance régressive) : « décidément, je ne peux compter que sur mon père ou sur ma mère ». Soit la personne croit qu'elle ne peut compter que sur elle-même (tendance au repli sur soi). Dans les deux cas, la croyance est liée aux valeurs transmises par le parent éducateur, père (gauche), mère (droite).

[18-28] Fracture due à choc extérieur : déstabilisation profonde. La personne vit un traumatisme qui anéantit ses références et son système de valeur. Événement lié au parent éducateur, père (dent gauche), mère (dent droite). **Fracture à la mastication :** la personne est confrontée à la fragilité de son système de valeur et à son manque fondamental de confiance en elle. Les références individuelles s'effondrent, un séisme remet en question les fondations personnelles. Plutôt qu'écouter son intuition, la personne croit qu'elle doit se fier aux autres ou suivre les conseils du parent éducateur. Dans les deux cas, elle se croit dépendante : « je ne peux pas être autonome, je dois prendre appui sur mes parents, sur mes collègues ou mon supérieur, suivre leurs conseils, ils savent mieux que moi ». La croyance est liée à l'éducation reçue du parent, père (dent gauche), mère (dent droite).

[41-31] Fracture due à choc extérieur : l'enfant vulnérable en soi est anéanti. La personne subit une violence qui la prive du droit d'exister ou de manifester ses besoins. Elle se heurte au sentiment d'être rejetée par le parent nourricier, papa (dent droite), maman (dent gauche). **Fracture à la mastication :** la personne est confrontée à la fragilité qu'elle a longtemps niée. La pression qu'elle s'impose détruit l'enfant en elle, brise sa spontanéité et sa joie de vivre. Problématique liée au parent nourricier, papa (dent droite), maman (dent gauche).

[42-32] Fracture due à choc extérieur: un traumatisme brise la relation affective avec le parent nourricier, papa (dent droite), maman (dent gauche) ou quelqu'un qui le rappelle inconsciemment. La personne se heurte à un sentiment d'abandon brutal: « mon cœur est brisé, il (elle) m'a plaqué(e) ». Les sentiments amoureux ou amicaux sont anéantis. **Fracture à la mastication:** la personne est confrontée à la fragilité de la relation ou de ses sentiments. Elle est face à son refus d'aimer. Elle désire rompre sans le dire: « brisons là, veux-tu? » ou bien ses attentes excessives détruisent la relation. Le mode relationnel affectif est remis en question. Problématique liée au parent nourricier, papa (dent droite), maman (dent gauche).

[43-33] Fracture due à choc extérieur: la personne est privée de sa force, de la capacité de défendre son territoire intime et de protéger ses intérêts. Elle se heurte au sentiment d'être démunie, dépossédée (de ses forces, de ses biens, etc.) par le parent nourricier, papa (dent droite), maman (dent gauche) ou quelqu'un qui le rappelle inconsciemment. **Fracture à la mastication:** la personne est confrontée à sa fragilité, à son manque de mordant, à son refus de faire respecter son territoire. Elle réprime violemment toute manifestation pulsionnelle ou animale. Ou bien elle surestime ses forces. Elle rejette l'héritage paternel (dent droite), maternel (dent gauche).

[44-34] Fracture due à choc extérieur: la libido est anéantie. La personne se heurte à une déception amoureuse, la fin brutale d'une passion. Événement lié au parent nourricier, papa (dent droite), maman (dent gauche). **Fracture à la mastication:** la personne est confrontée à son refus du corps, de sa sensualité. Elle censure le plaisir, s'interdit d'être homme ou femme. Problématique liée au parent nourricier, papa (dent droite), maman (dent gauche) ou à quelqu'un qui le rappelle inconsciemment.

[45-35] Fracture due à choc extérieur: la capacité à mettre une distance entre soi et le parent nourricier est anéantie. La personne se heurte à l'impossibilité de se séparer. Événement lié au papa (dent droite), à la maman (dent gauche). **Fracture à la mastication:** la personne se prive elle-même de la possibilité de dire non au parent nourricier, papa (dent droite), maman (dent gauche) ou à quelqu'un qui le rappelle inconsciemment. Elle rejette la séparation, répugne à mettre une limite ou veut le faire prématurément. Elle est confrontée à son désir de retrouver la fusion avec le parent nourricier en réaction à un événement brutal qui réactive son angoisse de séparation.

[46-36] Fracture due à choc extérieur: la personne est profondément déstabilisée, privée de tous ses repères matériels et affectifs. Événement lié au parent nourricier, papa (dent droite), maman (dent gauche). **Fracture à la mastication:** la personne est confrontée brutalement à la fragilité de ses bases. Elle se retrouve brusquement en insécurité, le sol s'effondre sous ses pieds. Elle se sent lâchée, abandonnée de manière brutale et inattendue par le parent nourricier ou quelqu'un chargé de la soutenir ou de l'épauler: « celui ou celle sur qui je pensais pouvoir compter me retire son appui et son aide affective, morale ou financière ». Elle se sent trahie par le parent nourricier qui se dérobe, papa (dent droite), maman (dent gauche) ou par quelqu'un qui représente un parent à ses yeux.

[47-37] Fracture due à choc extérieur: la personne est profondément déstabilisée, privée du soutien du couple ou de l'amitié. Événement lié au parent nourricier, papa (dent droite), maman (dent gauche). **Fracture à la mastication:** les appuis affectifs procurés par le couple ou l'amitié s'effondrent brutalement. La personne est confrontée à la fragilité de son couple qu'elle croyait sûr. Prise au dépourvu, elle se sent trahie ou abandonnée par le partenaire ou l'ami. « Je croyais mon couple solide et voilà qu'il s'écroule ». Soit la personne revient s'appuyer sur le parent nourricier considéré comme le seul appui sûr (tendance régressive) : « décidément, je ne peux compter que sur papa ou sur maman pour me soutenir ». Soit elle croit qu'elle ne doit compter que sur elle-même (tendance au repli sur soi). Dans les deux cas, la croyance est liée à l'attitude du parent nourricier, papa (dent droite), maman (dent gauche).

[48-38] Fracture due à choc extérieur : un choc laisse la personne anéantie, privée de ses ressources et de ses appuis personnels. Événement lié au parent nourricier, papa (dent droite), maman (dent gauche). **Fracture à la mastication :** la personne est confrontée à la fragilité de ses bases personnelles. Sentiment de déstabilisation profonde. Elle est confrontée à la remise en question de son autonomie. Elle est face à son incapacité de s'assumer seule, trahie par ses propres forces qui se dérobent. Un événement traumatique réveille sa peur de la solitude. Elle ne peut plus éviter de voir qu'elle est dépendante d'autrui (parent, conjoint, ami). La croyance est liée à l'attitude du parent nourricier, papa (dent droite), maman (dent gauche).

FRACTURE TOTALE DE DENT ADULTE, COURONNE ET RACINE, QUI OBLIGE À EXTRAIRE LA DENT

[11-21] L'image de soi est anéantie. C'est l'occasion de la reconstruire conforme à son identité, libre de toute influence parentale. Traumatisme en rapport avec le parent éducateur, père (dent gauche), mère (dent droite) ou avec quelqu'un qui le rappelle inconsciemment.

[12-22] La capacité de parler, de dialoguer est anéantie. La personne doit tirer un trait sur son ancienne façon de communiquer. C'est l'occasion d'apprendre à échanger sur de nouvelles bases, libéré de l'influence du parent éducateur, père (dent gauche), mère (dent droite).

[13-23] La volonté est anéantie. La personne doit tirer un trait sur sa puissance et sa maîtrise passées. Elle doit réapprendre à défendre ses idées et à s'imposer d'une autre manière, libérée de l'emprise du parent éducateur, père (dent gauche), mère (dent droite).

[14-24] La capacité d'agir et d'aller de l'avant est anéantie. Déchirement intérieur, la personne, est écartelée entre ses contradictions. Le conflit est paroxystique, la division intérieure insupportable. Les polarités opposées ne peuvent coexister. L'opposition est inconciliable entre la tête (la raison, l'adulte, l'intellect) et le cœur (la passion, l'enfant, les envies). La personne a besoin d'éclater pour se libérer d'une tension interne insoutenable. Le conflit n'a d'autre issue qu'une séparation irréversible. Le conflit est lié aux croyances transmises par le parent éducateur, père (dent gauche), mère (dent droite) ou réactivé par une personne qui le rappelle inconsciemment. C'est l'occasion d'en finir avec le conflit en apprenant à accepter ses contradictions, libéré de l'influence parentale.

[15-25] La capacité à juger par soi-même est anéantie. La personne se sent prise en flagrant délit de juger ou de critiquer le parent éducateur, père (dent gauche), mère (dent droite) ou d'avoir une opinion différente. Elle est brutalement remise à sa place par le parent lui-même ou par quelqu'un qui le lui rappelle inconsciemment. La personne se punit, s'autocensure pour avoir osé déroger à l'avis du parent. Choix impossible : la tête (la raison, l'adulte, l'intellect) voulant une chose et le cœur (la passion, l'enfant, les envies) son contraire. Les tensions sont extrêmes, ce que la personne sent juste s'oppose aux croyances inculquées par le parent éducateur. Nécessité d'une rupture brutale et irréversible avec un mode de penser ancien. C'est l'occasion de se séparer définitivement d'un système de croyances hérité de l'éducation qui contredit ses propres valeurs.

[16-26] Les repères hérités du parent éducateur sont anéantis. La personne ne peut définitivement plus compter sur l'aide morale ni les conseils du parent ou de la figure influente qui le représente. Il va falloir apprendre à s'en passer. C'est l'occasion de faire le deuil du père (dent gauche), de la mère (dent droite).

[17-27] L'assise sociale est anéantie. La personne doit tirer un trait sur sa position sociale, dire adieu à sa carrière ou à certains privilèges. C'est l'occasion de rebâtir une carrière sur de nouvelles bases, libéré de l'influence du parent éducateur, père (dent gauche), mère (dent droite).

[18-28] Le système de valeurs de la personne est anéanti. Il lui faut tirer un trait définitif sur ses anciennes vérités. C'est l'occasion de tout (re)découvrir sur soi, libéré de l'influence du parent éducateur, père (dent gauche), mère (dent droite).

[41-31] L'enfant intérieur est anéanti. La personne doit dire adieu à l'enfant qu'elle a été. C'est l'occasion de réapprivoiser son corps en étant à l'écoute de ses véritables besoins. Traumatisme en rapport avec le parent nourricier, papa (dent droite), maman (dent gauche) ou avec une personne qui le rappelle inconsciemment.

[42-32] La relation affective avec le parent nourricier, ou bien amoureuse ou amicale, est anéantie. La personne doit tirer un trait sur son ancienne manière d'aimer. C'est l'occasion de réapprendre l'amour et la relation à l'autre, libéré du conditionnement parental, papa (dent droite), maman (dent gauche).

[43-33] La puissance vitale et instinctive est anéantie. La personne doit tirer un trait sur sa force passée. C'est l'occasion de réapprendre à se défendre d'une manière différente, libéré du conditionnement hérité de la lignée paternelle (dent droite), maternelle (dent gauche).

[44-34] La libido est anéantie. La personne ne peut plus concevoir le plaisir comme avant. C'est l'occasion de redécouvrir la sensualité et d'apprendre à apprécier la vie de manière différente, de vivre sa féminité ou sa masculinité, libéré de l'influence du parent nourricier, papa (dent droite), maman (dent gauche).

[45-35] La capacité à s'affirmer différent du parent nourricier, à poser des limites, à dire non est anéantie. C'est l'occasion d'accepter une séparation irréversible et nécessaire, de couper définitivement le cordon avec le parent nourricier, papa (dent droite), maman (dent gauche).

[46-36] La sécurité affective et matérielle héritée du parent est anéantie. La personne ne peut définitivement plus compter sur le soutien ou l'aide du parent nourricier ou de la personne qui le représente. C'est une rupture irréversible avec l'enfance. C'est l'occasion de tirer un trait sur la dépendance et de faire le deuil du papa (dent droite), de la maman (dent gauche).

[47-37] La capacité de s'appuyer sur l'autre est anéantie. Rupture brutale et irréversible de l'association maritale ou amicale. C'est l'occasion de tirer un trait sur l'ancien couple ou l'ancienne amitié et de tout reconstruire de zéro, libéré de l'influence du parent nourricier, papa (dent droite), maman (dent gauche).

[48-38] L'autonomie matérielle et affective est anéantie. La personne doit dire un adieu définitif à une façon trop radicale de vivre l'autonomie, tirer un trait définitif sur son ancien mode de vie. Exemple : passer de l'indépendance farouche à la dépendance relative (passer de célibataire à couple). C'est l'occasion d'apprendre à vivre selon ses codes personnels, libéré de l'influence du parent nourricier, papa (dent droite), maman (dent gauche).

GENCIVE RÉTRACTÉE

[11-21] La personne désire donner l'image de quelqu'un de plus beau, de plus brillant, de plus important que la réalité. Elle désire être plus en vue. Elle manque de confiance en elle et dans son image. Elle a l'opportunité de prendre conscience que pour plaire il n'est pas nécessaire de ressembler à quelqu'un d'autre, à son père ou à une figure masculine (dent gauche), à sa mère ou à une figure féminine (dent droite). Comportement lié au parent éducateur.

[12-22] La personne désire paraître plus communicative, donner l'impression d'être à l'aise dans les relations publiques. Elle manque de confiance dans ses talents d'orateur. Elle voudrait que ses paroles aient plus de poids ou d'effet. Elle a l'opportunité de prendre conscience que des mots simples prononcés avec sincérité peuvent avoir plus d'impact qu'un discours brillant, ou qu'il n'est pas nécessaire d'en dire beaucoup pour se faire entendre. Comportement lié au parent éducateur, père (dent gauche), mère (dent droite).

[13-23] La personne désire donner l'image de quelqu'un de fort, de puissant, de décidé, qui sait ce qu'il veut et où il va. Elle manque de confiance dans sa capacité à s'imposer. Elle a l'opportunité de prendre conscience qu'il n'est pas nécessaire de contrôler tout et tout le monde pour obtenir ce qu'on veut, que vouloir n'est pas exiger. Comportement lié au parent éducateur, père (dent gauche), mère (dent droite).

[14-24] La personne désire donner l'image de quelqu'un d'audacieux, d'actif, d'entreprenant. Elle veut se donner des allures de conquérant, énergique et combatif, en niant ses peurs. Elle manque de confiance dans sa capacité d'aller de l'avant. Elle a l'opportunité de prendre conscience qu'on peut être audacieux sans être téméraire, qu'à trop se battre contre les autres ou soi-même on se fragilise. Comportement lié au parent éducateur, père (dent gauche), mère (dent droite).

[15-25] La personne désire donner l'image de quelqu'un de pondéré et de réfléchi. Elle veut se montrer détachée des valeurs du parent éducateur, père (dent gauche), mère (dent droite). Elle manque de confiance dans sa capacité de décider et de juger par elle-même. Elle a l'opportunité de prendre conscience qu'un choix personnel n'est pas nécessairement radical et qu'elle a droit à l'erreur.

[16-26] La personne désire attirer l'attention du parent éducateur, père (dent gauche), mère (dent droite). Elle a exagérément besoin de l'approbation du parent ou d'une autorité extérieure. Elle a l'opportunité de prendre conscience de son besoin d'être guidée ou de recevoir des conseils.

[17-27] La personne désire donner l'image de quelqu'un de stable dans son travail, à la réputation bien assise. Elle a besoin d'être reconnue davantage par son travail ou son rang social. Elle manque de confiance dans son image sociale, sa réputation. Elle a l'opportunité de prendre conscience de son besoin de se rassurer à travers le travail, de réaliser que son hyperactivité cache un manque de sécurité. Comportement lié au parent éducateur, père (dent gauche), mère (dent droite).

[18-28] La personne désire donner l'image de quelqu'un de sûr de ses vérités. Elle veut montrer qu'elle est libre de toute influence parentale ou sociale. Elle a besoin d'être reconnue comme un être génial, hors normes. Elle manque de confiance en son intuition. Elle a l'opportunité de prendre conscience que sa voix intérieure est un don naturel qu'il suffit d'écouter. Comportement lié au parent éducateur, père (dent gauche), mère (dent droite).

[41-31] La personne cherche à attirer l'attention sur ses manques et ses faiblesses (caractère plaintif, auto-apitoiement). Elle veut donner l'image de quelqu'un qui a besoin d'être paterné ou materné. Elle manque de confiance en sa capacité d'exister par elle-même. Elle a l'opportunité de prendre conscience que pour satisfaire ses besoins, il faut commencer par les identifier. Comportement lié au parent biologique (éventuellement nourricier), papa (dent droite), maman (dent gauche).

[42-32] La personne désire donner l'image de quelqu'un de sentimental. Elle a besoin de recevoir plus d'amour, de tirer la couverture à elle dans la relation. Elle manque de confiance dans sa capacité à aimer et à être aimée. Elle a l'opportunité de prendre conscience qu'un comportement captatif fragilise la relation plus qu'il ne la renforce. Comportement lié au parent nourricier, papa (dent droite), maman (dent gauche).

[43-33] La personne a le besoin exagéré de contrôler l'autre, partenaire ou ami. Possessivité ou jalousie sont exacerbées. La personne doute de ses origines. Elle a besoin d'en savoir plus, de se sentir plus intégrée à la lignée paternelle (dent droite), maternelle (dent gauche). Elle manque de confiance dans sa capacité à faire respecter son territoire intime. Elle a l'opportunité d'être plus consciente de ses pulsions, de découvrir qu'elle peut se faire respecter sans recourir à la force brutale. Comportement lié au parent nourricier, papa (droite), maman (gauche).

[44-34] La personne veut donner l'image de quelqu'un de fougueux, de passionné en amour. Elle a besoin du regard de l'autre pour être homme ou femme. Elle manque de confiance en sa féminité, en sa virilité. Elle a l'opportunité de prendre conscience qu'il n'est pas nécessaire d'en faire trop (prouesses sexuelles, exagération du plaisir, exhibitionnisme) pour se prouver qu'on est un homme ou qu'on est une femme. Comportement lié au parent nourricier, papa (dent droite), maman (dent gauche).

[45-35] La personne cherche à paraître plus détachée sur le plan affectif qu'elle ne l'est en réalité du parent nourricier, papa (dent droite), maman (dent gauche) ou de quelqu'un qui le rappelle inconsciemment. Elle manque de confiance en sa capacité de se séparer. Elle a l'opportunité de prendre conscience qu'il est possible de dire non sans déclarer la guerre ou couper irrémédiablement les ponts.

[46-36] La personne recherche l'attention et l'amour du parent nourricier, papa (dent droite), maman (dent gauche). Elle a besoin de recevoir le réconfort d'un papa ou d'une maman. Elle a l'opportunité de prendre conscience de son attachement ou de sa dépendance au parent nourricier.

[47-37] La personne a besoin de valoriser le couple ou l'amitié, ou qu'il prenne plus d'importance. Elle manque de confiance dans la solidité du couple. Elle a l'opportunité de prendre conscience de son besoin de vivre l'union de manière plus intense, de comprendre que trop solliciter le partenaire fragilise le couple plus qu'il ne le renforce. Comportement lié au parent nourricier, papa (dent droite), maman (dent gauche).

[48-38] La personne a besoin de paraître plus autonome et libre qu'elle ne l'est. Elle manque de confiance en ses capacités de s'assumer seule ou de vivre en fonction de ses valeurs personnelles. Elle a l'opportunité de prendre conscience qu'il n'est pas nécessaire de vivre en marge ou de se montrer excentrique pour être autonome. Comportement lié au parent nourricier, papa (dent droite), maman (dent gauche).

LAIT – CARIE DE DENT DE LAIT

■ INCISIVES

• ***incisive centrale du bas:*** l'enfant souffre parce qu'on néglige ses besoins: soins du corps, besoins fondamentaux. Il a le sentiment d'être ignoré, mis à l'écart par le parent nourricier, papa (dent droite), maman (dent gauche). Il se sent exclu. Il a besoin qu'on s'occupe de lui physiquement, qu'on le touche afin qu'il retrouve la sensation d'exister.

• ***incisive centrale du haut:*** l'enfant manque de l'attention et du regard du parent éducateur, père (dent gauche), mère (dent droite). Il a besoin d'être valorisé davantage. Peut-être se sent-il délaissé ou inexistant parce que noyé dans la masse de ses frères et sœurs? Le regard des parents est indifférent ou trop sévère. Sentiment d'exclusion ou de rejet. Désir de se sentir vu et reconnu.

• ***incisive latérale du bas:*** l'enfant manque d'amour ou ne se sent pas aimé comme il le voudrait. La relation entre le parent nourricier et l'enfant est en souffrance. L'enfant se sent abandonné. Il a besoin de jouer davantage avec le parent, d'être plus complice et plus proche, de recevoir plus de marques d'affection, de tendresse du papa (dent droite), de la maman (dent gauche). Besoin d'établir ou de rétablir le contact par le toucher.

• ***incisive latérale du haut:*** l'enfant souffre d'un manque d'échange avec le parent éducateur, père (dent gauche), mère (dent droite), ou bien à cause d'un problème lié à l'école. Il a besoin qu'on l'écoute et qu'on lui parle davantage, qu'on valorise son discours. Sentiment d'abandon. Besoin que le parent lui dise qu'il l'apprécie, besoin d'établir ou de rétablir le contact par la parole.

■ CANINES

• ***canine du bas:*** l'enfant se sent exclu de la famille, il a besoin d'être rassuré sur le fait qu'il est bien l'enfant légitime du papa (dent droite), de la maman (dent gauche). L'instinct de l'enfant est nié, on le force à manger, à dormir, à vivre selon un mode et des rythmes qui ne lui conviennent pas. On le contraint à être propre alors qu'il n'est pas prêt. On lui interdit de manifester son agressivité pour défendre son territoire. L'expression de sa jalousie ou de sa possessivité est réprimée.

• ***canine du haut:*** l'enfant se sent en état de faiblesse. Soit il manque de protection, se sent en danger, incapable de se défendre. Soit au contraire, il est surprotégé par un parent possessif qui exerce un contrôle excessif (surveillance constante, impossibilité pour l'enfant de dire non, de manifester de la colère, etc.). Le parent éducateur, père (dent gauche), mère (dent droite) est trop dirigiste. Il projette ses désirs sur l'enfant (qu'il soit bon en classe, qu'il fasse tel ou tel sport, etc.), celui-ci ne peut exprimer ou vivre ses envies. L'enfant est démotivé, se sent incapable de rien mener à bien, il abandonne à la première difficulté car il manque de confiance dans sa capacité à réussir.

■ MOLAIRES

• ***première molaire du bas:*** l'enfant est entravé dans la libre expression de son corps et de ses émotions. Il a le sentiment de ne pas avoir le droit de grandir, qu'il doit rester le bébé dépendant du parent. Ou bien souffrance liée à un éloignement inattendu du papa (dent droite), de la maman (dent gauche) ou à un changement (déménagement) auquel l'enfant ne peut s'adapter. Besoin instinctif de se rapprocher du parent nourricier et de se blottir dans son giron protecteur.

• ***première molaire du haut:*** l'enfant est confronté à un nouveau défi auquel il ne peut répondre. Refus ou impossibilité de progresser au plan scolaire, peur de débuter l'apprentissage d'une nouvelle activité. Situation d'échec. L'enfant bloque ou recule devant l'obstacle qui lui semble disproportionné par rapport à ses capacités. Il a besoin d'être encouragé et rassuré par le parent éducateur, père (dent gauche), mère (dent droite). Cap à passer, peur à dépasser avec l'aide et le soutien du parent.

• ***seconde molaire du bas:*** problème lié au domaine matériel ou affectif. L'enfant ne se sent pas soutenu par le parent nourricier. Sa place dans la famille est remise en question, son territoire est menacé. Il ne sait plus comment se situer par rapport aux autres enfants, ni quelle est sa place. Il manque du soutien stable et du réconfort du parent nourricier. Dent gauche : manque d'appui de la maman ; dent droite : manque d'appui du papa.

• ***seconde molaire du haut:*** problème lié à l'éducation et à l'autorité. L'enfant se sent traité de manière injuste par le parent éducateur, père (dent gauche), mère (dent droite), ou à l'école. En raison de son laxisme ou de sa sévérité excessive, ou encore de son manque de présence, le parent ne représente pas un appui suffisamment stable pour l'enfant qui se sent livré à lui-même par manque de soutien. L'enfant ne fait pas confiance au parent. Perdu, il ne se sent pas suffisamment guidé. Il a des difficultés à trouver sa place à l'école, à se socialiser. Dent droite : manque de repères éducatifs de la mère ; dent gauche : manque de repères éducatifs du père.

LUXATION D'UNE DENT ADULTE

[dent de lait : lire page 152, Lait-luxation]

[11-21] La personne rejette violemment sa facette masculine (dent gauche), féminine (dent droite). Elle veut renier toute ressemblance avec le parent éducateur, père (gauche), mère (droite). Elle se voit retirer avec brutalité la possibilité de se montrer. Elle se sent brutalement privée de sa valeur par le parent ou par quelqu'un qui le rappelle inconsciemment.

[12-22] La personne rejette le dialogue avec le parent éducateur, père (dent gauche), mère (dent droite). Elle veut couper radicalement les ponts avec lui ou rejette toute forme de communication avec quelqu'un qui le rappelle inconsciemment. La parole lui est retirée avec brutalité, la personne est réduite au silence. Interdiction brutale et violente de dire quoi que ce soit.

[13-23] La personne rejette sa propre puissance pour ne pas ressembler au parent éducateur, père (dent gauche), mère (dent droite), jugé violent ou tyrannique. Forme d'autocastration. La personne est violemment dépossédée de sa force, subit sans pouvoir y répondre une violence morale de la part du parent ou de quelqu'un qui le rappelle inconsciemment.

[41-31] La personne renie la vie reçue du parent géniteur, papa (dent droite), maman (dent gauche). Elle refuse inconsciemment de ressembler physiquement au parent. Elle refuse d'exister. Elle rejette les besoins et les limites de son corps. Elle est violemment dépossédée de son droit à la vie par le parent ou par quelqu'un qui lui rappelle inconsciemment le parent géniteur.

[42-32] La personne renie le lien affectif avec le parent nourricier, papa (dent droite), maman (dent gauche) : « je ne veux pas de son amour ! ». Elle rejette violemment la relation intime avec quelqu'un qui lui rappelle inconsciemment le parent nourricier. Elle est dépossédée de la faculté d'aimer.

[43-33] La personne renie toute appartenance à la lignée paternelle (dent droite), la lignée maternelle (dent gauche) qui véhicule une mémoire insoutenable : « je ne veux ni recevoir ni transmettre cela ! ». Elle rejette ses pulsions et sa nature animale pour ne pas ressembler au père biologique (droite), à la mère biologique (gauche). Elle se voit retirer avec brutalité la possibilité de se protéger ou de défendre ses biens.

MYLOLYSE

[11-21] La personne hait sa propre image. Le regard destructeur du parent éducateur ou d'une figure d'autorité a inscrit en elle une dévalorisation profonde, une aversion pour elle-même. Problématique liée au père (dent gauche), à la mère (dent droite).

[12-22] La personne se saborde dans le domaine de la communication. L'attitude destructrice du parent éducateur ou d'une figure d'autorité, à travers sarcasmes, paroles cinglantes, etc., a inscrit en elle une dévalorisation profonde de la parole. Problématique liée au père (dent gauche), à la mère (dent droite).

13-23] La personne saborde sa propre volonté. L'attitude destructrice du parent éducateur ou d'une figure d'autorité, à travers humiliations, brimades, etc., a inscrit en elle une dévalorisation profonde du pouvoir personnel et de la maîtrise de soi. Problématique liée au père (dent gauche), à la mère (dent droite).

[14-24] La personne saborde toute action ou initiative personnelle. Elle veut éradiquer toute forme de contradiction, tant extérieure qu'intérieure. L'attitude destructrice du parent éducateur ou d'une figure d'autorité, à travers interdits, brimades, etc., a inscrit en elle une dévalorisation profonde de la capacité d'agir et d'entreprendre. Problématique liée au père (dent gauche), à la mère (dent droite).

[15-25] La personne saborde toute forme de pensée et de jugement personnel. L'attitude destructrice du parent éducateur ou d'une figure d'autorité, à travers jugement sans appel, critiques, etc., a inscrit en elle une dévalorisation profonde de la capacité de choisir. Problématique liée au père (dent gauche), à la mère (dent droite).

[16-26] La personne éprouve de la haine pour le parent éducateur, elle veut se couper de lui. L'attitude destructrice du parent entre 0 et 6 ans a inscrit en elle une dévalorisation profonde de toute forme d'autorité. En réaction, elle cherche inconsciemment à saper l'autorité du parent, mais aussi de l'homme ou de la femme qu'elle est ou qu'elle rencontre et qui pourrait représenter une référence morale ou un guide. Problématique liée au père (dent gauche), à la mère (dent droite).

[17-27] La personne se saborde sur le plan professionnel, elle scie la branche sur laquelle elle est assise. L'attitude destructrice du parent éducateur ou d'une figure d'autorité, à travers jugement sévère, critiques, etc., a inscrit en elle une dévalorisation profonde de la capacité à se réaliser socialement. Problématique liée au père (dent gauche), à la mère (dent droite).

[18-28] La personne saborde ses appuis personnels, se coupe de ses ressources les plus authentiques. L'attitude destructrice du parent éducateur ou d'une figure d'autorité, à travers jugement sans appel, critiques, etc., a inscrit en elle une dévalorisation profonde de son intuition et de ses idéaux. Problématique liée au père (dent gauche), à la mère (dent droite).

[41-31] La personne déteste l'enfant vulnérable qu'elle est. Elle veut couper net avec ses besoins. Le regard destructeur du parent nourricier ou d'un proche, à travers brimades, réprimandes, etc., a inscrit en elle une dévalorisation profonde de toute forme d'expression de ses besoins ou de sa fragilité. Problématique liée au papa (dent droite), à la maman (dent gauche).

[42-32] La personne se saborde dans le domaine affectif et relationnel. Elle veut couper net avec l'amour. Le comportement destructeur du parent nourricier ou d'un proche, à travers violence, abandon, etc., a inscrit en elle une dévalorisation profonde des sentiments filiaux, amoureux ou amicaux. Problématique liée au papa (dent droite), à la maman (dent gauche).

[43-33] La personne veut couper net avec la lignée paternelle (dent droite), la lignée maternelle (dent gauche). Elle déteste sa part animale. L'héritage ou le comportement destructeur du parent, à travers violence, brimades, etc., a inscrit en elle une dévalorisation profonde de l'instinct ou de l'expression de sa force. Problématique liée au papa (dent droite), à la maman (dent gauche).

[44-34] La personne veut couper net avec la sensualité et le plaisir. Le comportement destructeur du parent nourricier ou d'un proche, à travers réprimandes, attitude équivoque, etc., a inscrit en elle une dévalorisation profonde de la sexualité et de la libido. Problématique liée au papa (dent droite), à la maman (dent gauche).

[45-35] La personne veut couper net avec toute forme d'originalité ou d'affirmation. Le comportement destructeur du parent nourricier ou d'un proche, à travers possessivité, réprimandes, etc., a inscrit en elle une dévalorisation profonde de la capacité de se démarquer. Problématique liée au papa (dent droite), à la maman (dent gauche).

[46-36] La personne éprouve de la haine pour le parent nourricier, elle veut se couper de lui. Le comportement destructeur du parent a inscrit en elle une dévalorisation profonde. Elle cherche inconsciemment à détruire le parent, mais aussi l'homme ou la femme qu'elle est ou qu'elle rencontre au plan affectif, et qui pourrait représenter un soutien moral ou matériel. Problématique liée au papa (dent droite), à la maman (dent gauche).

[47-37] La personne veut couper net avec toute forme d'association, maritale ou amicale. Le comportement destructeur du parent nourricier ou d'un proche, à travers jalousie, possessivité, etc., a inscrit en elle une dévalorisation profonde de toute forme d'union. Problématique liée au papa (dent droite), à la maman (dent gauche).

[48-38] La personne veut couper net avec toute forme d'autonomie ou de solitude. Elle saborde ses ressources personnelles. Le comportement destructeur du parent nourricier ou d'un proche, à travers possessivité, attitude infantilisante, etc., a inscrit en elle une dévalorisation profonde de la capacité à se prendre en charge. Problématique liée au papa (dent droite), à la maman (dent gauche).

NÉCROSE SPONTANÉE

[11-21] La personne laisse mourir sa facette masculine construite à travers le regard du père (dent gauche), sa facette féminine construite à travers le regard de la mère (dent droite). Elle renonce à la beauté, à faire valoir son image : « je renonce à me montrer, à briller ». Elle a pris l'habitude de se fondre dans la masse pour passer inaperçue.

[12-22] La personne, renonce à se faire entendre. Elle laisse mourir l'échange avec le parent éducateur, père (dent gauche), mère (dent droite) ou avec un guide, un mentor qui représente un père ou une mère symbolique. Elle a pris l'habitude de se taire.

[13-23] La personne renonce à sa puissance personnelle. Elle a pris l'habitude de céder devant le parent éducateur, père (dent gauche), mère (dent droite) ou face à ceux qui le rappellent inconsciemment.

[14-24] La personne renonce à aller de l'avant pour ne pas se confronter à ses peurs. Au lieu de tourner la page, elle se résigne à rester dans le passé. Elle a pris l'habitude de réprimer ses élans et de s'abstenir de toute initiative, d'agir comme si les conflits ne la concernaient pas et que ses propres contradictions n'existaient pas. Le comportement est lié au parent éducateur, père (dent gauche), mère (dent droite).

[15-25] La personne se résigne à subir l'emprise morale du parent éducateur, renonce à penser différemment du père (dent gauche), de la mère (dent droite). Elle a pris l'habitude de suivre aveuglément les avis du parent ou d'une figure influente qui représente à ses yeux un père ou une mère, sans les remettre en question.

[16-26] La personne a laissé mourir le père (dent gauche), la mère (dent droite) à l'intérieur d'elle-même. Elle renonce à compter sur l'appui moral et les conseils du parent éducateur et ne sollicite pas son aide. Elle a pris l'habitude de se passer du soutien que pourrait lui apporter toute personne qui représente à ses yeux un père (gauche) ou une mère (droite). La rébellion contre l'autorité est étouffée et enfouie au plus profond.

[17-27] La personne a laissé mourir son ambition sociale. Elle renonce à occuper un emploi ou un poste pour ne pas trahir le parent éducateur, père (dent gauche), mère (dent droite). Elle s'ennuie, a l'impression de stagner dans son travail, de dépérir dans sa routine. Elle a pris l'habitude d'agir comme si son travail ou sa carrière ne la concernait pas.

[18-28] La personne a laissé mourir ses valeurs. Elle renonce à écouter son intuition. Elle a pris l'habitude de se fier aux conseils du parent éducateur, père (dent gauche), mère (dent droite), aux avis d'autrui, plutôt qu'à sa propre vérité. Par méconnaissance d'elle-même, elle laisse s'éteindre ses ressources les plus profondes et les plus authentiques. Il existe une colère enfouie contre soi-même.

[41-31] La personne a pris l'habitude d'ignorer ses besoins. Elle renonce à être vivante. Elle a laissé dépérir sa part la plus vulnérable mais aussi la plus spontanée ou enfant intérieur. La réaction est liée au parent nourricier, papa (dent droite), maman (dent gauche) ou à un proche qui le rappelle inconsciemment.

[42-32] La personne renonce à l'amour. Elle a laissé s'éteindre la relation avec le parent nourricier, papa (dent droite), maman (dent gauche) ou avec un partenaire ou un ami qui le rappelle inconsciemment. Elle a pris l'habitude d'ignorer ses sentiments.

[43-33] La personne a laissé mourir l'héritage lié à la lignée paternelle (dent droite), maternelle (dent gauche). Elle renonce à se défendre face au parent ou bien au partenaire ou au proche qui le rappelle. Elle laisse s'éteindre ses pulsions animales. Elle a pris l'habitude d'ignorer ses instincts.

[44-34] La personne a laissé s'éteindre sa sensualité, renonce au plaisir et aux joies du corps : « le plaisir n'est plus de mon âge, c'est terminé, désormais j'y renonce ». La passion dépérit. La personne a pris l'habitude d'ignorer ses envies et les sensations de son corps. Le comportement est lié au parent nourricier, papa (dent droite), maman (dent gauche).

[45-35] La personne renonce à se séparer du parent nourricier, papa (dent droite), maman (dent gauche) ou d'un proche qui le rappelle inconsciemment. Elle se résigne à se laisser envahir. Elle a pris l'habitude de calquer son comportement sur celui du parent nourricier.

[46-36] La personne a laissé mourir à l'intérieur d'elle-même le parent nourricier, papa (dent droite), maman (dent gauche). Elle renonce à compter sur son appui affectif ou matériel et ne sollicite pas son aide. Elle a pris l'habitude de se passer du soutien que pourrait lui apporter toute personne qui représente à ses yeux un papa (droite) ou une maman (gauche). Il existe une colère enfouie contre le parent nourricier.

[47-37] La personne a laissé mourir le couple ou l'amitié. Elle renonce à compter sur l'appui affectif ou matériel du partenaire ou de l'ami(e). Elle a pris l'habitude d'agir comme si le couple n'existait pas. Le couple ou l'amitié dépérit. La personne renonce au couple par fidélité au parent nourricier, papa (dent droite), maman (dent gauche). Il existe une colère enfouie à propos du couple ou contre le partenaire.

[48-38] La personne a laissé mourir sa liberté et son autonomie. Elle renonce à être indépendante, à exprimer ses vérités. Elle a pris l'habitude de compter sur le parent nourricier, papa (dent droite), maman (dent gauche), son partenaire ou ses amis, plutôt que de se prendre en charge. Elle renonce à tenir debout par elle-même et à vivre selon sa propre vérité. Il existe une colère enfouie contre soi-même.

NOIRCISSEMENT

[11-21] La personne se dévalorise, a honte de son image, se sent souillée ou laide, au point de vouloir disparaître dans l'ombre. Elle cherche à dissimuler sa facette masculine pour ne pas ressembler au père éducateur (dent gauche), sa facette féminine pour ne pas ressembler à la mère éducatrice (dent droite). Elle porte le deuil de son rayonnement et de son charisme.

[12-22] La personne est en deuil de la parole, renonce à briller par le discours. Elle veut taire un secret. Elle dévalorise le fait de savoir s'exprimer en public. Elle porte le deuil de l'échange avec le parent éducateur, père (dent gauche), mère (dent droite) ou avec une figure influente qui représente un père ou une mère symbolique.

[13-23] La personne est en deuil de sa puissance personnelle. Elle n'est que l'ombre d'elle-même. Elle cache sa détermination. Elle a honte d'avoir du pouvoir sur elle-même ou sur les autres. Elle dévalorise le fait d'être opiniâtre ou volontaire. La réaction est liée au parent éducateur, père (dent gauche), mère (dent droite).

[14-24] La personne porte le deuil de la nouveauté, de l'action. Elle dissimule sa nature combative. Elle veut cacher ses contradictions. Elle dévalorise sa capacité d'agir par impulsion ou de prendre des initiatives. Le comportement est lié au parent éducateur, père (dent gauche), mère (dent droite).

[15-25] La personne est en deuil de son libre arbitre. Elle dévalorise sa capacité de jugement. Elle dissimule sa capacité de penser différemment du parent éducateur, père (dent gauche), mère (dent droite).

[16-26] La personne est en deuil du père (dent gauche), de la mère (dent droite). Elle dévalorise ou a honte du parent éducateur qu'elle a eu ou qu'elle-même est devenue.

[17-27] La personne est en deuil de sa position sociale. Elle en a honte. Elle se dévalorise dans son travail. Attitude liée au parent éducateur, père (dent gauche), mère (dent droite).

[18-28] La personne est en deuil de ses valeurs. Elle dissimule son intuition, a honte de sa propre vérité. Dévalorisation fondamentale de soi. Attitude liée au parent éducateur, père (dent gauche), mère (dent droite).

[41-31] L'enfant intérieur est souillé. La personne porte le deuil de sa partie vulnérable et spontanée, tuée par un événement précis qu'il importe de retrouver. Elle éprouve de la honte vis-à-vis de son corps au point de chercher à dissimuler ses besoins ou sa nudité. La réaction est liée au parent nourricier, papa (dent droite), maman (dent gauche) ou à un proche qui le rappelle inconsciemment.

[42-32] La relation affective est souillée. La personne cherche à dissimuler la honte ou le tabou lié à la relation (inceste affectif ou physique). Elle porte le deuil de la relation avec le parent nourricier, papa (dent droite), maman (dent gauche) ou avec un partenaire ou un ami qui le rappelle inconsciemment. Marque d'un chagrin profond lié à l'abandon, du deuil d'un être cher.

[43-33] La personne porte le deuil de la capacité à donner la vie, à la suite d'un avortement ou de la ménopause par exemple. « Je ne porterai plus la vie ». Elle désire cacher son passé. Elle a honte de la lignée paternelle (dent droite), maternelle (dent gauche). Elle porte le deuil de la force et de la vitalité héritée du père biologique (droite), de la mère biologique (gauche). Elle a honte ses instincts au point de vouloir les enfouir dans l'ombre.

[44-34] La personne porte le deuil du plaisir, de la joie. La grisaille l'envahit. Elle a honte de sa sensualité, de ses envies au point de vouloir les enfouir dans l'ombre et de ne s'autoriser à les vivre que dans le noir. Elle veut dissimuler les transformations de son corps. Le comportement est lié au parent nourricier, papa (dent droite), maman (dent gauche).

[45-35] La personne porte le deuil de sa différence. Elle a honte de son originalité. Elle veut dissimuler sa différence avec le parent nourricier, papa (dent droite), maman (dent gauche).

[46-36] La personne est en deuil du parent nourricier, papa (dent droite), maman (dent gauche). Elle dévalorise ou a honte du parent nourricier qu'elle a eu ou qu'elle-même est devenue.

[47-37] La personne est en deuil du couple ou d'une amitié. Elle le dévalorise, en a honte. Attitude liée au parent nourricier, papa (dent droite), maman (dent gauche).

[48-38] La personne est en deuil de sa liberté et de son autonomie. Elle dévalorise le fait d'être solitaire, de ne compter que sur soi. Elle a honte de qui elle est au plus profond. Attitude liée au parent nourricier, papa (dent droite), maman (dent gauche).

PÂTE D'OBTURATION QUI DÉBORDE

[11-21] La personne a subi une intrusion qui porte atteinte à son image et à son identité. Des critiques piquantes sont engrammées dans son inconscient. Une blessure narcissique profonde a été infligée par le parent éducateur, père (dent gauche), mère (dent droite) ou par un adulte (professeur) qui le représente. Un verrou bloque l'accès à l'identité et à l'estime de soi et empêche de se montrer.

[12-22] La personne a été muselée, non respectée dans son temps et son espace de parole par le parent éducateur, père (dent gauche), mère (dent droite) ou un adulte (professeur) qui le représente. Un verrou bloque l'échange et le dialogue. Un barrage empêche de s'exprimer librement face à toute personne qui rappelle inconsciemment le parent.

[13-23] La personne a subi une intrusion au plus profond d'elle-même qui a verrouillé sa puissance personnelle au moment de l'adolescence. Son territoire psychique, voire physique, a été violé. Elle a été asservie par la contrainte ou l'emprise morale du parent éducateur, père (dent gauche), mère (dent droite) ou d'un adulte (professeur) qui le représente. Un verrou empêche la personne de contrôler sa vie.

[14-24] La personne porte l'empreinte d'un événement inscrit dans son inconscient au moment de l'adolescence, qui verrouille l'action et l'esprit d'aventure. Le frein est lié au parent éducateur, père (dent gauche), mère (dent droite) ou à un adulte (professeur) qui le représente. Le blocage empêche d'entreprendre et de se lancer dans l'inconnu. **Racine vestibulaire*:** une croyance inculquée par l'éducation verrouille l'audace. **Racine palatine*:** une émotion (frayeur, angoisse, colère) paralyse le mouvement.

* *Racines confondues : les deux propositions ci-dessus coexistent.*

[15-25] La personne porte l'empreinte de l'emprise trop forte du parent au moment de l'adolescence. Elle a subi un envahissement mental, bourrage de crâne ou endoctrinement, par le parent éducateur, père (dent gauche), mère (dent droite) ou par un adulte (professeur) qui le représente. Un verrou empêche la personne de remettre en question les enseignements reçus et d'exercer son libre arbitre.

[16-26] La personne porte l'empreinte de l'autorité parentale abusive. Le parent éducateur a outrepassé ses droits sur l'enfant, de manière ouverte (coups, sévices, injures) ou insidieuse (critiques sous-entendues, non-dits, dictature morale). La personne est verrouillée par l'emprise excessive du père (dent gauche), de la mère (dent droite). Elle ne peut dire non au parent éducateur. Le parent, intimidateur ou trop exigeant, épingle la personne par ses remarques. **Racine mésio-vestibulaire* :** les critiques et les jugements piquants du parent bloquent la possibilité de penser différemment de lui. **Racine disto-vestibulaire* :** possessivité, domination abusive, mise sous tutelle. Le parent écrase l'enfant pour l'empêcher de grandir. Il l'annexe, en fait sa chose (chantage affectif). **Racine palatine* :** le verrou vient de la présence oppressante du parent tout-puissant auquel l'enfant voue une adoration sans borne. **Pâte qui envahit le sinus ou aspergillose** *(colonisation du sinus par des champignons) :* signe d'une présence étouffante du parent qui empêche la personne de vivre et de respirer (envahissement visible ou insidieux). L'image du parent, figure parfaite, trop présente ou obsédante, parasite la personne qui n'est pas libre d'être elle-même.

* *Racines confondues : les trois propositions ci-dessus coexistent.*

[17-27] Un verrou empêche la personne de prendre sa place dans la société, de progresser dans son travail, d'évoluer dans sa carrière. Le blocage, dont l'origine remonte à l'adolescence, est lié au parent éducateur, père (dent gauche), mère (dent droite) ou à un adulte (professeur) qui le représente. **Pâte qui envahit le sinus ou aspergillose** *(colonisation du sinus par des champignons):* la personne est étouffée, parasitée par un parent omnipotent et omniscient ou quelqu'un d'influent impossible à dépasser, puisque c'est lui qui l'envahit et la dépasse. **Racine mésio-vestibulaire*:** le verrou vient d'un parent trop puissant ou d'une figure influente qui écrase la personne et l'empêche de se réaliser au plan social. **Racine disto-vestibulaire*:** le verrou vient de l'autocensure, de la violence que la personne exerce à l'encontre d'elle-même afin de se soumettre au parent ou à la figure influente qui le représente. Les enjeux affectifs (s'effacer par amour pour l'autre) parasitent la carrière. **Racine palatine*:** la personne est étouffée par des émotions non digérées, liées à l'adolescence qui l'empêchent d'évoluer. Exemples : sentiment de révolte contre le parent, désir de lui désobéir et de transgresser à tout prix, ou au contraire sentiment de vénération pour une figure emblématique (homme : dent à gauche, femme : dent à droite) dont l'influence a été forte. La tendance à se laisser submerger par les émotions, à mêler sentiments et carrière empêchent la personne d'accéder à sa véritable place.
* *Racines confondues : les trois propositions ci-dessus coexistent.*

[18-28] La personne subit l'envahissement de son territoire personnel le plus subtil. C'est un viol de conscience. Ses valeurs sont parasitées par le parent éducateur, père (dent gauche), mère (dent droite) ou par une figure influente qui le représente. Un verrou bloque l'intuition. **Pâte qui envahit le sinus ou aspergillose** *(colonisation du sinus par des champignons):* le moi fondamental de la personne est étouffé. **Racine mésio-vestibulaire*:** le verrou vient de la forte influence d'autrui, de la présence intrusive d'un maître (enseignant, précepteur), de la pression sociale excessive. Injonction inconsciente : « il faut être normal, penser comme les autres ». **Racine disto-vestibulaire*:** le verrou vient de l'autocensure, de la violence que la personne s'inflige à elle-même afin de rester dans la norme. Elle a peur de la folie, de la mort, du paranormal. **Racine palatine*:** la personne est noyée par des illusions qui l'empêchent d'avoir l'esprit clair et d'écouter ses intuitions. Un idéal, un fantasme, hérité du parent ou calqué sur autrui, parasite son esprit et l'empêche d'accéder à sa propre vérité.
* *Racines confondues : les trois propositions ci-dessus coexistent.*

[41-31] La personne a subi une effraction physique dans la petite enfance, son territoire intime, physique ou émotionnel, n'a pas été respecté par le parent nourricier, papa (dent droite), maman (dent gauche). Un barrage empêche l'énergie vitale de circuler. Un verrou empêche de goûter à la joie d'être en vie, d'être au contact de l'enfant en soi.

[42-32] La personne a subi dans l'enfance un abus relationnel, sexuel ou affectif, de la part du parent nourricier ou d'une personne de l'entourage proche. Elle a été envahie affectivement par le papa (dent droite), la maman (dent gauche). Un verrou empêche d'aimer. Un barrage empêche de recevoir l'amour de l'autre, partenaire ou ami, qui rappelle inconsciemment le parent.

[43-33] La personne a subi un envahissement de son territoire physique, une violation de propriété. L'empreinte d'un viol, affectif ou physique, est présente dans la lignée paternelle (dent droite), maternelle (dent gauche). Un verrou empêche d'accéder à sa force et à sa vitalité. Le blocage dont l'origine remonte au début de l'adolescence empêche de défendre son territoire.

[44-34] La personne a subi une violence, une intrusion physique (viol) ou psychique (voyeurisme) qui bloque l'expression de sa libido, du plaisir. L'abus, qui s'est produit à l'adolescence, a été exercé par le parent nourricier, papa (dent droite), maman (dent gauche) ou par un proche. Un verrou bloque l'accès à la sensualité et à la passion.

[45-35] La personne porte dans son inconscient l'empreinte forte laissée à l'adolescence par un parent nourricier envahissant. Le papa (dent droite) ou la maman (dent gauche) a dénié à l'adolescent toute possibilité de s'affirmer. La personne est étouffée par la présence parentale. Excessivement perméable, elle ne peut s'opposer à ce que le parent l'annexe. Un verrou bloque la possibilité de se séparer et de dire non au parent ou à un proche qui le rappelle.

[46-36] La personne porte l'empreinte d'un parent nourricier envahissant, voire abusif. L'intrusion vient du papa (dent droite), de la maman (dent gauche). Le parent n'a pas respecté le territoire physique ou émotionnel de l'enfant. C'est le signe que le cordon n'est pas coupé avec le parent qui considère l'enfant comme son prolongement. Un verrou empêche de dire non au parent nourricier. **Racine mésiale:** le verrou vient d'un envahissement ou d'un abus précoce. Le parent tient l'enfant, qui est dépendant de lui à son insu. **Racine distale:** le verrou vient du parent possessif et jaloux qui refuse de laisser l'enfant grandir et s'éloigner (chantage affectif au début de l'adolescence).

[47-37] La personne a subi, à l'adolescence, un abus exercé par le parent nourricier, papa (dent droite), maman (dent gauche) ou par un proche. Elle se sent envahie dans son couple ou en amitié. Son territoire n'est pas respecté, elle a le sentiment d'être étouffée par l'autre, partenaire ou ami. Un verrou empêche de s'épanouir dans le couple. **Racine mésiale*:** l'envahissement concerne le territoire physique. La personne ne se sent pas respectée dans son intimité physique, elle manque d'un espace personnel. Le partenaire abusif ne laisse pas le choix à la personne. Exemple: partenaire intrusif et violent qui abuse de sa force et de son pouvoir. **Racine distale*:** la personne se laisse envahir par les demandes affectives du partenaire. Par peur de le perdre, elle ne fait pas respecter son besoin de temps pour se retrouver en tête à tête avec elle-même. Elle se laisse abuser moralement. Les contraintes qu'elle s'impose par sens du devoir l'empêchent de s'épanouir dans le couple.

* *Racines confondues: les deux propositions ci-dessus coexistent.*

[48-38] La personne subit un envahissement de son territoire personnel au plan émotionnel ou physique. Son autonomie matérielle et affective est étouffée par le parent nourricier, papa (dent droite), maman (dent gauche) ou par quelqu'un qui le rappelle. Un verrou empêche la personne de prendre son indépendance. **Racine mésiale*:** l'envahissement vient de l'autre, ami ou partenaire intrusif, qui empêche la personne d'être libre. **Racine distale*:** la personne exerce à l'encontre d'elle-même une autocensure ou un contrôle excessif. Par peur de l'exclusion, elle verrouille en elle toute velléité d'autonomie.

* *Racines confondues: les deux propositions ci-dessus coexistent.*

PÂTE D'OBTURATION QUI MANQUE

[11-21] La personne refuse de reconnaître une zone obscure de sa personnalité ou sa véritable identité. Elle refuse de voir la part de son identité liée au parent éducateur, père (dent gauche), mère (dent droite). Elle refuse de voir un complexe, humiliation, dévalorisation, etc., induit dans l'enfance par le regard du parent ou d'un adulte qui le représente (professeur).

[12-22] La personne ne veut pas reconnaître son besoin de parler d'un événement, d'un secret ou d'un tabou qui stagne au plus profond d'elle et qui l'empoisonne. Le tabou ou non-dit est lié au parent éducateur, père (dent gauche), mère (dent droite) ou à un adulte qui le représente (professeur). Elle refuse de voir le vide relationnel avec le parent : « je n'ai rien à lui dire ».

[13-23] La personne refuse d'aller voir au plus profond d'elle l'événement ou l'obstacle qui l'empêche d'accéder à la plénitude de sa puissance personnelle. L'obstacle est lié à l'attitude du parent éducateur, père (dent gauche), mère (dent droite) ou d'un adulte qui le représente (professeur). La personne refuse de se souvenir des contraintes imposées par le parent au moment de l'adolescence.

[14-24] La personne refuse de voir les racines d'un conflit extérieur ou intérieur, de voir ses contradictions. Elle refuse d'identifier l'émotion ou la croyance qui l'empêche d'aller de l'avant. Le frein inconscient est lié au parent éducateur, père (dent gauche), mère (dent droite) ou à un adulte qui le représente (professeur). **Racine vestibulaire*** : refus d'identifier une croyance paralysante inculquée par l'éducation. **Racine palatine*** : refus de ressentir la peur ou l'émotion qui paralyse l'action.

* *Racines confondues : les deux propositions ci-dessus coexistent.*

[15-25] La personne refuse de voir les croyances qui l'empêchent d'accéder à une pensée autonome. Les croyances sont héritées du parent éducateur, père (dent gauche), mère (dent droite) ou d'un adulte qui le représente (professeur). La personne refuse de voir honte, peur ou colère associée au fait de dire non au parent éducateur.

[16-26] La figure éducatrice parentale, père (dent gauche), mère (dent droite), est idéalisée, perçue comme toute puissante et parfaite. La personne refuse de voir qui est vraiment son père ou sa mère avec ses défauts et ses manques. Elle ne veut pas voir un aspect trouble ou honteux du parent. L'accepter dans sa réalité d'humain avec sa part d'ombre est trop souffrant. **Racine mésio-vestibulaire** : refus de voir que le parent n'est pas à la hauteur de son rôle d'enseignant et de guide. **Racine disto-vestibulaire** : refus de reconnaître le manque d'échange au début de l'adolescence. **Racine palatine** : refus de voir le manque de bonté et d'indulgence du parent. Refus de voir son côté le plus caché, un secret d'ordre intime le concernant.

[17-27] La personne refuse d'aller explorer en elle l'élément, croyance ou événement, qui l'empêche de s'affranchir de la tutelle parentale. Elle refuse de voir sa honte ou ses scrupules à dépasser les interdits du parent éducateur, père (dent gauche), mère (dent droite) ou d'un adulte qui le représente (professeur). **Racine mésio-vestibulaire*** : refus de voir que le parent ou une personne influente empêche de se réaliser. **Racine disto-vestibulaire*** : refus de voir qu'on bloque soi-même sa propre évolution professionnelle. **Racine palatine*** : refus de voir qu'on exerce une profession qu'on n'aime pas, qu'on tourne à vide dans son travail.

* *Racines confondues : les trois propositions ci-dessus coexistent.*

[18-28] La personne refuse de voir le frein inconscient qui l'empêche d'être pleinement elle-même et d'avoir accès à sa propre vérité. La croyance ou l'événement est lié au parent éducateur, père (dent gauche), mère (dent droite). La personne refuse de voir qui elle est au plus profond d'elle, refuse de découvrir un vide existentiel.

[41-31] La personne porte un secret lié à la petite enfance, la naissance ou la gestation, si honteux et intime qu'elle ne veut pas le voir. Le tabou est lié au parent géniteur (ou éventuellement nourricier), papa (dent droite), maman (dent gauche). Elle refuse de voir son manque d'envie de vivre.

[42-32] La personne refuse de voir une composante souffrante et honteuse de la relation affective avec le parent nourricier, papa (dent droite), maman (dent gauche) ou avec un proche. Exemples : désir incestueux non reconnu pour le parent, désir homosexuel. Elle refuse de voir le manque d'amour du parent nourricier, insupportable et trop douloureux.

[43-33] Il existe un secret ou tabou transmis par la lignée paternelle (dent droite), maternelle (dent gauche), au minimum un non-dit, qui empoisonne dans l'ombre l'existence de la personne et qu'elle ne veut pas voir. Elle refuse de voir les origines obscures ou honteuses de la lignée. Elle refuse de contacter des pulsions troubles (viol, meurtre, etc.).

[44-34] La personne refuse d'explorer les racines du plaisir, de découvrir ses envies cachées, ses pulsions les plus profondes (exemple : homosexualité refoulée). Il y a en elle une honte concernant la sensualité (événement, croyance ou envie) qu'elle ne veut surtout pas voir. L'élément est lié au parent nourricier, papa (dent droite), maman (dent gauche) ou à un proche. Elle refuse de voir que rien ne lui fait vraiment plaisir.

[45-35] la personne refuse d'aller voir en elle l'événement ou l'émotion qui l'empêche de s'affirmer, de se séparer du parent nourricier, papa (dent droite), maman (dent gauche) ou d'un proche qui le rappelle inconsciemment. Elle refuse de voir la honte, la peur ou la colère associée au fait de dire non au parent nourricier.

[46-36] La personne refuse de voir le parent nourricier, papa (dent droite), maman (dent gauche) tel qu'il est vraiment. Elle idéalise la figure parentale (parent idéalement tendre, affectueux) et refuse de reconnaître ses manques et ses imperfections. La personne ne veut pas voir un aspect trouble ou honteux du parent. **Racine mésiale :** refus de voir le manque de présence physique ou le manque précoce du parent qui n'a pas répondu aux besoins du petit enfant. **Racine distale :** refus de voir l'insuffisance affective, le manque relationnel avec le parent nourricier au début de l'adolescence. Refus de se souvenir d'une relation œdipienne trouble.

[47-37] La personne refuse d'aller voir en elle l'élément (émotion, événement, rancœur) qui empêche la bonne santé du couple ou de la relation amicale. Elle refuse de se souvenir d'un épisode trouble de l'adolescence en lien avec l'amitié ou avec les flirts. L'obstacle est lié à l'attachement pour le parent nourricier, papa (dent droite), maman (dent gauche). **Racine mésiale* :** refus de voir ce qui bloque par rapport à l'autre (conjoint, ami). **Racine distale* :** refus de voir ce qui bloque par rapport à soi.

***** *Racines confondues : les deux propositions ci-dessus coexistent.*

[48-38] La personne refuse de voir le frein inconscient (émotion paralysante comme la peur) qui empêche de quitter le parent nourricier, papa (dent droite), maman (dent gauche), un ami ou un conjoint, et de s'assumer seul. Elle refuse d'identifier sa peur de la solitude ou de l'exclusion. Elle refuse de sentir à quel point elle est seule. **Racine mésiale*** : refus de voir que l'autre lui manque. **Racine distale*** : refus de voir qu'elle n'est pas présente à elle-même.

* *Racines confondues : les deux propositions ci-dessus coexistent.*

RACINE COUDÉE

[11-21] La personne a subi des contraintes (période de 7 à 10 ans) qui l'ont empêchée d'être elle-même. Elles lui ont été imposées par le parent éducateur ou un adulte qui représente l'autorité (professeur). La personne a dû plier devant le regard du père (dent gauche), de la mère (dent droite). Elle accède difficilement à son identité propre, à l'estime de soi. **Racine pliée en direction mésiale**: refus viscéral de ressembler au parent. **Racine pliée en direction distale**: l'identité et l'image de soi sont conditionnées par le regard du parent.

[12-22] Des contraintes excessives ont été infligées à la personne (période de 8 à 11 ans) pour l'empêcher de parler. Elles lui ont été imposées par le parent éducateur, père (dent gauche), mère (dent droite), ou par un adulte qui représente l'autorité (professeur). La personne accède difficilement au dialogue. C'est le signe d'une fermeture viscérale aux autres. **Racine pliée en direction mésiale**: refus de communiquer avec le parent, rébellion inconsciente contre lui, prédisposition à se croire seul au monde. **Racine en direction distale**: soumission au parent, prédisposition à ne parler qu'à lui ou à répéter ses paroles.

[13-23] La personne a subi des contraintes excessives à l'adolescence (période de 12 à 15 ans), exercées par le parent éducateur ou un adulte représentant l'autorité (professeur). Le père (dent gauche), la mère (dent droite) a cherché à briser la volonté de la personne qui a dû plier l'échine devant le parent ou un système éducatif autoritaire. Elle accède difficilement à son pouvoir personnel. **Racine pliée en direction mésiale**: rejet du parent, prédisposition à se rebeller contre tout pouvoir extérieur. **Racine pliée en direction distale**: prédisposition à se soumettre, à abdiquer son pouvoir devant le parent et à capituler devant plus fort que soi.

[14-24] La personne a subi à l'adolescence (période de 11 à 14 ans) des contraintes excessives qui lui ont coupé l'envie d'aller de l'avant et de partir à l'aventure. Ses ailes ont été coupées par le parent éducateur, père (dent gauche), mère (dent droite) ou un adulte qui représente l'autorité (professeur). Prendre des initiatives est difficile. **Racine pliée en direction mésiale**: rejet inconscient du parent, repli sur soi. Le contrôle est surdéveloppé par peur du risque. Ou au contraire la personne adopte un comportement téméraire pour provoquer le parent. **Racine pliée en direction distale**: soumission, recherche inconsciente de la protection du parent contre le danger, hésitation permanente, toute action est conditionnée à l'assentiment du parent.

[15-25] La personne a été contrainte de renoncer à son libre arbitre à l'adolescence (période de 11 à 14 ans). La contrainte est liée à l'emprise morale du parent éducateur, père (dent gauche), mère (dent droite) ou d'un adulte qui représente l'autorité comme un professeur. La personne prend difficilement du recul par rapport au parent. **Racine pliée en direction mésiale**: prédisposition à prendre systématiquement le contre-pied des valeurs du parent, rébellion inconsciente. **Racine pliée en direction distale**: soumission inconsciente au parent, pensée calquée sur la sienne. Tout choix est conditionné à l'assentiment du parent.

[16-26] La personne a subi l'autorité trop contraignante du parent éducateur (période de 6 à 10 ans), père (dent gauche), mère (dent droite). Elle refuse viscéralement l'autorité exercée par toute personne qui lui rappelle inconsciemment le parent. Elle accède difficilement à l'aide morale et aux conseils. Rébellion viscérale par rapport à la loi, la hiérarchie. **Racine coudée en direction mésiale**: repli sur soi, la personne se protège en se retirant dans son monde intérieur. **Racine coudée en direction distale :** la personne cherche à échapper à l'emprise du parent par des compensations extérieures, en se raccrochant par exemple à d'autres modèles (professeurs, amis).

[17-27] La personne a subi des contraintes excessives à l'adolescence (période de 12 à 15 ans) de la part du parent ou du système éducatif. Elle a plié sous l'emprise excessive du parent éducateur, père (dent gauche), mère (dent droite) ou d'un adulte qui représente l'autorité (professeur). Elle s'intègre difficilement à la société, rejette la hiérarchie et les lois. **Racine pliée en direction mésiale :** soumission inconsciente à l'influence du parent, désir inconscient de prendre sa succession. **Racine pliée en direction distale :** rébellion contre le parent, prédisposition à la marginalité ou à faire carrière dans une direction opposée à celle du parent.

[18-28] La personne a subi à la fin de l'adolescence (période de 16 à 20 ans) l'emprise excessive du parent éducateur, père (dent gauche), mère (dent droite), ou de quelqu'un qui représente l'autorité (professeur), ou encore du système social. Elle n'accède pas directement à son intuition. Elle est prédisposée à ne pas croire facilement en ses propres valeurs. **Racine pliée en direction mésiale :** la personne se raccroche et se soumet inconsciemment aux valeurs sociales. **Racine pliée en direction distale :** rébellion contre l'ordre et prédisposition à prendre le contre-pied des valeurs sociales. **Racines emmêlées** *(des dents « barrées ») :* signe d'un cheminement difficile vers ses valeurs personnelles, fait d'hésitations et de remises en question ; la personne croit qu'il est compliqué de se connecter à soi-même.

[41-31] La personne a subi (période de 7 à 10 ans) des contraintes excessives imposées à son corps, des négligences ou des maltraitances physiques exercées par le parent nourricier, papa (dent droite), maman (dent gauche). Elle accède difficilement à la joie de vivre. Elle est fermée ou viscéralement méfiante envers la vie. **Racine pliée en direction mésiale :** refus de recevoir la vie du parent biologique, repli fondamental sur soi. **Racine pliée en direction distale :** dépendance viscérale au parent : « je n'existe que par lui ». Prédisposition à la dépendance affective.

[42-32] La personne a subi (période de 8 à 11 ans) un événement marquant, comme l'abandon ou l'abus, lié au parent nourricier, papa (dent droite), maman (dent gauche). Elle accède difficilement à la tendresse et à l'affection. Elle est fermée aux sentiments amoureux. **Racine pliée en direction mésiale :** refus viscéral de recevoir l'amour du parent, repli sur soi, prédisposition à rester ou à se sentir seul. **Racine pliée en direction distale :** la personne croit que le parent est sa seule source d'amour, elle est prédisposée à rechercher le parent à travers les relations affectives, prédisposée à une forte possessivité par rapport au partenaire.

[43-33] La personne a subi un événement traumatisant qui l'a conduite à rejeter la procréation au début de l'adolescence (période de 9 à 13 ans). Elle a subi un traumatisme lié à la perte du territoire. L'événement est lié au papa (dent droite), à la maman (dent gauche). Elle accède difficilement à ses pulsions. **Racine coudée en direction mésiale :** refus viscéral de s'inscrire dans la continuité de la lignée du père biologique (droite), de la mère biologique (gauche), prédisposition à tout garder ou tout ramener à soi. **Racine coudée en direction distale :** forte empreinte héréditaire, prédisposition à vivre la vie du parent par procuration, à être son prolongement, voire son clone.

[44-34] La personne a subi à l'adolescence (période de 10 à 13 ans) un traumatisme qui a provoqué le rejet de la sexualité. Exemples : regard malsain ou castrateur, tentative de séduction, abus de la part du parent nourricier, papa (dent droite), maman (dent gauche) ou d'une personne de l'entourage proche. C'est le signe d'un blocage inconscient de la féminité ou de la masculinité. La personne accède difficilement au plaisir, à la libido ou à la passion. **Racine pliée en direction mésiale:** rejet du père nourricier et de l'homme (droite), rejet de la mère nourricière et de la femme (gauche). **Racine pliée en direction distale:** la personne bloque sa libido en restant le petit garçon ou la petite fille du parent.

[45-35] La personne s'est affirmée et séparée difficilement du parent nourricier au moment de l'adolescence (période de 10 à 13 ans), papa (dent droite), maman (dent gauche). **Racine pliée en direction mésiale:** tentative inconsciente d'échapper à l'emprise affective du parent nourricier, rejet du parent, désir de s'opposer à lui par la provocation. **Racine pliée en direction distale:** la personne a vécu un traumatisme qui a réactivé l'angoisse de séparation. Désir inconscient de s'accrocher au parent, de ne pas se séparer de lui.

[46-36] La personne a subi une contrainte physique ou affective de la part du parent (période de 6 à 10 ans). Elle refuse viscéralement d'être nourrie par le papa (dent droite), par la maman (dent gauche). Elle accède difficilement aux ressources matérielles et affectives (soutien moral, aide financière). **Racine coudée en direction distale:** la personne cherche à compenser le manque parental à travers des amitiés ou le couple.

[47-37] La personne a refusé les échanges affectifs (flirts ou amitiés) à l'adolescence (période de 12 à 15 ans) ou bien elle s'est fermée à la suite de déceptions sentimentales. C'est le signe d'un blocage lié au parent nourricier, papa (dent droite), maman (dent gauche) qui prédispose à faire difficilement confiance à l'autre, conjoint ou ami. La personne accède difficilement à l'amitié ou au couple. **Racines pliées en direction mésiale:** prédisposition à rester proche du parent ou à rechercher un conjoint qui ressemble au parent nourricier et joue son rôle. **Racines pliées en direction distale:** rejet inconscient du parent nourricier, prédisposition à rester seul ou à rechercher un conjoint qui soit l'opposé du parent.

[48-38] La personne trouve péniblement le chemin de l'autonomie au début de l'âge adulte (période de 16 à 20 ans). Elle ne s'éloigne pas facilement du parent nourricier, papa (dent droite), maman (dent gauche) ou d'un système qui la rassure. Elle accède difficilement à la confiance en ses appuis personnels. **Racine pliée en direction mésiale:** prédisposition à s'accrocher, pour ne pas rester seul, à un conjoint qui représente le parent. **Racine pliée en direction distale:** prédisposition à se lier difficilement, à fuir l'amitié ou le couple, à rester attaché au passé et à l'enfance (attachement aux lieux, aux souvenirs plus qu'au parent lui-même). **Racines emmêlées** *(des dents « barrées »):* accès tortueux à l'indépendance, chemin personnel jalonné d'embûches, croyance qu'il est pénible ou compliqué de vivre par soi-même et pour soi-même.

RACINES FUSIONNÉES OU RESSERRÉES

[16-26] La personne prend difficilement du recul par rapport au parent éducateur, père (dent gauche), mère (dent droite). Elle le perçoit comme tout-puissant et incontournable. Elle l'idéalise, en fait un dieu, un modèle absolu. Elle reste dépendante de lui, même si en apparence elle se rebelle contre son autorité.

[17-27] Prédisposition à trouver difficilement sa place, à faire difficilement « son trou ». La personne sous-estime ses capacités. Elle a du mal à s'épanouir socialement en dehors du parent éducateur, père (dent gauche), mère (dent droite).

[18-28] Manque d'assise personnelle. La personne place sa foi en un dieu extérieur inaccessible, plutôt qu'en elle-même. Elle éprouve des difficultés à se faire confiance et à sortir de l'influence du parent éducateur, père (dent gauche), mère (dent droite).

[46-36] Le parent nourricier emprisonne l'enfant. Méfiance viscérale par rapport à la matière. Défiance vis-à-vis de toute personne qui représente un papa (dent droite), une maman (dent gauche).

[47-37] Prédisposition à faire couple avec soi-même ou avec le parent nourricier, papa (dent droite), maman (dent gauche). La personne reste prisonnière d'un œdipe fort qui l'incite à rechercher le parent dans son conjoint. Sa quête de fusion rend difficile la construction d'un couple stable. Elle est prédisposée à se sentir déçue ou trahie.

[48-38] Manque d'assise personnelle. La personne éprouve des réticences à manifester pleinement qui elle est, à s'épanouir en dehors des sentiers battus. Difficulté à avancer seul, sans l'appui du parent nourricier, papa (dent droite), maman (dent gauche).

USURE ACCENTUÉE PAR COURONNE ANTAGONISTE

NB : le numéro indiqué est celui de la dent usée.

[11-21] La personne se laisse dévorer par l'emprise de sa part infantile. L'enfant capricieux domine l'adulte. La personne se laisse miner par ses émotions qui l'empêchent d'imposer une image d'adulte. Problème lié au manque d'appui du parent éducateur, père (dent gauche), mère (dent droite).

[12-22] La personne se tait, renonce à faire valoir sa parole, ou bien s'exprime à la manière impulsive d'un enfant, dominée par les émotions et les compromis affectifs. Problème lié au au manque d'appui du parent éducateur, père (dent gauche), mère (dent droite).

[13-23] La volonté est usée par l'emprise familiale. Ou bien la personne est dévorée par l'emprise tyrannique de ses propres instincts. Problème lié au manque d'appui du parent éducateur, père (dent gauche), mère (dent droite).

[14-24] L'action s'efface devant la recherche de plaisir, le guerrier est vaincu par ses sens. La personne se laisse dévorer par ses désirs ou user par une passion dévorante. Problème lié au manque d'appui du parent éducateur, père (dent gauche), mère (dent droite).

[15-25] La personne se contraint à renoncer à son libre arbitre par loyauté envers le parent éducateur, pour ne pas le peiner ou le blesser. Problème lié au père (dent gauche), à la mère (dent droite).

[16-26] Empreinte d'un déséquilibre au sein du couple parental. L'emprise affective du parent nourricier mine l'autorité du parent éducateur qui n'est pas assez présent. À droite, le papa mine l'autorité de la mère (dent 16). À gauche, la maman sape l'autorité du père (dent 26). La personne reproduit ce schéma dans son propre couple.

[17-27] La personne est usée par le stress ou des conditions de travail trop pénibles. Ou bien la carrière s'efface devant les exigences de la vie de couple. Attitude liée au manque d'appui du parent éducateur, père (dent gauche), mère (dent droite).

[18-28] Les valeurs et les idéaux s'effacent devant les impératifs du quotidien. La personne est usée, blasée par la dure réalité. Elle renonce à ses rêves. Attitude liée au manque d'appui du parent éducateur, père (dent gauche), mère (dent droite).

[41-31] Sévérité excessive de l'adulte envers l'enfant en soi. Empreinte d'un parent éducateur trop sévère face au parent nourricier trop faible : affection insuffisante du papa (dent droite) qui ne compense pas la dureté de la mère ; affection insuffisante de la maman (dent gauche) qui ne compense pas la dureté du père. Personne élevée à la dure, dans le déni de ses besoins, qui continue de s'appliquer le même traitement. Elle ne s'écoute pas, s'en demande trop.

[42-32] La personne s'interdit d'aimer, par sens du devoir, se sacrifie pour les autres. La vie sentimentale s'efface devant le travail et les obligations. Problème lié au manque de soutien du parent nourricier, papa (dent droite), maman (dent gauche), face au parent éducateur trop sévère.

[43-33] La personne use sa vitalité physique par devoir ou pour réaliser ses buts. Elle abuse de ses forces. Le mental, sous la forme d'une ambition dévorante, use le corps. Problème lié au manque de soutien du parent nourricier, papa (dent droite), maman (dent gauche), face au parent éducateur trop sévère.

[44-34] Le sens exagéré du devoir nie le droit au plaisir. La personne sacrifie la passion au travail. Problème lié au manque de soutien du parent nourricier, papa (dent droite), maman (dent gauche), face au parent éducateur trop sévère.

[45-35] La personne nie son originalité par devoir envers le parent nourricier. Afin de le prendre en charge ou de répondre à ses besoins affectifs ou matériels, elle renonce à se séparer de lui. Problème lié au papa (dent droite), à la maman (dent gauche).

[46-36] Empreinte d'un déséquilibre au sein du couple parental. Le parent nourricier trop faible ne fait pas le poids face au parent éducateur trop dur. À droite, le papa (dent 46) s'efface devant l'autorité de la mère. À gauche, la maman (dent 36) s'efface devant le père. La personne reproduit ce schéma dans son propre couple.

[47-37] Le couple s'efface devant le travail, la carrière détruit l'union. Problème lié au manque de soutien du parent nourricier, papa (dent droite), maman (dent gauche), face au parent éducateur trop sévère.

[48-38] La personne a trop pris sur elle sans accepter ou demander d'aide. L'emprise tyrannique de son intellect lui fait croire qu'elle peut tout assumer seule. Ses ressources personnelles (physiques, financières ou affectives) sont usées. Problème lié au manque de soutien du parent nourricier, papa (dent droite), maman (dent gauche), face au parent éducateur trop sévère.

USURE PARTIELLE

[11-21] La personne tente de rectifier son image pour répondre aux attentes du parent éducateur. Il faut faire bonne figure, être bien habillé, bien se tenir, etc. Rester petit, prendre peu de place, s'effacer, se conduire avec discrétion, ne pas se montrer trop intelligent, ou ne pas se faire remarquer par son apparence. Attitude liée au père (dent gauche), à la mère (dent droite).

[12-22] La personne tente de rectifier sa manière de communiquer pour obéir aux standards éducatifs et répondre aux attentes du parent éducateur. Mesurer ses propos, parler à demi-mots car il est mal vu d'être franc ; se montrer réservé, car il est mal vu d'aborder autrui ; rester imperturbable face à autrui car il est mal vu de se montrer trop à l'écoute ou trop compréhensif. Attitude liée au père (dent gauche), à la mère (dent droite).

[13-23] La personne tente de réprimer sa force pour paraître lisse et gentille : cela ne se fait pas de se montrer volontaire ou déterminé. Le loup aux dents longues lime ses crocs dans le but de ressembler à un mouton pour répondre aux attentes du parent éducateur. Attitude liée au père (dent gauche), à la mère (dent droite).

[14-24] La personne tente de réduire l'audace, de paraître moins active ou entreprenante, d'atténuer ses contradictions pour se conformer aux attentes du parent éducateur. Elle essaie de trouver l'harmonie entre la tête et le cœur, à l'intérieur d'elle-même. **Usure de la pointe côté joue** *(vestibulaire):* elle tente de réduire l'emprise de l'intellect par peur d'être jugée trop raisonnable par le parent ou le système éducatif ou social. **Usure de la pointe côté palais** *(palatine):* elle tente de réduire l'emprise des envies, de la passion par peur d'être jugée trop impulsive par le parent ou le système éducatif ou social. Attitude liée au père (dent gauche), à la mère (dent droite).

[15-25] La personne tente de réprimer sa capacité de décider par elle-même pour répondre aux attentes du parent éducateur. Elle tente de rendre son mode de pensée acceptable par le parent. **Usure de la pointe côté joue** *(vestibulaire):* elle refrène sa raison par crainte d'être jugée trop réfléchie par le parent ou le système éducatif ou social. **Usure de la pointe côté palais** *(palatine):* elle refrène son cœur par peur d'être jugée trop impulsive par le parent ou le système éducatif ou social. Attitude liée au père (dent gauche), à la mère (dent droite).

[16-26] La personne tente de réduire l'influence du parent éducateur, père (dent gauche), mère (dent droite), dont l'emprise est trop pesante. Elle essaie de rendre le parent moins imposant pour échapper à son contrôle.

[17-27] La personne tente de répondre aux attentes du parent éducateur en s'empêchant de transgresser les interdits du père (dent gauche), de la mère (dent droite). Elle refrène ses ambitions et son désir de s'accomplir.

[18-28] La personne tente de réprimer sa part intuitive pour répondre aux attentes du parent éducateur. Elle refrène sa part un peu folle ou marginale pour rester dans la norme sociale. Attitude liée au père (dent gauche), à la mère (dent droite).

[41-31] La personne tente de réprimer ses besoins pour se conformer aux attentes du parent nourricier qui demande que l'on contrôle sa part enfant. Il est inconvenant d'être spontané, de montrer sa fragilité. Se faire tout petit, se faire oublier. Réprimer ses besoins vitaux : ne pas manifester ses besoins (manger, faire pipi, etc.) ; ou son caractère turbulent et joueur : rester sage et discret. Attitude liée au papa (dent droite), à la maman (dent gauche).

[42-32] La personne tente de réduire ses demandes affectives pour se faire accepter du parent nourricier. Minimiser l'importance de la relation, ne pas prendre trop de place, réduire les contacts physiques dans la relation, ou bien se taire, réduire l'importance du dialogue. Attitude liée au papa (dent droite), à la maman (dent gauche).

[43-33] La personne tente de réprimer ses forces animales, ses pulsions, son envie de mordre pour défendre son territoire. Elle se contraint à se conduire dans l'intimité comme un mouton pour plaire au parent nourricier. Attitude liée au papa (dent droite), à la maman (dent gauche).

[44-34] La personne tente de de se conformer à un standard éducatif en rendant moins présente la part trop gênante de soi que représente le plaisir, la libido, les pulsions. Elle tente de contrôler sa sexualité pour plaire au parent nourricier. Attitude liée au papa (dent droite), à la maman (dent gauche).

[45-35] La personne tente de gommer son originalité, de polir le relief de sa personnalité pour se faire apprécier du parent nourricier. Attitude liée au papa (dent droite), à la maman (dent gauche).

[46-36] La personne tente de réduire l'importance du parent nourricier, papa (dent droite), maman (dent gauche). Le parent est perçu comme envahissant : « papa ou maman prend trop de place ».

[47-37] La personne tente de rendre le couple conforme aux standards des parents ou de la société. Elle tente d'imiter ou de plaire au parent nourricier, papa (dent droite), maman (dent gauche). La personne tente d'effacer le partenaire qui prend trop de place, ou au contraire s'efface elle-même dans le couple.

[48-38] La personne tente de réprimer son autonomie pour répondre aux demandes du parent nourricier. Elle refrène son tempérament solitaire pour se conformer aux normes sociales, par peur de passer pour marginale. Attitude liée au papa (dent droite), à la maman (dent gauche).

USURE PRONONCÉE

[11-21] La personne veut effacer son apparence, jusqu'à disparaître entièrement. L'image de soi est usée ou vieillie à force d'avoir tenté de plaire à tout le monde ou fait trop d'efforts dans l'espoir d'être présentable ou convenable aux yeux d'autrui. Avec d'autres dents usées : rébellion de l'enfant intérieur contre l'adulte. La personne s'acharne à détruire son image sociale. Exemple : colère contre soi-même après une rupture sentimentale. La personne détruit par dépit l'image de l'homme ou du père (dent gauche), l'image de la femme ou de la mère (dent droite).

[12-22] La personne veut effacer l'échange et le dialogue. Elle est lasse de parler, elle a le sentiment d'avoir tout dit, de n'avoir plus rien à dire. Ou bien elle renonce depuis longtemps à dire le fond de sa pensée. La personne a trop pris sur elle, s'est montrée trop diplomate ou trop conciliante envers autrui. Avec d'autres dents usées : colère que la personne n'ose pas mettre en mots contre le parent éducateur. Elle ravale ses paroles, rumine sa colère. Elle s'acharne à détruire toute forme de communication avec le parent ou à ignorer le flot de paroles qui demande à sortir. Il existe un sujet tabou que la personne n'ose pas aborder avec le père (dent gauche), la mère (dent droite).

[13-23] La personne veut effacer toute volonté personnelle. Abus exercé par la famille. La pression de la lignée nie l'originalité, la créativité de la personne, littéralement dévorée par l'emprise familiale. Emprise trop forte de la lignée, paternelle (dent droite), maternelle (dent gauche). Exemple : personne contrainte à faire des études, à prendre la succession du parent. Avec d'autres dents usées : forte colère, rébellion rentrée contre le parent éducateur, père (dent gauche), mère (dent droite). La personne se retient de mordre, elle s'acharne à détruire sa force de détermination en retournant son agressivité contre elle-même.

[14-24] La personne veut effacer l'audace ou faire disparaître ses contradictions. L'audace s'est émoussée. La personne a beaucoup fonctionné par l'impulsivité, les coups de tête, a tout fait, tout expérimenté. Rien de nouveau ne peut la surprendre. Ou bien cela fait longtemps qu'elle n'ose plus rien entreprendre. Avec d'autres dents usées : colère contre soi-même et contre le parent éducateur. La personne s'acharne à détruire ses possibilités d'agir en adulte responsable. Problème lié au père (dent gauche), à la mère (dent droite).

[15-25] La personne veut effacer sa capacité de penser et de juger par elle-même. Elle a beaucoup tergiversé, pesé le pour et le contre sans pouvoir se décider. Avec d'autres dents usées : colère contre soi-même et contre le parent éducateur. La personne s'acharne à détruire toute pensée personnelle. Elle se punit d'oser dire non au parent. Ou bien elle s'en veut de ne pas oser le faire. Problème lié au père (dent gauche), à la mère (dent droite).

[16-26] La personne veut effacer le souvenir du parent. Elle a trop sollicité l'aide morale et les conseils du parent éducateur ou de quelqu'un qui joue ce rôle. Avec d'autres dents usées : colère rentrée contre le parent qui ne joue pas (assez) son rôle de soutien moral ou de conseiller, la personne ronge son frein ou rumine ses griefs. Elle s'acharne à détruire intérieurement le parent pour l'oublier. Problème lié au père (dent gauche), à la mère (dent droite).

[17-27] La personne veut effacer la possibilité de s'accomplir socialement. Elle s'est trop dévouée à son travail. Il est temps de passer à autre chose, de vivre pour soi par exemple. Avec d'autres dents usées : colère ou dépit lié au travail contre un supérieur hiérarchique ou un collègue qui rappelle inconsciemment le parent éducateur. La personne ronge son frein, elle s'acharne à effacer un travail qu'elle n'apprécie pas. Problème lié au père (dent gauche), à la mère (dent droite).

[18-28] La personne veut effacer son intuition. L'inspiration s'use à force de fonctionner en circuit fermé. Ou bien cela fait longtemps que la personne n'écoute plus sa petite voix. Avec d'autres dents usées : colère contre soi-même et indirectement contre le parent éducateur. La personne s'acharne à détruire ses vérités ou ronge son frein sans oser exprimer ses valeurs personnelles. Problème lié au père (dent gauche), à la mère (dent droite).

[41-31] La personne veut effacer sa fragilité. On a abusé de l'enfant qu'elle a été, on lui a fait porter un poids trop lourd. L'enfant intérieur a mûri précocement. Il est diminué, amputé d'une partie de lui-même qui a été sacrifiée. La personne continue de s'appliquer le même traitement. Avec d'autres dents usées : colère contre sa part vulnérable, déni de l'enfant en soi, acharnement à effacer le corps. Problème lié au parent nourricier, papa (dent droite), maman (dent gauche).

[42-32] La personne veut effacer la relation. Elle est blasée par l'amour ou les sentiments. Avec d'autres dents usées : colère rentrée contre le parent nourricier, acharnement à effacer la relation souffrante, avec le papa ou l'homme (dent droite), avec la maman ou la femme (dent gauche). La personne se retient de parler d'un sujet intime ou tabou qui concerne le parent ou bien un partenaire qui le rappelle inconsciemment.

[43-33] La personne veut réduire ses instincts, effacer la lignée paternelle (dent droite), maternelle (dent gauche). Ses forces vitales sont usées. Avec d'autres dents usées : colère contre le parent géniteur ou contre le clan. Désir inconscient d'être orphelin. Le désir d'être à part est plus fort que celui d'appartenir à un clan. La personne s'acharne à réduire l'importance de l'empreinte familiale, jusqu'à oublier la lignée paternelle (dent droite), maternelle (dent gauche).

[44-34] La personne veut effacer sa libido. Ses sens sont émoussés. Blasée, la vie lui paraît plate et terne. Avec d'autres dents usées : colère dirigée contre soi et indirectement contre le parent nourricier, autocensure, négation de la sensualité que la personne s'acharne à détruire : « je n'ai pas le droit de ressentir du plaisir, je dois en effacer toute trace de ma vie ». Réaction de dépit après une rupture amoureuse. Problème lié au papa (dent droite), à la maman (dent gauche).

[45-35] La personne veut effacer l'affirmation de soi. Elle a essayé de se démarquer par tous les moyens ou bien y a renoncé depuis longtemps jusqu'à dénier tout relief à sa personnalité. Avec d'autres dents usées : colère contre soi-même et indirectement contre le parent. La personne s'acharne à détruire toute volonté de séparation. Elle se punit d'oser dire non au parent nourricier, ou bien s'en veut de ne pas oser mettre de limites, de dire oui quand elle pense non. Problème lié au papa (dent droite), à la maman (dent gauche).

[46-36] La personne veut effacer le parent nourricier. Elle a abusé de l'aide et de l'appui du parent nourricier ou de quelqu'un qui joue ce rôle. Elle a épuisé les recours affectifs ou matériels. Il est temps qu'elle se prenne en charge. Avec d'autres dents usées : colère rentrée contre le parent nourricier qui ne joue pas (assez) son rôle de soutien, la personne ronge son frein ou rumine sa rancœur. Elle s'acharne à détruire le parent pour l'oublier, papa (dent droite), maman (dent gauche).

[47-37]. La personne veut effacer le couple. Elle a abusé de l'union en lui demandant trop. Avec le temps le couple a perdu son relief, son piquant, la routine s'est installée. Avec d'autres dents usées: colère ou dépit lié au couple qui ne satisfait pas les attentes de la personne. Colère rentrée contre le partenaire ou autonégation au sein du couple, colère rentrée contre soi-même. Problème lié au parent nourricier, papa (dent droite), à la maman (dent gauche).

[48-38] La personne a abusé de sa capacité à ne compter que sur elle-même. Ses ressources personnelles sont épuisées. Il faut apprendre à se faire aider. Avec d'autres dents usées: colère contre soi-même, acharnement à détruire ses ressources personnelles. La personne s'en veut de laisser tomber tout le monde (parents, partenaire, amis) pour vivre seule, en égoïste, ou bien ronge son frein sans oser le faire. Problème lié au parent nourricier, papa (dent droite), à la maman (dent gauche).

TABLE DES MATIÈRES

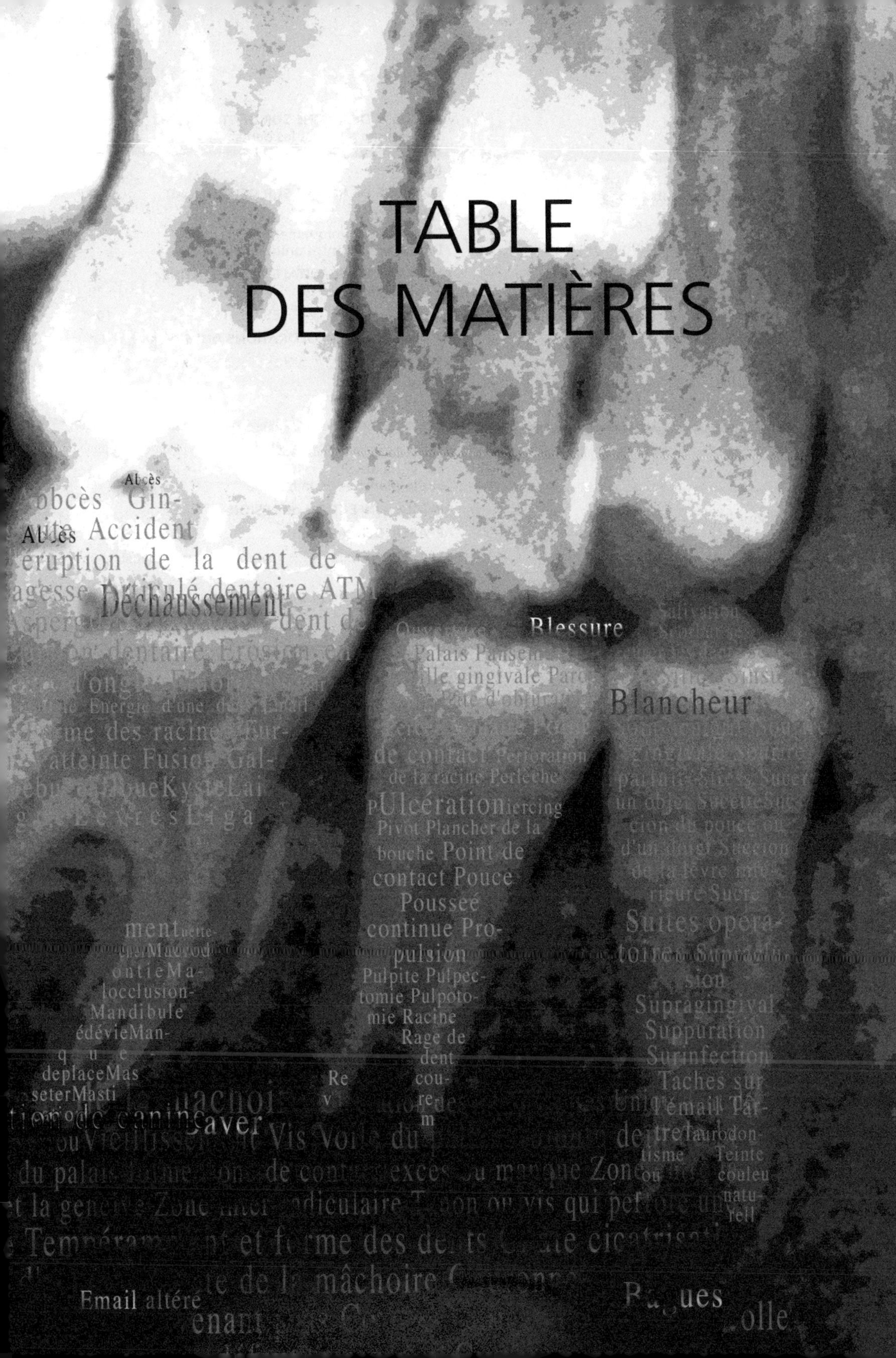

B

C

C suite

D

E

E suite

F

N

O

P

S suite

T

U

V

Z

BIBLIOGRAPHIE

L'œuvre d'Estelle Vereeck, docteur en chirurgie dentaire, est originale. Elle ne se fonde sur aucune autre approche. Son travail n'est inspiré d'aucun ouvrage existant à ce jour sur la symbolique des dents, ni sur aucun décodage qui pourrait y être appliqué. Ses recherches et ses déductions se basent sur l'observation concrète de la bouche, vue comme une architecture et une construction logique, étayée par l'analyse minutieuse de nombreux cas cliniques. Outre l'enseignement tiré de ses nombreuses consultations, la bibliographie ayant servi à l'élaboration de cet ouvrage se résume aux éléments d'anatomie et de physiologie du cursus de chirurgie dentaire.

ESTELLE VEREECK

Estelle Vereeck anime de nombreuses conférences et participe à des émissions de radio, nationales et régionales. Elle n'exerce plus la chirurgie dentaire depuis 2001.

Mail : ev36@wanadoo.fr

Estelle Vereeck s'intéresse dès le début de son cursus universitaire au langage symbolique. Diplômée en 1987 de la faculté de chirurgie dentaire de Nancy et lauréate de la faculté de médecine, elle consacre sa thèse à la symbolique des couleurs et à leur utilisation en cabinet dentaire. Elle crée son cabinet en 1989. D'emblée, elle place l'être humain au centre de sa pratique, convaincue que les problèmes dentaires expriment le langage de l'inconscient. Durant ses quinze années d'exercice, elle s'attache à en découvrir le sens. Ses observations cliniques posent les bases du « diagnostic psychodentaire® » et du « décodage dentaire ». Elle exerce en tant que chirurgien-dentiste jusqu'en juillet 2001, date à laquelle elle choisit de se consacrer à l'écriture.

2e tirage
(1er tirage le 30 avril 2004)

Achevé d'imprimer début février 2005
sur les presses de l'imprimerie
Bic Graphic, 12000 - Rodez

Dépôt légal : février 2005

Imprimé en France